# Prédictions Angéliques 2017

**Catalogage avant publication de Bibliothèque et Archives nationales du Québec et Bibliothèque et Archives Canada**

Flansberry, Joane, 1960-
Prédictions angéliques
ISSN 1928-2133
ISBN 978-2-89436-873-2
1. Anges - Miscellanées - Guides, manuels, etc. 2. Prédictions (Occultisme) - Guides, manuels, etc. I. Titre.
BL477.F52 202'.15 C2012-300887-5

*Avec la participation financière du gouvernement du Canada.* Canada

*Nous remercions la Société de développement des entreprises culturelles du Québec (SODEC) pour son appui à notre programme de publication.*

*Gouvernement du Québec – Programme de crédit d'impôt pour l'édition de livres – Gestion SODEC.*

Infographie de la page couverture: Marjorie Patry
Mise en pages : Josée Larrivée
Éditeur : Les Éditions Le Dauphin Blanc inc.
Complexe Lebourgneuf, bureau 125
825, boulevard Lebourgneuf
Québec (Québec) G2J 0B9 CANADA
Tél. : 418 845-4045 Téléc. : 418 845-1933
Courriel : info@dauphinblanc.com
Site web : www.dauphinblanc.com

ISBN version papier : 978-2-89436-873-2

Dépôt légal : 3e trimestre 2016
Bibliothèque nationale du Québec
Bibliothèque et Archives Canada
Données de catalogage disponibles auprès de Bibliothèque et Archives nationales du Québec.



Imprimé au Canada

**Limites de responsabilité**

L'auteure et la maison d'édition ne revendiquent ni ne garantissent l'exactitude, le caractère applicable et approprié ou l'exhaustivité du contenu de ce programme. Ils déclinent toute responsabilité, expresse ou implicite, quelle qu'elle soit.

JOANE FLANSBERRY

# Prédictions Angéliques 2017

*L'année de la spiritualité*

Le Dauphin Blanc

**Autres livres de Joane Flansberry aux Éditions le Dauphin Blanc**

La Bible des Anges, 2008

Les Anges au Quotidien (Bible des Anges 2), 2009

Questions humaines, Réponses Angéliques, 2010

Prédictions Angéliques 2011

Soins Angéliques – L'Amour, 2011

Prédictions Angéliques 2012

Soins Angéliques – l'Argent, 2012

Agenda Angélique 2013

Prédictions Angéliques 2013

Agenda Angélique 2014

Prédictions Angéliques 2014

Prédictions Angéliques 2015

Prédictions Angéliques 2016

*Je dédie ce livre à tous les habitants de la Terre.*
*Que vos maisons regorgent de bonheur, de joie et de paix*
*en cette année de la spiritualité !*
*N'hésitez jamais à offrir un sourire à votre prochain.*
*Un jour, celui-ci vous remerciera !*

# Table des matières

## Partie III : *Les Séraphins*



## Partie IV : *Les Chérubins*



## Partie V : *Les Trônes*



## Partie VI : *Les Dominations*



## Partie VII : *Les puissances*

## Partie VIII : *Les Vertus*



## Partie IX : *Les Principautés*



## Partie X : *Les Archanges*



## Partie XI : *Les Anges*

# Remerciements

Je tiens à remercier toutes les personnes qui m'ont épaulée au cours de la dernière année. Que ce soit par un geste, un mot, un sourire, une accolade ou autres attentions, vous avez su apporter dans mon cœur la joie et le bonheur. Je vous souhaite à tous de passer une merveilleuse année 2017 remplie de magie et exempte d'ennuis. Je suis privilégiée de vous avoir à mes côtés !

À ma famille, merci de votre présence dans ma vie. Je vous aime beaucoup ! Je vous souhaite le meilleur pour l'année 2017.

À mes rayons de bonheur et de fierté, Mélissa, Véronique, Charles, Lukas et mes deux Frédéric, je vous aime de tout cœur. Les moments que je passe avec vous sont incommensurables et importants dans ma vie. Vous êtes ma source d'inspiration. Vous voir heureux et souriants remplit mon cœur de bonheur. Que Dieu vous protège et qu'il veille sur votre bonheur. Je vous adore ♥

À tous mes lecteurs, merci de votre fidélité ! Il est toujours agréable de vous serrer la main lors de conférences ou d'événements. Vos mots chaleureux remplissent mon cœur de joie !

# Avant-propos

J'aimerais vous rappeler qu'il existe une différence entre l'horoscope et les prédictions. Ce livre contient des prédictions qui s'échelonnent sur un laps de temps très court dans la vie d'un individu, ce qui veut dire que les prédictions angéliques contenues dans ce livre peuvent s'avérer très justes pour certaines personnes et moins pour d'autres. De plus, il arrive parfois que certains événements surviennent ultérieurement. Il faut donc prendre le temps de relire continuellement vos notes.

Cela dit, il faut également prendre en considération l'attitude d'une personne. Il est évident que les personnes **démontrant une attitude négative** ont plus de chance de s'attirer des ennuis que d'obtenir des gains quelconques. Il en est de même avec vos actions. Plus vos actions seront bien exécutées, plus il y aura des événements constructifs et bénéfiques qui se produiront dans votre vie. Le contraire est aussi vrai ! Donc, il faut toujours garder une attitude positive malgré les intempéries de la vie. Ainsi, vous réglerez plus facilement les problématiques qui se présenteront sur votre chemin.

Vous trouverez dans ce livre des aspects positifs et négatifs. Toutefois, le message que vous devez retenir est que les Anges sont là pour aider les êtres humains. Tout au long de votre cheminement, de la naissance à l'âge adulte et jusqu'à la mort, les Anges ont la possibilité de vous assister et de vous épauler si vous acceptez leur aide. Priez-les et vous verrez des changements se produire dans votre vie et de belles possibilités venir à vous.

Il serait donc primordial de vous familiariser avec les Anges qui gouverneront les mois de l'année. Ces Anges détiennent le pouvoir de vous assister lors d'une difficulté. Leur énergie vous encouragera à persévérer pour atteindre vos buts, pour régler vos problématiques et pour réaliser vos rêves. Priez-les et complétez les exercices proposés. Ainsi, vous verrez des changements s'opérer et des cadeaux bonifier votre vie. Vous avez tout intérêt à travailler avec eux !

# Introduction

# 2017 : l'année de la spiritualité

L'année de la spiritualité éveillera plusieurs personnes ; elle nourrira leur âme de bonté et de sagesse. C'est pourquoi plusieurs chercheront des solutions au lieu des problèmes. Ils chercheront la paix au lieu de la guerre. Ils s'entraideront au lieu de s'entretuer. Ils parleront au lieu de crier. Ils réfléchiront au lieu d'agir. Ils marcheront au lieu de courir. Tels seront les bienfaits de l'année de la spiritualité. Vous réaliserez l'importance de nourrir votre âme par des gestes de bonne volonté. Vous êtes conscients que des gestes nobles apportent la paix, la joie et le bonheur dans le cœur de l'être humain. Vous chercherez donc à apporter dans le cœur de votre prochain, un sourire, un soutien, une aide, une accolade, bref, un geste noble et de bonne volonté. Vous chercherez à former une chaîne d'amour, de respect et d'entraide. Cela sera important pour établir la confiance et le respect des peuples.

Vous avez tous à l'intérieur de vous une connexion divine. Elle s'appelle la foi. Toutefois, certains ont mis au rancart cette connexion. Ils ont oublié qu'elle existait. L'année de la spiritualité vous permettra de reprendre contact avec cette parcelle divine en vous. Vous chercherez à la cultiver et la connaître davantage. Votre analyse vous permettra de réaliser les bienfaits magiques qu'engendre une spiritualité bien nourrie. Vous serez donc heureux de la nourrir et de la respecter. Cela ne veut pas dire que vous crierez haut et fort votre révélation. Toutefois, votre perception de la vie s'améliorera. Vous réaliserez que vos actes nobles engendrent des bienfaits autour de vous. Donc, vous chercherez à continuer d'apporter des moments agréables, des paroles positives et encourageantes dans le cœur des gens. Vous réaliserez l'importance de vivre en harmonie avec votre prochain. Vous réaliserez également que les guerres de pouvoir sont en train de détruire votre planète. Plus que jamais, vous chercherez à vivre en paix et sans guerre. Des prières seront récitées. Des rassemblements pour contrer la guerre et réclamer la paix auront lieu. Les bonnes âmes s'appuieront mutuellement. Ils se tiendront la main et s'épauleront. Il y aura une frénésie d'entraide, de soutien et d'amour entre les peuples. Cela rehaussera la vibration de la Terre. Il est évident que cela n'empêchera pas les âmes de l'Ombre de faire parler d'elles. Toutefois, ces âmes noires se détruiront mutuellement. Leur attitude dévastatrice ne leur apportera guère la paix dans leur cœur. Toutefois, ils éveilleront davantage la conscience des gens et leur spiritualité. Cela rehaussera en eux le désir d'aider leur prochain à vivre heureux et en paix sur Terre. Les peuples se rassembleront. Ils s'unifieront, main dans la main, et s'épauleront. Ils deviendront tous des Chevaliers de Lumière qui chercheront à rétablir la paix sur Terre et à vivre harmonieusement avec leur prochain.

Il faut parfois vivre des pertes pour réaliser l'importance de la vie et prendre conscience des lacunes qui nous entourent. Tel sera l'éveil des gens au cours de l'année 2017. À travers des pertes et des moments difficiles, ils réaliseront l'importance d'apporter un peu de chaleur et d'amour dans le cœur des gens. Cela les encouragera à faire des gestes de bonne volonté. Au lieu de jalouser leur prochain et de l'écraser, ils lui tendront la main pour se relever. Tel sera l'impact de tous ceux qui nourriront leur spiritualité avec la foi et l'espoir qu'un meilleur jour se lève à l'horizon. Ceux-ci seront même heureux d'être les premiers à bâtir ce nouveau jour en amorçant des gestes nobles parmi la société. Telle sera leur priorité cette année.

Pour bien amorcer ce premier pas, récitez les prières mensuelles des Anges gouverneurs. Récitez également la prière dédiée à la Terre. La prière, les gestes nobles, l'entraide, le respect sont d'excellentes nourritures spirituelles. Cette année, éveillez cette parcelle de divinité à l'intérieur de vous et faites-la rayonner sur votre prochain. Rayonnez de bonheur, d'entraide et de rires. N'hésitez pas à complimenter votre prochain, à lui lancer un sourire, à lui tendre la main et à l'épauler. Ces gestes réconforteront les cœurs blessés et meurtris. Votre Lumière calmera les états d'âme et les réconfortera. En 2017, nourrissez-vous régulièrement de sentiments nobles, de bonté, d'amour et de respect. Faites en sorte que la paix et l'entraide rayonnent dans votre cœur. Cette nourriture comblera votre prochain et illuminera la Terre. Continuez de propager la bonté autour de vous. Vous inviterez ainsi votre prochain à suivre votre exemple. Soyez des messagers de paix. Devenez donc ce bel exemple à suivre ! Soyez également ce Chevalier de Lumière qui malgré les intempéries de la vie bravera la tempête avec diligence et noblesse. Cette année, les Anges récompenseront chacune de vos bonnes actions. Ayez donc une année remplie de cadeaux angéliques !

# Note aux lecteurs

Encore une fois, je vous offre des prédictions angéliques. Comme je vous l'ai mentionné dans mes ouvrages précédents, les prédictions que je vous donne peuvent s'échelonner sur plusieurs années. Ainsi, d'une année à l'autre, il se peut que certaines prédictions soient très semblables aux années précédentes. Ce que vous devez tirer de ces données qui se ressemblent, c'est que l'être humain a souvent besoin qu'on lui répète des notions afin qu'il les assimile pour de bon. Dans le fond, le plus important dans tout cela, c'est ce que vous choisirez de faire avec les informations que je vous offre. Ce sont vos actions qui permettront d'activer votre processus de changement. Ainsi que votre façon de vivre votre vie.

Si vous ne faites rien pour améliorer votre quotidien, rien ne se produira dans votre vie et vous serez malheureux. Toutefois, si vous prenez le temps de bien analyser votre vie et que vous décidez de vous prendre en main, vous verrez votre vie s'améliorer. Vous deviendrez plus confiant envers votre avenir. Vous attirerez vers vous de belles situations. Cela vous rendra heureux et en harmonie avec la vie ! Vous vivrez donc votre vie au lieu de la subir !

De plus, prenez le temps de réciter les prières proposées à chaque mois. Cela rehaussera votre moral. Vous serez moins enclin à la négativité et vous verrez davantage les opportunités qui s'offriront à vous pour améliorer votre destin. N'oubliez pas que vous êtes le maître de votre vie. Si vous voulez vivre heureux, soyez-le ! Si vous voulez être une victime, devenez-en une ! Toutefois, vous devez également accepter les conséquences qui s'ensuivront par la suite. Soyez conscient qu'une personne positive possède beaucoup plus de chances de se relever qu'une personne négative. Cette année, améliorez votre attitude face à la vie et vous aurez le privilège de savourer de belles réussites. Demeurez négatif et vous souffrirez ! À vous de choisir l'option qui vous plaira à adopter !

Joane

# Prédictions Angéliques

Cette année, il y a du changement dans la structure des Prédictions Angéliques. J'ai ajouté quelques informations utiles pour ceux qui aiment la numérologie. L'année 2017 représente une année « 1 ». Cela annonce un temps nouveau, un nouveau départ et des changements qui favoriseront plusieurs personnes. Pour connaître votre chiffre de l'année, il suffit de compléter l'exercice proposé et calculer votre année. Êtes-vous sous l'influence du nombre 1, 2, 3, etc ? Par la suite, référez-vous à la description du nombre obtenu. Ce chiffre influencera beaucoup votre année. Cela vous aidera à mieux comprendre certains événements qui se produiront dans votre vie.

Également, tel que les années passées, vous remarquerez qu'à chaque mois, il y a un thème et un Ange gouverneur. Cela a pour but de mieux diriger votre mois. Lorsque vous êtes conscient des situations problématiques qui pourraient survenir, vous êtes davantage prêt à les régler rapidement. Il est également conseillé de faire l'exercice proposé par l'Ange gouverneur. Cet exercice vous permettra de trouver de bonnes solutions pour vous libérer de vos problèmes, faire des choix sensés, réaliser vos projets etc.

Chaque Chœur angélique est structuré de la même façon. Le ***premier chapitre*** reflète les prédictions de l'année 2017 d'une façon générale. Il y a aussi une mention spéciale qui a été ajoutée pour cibler davantage les personnes qui se laissent influencer par des sentiments négatifs. Étant donné qu'une attitude négative peut empêcher un événement favorable qui a été prédit, il est indiqué clairement aux personnes négatives les situations qui pourraient survenir si elles ne changent par leur attitude. Vous trouverez également un bref aperçu des mois à venir, un conseil Angélique, les événements prolifiques de l'année et les événements exigeant de la prudence.

Le ***deuxième chapitre*** est divisé en quatre thèmes : la chance, la santé, l'amour et le travail. Au niveau de la chance et de la santé, vous obtiendrez des informations propres à chacun des Anges composant le Chœur Angélique. Finalement, le ***troisième chapitre*** regroupe les prédictions qui se produiront au cours de l'année.

Voici un résumé des sujets qui seront abordés dans ce livre :

## Mois de l'année

Les mois sont divisés en quatre catégories : les mois favorables, les mois non favorables, les mois « ambivalents » et les mois de chance. Les mois favorables sont des mois où tout se passe généralement bien. Même si vous vivez une difficulté, elle ne sera que passagère et vous serez en mesure de la régler rapidement. De plus, tout ce que vous entreprendrez vous sera bénéfique.

Les mois non favorables sont des mois où tout semble être difficile à accomplir. Ces mois peuvent également déranger votre physique ou votre « mental ». Certains événements vous feront verser des larmes facilement. Au cours de ces mois, il serait préférable de bien réfléchir et d'analyser profondément chacune de vos actions avant de les entreprendre. Réclamez de l'aide auprès de l'Ange gouverneur. Celui-ci sera en mesure de vous aider et de vous relever !

Les mois ambivalents sont des mois imprévisibles. Une partie du mois, vous vivez dans l'extase, et l'autre partie, tout semble vous tomber sur la tête. Les mois ambivalents sont des mois que vous trouverez ni trop faciles ni trop difficiles. Votre attitude comptera beaucoup durant ces mois. Voilà l'importance de conserver une attitude positive. Cela sera favorable.

Les mois de chance représentent des mois où la chance est présente. Alors profitez-en pour jouer à la loterie, pour entreprendre vos projets et pour régler vos problématiques !

## Les événements prolifiques de l'année

Cela concerne des événements importants qui favoriseront votre année. Il s'agit d'opportunités, d'actions, de choix et autres. La conscience de ces événements favorisera vos décisions et vos actions. Ces situations prolifiques peuvent arriver à tout moment de l'année. Voilà l'importance de le noter. Si vous parvenez à saisir les opportunités qui s'offriront à vous, vous ne serez pas déçu et votre vie s'améliorera !

## Les événements à doubler de prudence

En étant conscient des situations problématiques, vous pourrez les contourner, les régler et vous en libérer plus rapidement. Mieux vaut prévenir que guérir ! Ne négligez pas ces mises en garde ! Gardez toujours l'œil ouvert. Ainsi, vous éviterez des ennuis de toutes sortes !

## Les Chœurs Angéliques et la chance

Dans la section de la chance, le premier paragraphe indique la chance en général : les chiffres chanceux, la journée favorable et les mois où la chance sera davantage présente. Veuillez noter que ces éléments peuvent autant indiquer le niveau de chance par rapport à un examen que vous devez passer, un contrat à signer, une réception à organiser ou autre, que le niveau de chance pour jouer à des jeux du hasard. Bref, il sera indiqué sur quel sujet la chance se fera davantage ressentir.

De plus, prenez en considération le chiffre indiqué en gras. Vous pourriez vivre plusieurs événements marqués de ce chiffre. Les Anges peuvent vous montrer régulièrement ce chiffre pour annoncer leur présence auprès de vous.

## Les Chœurs Angéliques et la santé

Les informations qui vous seront données sont les parties vulnérables du corps à surveiller tout au long de l'année 2017. Ces faiblesses pourront occasionner divers maux. ***Cela ne veut pas dire que tous les personnes en souffriront.*** Ces informations ne sont en aucun cas des diagnostics et ne remplacent jamais les avis ou les suivis médicaux. Elles représentent plutôt des **mises en garde** ou **des avertissements** qu'il faut écouter, **surtout ceux qui ont tendance à négliger leur santé**.

## Les Chœurs Angéliques et l'amour

Vous trouverez un aperçu des événements qui surviendront au cours de l'année. Vous pourriez également voir les situations qui peuvent déranger l'harmonie conjugale. Il y aura aussi le sujet concernant les couples qui vivent de la difficulté qui sera abordé, ainsi que le sujet des personnes submergées par la négativité et leur impact au sein de leur relation amoureuse.

Le sujet des célibataires sera abordé, comme, par exemple, la meilleure période pour faire des rencontres, etc. Toutes ces informations les aideront dans leurs démarches pour rencontrer l'amour. Il y aura également des avis qui seront donnés aux célibataires submergés par la négativité. Ils pourront prendre conscience de l'impact désagréable qu'occasionnera leur négativité lors de rencontres !

## Les Chœurs Angéliques et le travail

Vous trouverez des informations pertinentes qui vous aideront dans vos choix et décisions importantes au travail.

Il sera également question des travailleurs submergés par la négativité, principalement l'impact qu'aura leur négativité au sein de leur équipe et dans leur milieu de travail. Une personne avertie en vaut deux ! Donc, il ne tiendra qu'à vous de décider si vous conservez votre attitude négative ou si vous l'améliorerez !

## Votre Ange

Pour connaître le nom de votre Ange et les prédictions qui s'y rattachent, vous devez trouver votre date de naissance dans le tableau intitulé *Les neuf Chœurs Angéliques* à la page 27. Vous pourrez ainsi découvrir votre Ange, son numéro hiérarchique, sa période de force, le Chœur Angélique auquel vous appartenez et l'Archange qui le dirige.

À titre d'exemple, prenons la date de naissance suivante : le 5 mars. En se référant à ce tableau, cette date vous donne les informations suivantes :

1) Nom de l'Ange : Rochel

2) Numéro de l'Ange : 69

3) Période de force : du 1er au 5 mars

4) Chœur Angélique : Les Anges

5) Archange recteur : Gabriel

À l'aide de ces informations, vous pouvez lire les parties qui traitent de votre Chœur Angélique ainsi que de votre Ange.

Vous pouvez également vous référer à l'Ange qui a secondé votre Ange de naissance. Il s'agit de **l'Ange du jour**. Vous pouvez également vivre des situations qui lui sont rattaché.

À titre d'exemple, prenons de nouveau la date de naissance du 5 mars. En se référant au tableau II — *Les heures et les jours de régence des Anges* à la page 29. Recherchez votre date de naissance dans le tableau. Cette date vous donne les informations suivantes :

1) Nom de l'Ange relié à la journée de votre naissance : Nemamiah

2) Numéro de l'Ange : 57

3) Période de force : du 1er au 5 janvier

4) Chœur Angélique : Les Archanges

5) Archange recteur : Michaël

Il y a de fortes chances que vous vibrez davantage avec l'Ange du jour qu'avec l'Ange de la naissance. Vous pouvez donc vous référez à cet Ange. Lors de la lecture des prévisions, si vous notez un événement similaire pour l'année en cours, prenez-le en considération. Cela sera prudent et favorable !

À titre d'exemple : en lisant au sujet de la santé, il vous est conseillé de surveiller les objets lourds car il y a risque de blessure. Vous lisez en suite les événements rattachés à l'Ange du jour et il est indiqué la même chose. Vous devez donc prendre cet avertissement au sérieux puisqu'il y aura de fortes chances que cette situation survienne au cours de l'année.

# TABLEAU I : LES NEUF CHŒURS ANGÉLIQUES

| I. SÉRAPHINS<br>METATRON | II. CHÉRUBINS<br>RAZIEL | III. TRÔNES<br>TSAPHKIEL |
|---|---|---|
| **1. Vehuiah (du 21 au 25 mars)**<br>2. Jeliel (du 26 au 30 mars)<br>3. Sitaël (du 31 mars au 4 avril)<br>4. Elemiah (du 5 au 9 avril)<br>5. Mahasiah (du 10 au 14 avril)<br>**6. Lelahel (du 15 au 20 avril)**<br>7. Achaiah (du 21 au 25 avril)<br>8. Cahetel (du 26 au 30 avril) | 9. Haziel (du 1er au 5 mai)<br>**10. Aladiah (du 6 au 10 mai)**<br>11. Lauviah I (du 11 au 15 mai)<br>12. Hahaiah (du 16 au 20 mai)<br>13. Yezalel (du 21 au 25 mai)<br>14. Mebahel (du 26 au 31 mai)<br>15. Hariel (du 1er au 5 juin)<br>16. Hekamiah (du 6 au 10 juin) | **17. Lauviah II (du 11 au 15 juin)**<br>18. Caliel (du 16 au 21 juin)<br>19. Leuviah (du 22 au 26 juin)<br>20. Pahaliah (du 27 juin au 1er juillet)<br>21. Nelchaël (du 2 au 6 juillet)<br>22. Yeiayel (du 7 au 11 juillet)<br>**23. Melahel (du 12 au 16 juillet)**<br>24. Haheuiah (du 17 au 22 juillet) |
| **IV. DOMINATIONS<br>TSADKIEL** | **V. PUISSANCES<br>CAMAËL** | **VI. VERTUS<br>RAPHAËL** |
| 25. Nith-Haiah (du 23 au 27 juillet)<br>26. Haaiah (du 28 juillet au 1er août)<br>27. Yerathel (du 2 au 6 août)<br>**28. Seheiah (du 7 au 12 août)**<br>29. Reiyiel (du 13 au 17 août)<br>**30. Omaël (du 18 au 22 août)**<br>31. Lecabel (du 23 au 28 août)<br>32. Vasariah (du 29 août au 2 septembre) | 33. Yehuiah (du 3 au 7 septembre)<br>34. Lehahiah (du 8 au 12 septembre)<br>35. Chavakhiah (du 13 au 17 septembre)<br>36. Menadel (du 18 au 23 septembre)<br>37. Aniel (du 24 au 28 septembre)<br>38. Haamiah (du 29 septembre au 3 octobre)<br>**39. Rehaël (du 4 au 8 octobre)**<br>40. Ieiazel (du 9 au 13 octobre) | 41. Hahahel (du 14 au 18 octobre)<br>42. Mikhaël (du 19 au 23 octobre)<br>43. Veuliah (du 24 au 28 octobre)<br>44. Yelahiah (du 29 octobre au 2 novembre)<br>**45. Sealiah (du 3 au 7 novembre)**<br>46. Ariel (du 8 au 12 novembre)<br>47. Asaliah (du 13 au 17 novembre)<br>48. Mihaël (du 18 au 22 novembre) |

| VII. PRINCIPAUTÉS<br>HANIEL | VIII. ARCHANGES<br>MICHAËL | IX. ANGES<br>GABRIEL |
|---|---|---|
| 49. Vehuel (du 23 au 27 novembre)<br>**50. Daniel (du 28 novembre au 2 décembre)**<br>**51. Hahasiah (du 3 au 7 décembre)**<br>52. Imamiah (du 8 au 12 décembre)<br>**53. Nanaël (du 13 au 16 décembre)**<br>**54. Nithaël (du 17 au 21 décembre)**<br>55. Mebahiah (du 22 au 26 décembre)<br>**56. Poyel (du 27 au 31 décembre)** | 57. Nemamiah (du 1er au 5 janvier)<br>**58. Yeialel (du 6 au 10 janvier)**<br>59. Harahel (du 11 au 15 janvier)<br>**60. Mitzraël (du 16 au 20 janvier)**<br>61. Umabel (du 21 au 25 janvier)<br>62. Iah-Hel (du 26 au 30 janvier)<br>**63. Anauël (du 31 janvier au 4 février)**<br>64. Mehiel (du 5 au 9 février) | 65. Damabiah (du 10 au 14 février)<br>**66. Manakel (du 15 au 19 février)**<br>**67. Eyaël (du 20 au 24 février)**<br>**68. Habuhiah (du 25 au 29 février)**<br>69. Rochel (du 1er au 5 mars)<br>**70. Jabamiah (du 6 au 10 mars)**<br>71. Haiaiel (du 11 au 15 mars)<br>**72. Mumiah (du 16 au 20 mars)** |

**Note** : Les Anges dont le nom est en caractère gras ont un pouvoir de guérison.

# TABLEAU II : LES JOURS ET LES HEURES DE RÉGENCE DE VOTRE ANGE DE LA LUMIÈRE

| N° | ANGE | JOURS | | | | | HEURES |
|---|---|---|---|---|---|---|---|
| 1 | Vehuiah | 21 mars | 3 juin | 18 août | 30 octobre | 9 janvier | 0 h à 0 h 20 |
| 2 | Jeliel | 22 mars | 4 juin | 19 août | 31 octobre | 10 janvier | 0 h 20 à 0 h 40 |
| 3 | Sitaël | 23 mars | 5 juin | 20 août | 1 novembre | 11 janvier | 0 h 40 à 1 h |
| 4 | Elemiah | 24 mars | 6 juin | 21 août | 2 novembre | 12 janvier | 1 h à 1 h 20 |
| 5 | Mahasiah | 25 mars | 7 juin | 22 août | 3 novembre | 13 janvier | 1 h 20 à 1 h 40 |
| 6 | Lelahel | 26 mars | 8 juin | 23 août | 4 novembre | 14 janvier | 1 h 40 à 2 h |
| 7 | Achaiah | 27 mars | 9-10 juin | 24 août | 5 novembre | 15 janvier | 2 h à 2 h 20 |
| 8 | Cahetel | 28 mars | 10-11 juin | 25 août | 6 novembre | 16 janvier | 2 h 20 à 2 h 40 |
| 9 | Haziel | 29 mars | 12 juin | 26 août | 7 novembre | 17 janvier | 2 h 40 à 3 h |
| 10 | Aladiah | 30 mars | 13 juin | 27 août | 8 novembre | 18 janvier | 3 h à 3 h 20 |
| 11 | Lauviah I | 31 mars | 14 juin | 28 août | 9 novembre | 19 janvier | 3 h 20 à 3 h 40 |
| 12 | Hahaiah | 1 avril | 15 juin | 29 août | 10 novembre | 20 janvier | 3 h 40 à 4 h |
| 13 | Yezalel | 2 avril | 16 juin | 30 août | 11 novembre | 21 janvier | 4 h à 4 h 20 |
| 14 | Mebahel | 3 avril | 17 juin | 31 août | 12 novembre | 22 janvier | 4 h 20 à 4 h 40 |
| 15 | Hariel | 4 avril | 18 juin | 1 septembre | 13 novembre | 23 janvier | 4 h 40 à 5 h |
| 16 | Hekamiah | 5 avril | 19 juin | 2 septembre | 14 novembre | 24 janvier | 5 h à 5 h 20 |
| 17 | Lauviah II | 6 avril | 20 juin | 3 septembre | 15 novembre | 25 janvier | 5 h 20 à 5 h 40 |
| 18 | Caliel | 7 avril | 21 juin | 4 septembre | 16 novembre | 26 janvier | 5 h 40 à 6 h |
| 19 | Leuviah | 8 avril | 22 juin | 5 septembre | 17 novembre | 27 janvier | 6 h à 6 h 20 |
| 20 | Pahaliah | 9 avril | 23 juin | 6 septembre | 18 novembre | 28 janvier | 6 h 20 à 6 h 40 |
| 21 | Nelchaël | 10-11 avril | 24 juin | 7 septembre | 19 novembre | 29 janvier | 6 h 40 à 7 h |
| 22 | Yeiayel | 11-12 avril | 25 juin | 8 septembre | 20 novembre | 30 janvier | 7 h à 7 h 20 |
| 23 | Melahel | 13 avril | 26 juin | 9 septembre | 21 novembre | 31 janvier | 7 h 20 à 7 h 40 |
| 24 | Haheuiah | 14 avril | 27 juin | 10-11 sept. | 22 novembre | 1 février | 7 h 40 à 8 h |
| 25 | Nith-Haiah | 15 avril | 28 juin | 11-12 sept. | 23 novembre | 2 février | 8 h à 8 h 20 |
| 26 | Haaiah | 16 avril | 29 juin | 13 septembre | 24 novembre | 3 février | 8 h 20 à 8 h 40 |
| 27 | Yerathel | 17 avril | 30-1 juillet | 14 septembre | 25 novembre | 4 février | 8 h 40 à 9 h |
| 28 | Seheiah | 18 avril | 1-2 juillet | 15 septembre | 26 novembre | 5 février | 9 h à 9 h 20 |
| 29 | Reiyiel | 19 avril | 3 juillet | 16 septembre | 27 novembre | 6 février | 9 h 20 à 9 h 40 |
| 30 | Omaël | 20 avril | 4 juillet | 17 septembre | 28 novembre | 7 février | 9 h 40 à 10 h |
| 31 | Lecabel | 21 avril | 5 juillet | 18 septembre | 29 novembre | 8 février | 10 h à 10 h 20 |
| 32 | Vasariah | 22 avril | 6 juillet | 19 septembre | 30 novembre | 9 février | 10 h 20 à 10 h 40 |
| 33 | Yehuiah | 23 avril | 7 juillet | 20 septembre | 1 décembre | 10 février | 10 h 40 à 11 h |
| 34 | Lehahiah | 24 avril | 8 juillet | 21 septembre | 2 décembre | 10 février | 11 h à 11 h 20 |
| 35 | Chavakhiah | 25 avril | 9 juillet | 22 septembre | 3 décembre | 11 février | 11 h 20 à 11 h 40 |
| 36 | Menadel | 26 avril | 10 juillet | 23 septembre | 4 décembre | 12 février | 11 h 40 à 12 h |

| N° | ANGE | JOURS | | | | | HEURES |
|---|---|---|---|---|---|---|---|
| 37 | Aniel | 27 avril | 11 juillet | 24 septembre | 5 décembre | 13 février | 12 h à 12 h 20 |
| 38 | Haamiah | 28 avril | 12 juillet | 25 septembre | 6 décembre | 14 février | 12 h 20 à 12 h 40 |
| 39 | Rehaël | 29 avril | 13 juillet | 26 septembre | 7 décembre | 15 février | 12 h 40 à 13 h |
| 40 | Ieiazel | 30 avril | 14 juillet | 27 septembre | 8 décembre | 16 février | 13 h à 13 h 20 |
| 41 | Hahahel | 1 mai | 15 juillet | 28 septembre | 9 décembre | 17 février | 13 h 20 à 13 h 40 |
| 42 | Mikhaël | 2 mai | 16 juillet | 29 septembre | 10 décembre | 18 février | 13 h 40 à 14 h |
| 43 | Veuliah | 3 mai | 17 juillet | 30 septembre | 11 décembre | 19 février | 14 h à 14 h 20 |
| 44 | Yelahiah | 4 mai | 18 juillet | 1 octobre | 12 décembre | 20 février | 14 h 20 à 14 h 40 |
| 45 | Sealiah | 5 mai | 19 juillet | 2 octobre | 13 décembre | 21 février | 14 h 40 à 15 h |
| 46 | Ariel | 6 mai | 20 juillet | 3 octobre | 14 décembre | 22 février | 15 h à 15 h 20 |
| 47 | Asaliah | 7 mai | 21 juillet | 4 octobre | 15 décembre | 23 février | 15 h 20 à 15 h 40 |
| 48 | Mihaël | 8 mai | 22 juillet | 5 octobre | 16 décembre | 24 février | 15 h 40 à 16 h |
| 49 | Vehuel | 9 mai | 23-24 juillet | 6 octobre | 17 décembre | 25 février | 16 h à 16 h 20 |
| 50 | Daniel | 10 mai | 24-25 juillet | 7 octobre | 18 décembre | 26 février | 16 h 20 à 16 h 40 |
| 51 | Hahasiah | 11 mai | 26 juillet | 8 octobre | 19 décembre | 27 février | 16 h 40 à 17 h |
| 52 | Imamiah | 12-13 mai | 27 juillet | 9 octobre | 20 décembre | 28-29 févr. | 17 h à 17 h 20 |
| 53 | Nanaël | 13-14 mai | 28 juillet | 10 octobre | 21 décembre | 1 mars | 17 h 20 à 17 h 40 |
| 54 | Nithaël | 15 mai | 29 juillet | 11 octobre | 22 décembre | 2 mars | 17 h 40 à 18 h |
| 55 | Mebahiah | 16 mai | 30 juillet | 12 octobre | 23 décembre | 3 mars | 18 h à 18 h 20 |
| 56 | Poyel | 17 mai | 31 juillet | 13 octobre | 24 décembre | 4 mars | 18 h 20 à 18 h 40 |
| 57 | Nemamiah | 18 mai | 1 août | 14 octobre | 25 décembre | 5 mars | 18 h 40 à 19 h |
| 58 | Yeialel | 19 mai | 2 août | 15 octobre | 26 décembre | 6 mars | 19 h à 19 h 20 |
| 59 | Harahel | 20 mai | 3 août | 16 octobre | 27 décembre | 7 mars | 19 h 20 à 19 h 40 |
| 60 | Mitzraël | 21 mai | 4 août | 17 octobre | 27 décembre | 8 mars | 19 h 40 à 20 h |
| 61 | Umabel | 22 mai | 5 août | 18 octobre | 28 décembre | 9 mars | 20 h à 20 h 20 |
| 62 | Iah-Hel | 23 mai | 6 août | 19 octobre | 29 décembre | 10 mars | 20 h 20 à 20 h 40 |
| 63 | Anauël | 24 mai | 7 août | 20 octobre | 30 décembre | 11 mars | 20 h 40 à 21 h |
| 64 | Mehiel | 25 mai | 8 août | 21 octobre | 31 décembre | 12 mars | 21 h à 21 h 20 |
| 65 | Damabiah | 26 mai | 9 août | 22 octobre | 1 janvier | 13 mars | 21 h 20 à 21 h 40 |
| 66 | Manakel | 27 mai | 10 août | 23 octobre | 2 janvier | 14 mars | 21 h 40 à 22 h |
| 67 | Eyaël | 28 mai | 11 août | 24 octobre | 3 janvier | 15 mars | 22 h à 22 h 20 |
| 68 | Habuhiah | 29 mai | 12 août | 25 octobre | 4 janvier | 16 mars | 22 h 20 à 22 h 40 |
| 69 | Rochel | 30 mai | 13 août | 26 octobre | 5 janvier | 17 mars | 22 h 40 à 23 h |
| 70 | Jabamiah | 31 mai | 14 août | 27 octobre | 6 janvier | 18 mars | 23 h à 23 h 20 |
| 71 | Haiaiel | 1 juin | 15-16 août | 28 octobre | 7 janvier | 19 mars | 23 h 20 à 23 h 40 |
| 72 | Mumiah | 2 juin | 16-17 août | 29 octobre | 8 janvier | 20 mars | 23 h 40 à 24 h |

# Message des Anges

L'année de la spiritualité fera grandir plusieurs personnes. Nous infuserons dans le cœur de chacun une parcelle de notre amour et notre Lumière. Cela vous encouragera à opérer le bien sur Terre. Au lieu d'écraser votre prochain, vous l'aiderez à se relever. Au lieu de critiquer votre prochain, vous l'épaulerez. L'être humain oublie qu'il est une partie de Dieu. Qu'importe la couleur de votre peau, vous êtes tous égaux à nos yeux. Il n'existe aucune différence dans le Royaume de Dieu. Vous êtes tous sa Création. Vous contenez tous, à l'intérieur de vous, sa Lumière. Cette année, sachez la faire rayonner ! Vous voulez tous vivre harmonieusement sur Terre. Pour nous, ce vœu nous est très cher. Nous aimerions que vous puissiez réaliser ce rêve. Engendrez donc un premier pas vers ce désir. Débutez par vous. Atteignez votre paix intérieure et votre bien-être. Lorsque vous aurez atteint cette béatitude, votre Lumière sera aussi resplendissante que la nôtre, cela se reflétera donc sur votre prochain.

De plus, ne jugez pas les autres. Ni leur couleur, ni leur nationalité. Vous avez tous été l'un d'eux ! Cette année, nous enverrons des signes concrets pour annoncer notre présence auprès de vous. Attendez-vous à nous voir. Cela réveillera davantage votre spiritualité. Si nous manifestons notre présence sur Terre, n'ayez crainte ! Nous voulons tout simplement vous prouver que l'Univers *de Dieu existe et que nous souhaitons que ses créations puissent vivre harmonieusement parmi les différentes ethnies.*

*Ne vous laissez pas aveugler par l'Ombre. Celle-ci vous détruira et vous arrachera des mains de Dieu. Suivez toujours la route de la Lumière. Ainsi, vos chemins seront moins obscurs et l'entraide sera régulièrement présente pour vous soutenir lors d'épreuves. Cette année, vivez harmonieusement, amoureusement et allègrement ! Vous méritez ce bonheur ! Accueillez notre Lumière dans votre cœur et nous y propagerons l'allégresse. Vous serez alors heureux et rempli de sagesse ! Vous réussirez donc votre année 2017 !*

*Vos amis angéliques,*

*Les Anges de la Lumière divine !*

# Partie I

# *La numérologie angélique*

*2017*

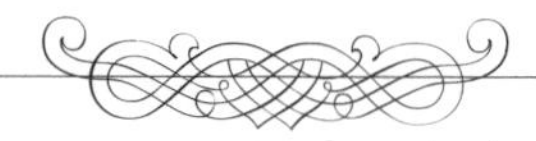

# Chapitre I

# Renseignements sur la numérologie angélique

Plusieurs personnes sont friands de la numérologie. Voici donc un abrégé de la signification des nombres. Cette méthode vous aidera à calculer votre date de naissance et l'année en cours. Cela vous indiquera l'énergie qui s'offrira à vous au cours de l'année. Ainsi, vous serez en mesure de bien accomplir votre année et de surmonter les intempéries de la vie.

L'année 2017 est une année « **1** ». Si vous additionnez : 2 + 0 + 1 + 7 = 10, par la suite 1 + 0 = 1. Cela vous donne le chiffre **1**. La signification de ce numéro indique un nouveau départ. On recommence à zéro pour obtenir des bases plus solides. Telle sera la force de l'année 2017. Plusieurs personnes se prendront en main et amélioreront plusieurs aspects de leur vie. Quelques-uns seront obligés de faire faillite pour reconstruire leur situation financière. D'autres subiront une séparation et renaîtront à l'amour. Certains couples repartiront du bon pied et sauveront leur union. Quelques-uns se chercheront un nouvel emploi. Vous bougerez énormément au cours de l'année pour obtenir de bons résultats à la suite de vos actions. Vous améliorerez et apporterez des changements dans toutes les sphères de votre vie.

Chaque Ange gouverneur jouera un impact majeur lors de chaque mois. Ceux-ci enverront de belles possibilités pour réussir votre année. Les Anges n'aiment pas voir l'être humain malheureux, ils feront tout pour le voir joyeux et épanoui. Voilà l'importance de les prier au cours de l'année. Leur action sera très rapide. Aussitôt que vous leur réclamerez de l'aide, ces Anges enverront immédiatement sur votre route, une possibilité pour régler votre ennui et y trouver la meilleure solution.

Cela dit, pour vérifier votre nombre angélique de l'année, rien de plus simple! Il suffit d'additionner votre date de naissance avec la date de l'année. Voici un exemple, vous êtes né le 28 février 1986. Donc le **28-2-1986**: 2 + 8 + 2 + 1 + 9 + 8 + 6 = 36. Additionnez cette somme avec **1** (chiffre de l'année). Vous obtiendrez donc la somme de 37. Décomposer cette somme jusqu'à ce que vous obteniez un chiffre de 1 à 9. Alors, 3 + 7 = 10: 1 + 0 = **1.** Votre numéro de l'année est également **1.** Attendez-vous à vivre de grands changements au cours de l'année. Tout ce qui ne fonctionne pas bien dans votre vie, vous aurez le privilège de le régler.

Prenons un autre exemple. Vous êtes nés le 20 juillet 1981. Additionnez votre date de naissance à l'année 2017. Donc: 2 + 0 + 7 + 1 + 9 + 8 + 1 = 28. Additionnez cette somme au chiffre de l'année: 28 + 1 = 29. Décomposer le chiffre 29: 2 + 9 = 11. Décomposer le chiffre 11 : 1 + 1 = 2**.** Votre chiffre de l'année est **2.**

Lorsque vous obtiendrez votre chiffre de l'année, référez-vous aux renseignements ci-mentionnés.

**1 :** Attendez-vous à vivre plusieurs changements au cours de l'année. Tout y passera, votre vie familiale, personnelle, professionnelle, amicale, etc. Vous rebâtirez votre vie sur des bases plus solides. Plusieurs événements surviendront et vous donneront l'envie d'améliorer votre vie. Certaines journées seront ardues. Des larmes seront versées. Il faut parfois vivre des pertes pour pouvoir repartir à zéro. Il faut également prendre conscience des lacunes de la vie pour pouvoir les améliorer. À la suite d'une période difficile, vous serez animé par l'envie de nouveautés et de nouveaux défis dans votre vie. Vous avez besoin de trouver un sens à votre vie et un bel équilibre.

Vous prendrez donc votre vie en main et vous foncerez vers un avenir meilleur. Néanmoins, vos résultats vous encourageront à continuer votre route et à persévérer. Attendez-vous donc à une année bien remplie, mais constructive.

Au niveau spirituel, l'énergie des Anges Séraphins vous sera utile. Apprenez donc à les connaître. Le Chœur des Séraphins est le 1er plancher que Dieu a créé. Ces Anges sont reliés à l'amour. Ils calmeront vos tempêtes émotionnelles et ils rallumeront la flamme du désir et de l'amour. Cela vous permettra de vivre passionnément les situations agréables que vous offrira la vie au cours de l'année 2017. Ce Chœur vous donnera la force et le courage de vous prendre en main et de vous relever. Ces Anges vous conduiront vers un chemin beaucoup plus lumineux pour vous. Grâce à leur énergie, vous réussirez votre année, et ce, malgré les intempéries de la vie.

**2 :** Votre vie personnelle sera très importante au cours de l'année. Vos besoins, vos rêves, vos défis et autres seront évalués en profondeur. Vous avez un urgent besoin de prendre soin de vous. Cela fait trop longtemps que vous vous êtes négligé. Vous avez donc besoin de vous retrouver. Vous prendrez conscience de vos faiblesses et de vos forces. À la suite de cette analyse, vous améliorerez certains aspects de votre caractère. Vous travaillerez sur certains défauts. Plus que jamais, vous avez besoin d'être en paix et en harmonie dans votre vie.

Cela dit, cette année, plusieurs éclairciront des malentendus et des situations ambiguës. Vous serez à la recherche de réponses. Lorsque vous les trouverez, vous prendrez les décisions qui s'imposent à ce moment-là. Certains vivront quelques dualités avec certaines personnes et situations. Vous serez obligé de trouver un terrain d'entente. D'autres seront en conflit avec leur personnalité. Quelques-uns chercheront à perdre le poids superflu. Ils feront de l'exercice et prendront soin de leur alimentation. Certains opteront pour une chirurgie plastique pour remodeler une partie de leur corps. Vous voulez être bien dans votre peau. Vous opterez pour la situation qui vous interpellera le plus pour être satisfait de votre personnalité. Vous pouvez également changer vos tenues vestimentaires et y inclure de la nouveauté. Il en est de même pour votre coiffure. Plusieurs chercheront à plaire à leur partenaire amoureux. En outre, vous êtes déterminé à vous sentir bien dans votre peau. Cela sera également une année fertile, et ce, dans tous les sens du mot. Tout ce que vous entreprendrez vous apportera de bons résultats. Néanmoins, vous devez fournir les efforts nécessaires pour obtenir des résultats à la hauteur de vos attentes.

Au niveau spirituel, l'énergie des Anges Chérubins vous sera utile. Apprenez donc à les connaître. Le Chœur des Chérubins est le 2ième plancher que Dieu a créé. Ces Anges sont reliés à la santé mentale. Ils sont également excellents pour vous trouver de bonnes solutions et les appliquer dans votre vie. Au cours de l'année, ce Chœur vous aidera à prendre votre vie en main et à faire un grand ménage dans votre routine quotidienne. Cela vous aidera à obtenir une meilleure qualité de vie. Grâce à leur Lumière, vous serez en mesure d'améliorer votre vie et d'être heureux. De plus, ce Chœur prendra soin de votre santé mentale. Il n'est jamais facile d'entreprendre un grand ménage dans sa vic. Cela peut parfois attaquer la santé mentale. Leur Lumière calmera vos états d'âme. Ces magnifiques Anges vous infuseront une énergie de force et de courage pour bien compléter vos objectifs fixés.

**3 :** Les projets et la vie familiale seront vos priorités de l'année 2017. Vous voulez retrouver l'harmonie dans votre foyer. Vous améliorez donc plusieurs aspects que vous avez négligés. Il peut s'agir de bien endosser votre rôle de parent, de prendre soin de vos parents, d'agrandir votre cercle familial, de réussir une vie reconstituée, etc. La réussite de votre vie familiale sera importante pour vous. Vous chercherez à prendre soin de votre famille. Vous réaliserez que leur bonheur est important à vos yeux. Vous ferez donc votre possible pour les voir heureux et épanouis. Vous êtes conscient que vous les avez négligés. Vous changerez donc votre attitude envers eux. Vous serez beaucoup plus présent et à l'écoute de leurs besoins. Cette nouvelle vision de la vie réconfortera énormément vos proches. Votre présence auprès d'eux les rendra heureux. Vous planifierez des activités familiales. Vous les inviterez à souper. Vous passerez de bons moments avec eux. Vous aurez des discussions divertissantes. Vous vous remémorez de bons souvenirs. Vous serez bien et comblé avec vos proches. Si vous avez vécu de la discorde, vous chercherez à vous réconcilier.

De plus, ne soyez pas surpris de jouer le rôle de médiateur. Vous voulez que vos proches soient heureux et vous ferez tout pour les rapprocher les uns des autres. Plus que jamais, vous voulez vivre heureux, en paix et en harmonie avec vos proches. Vous ferez donc tout ce qui est possible pour atteindre cette béatitude. L'année 2017 sera également très productive. Vous travaillerez ardemment pour réussir vos objectifs fixés. Néanmoins, vous serez satisfait de vos actions. Vous aurez la tête remplie de projets et vous mettrez à profit vos idées. Vous bougerez beaucoup. Vous irez aux endroits spécifiques pour réaliser vos projets. Rien ne restera en suspens et tout se réglera. Telle sera votre détermination au cours de l'année. Certains prendront une décision qui aura un impact majeur dans leur vie. Il peut s'agir d'un déménagement, d'un changement de ville, d'un changement professionnel et autre. Toutefois, vous serez ravi de votre décision.

Au niveau spirituel, l'énergie des Anges Trônes vous sera utile. Apprenez donc à les connaître. Le Chœur des Trônes est le 3ième plancher que Dieu a créé. Ces Anges sont très puissants et possèdent des forces extraordinaires pour aider l'être humain à réussir leur vie terrestre. L'énergie de ce Chœur vous aidera à retrouver votre équilibre ainsi que la joie de vivre. Ces Anges Trônes enverront régulièrement des possibilités sur votre chemin pour réussir vos objectifs fixés. Ils vous aideront également à retrouver l'harmonie, la paix et l'amour dans votre vie. Leur Lumière vous guidera vers des chemins prolifiques qui vous apporteront de la satisfaction et des cadeaux inespérés. Cela vous encouragera à persévérer pour obtenir de bons résultats et améliorer votre vie. Ce Chœur est considéré comme étant la Lumière au bout du tunnel. Il représente la solution pour éliminer les problématiques. La clé pour ouvrir la porte de la liberté. Telles seront les bienfaits de leur Lumière au cours de 2017.

**4 :** Votre situation professionnelle, la réussite de votre avenir et vos plans pour atteindre le bonheur seront vos priorités pour 2017. Plus que jamais, vous avez besoin d'équilibre et d'harmonie dans plusieurs sphères de votre vie. Vous ferez donc tous les changements pertinents pour retrouver cette béatitude que vous aspirez tant obtenir. Il est évident que pour réussir ces objectifs, vous devrez y mettre tous les efforts nécessaires. Certaines journées seront parfois pénibles. Il serait donc important de ne pas lâcher prise en cours de route. Sinon, vous trouverez votre année pénible et difficile. Toutefois, si vous relevez vos manches et que vous amorcez les changements désirés, vous serez satisfait de vos actions. Vous parviendrez à trouver un sens à votre vie. Vous n'aurez plus peur de votre avenir puisque vous le travaillerez au fur et à mesure que vous avancerez.

Cette année, plusieurs réaliseront qu'ils ne sont pas heureux ni satisfaits de leur vie professionnelle. Ils feront tout pour améliorer cet aspect. Vous irez à la recherche d'un nouvel emploi. Vous passerez des entrevues. Vous améliorerez vos conditions de travail. Vous aurez des discussions importantes avec vos supérieurs et collègues de travail. Ceux qui sont sans travail iront à la recherche d'un travail. Bref, plusieurs travailleurs feront des sacrifices pour obtenir de bons résultats. Néanmoins, ils seront satisfaits puisque leurs sacrifices leur permettront de réaliser l'un de leurs désirs. Cela sera également une période favorable pour les entrepreneurs, les artistes et les commerçants. Vous ferez la signature de papiers importants qui vous apporteront de la satisfaction et une remontée financière. Vous réaliserez que vos efforts ont porté fruits.

Également, votre avenir vous inquiètera. Vous voulez donc le réussir. Vous établirez des plans d'attaque et chercherez à les respecter pour réussir vos objectifs fixés. Attendez-vous à faire une rencontre importante au cours de l'année. Cette personne vous aidera dans l'élaboration de vos tâches. Grâce à ses précieux conseils, vous serez en mesure de réussir plusieurs de vos projets. Vous bougerez donc beaucoup en 2017. Vous travaillerez ardemment pour parvenir à vos fins. Rien ne vous arrêtera. Lorsque vous aurez une idée en tête, vous ferez votre possible pour la réussir comme vous le souhaitez. À certaines occasions, cela vous épuisera. Néanmoins, vous reprendrez vite le dessus et continuerez votre route. Cette année, vous serez davantage un vainqueur qu'un vaincu !

Au niveau spirituel, l'énergie des Anges Dominations vous sera utile. Apprenez donc à les connaître. Le Chœur des Dominations est le 4ième plancher créé par Dieu. Ces Anges sont extrêmement élevés spirituellement. Leur mission est d'aider l'être humain à réussir leur plan de vie. En outre, ces Anges veulent vous voir heureux et satisfait de vos actions. Leur Lumière vous donnera l'énergie nécessaire pour réussir vos plans et en tirer profit. Ce Chœur enverra sur votre chemin des personnes ressources qui sauront vous épauler et répondre à vos besoins au moment opportun. De plus, ils rehausseront vos qualités et votre personnalité. Cela aura un impact favorable lors d'entrevue, de pourparlers, de transactions et autres. Grâce à ce Chœur, vous vaincrez tous les défis qui se présenteront sur votre route et vous réussirez plusieurs de vos objectifs fixés.

**5 :** Tel un détective, vous irez à la recherche de réponses, de conseils et de vérités. Vous voulez améliorer votre vie. Vous êtes fatigué de la négativité. Vous chercherez donc à vous entourer de personnes honnêtes et dynamiques. Telle sera votre priorité de 2017. Vous élaborerez plusieurs questions existentielles. Vous serez donc à la recherche de réponses pertinentes. Il y aura également des situations dérangeantes que vous chercherez à régler. Vous avez aussi besoin de faire la Lumière sur plusieurs situations ambiguës. Vous serez à la recherche de vérité. La journée du mardi vous sera favorable pour obtenir de bons résultats dans votre quête de réponse.

Cette année, vous évaluerez davantage votre routine quotidienne. Vous êtes conscient que votre vie est en désordre à cause de votre négligence. Vous êtes également fatigué de traîner un boulet à vos pieds. Vous avez besoin de trouver votre équilibre ainsi que le contrôle de votre existence. Il est évident que votre réveil sera brutal. Vous avez trop négligé votre vie. Certaines journées ne seront pas faciles. Vous verserez des larmes de fatigue et d'épuisement. Néanmoins, vous parviendrez toujours à trouver de bonnes solutions pour revoir le soleil luire de nouveau dans votre vie. Vous serez souvent au bon endroit pour trouver vos réponses, clarifier vos ambiguïtés et obtenir la vérité. Plusieurs situations et personnes révéleront des messages importants pour vous. Cela vous aidera à prendre de bonnes décisions au moment opportun.

Cela dit, certaines personnes consulteront un psychologue, un thérapeute, un conseiller ou une personne influente pour les aider à prendre leur vie en main et à atteindre leurs objectifs fixés. Ces personnes vous apporteront de judicieux conseils. Cela vous encouragera à persévérer et à travailler ardemment lors de vos actions. Vous améliorerez donc votre vie avec assurance et détermination. Vous réaliserez également que c'est dans le détachement que vous retrouverez votre liberté. Avant que l'année se termine, vous ne sentirez plus ce boulet à vos pieds. Vous marcherez fièrement et savourerez chacune de vos réussites obtenues grâce aux changements apportés dans votre routine quotidienne.

Au niveau spirituel, vous serez sous la gouverne des Anges Puissances. Ce Chœur est le 5ième plancher que Dieu a créé. Ces Anges vous aideront à réparer les pots brisés. Ils vous aideront à vous libérer de ce boulet qui traîne à vos pieds. Ce Chœur vous permettra de mieux comprendre les événements qui se produisent dans votre vie. Ils vous aideront à prendre conscience des dommages causés par vos écarts de conduite et à accepter les conséquences de vos actes. Vous serez donc en mesure de réparer les fautes commises au meilleur de vos capacités. Ils vous donneront tous les outils essentiels pour vous prendre en main et réparer tout ce qui ne fonctionne pas bien dans votre vie. Au lieu de trébucher, vous vous relèverez grâce à ces Anges. Il est évident que vous ferez des erreurs. Toutefois, vous serez conscient de vos erreurs et des actions à entreprendre pour les réparer. Telle sera votre force au cours de 2017. Vous comprendrez également l'importance du mot « pardon ». Vous serez en mesure de le prononcer et de l'entendre au cours de l'année.

**6 :** Votre vie amoureuse, votre bonheur et l'énergie positive seront vos priorités de 2017. Vous voulez être heureux et sentir le bonheur dans votre foyer. Vous ferez tout pour atteindre cette béatitude.

Vous êtes également conscient que vous avez des choix à faire et des décisions à prendre. Toutefois, vous laisserez parler votre cœur. Cela vous avantagera lors de vos actions. Vous avez un urgent besoin de retrouver la joie de vivre. Vous réaliserez que cela calme vos états d'âme et vous remplit d'énergie. Vous ne voulez plus souffrir ni verser des larmes de lassitude et de déception. C'est la raison pour laquelle vous vous éloignerez de toutes situations et personnes qui pourraient vous détruire émotionnellement et mentalement. Il est évident que vous devez fournir des efforts pertinents pour obtenir d'excellents résultats. Néanmoins, vous serez prêt à tout pour être heureux. De plus, il y aura toujours un événement qui surviendra au moment opportun et qui vous permettra de choisir entre deux ou trois situations valables. Cela vous avantagera énormément lors de décisions et d'actions.

Cela dit, plusieurs couples miseront sur leur bonheur conjugal au lieu de leur réussite professionnelle. À la suite d'une épreuve, vous réaliserez l'importance de votre union. Cela vous fera réfléchir. Vous prendrez donc de bonnes décisions qui solidifieront davantage votre relation. Vous planifierez des activités familiales qui vous rapprocheront de vos proches. Vous aurez des discussions rafraîchissantes avec votre partenaire et les membres de votre famille. Vous ferez tout pour rallumer la flamme du désir entre vous et votre partenaire. Celui-ci ne pourra résister à votre charme et dévouement pour votre famille. Vous l'épaterez de plusieurs manières. Vous serez donc fier de vous et de votre comportement.

Certains couples qui vivent des périodes difficiles chercheront des solutions pour ramener l'harmonie dans leur foyer. Quelques-uns ne parviendront pas à trouver un terrain d'entente et subiront une séparation. Malgré tout, vous réussirez votre séparation et vous vous remettrez vite sur vos deux pieds! Les personnes célibataires vivront de belles aventures. Toutefois, l'une d'elles conquerra leur cœur et une belle union naîtra.

En outre, l'énergie du nombre « 6 » vous comblera de mille et une façons. Vous serez passionné par les événements qui se produiront au cours de l'année. Il n'y aura pas que votre vie amoureuse qui rayonnera. D'autres aspects de votre vie vous enchanteront. Vous vivrez des situations agréables et avantageuses. Vous chasserez la négativité, vous lâcherez prise sur des situations insolubles et vous vivrez votre vie au maximum ! Au niveau du travail, certains obtiendront une augmentation de salaire ou ils vivront un changement bénéfique. Cela les rendra heureux.

Au niveau spirituel, vous serez sous la gouverne des Anges Vertus. Ce Chœur est le 6ième plancher que Dieu a créé. Ces Anges font des miracles. Ce Chœur est la Source divine dont chaque être humain a besoin pour vivre en harmonie, heureux et en santé. Ces Anges vous donneront donc l'énergie nécessaire pour amorcer vos changements, réussir vos objectifs fixés et atteindre votre bonheur. Ils guideront régulièrement vos pas vers des situations lumineuses. De plus, vous réaliserez les bienfaits qu'engendre l'énergie positive. Vous chercherez donc à vous en imbiber régulièrement. Vous chasserez la négativité de votre vie. Vous avez trop souffert des effets dévastateurs qu'a causés la négativité dans votre vie. Cette année, vous voulez vivre votre vie et non la subir. Cette nouvelle vision de la vie apportera que des bienfaits dans votre année 2017.

**7 :** La satisfaction et la réussite seront vos récompenses. Vous prendrez votre vie en main et vous avancerez fièrement vers vos objectifs. Si l'on pouvait vous décerner un prix, vous l'obtiendrez au cours de l'année. Vous serez satisfait de tout ce qui se produira. Fini les larmes causés par les problématiques. Fini les situations stressantes et insolubles. Vous serez animé par une force inexplicable qui vous aidera à vous soutirer de vos ennuis avec fierté. Tel un chef d'équipe, vous conduirez bien votre vie. Vous savez ce que vous voulez et vous ferez votre possible pour l'obtenir. Vous vous éloignerez de tous ceux qui chercheront à vous induire en erreur. Vous ne voulez plus vous laisser influencer par les personnes malintentionnées et négatives. Vous avez besoin d'être entouré de personnes dynamiques, positives et créatives.

Cela dit, plusieurs professionnels vivront des changements importants au sein de leur carrière. Vous obtiendrez des promotions, des prix honorifiques, des paroles encourageantes, etc. Plusieurs artistes et gens d'affaires seront reconnus par leur travail et vivront une période prolifique. La journée du jeudi vous apportera régulièrement de bonnes nouvelles. Cela vous encouragera à continuer de persévérer pour obtenir de bons résultats. Les couples seront heureux. Les personnes célibataires feront une rencontre importante. Un bel amour naîtra. Vous serez débordant d'amour et d'énergie. Vous serez passionné par plusieurs moments qui se produiront dans votre vie. Malgré les intempéries de la vie, vous serez toujours en mesure de ramener l'harmonie dans votre routine quotidienne. Telle sera votre force en 2017. Vous serez en contrôle avec votre vie. Vous la conduirez avec fierté et détermination. Cela fera de vous un être gagnant et prolifique!

Au niveau spirituel, vous serez sous la gouverne des Anges Principautés. Ce Chœur est le 7ième plancher que Dieu a créé. Ces Anges sont reliés à l'entraide et à l'amour. Leur mission est d'apporter dans le cœur de l'être humain, l'amour de soi et le respect de soi, que vous devez ensuite partager avec les autres. Sachez que le respect de soi et des autres est inhérent au vrai amour. Tous les Anges qui forment le Chœur des Principautés ont pour mission d'apporter le vrai amour dans le cœur des humains. Ils veulent que votre cœur batte pour les bonnes raisons. De plus, ces magnifiques Lumières adorent former une chaine de prières. Ils prient pour que votre âme rayonne de bonheur, de joie et d'harmonie. Ils adorent exaucer les vœux de ceux qui les prient. Plus vous aiderez votre prochain, plus vous propagerez la joie et l'entraide autour de vous et plus vous récolterez les bienfaits de votre grande bonté. Cette année, soyez généreux dans vos gestes et vous verrez l'abondance animer votre foyer de cadeaux providentiels. Telle sera la récompense des Anges Principautés envers vous.

**8 :** Votre équilibre et la réussite de votre avenir seront vos priorités. Vous êtes exaspéré d'être le bouc émissaire de vos proches. Vous avez besoin de trouver vos repères et vous prendre en main. Tel un vaillant chevalier, vous prendrez les rênes de votre vie et vous réglerez tout ce qui entrave votre bonheur. Vous mettrez un terme aux problématiques. Vous avancerez avec détermination vers vos objectifs fixés. Rien et ni personne ne pourra vous arrêter. Vous serez animé par une frénésie productive et constructive. Cela attirera vers vous de belles réussites. Vous bâtirez, créerez et produirez des projets. Tout ce que vous entreprendrez sera couronné de succès. Cela vous encouragera à continuer à persévérer pour obtenir de bons résultats. Il est évident que vous travaillerez ardemment. Néanmoins, vous serez productif. Tout se réglera et tout se construira. Rien ne restera en suspens. Vous serez très fier de vous et de vos capacités à améliorer votre vie. Vous serez souvent au bon endroit au moment opportun.

De plus, vous réglerez des papiers juridiques ou gouvernementaux avec satisfaction. Votre intuition sera à la hausse. Cela vous aidera à faire des choix judicieux lors de vos décisions. Vous clarifierez également des situations ambigües. Vous trouverez régulièrement les réponses à vos questions et les solutions à vos problèmes. Vous les appliquerez instantanément dans votre vie. Cela fera de vous un être gagnant et vainqueur. Votre avenir vous appartient et vous en êtes conscient. Vous ferez tout pour que celui-ci soit à la hauteur de vos attentes. Tout ce que vous entreprendrez au cours de cette année apportera des fruits. Vous serez propulsé au sommet par de belles victoires. Cette année, écoutez votre voix intérieure. Celle-ci saura bien vous guider au moment opportun.

Au niveau spirituel, vous serez sous la gouverne des Anges Archanges. Ce Chœur est le 8ième plancher que Dieu a créé. Ces Anges sont reliés aux solutions. Ils vous guideront vers les meilleurs endroits pour obtenir de bons résultats. Chacun des Anges de ce Chœur est un Ange de justice, de droiture, orienté vers les solutions, la santé et le bien-être sous toutes ses formes. Ces Archanges vous aideront à atteindre un bel équilibre dans votre vie. Chaque Ange possède un outil angélique qui vous permettra de régler vos problématiques avec efficacité. Il ne faut pas oublier que ce Chœur est dirigé par l'Archange Michaël. Rien ne reste en suspens avec cet Archange, tout se règle ! Cet Archange prône l'harmonie, l'honnêteté, l'entraide, la joie de vivre, etc. Il n'aime pas voir les êtres humains se déchirer par des paroles et gestes destructifs. Il possède la mission de chasser l'Ombre sur Terre. Avant tout, il doit la chasser dans le cœur de l'être humain et le ramener vers le chemin de la Lumière.

Au niveau planétaire, sa mission est primordiale. Il existe trop d'êtres humains assombris par l'Ombre. Si vous priez l'Archange Michaël, sa Lumière illuminera votre cœur. Ainsi, vous serez moins dérangé par les sentiments négatifs. Vous réaliserez l'impact dévastateur qu'engendre un sentiment négatif. Cela vous donnera l'énergie et l'envie nécessaire de vous prendre en main et d'améliorer ce trait de caractère qui dérange vos émotions et votre santé mentale. Si l'être humain était conscient des effets dévastateurs que provoque l'Ombre dans sa vie, il réagirait différemment lorsqu'une problématique vient vers lui. Au lieu de s'enliser dans la vengeance et le découragement, il opterait pour une solution plus lumineuse et positive pour sa santé globale. Il relèverait donc ses manches et réglerait rapidement sa problématique. De plus, il chercherait davantage à s'éloigner de l'Ombre. Il se dirigerait immédiatement aux endroits lumineux pour lui. Telle est l'efficacité du Chœur des Archanges : aider l'être humain à chasser la négativité et à la remplacer par l'objectivité et l'optimisme. Ainsi, lorsqu'arrivera une problématique, vous serez en mesure de la régler immédiatement et vaquer plus rapidement à vos tâches habituelles. Vous serez en équilibre !

**9 :** Vous prioriserez votre santé globale et votre bien-être. Vous réaliserez également que seul le temps arrange les choses. Donc, au lieu de courir, vous ralentirez le pas et vous marcherez vers vos solutions, vos projets et vos objectifs fixés. Vous êtes exaspéré d'être éparpillé. Plus que jamais, vous avez besoin de reprendre le contrôle de votre vie ainsi que votre souffle. Le rôle de la girouette ne vous plaît guère. Cela fait trop longtemps que vous tournez dans tous les sens et que rien ne se produit tel que vous le souhaiter. Cette année, vous miserez davantage sur la réflexion au lieu de la rapidité. Cela ne veut pas dire que vous serez très lent. Cela veut tout simplement dire que vous réfléchirez avant d'agir. Vous êtes à une croisée de chemins. Votre avenir dépend de vos décisions et actions. Quel chemin emprunterez-vous pour retrouver la quiétude et le bonheur ? Pour poursuivre vos rêves ? Allez-vous prendre le chemin le plus rapide ou le plus productif ? Vos décisions seront importantes. Celles-ci auront un impact primordial sur votre avenir. Vous devez donc choisir astucieusement. Ainsi, vous ne serez pas déçu.

De plus, votre intuition sera très éveillée au cours de l'année. Vous ressentirez souvent les événements avant qu'ils se produisent. Cela vous aidera donc à faire des choix judicieux au moment opportun. Vous serez bien guidé par votre voix intérieure. Ne la négligez pas! Elle vous sera très utile lors de la prise de décisions importantes.

Cela dit, plusieurs éclairciront des malentendus. Vous ferez la lumière sur les ambiguïtés et les situations insolubles. Vous mettrez également un terme aux problématiques et aux fantômes du passé qui vous empêchent de vous épanouir et d'être heureux. Vous fermez donc la porte du passé et vous avancez vers un avenir plus serein. Vous êtes maintenant conscient que vous détenez les qualités essentielles pour réussir votre vie. Il suffit de vous faire confiance et d'avancer vers vos objectifs au lieu d'attendre après les autres. Bref, au lieu de maugréer sur les retards pour obtenir ce que vous désirez, vous miserez sur la patience. Vous réaliserez que l'attente attire de belles récoltes dans votre direction. Lorsque vous prenez le temps de réfléchir à vos actions, vous constatez davantage les conséquences de vos actes. Cela attire vers vous de belles réussites puisque vous êtes en mesure d'appliquer les actions pertinentes pour régler vos problématiques, pour obtenir de bons résultats, pour réaliser vos projets et pour atteindre l'équilibre dans votre routine quotidienne. Cette année, vous agirez prudemment mais sûrement. Telle sera votre philosophie de vie. Cette nouvelle perception de la vie attirera que de la satisfaction dans votre direction. Cela aura également un impact bénéfique sur votre santé globale.

Au niveau spirituel, vous serez sous la gouverne des Anges Anges. Ce Chœur est le 9ième plancher que Dieu a créé. Ces Anges sont des facilitateurs, c'est-à-dire qu'ils aident les êtres humains à réussir leur vie terrestre et à faire des choix sensés. Le Chœur des Anges vous aidera à prendre votre vie en main et à régler tout ce qui entrave votre bonheur de s'épanouir. Ce Chœur représente le début et la fin d'un cycle pour vous. Vous vivrez donc la fin d'un cycle de vie pour vous orienter vers un nouveau cycle amélioré. Ces Anges vous guideront régulièrement aux endroits prolifiques pour réussir votre année. Il n'en tient qu'à vous de faire les changements nécessaires pour atteindre la béatitude dans votre vie. De plus, vous serez qualifié pour le faire puisque le Chœur des Anges infusera leur Lumière de détermination et d'ardeur à l'intérieur de vous. Cela attirera vers vous de belles réussites. En guise de réconfort, certains auront le privilège de voir un Ange au cours de l'année. Cela vous encouragera à persévérer pour atteindre votre bonheur et être heureux.

# Partie II

# *Les Anges gouverneurs*

*2017*

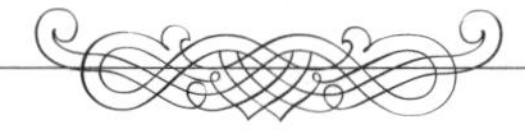

# Chapitre II

# Renseignements utiles concernant les mois et les Anges gouverneurs

Pour mieux gérer les événements qui surviendront au cours de l'année 2017, les Anges ont donné des informations qui pourraient s'avérer utiles et importantes pour bien réussir votre année. Ces situations auront un impact sur l'ensemble de la société. Tout dépendamment des circonstances de la vie, certains pourraient vivre davantage les problématiques du mois que les événements favorables qui se produiront. Il serait donc favorable, voire fondamental de connaître l'Ange gouverneur et de le prier. La mission de cet Être de Lumière est d'infuser son énergie pour donner la force, le courage et la détermination à celui qui vit une problématique à s'en sortir plus rapidement. Cet Ange vous dirigera vers les meilleures solutions pour vous libérer de vos problématiques. Il ouvrira également la porte aux possibilités pour que chaque individu qui le prie puisse mieux savourer les situations agréables que provoquera sa Lumière angélique au cours du mois. Votre bonheur est important aux yeux des Anges. Ils se dévoueront entièrement à votre cause. Ils apaiseront vos états d'âme et ils vous dirigeront aux endroits prolifiques pour que vous puissiez obtenir du succès dans l'élaboration de vos tâches. Cela vous encouragera à persévérer pour atteindre vos buts fixés, pour régler vos problématiques et pour savourer les événements agréables de la vie.

De plus, au lieu de vous engager dans des batailles conflictuelles, leur Lumière apaisera vos sentiments de vengeance. Vous serez moins envahi par la négativité. Vous chercherez davantage la sérénité et la quiétude. Cela vous permettra également de vous éloigner des problématiques et de les surmonter avec tact et dynamisme. Vous serez moins découragé par les événements de la vie. Vous serez davantage en contrôle et vous chercherez rapidement toutes les issues pour vous libérer de vos problèmes au lieu de stagner et de jouer à la victime. Telle est la force qu'infusera chaque Ange gouverneur à l'intérieur de vous. Il suffit de le prier régulièrement à chaque mois !

Si vous êtes conscient des problématiques qui peut survenir au cours du mois, cela vous aidera à mieux gérer votre mois. Si vous éprouvez une difficulté, réclamez immédiatement l'aide de l'Ange gouverneur. Cela sera bénéfique et vous pourrez rapidement vous libérer de vos problèmes et vaquer à vos tâches habituelles. Il est évident que les Anges ne peuvent pas tomber pour vous. Néanmoins, ils seront là pour vous tendre la main et vous redresser. Les gens ont tendance à critiquer les Anges lorsqu'un événement dramatique survient dans leur vie. Toutefois, vous devez comprendre que **les Anges ne sont pas responsables de vos erreurs humaines**. Ces Êtres de Lumière envoient régulièrement des signes à l'être humain pour que celui-ci évite des catastrophes. Toutefois, la plupart des gens ne les écoutent pas et ne les voient pas !

Lors d'une épreuve, au lieu de vous apitoyer sur votre sort, au lieu de jouer à la victime et au lieu de blâmer l'univers de Dieu pour ce qui vous arrive, demandez simplement aux Anges de vous aider et de vous soutirer de vos ennuis. Dans l'espace de peu de temps, les Anges enverront sur votre chemin plusieurs possibilités qui vous permettront de retrouver le chemin de l'harmonie et de la quiétude. Ce sera à vous de saisir ces possibilités et de reprendre le contrôle de votre vie.

Il y a également les **personnes négatives**. Vous devez comprendre qu'une attitude négative face aux événements de votre vie attirera que des problèmes et des ennuis dans votre direction. Si vous êtes conscient que votre négativité dérange votre quiétude, vous venez de faire un pas constructif vers l'amélioration de votre vie. Si vous souhaitez vivre sereinement et profiter des événements favorables qui surviendront au cours de l'année, priez les Anges gouverneurs. Leur Lumière vous fera prendre conscience de vos sentiments négatifs et de l'impact qu'ils occasionnent dans votre vie. Si vous êtes conscient des effets dévastateurs que peut causer votre attitude négative, vous chercherez davantage à vous transformer. Ainsi, votre vie s'améliorera et la joie vous animera !

À titre d'exemple, voici un aperçu du mois de janvier : ce mois sera consacré à la remise de cadeaux. Dieu veut récompenser l'être humain qui se dévoue pour son prochain. Qu'il s'agisse d'une bonne parole, d'une action positive, d'un geste ou autre, vous serez récompensé. Cela vous encouragera à continuer d'apporter de la Lumière dans le cœur des gens. La mission revient donc à l'Ange Anauël ! Cet Ange adore donner des cadeaux. Priez-le et il couvrira votre mois de janvier de situations bénéfiques et agréables. De plus, la Lumière de l'Ange Anauël sera essentielle pour ceux qui vivront les problématiques du mois. Cet Ange vous donnera la force et le courage de surmonter les épreuves de la vie. Voilà l'importance de le prier.

Un Ange distinct viendra gouverner chaque mois de l'année. Vous rencontrerez donc douze Anges. Apprenez à les connaître. Leur énergie vous sera utile et essentielle pour bien gérer votre année. N'hésitez pas à formuler la prière du mois. Cela rehaussera votre persévérance et votre capacité d'accomplir des actions prolifiques pour votre bien-être personnel. Vous serez moins enclin au découragement. Si vous récitez la prière du mois, l'Ange gouverneur vous répondra par un signe particulier ! Cela vous permettra de réaliser que les Anges ont entendu vos demandes et qu'ils sont présents dans votre vie !

# Chapitre III

## JANVIER – Mois des cadeaux

### **Ange gouverneur :** Ange Anauël (63)

Il est toujours agréable de recevoir des cadeaux, surtout lorsque ceux-ci proviennent des Anges. En janvier, Dieu récompensera toutes les bonnes actions que vous ferez pour égayer la vie de vos proches. Plus vous propagerez la joie et l'entraide autour de vous, plus vos récoltes seront abondantes. Cela vous encouragera à répandre l'allégresse dans le cœur des gens. Les cadeaux qui vous seront envoyés peuvent concerner un rêve, un projet, une idée, la santé, la vie familiale, etc.

L'Ange gouverneur saura bien récompenser vos gestes gratifiants envers autrui. Votre bonheur est important à ses yeux. Il enverra donc sur votre chemin une situation qui remplira votre cœur de joie ! Cela animera votre foyer ! Vous serez heureux et débordant d'énergie ! Cela aura un impact favorable sur vos actions. Pour mieux obtenir ces cadeaux providentiels, Dieu a désigné l'Ange Anauël pour gouverner le mois de janvier. L'énergie de l'Ange Anauël est très vibrante. Souvenez-vous de votre enfance, lorsque vous déballiez vos cadeaux à Noël. Cette sensation de fébrilité est identique à l'Ange Anauël.

L'Ange Anauël est le 63ième Ange que Dieu a créé. Il est un Ange masculin et il fait partie du Chœur des Archanges. Toute une vivacité l'anime. Il adore taquiner l'être humain et le combler de cadeaux providentiels ! Donc, cet Ange se fera un plaisir de vous gâter au cours de ce mois. Voilà donc l'importance de le prier et d'amorcer de bonnes actions.

Anauël est très près de l'Ange Mehiel. L'un ne va pas sans l'autre. Ces deux Anges forment une équipe du tonnerre lorsqu'il s'agit de vous aider à surmonter une épreuve et à accomplir votre plan de vie. Lorsque vous en priez un, il est définitif que l'autre se manifeste. La Lumière de ces deux magnifiques Anges vous infusera le courage de vous éloigner des personnes et situations négatives qui vous accaparent et dérangent votre quiétude. Ils vous aideront également à régler vos problématiques et à y mettre un terme définitif. Ainsi, vous pourriez vivre plus sereinement votre vie.

Anauël est également l'Ange qui met le plus parfaitement en œuvre les énergies de l'Archange Michaël. Il est le plus important des Anges dans son Chœur à cause de son travail et de son service à instaurer la paix dans le cœur des gens qui souffrent et qui ont été victimes d'agressions, de violence conjugale, de maladies graves, d'accidents de la route, etc. Malgré l'événement que vous avez subi, l'Ange Anauël vous infusera la force et le courage de vous relever. Il travaillera donc en collaboration avec son confrère l'Ange Mehiel. Au cours de ce mois, n'hésitez pas à réclamer de l'aide à Anauël. Celui-ci saura vous réconforter, vous gâter et vous guider vers des chemins beaucoup plus lumineux pour vous !

## Les problématiques du mois de janvier

Plusieurs personnes seront découragées par les dépenses encourus lors de la période des fêtes. D'autres devront faire face à une épreuve, et une décision s'impose pour mieux régler la situation. Cela ne sera pas facile, néanmoins pour retrouver leur équilibre, ces personnes n'auront pas le choix d'y voir avant que leur situation s'envenime.

Quelques-uns subiront des incidents de toutes sortes à cause d'étourderies et de négligence. Il faudra également surveiller la vitesse lors de déplacement. Ne prenez pas le volant si vous êtes fatigué ou en état d'ébriété. Ainsi, vous éviterez des ennuis. Évitez également les cris lors de conversations avec vos proches. Cela ne sera pas favorable et cela vous causera que des problèmes émotionnels.

**Les bienfaits de la Lumière de l'Ange Anauël** réconforteront et encourageront plusieurs personnes à améliorer leur vie. Au lieu de vous apitoyer sur votre sort, l'Ange Anauël vous permettra de trouver votre équilibre et de retrouver votre harmonie. De plus, cet Ange protège les voyageurs pour que leur voyage se passe en toute sécurité. Il les protège contre les accidents de la route. Il protège également toutes les personnes qui travaillent avec de la machinerie lourde, avec des outils dangereux, etc. Voilà de bonnes raisons de le prier et lui demander sa protection au cours de janvier.

Également, il ne faut pas oublier que l'Ange Anauël récompensera les bonnes actions faites au cours de ce mois. Priez-le! Accomplissez de bonnes actions et savourez vos cadeaux providentiels!

## Exercice à compléter

Quels sont les cadeaux que vous aimeriez recevoir? Écrivez-en trois:

1. ________________________________________

2. ________________________________________

3. ________________________________________

Vous obtiendrez l'un de ces cadeaux au cours de ce mois. Les deux autres arriveront avant que l'année se termine! L'Ange Anauël vous donnera ces cadeaux. Anauël est un Ange infiniment bon. Son seul désir est de vous gâter et d'envoyer des surprises agréables sur votre chemin. Lorsque vous écrirez vos trois vœux et que vous réciterez la prière, l'Ange Anauël consultera immédiatement la sphère spirituelle. Si vous êtes sincère dans votre demande, si cela n'affecte pas votre plan de vie, l'Ange Anauël vous donnera vos cadeaux.

Toutefois, si l'un de ces cadeaux n'est pas possible pour l'instant, il vous enverra un substitut qui vous plaira autant. N'oubliez pas que les Anges savent mieux que quiconque ce qui est bon pour vous. Si les cadeaux demandés peuvent nuire à votre bonheur, il est évident que l'Ange Anauël vous enverra un substitut. Par exemple, si vous demandez d'être aimé d'une personne en particulier et que cette personne ne peut vous rendre heureux, il est évident que l'Ange Anauël ne peut acquiescer à cette demande! Toutefois, il peut envoyer une meilleure personne qui saura vous rendre heureux!

## Prière à réciter pour recevoir l'aide de l'Ange Anauël

*Ô vous, Ange Anauël,*

*Bénissez mon mois de janvier et comblez-le de cadeaux inespérés!*

*Protégez-moi des intempéries de la vie,*

*Apportez-moi abondance, prospérité et une vie équilibrée.*

*Ô vous, fidèle serviteur de Dieu,*

*Faites scintiller votre magnifique Lumière,*

*Afin qu'elle éclaire mon chemin vers des situations prolifiques.*

*Avec humilité, je vous prie d'illuminer ma vie et de l'embellir!*

*Parsemez-la de bonheur et de joie.*

*Je vous rends grâce des bienfaits que votre Lumière m'apportera*

*au cours du mois de janvier.*

Au cours du mois, récitez régulièrement cette prière. Cela aura un effet bénéfique dans votre vie! Vous pouvez le faire à tous les jours, si vous le désirez! Toutefois, vous pouvez également le faire une fois par semaine.

## Signes de l'Ange Anauël

À la suite de votre prière, l'Ange Anauël vous enverra un signe. L'un de ses signes préférés est d'envoyer une personne vous offrir du chocolat, des friandises ou une canne de Noël ! Il peut également vous montrer un cœur en or, soit un bijou ou une image. De plus, ne soyez pas surpris, si l'Ange Anauël envoie quelques pièces de monnaie sur votre chemin. Il aime les dix sous, vous pourriez trouver quelques dix sous à la suite de votre prière. Toutefois, si l'Ange Anauël vous montre un cœur en or, cela signifie que la joie et l'amour scintilleront dans votre vie au cours de l'année !

---

***Message de l'Ange Anauël :*** *Au cours de ce mois, faites scintiller votre cœur et nourrissez-le de partage, de joie et d'amour. Apportez votre aide à une personne dans le besoin et votre mois sera gratifiant. En agissant ainsi, vous me permettrez d'accomplir ma mission avec fébrilité ! J'enverrai des cadeaux à tous ceux qui écoutent leur cœur ! N'oubliez pas que la bonté est une qualité essentielle à l'épanouissement de votre être. N'hésitez donc pas à vous en servir ! Cela me permettra de récompenser vos bonnes actions. Prenez également conscience de l'effet bénéfique que cela procurera à la Terre. Si l'être humain prenait conscience des bienfaits de sa bonté, il y aurait moins de souffrance sur Terre. Au cours de l'année, chassez les pensées négatives et nourrissez-vous que de pensées positives ! Vous verrez que votre vie s'améliorera et vous en serez heureux !*

---

# Chapitre IV

## FÉVRIER – Mois des traités de paix

### Ange gouverneur : Haaiah (26)

Lors de février, les gens chercheront à rétablir la paix, à s'éloigner des batailles, à conclure des ententes, à réaliser leur rêve et à accomplir de bonnes actions. Ils réaliseront l'importance de conserver une attitude positive face à leur vie. À la suite de quelques événements difficiles, plusieurs constateront l'impact dévastateur qu'engendrent les sentiments négatifs. C'est la raison pour laquelle ils chercheront à régler leurs problématiques avec sagesse et discernement pour éviter les conflits de toutes sortes. Puisque l'année de la spiritualité éveillera plusieurs personnes, celles-ci chercheront la paix au lieu de bataille. Ils chercheront également des solutions au lieu de problèmes. Cela les avantagera dans plusieurs aspects de leur vie.

Cela dit, l'Ange Haaiah se fera un plaisir de gouverner votre février 2017. Haaiah est un Ange d'une grande puissance. Elle est l'Ange des traités de paix. Haaiah n'aime pas voir l'être humain se déchirer à cause de batailles. Cet Ange sait pertinemment que les batailles engendrent des guerres et que les guerres détruisent tout sur leur passage. Haaiah veut éviter cela aux personnes qui la prient. À tous ceux qui la prieront, l'Ange Haaiah leur infusera sa Lumière de sagesse, de discernement et de droiture. Cela leur permettra de régler sagement leurs problématiques, de s'éloigner rapidement des conflits et des situations négatives.

Haaiah est le 26ième Ange que Dieu a créé. Elle est un Ange féminin et elle fait partie du Chœur des Dominations. La mission la plus importante de l'Ange Haaiah est de propager sa Lumière sur toutes les situations d'Ombre et sur tous les vampires d'énergie. De plus, sa Lumière vous libèrera des émotions dévastatrices. Sa mission est d'amener la paix intérieure. Ainsi, les sentiments de vengeance s'estomperont et la paix reviendra. Lorsqu'une personne est en paix, elle ne cherche pas la bataille, elle cherche les solutions. Telle sera la mission de l'Ange Haaiah au cours de février. Celle-ci infusera la paix dans votre cœur. Cela vous permettra d'être en harmonie avec vos actions et vos décisions.

## *Les problématiques du mois de février*

Plusieurs seront confrontés avec des situations d'Ombre. Il est évident que cela engendra des batailles de toutes sortes. Certains auront de la difficulté avec un ancien partenaire. D'autres se batailleront pour la garde des enfants. Quelques-uns vivront un échec. Il y en a qui chercheront à connaître les sentiments de leur partenaire dans le but de prendre une décision. Certains seront victimes d'un mensonge. Bref, plusieurs personnes hypocrites et négatives chercheront à nuire à leur prochain.

**Les bienfaits de la Lumière de l'Ange Haaiah** calmeront les tempêtes émotionnelles provoquées par les situations d'Ombre. Cet Ange vous permettra de régler à l'amiable vos problèmes. Haaiah atténuera le sentiment de vengeance. Cela vous permettra de régler plus sagement vos problématiques. Sa Lumière fera également ressortir la vérité telle qu'elle doit être entendue ; ainsi, vous verrez mieux ce qui se passe autour de vous. Il en est de même pour votre entourage. Elle vous permettra de mieux voir les intentions des gens qui vous entourent. Ainsi, il sera beaucoup plus facile de comprendre leurs agissements envers vous. Vous déchiffrerez rapidement leurs intentions. Cela vous permettra de vous en éloigner plus aisément !

Pour que la paix revienne dans votre vie, il est important de faire un traité de paix avec toutes les personnes qui cherchent la bataille, qu'il s'agisse d'un ancien amoureux, d'un voisin, d'un collègue de travail, d'un proche, etc. Au cours de l'année, n'hésitez pas à prier l'Ange Haaiah pour que la paix anime votre cœur et votre foyer. Haaiah travaillera en collaboration avec son confrère l'Ange Yeialel (58). La Lumière de l'Ange Yeialel répare les pots brisés et celle de l'Ange Haaiah conclut des traités de paix. Ensemble, ils travailleront pour que la paix et l'harmonie inondent la vie des gens. Leur Lumière aura un impact bénéfique sur les personnes négatives. Elle leur fera prendre conscience de leur faiblesse et de l'impact dévastateur qu'elle engendre.

## Exercice à compléter

Rien de plus simple que de faire un traité de paix. Vous verrez qu'en peu de temps, les personnes malintentionnées s'éloigneront de vous et vous ne serez plus atteint par leur attitude négative. Cela vous aidera à entreprendre vos tâches quotidiennes sans être tracassé par ces personnes problématiques. Lors d'un traité de paix, la mission de l'Ange Haaiah est d'envoyer sa Lumière de paix et de respect aux personnes concernées. De plus, elle atténuera vos sentiments de peurs, de frustration et de vengeance envers ces personnes. Avant d'agir sur un coup d'émotion, faites un traité de paix ! Cela vous avantagera et évitera des ennuis de toutes sortes. Tout au long de l'année, si l'attitude d'une personne vous dérange, n'hésitez pas à prier l'Ange Haaiah et de lui réclamer de l'aide. Sa Lumière vous secourra !

Cela dit, vous désirez faire un traité de paix avec un ancien partenaire, un collègue de travail, un voisin, une personne problématique ou autres ? Récitez la prière suivante :

## Prière à réciter pour recevoir l'aide de l'Ange Haaiah lors de traité de paix

*Ange Haaiah, j'aimerais faire un traité de paix avec (nommez la personne).*

*Infusez-nous votre Lumière de paix et de respect.*

*Libérez-nous des sentiments de l'Ombre.*

*Aidez-nous à retrouver le chemin de la Lumière et de l'équilibre.*

*Que votre magnifique Lumière me protège et me permettre de vivre en toute sécurité.*

*Je vous le demande humblement avec mon cœur et mon âme.*

*Amen, (merci ou namasté)*

## Prière à réciter pour recevoir l'aide de l'Ange Haaiah pour protéger votre mois de février

*Ô vous, Ange Haaiah, protégez et illuminez mon mois de février.*

*Éloignez-moi des situations problématiques.*

*Guidez mes pas vers le chemin du bonheur.*

*Faites jaillir la paix dans mon cœur et dans ma demeure !*

*Je vous demande humblement d'ensoleiller ma vie et de la parsemer de moments agréables !*

*Je vous rends grâce des bienfaits que votre Lumière m'apportera au cours de ce mois.*

Vous pouvez réciter cette prière régulièrement, hebdomadairement ou au début du mois.

## Signes de l'Ange Haaiah

À la suite de votre prière, l'Ange Haaiah vous enverra un signe. L'un de ses signes préférés est de faire clignoter une lumière sur votre passage. Elle le fera si vous n'êtes pas peureux. De plus, cet Ange raffole des oranges. Ne soyez pas surpris d'avoir l'envie d'en manger lorsqu'elle annoncera sa présence. Elle peut également envoyer l'image d'un signe de paix, d'une colombe ou d'un amérindien qui fume le calumet de paix. Si vous voyez ces images, cela indique qu'elle vous aidera à trouver la paix intérieure et elle vous libérera des personnes et situations problématiques qui dérangent votre harmonie.

---

***Message de l'Ange Haaiah :*** *Soyez d'abord en paix dans votre cœur et dans votre âme. Ainsi, vous propagerez la sérénité et vous éloignerez la dualité. Abreuvez-vous régulièrement à ma source divine. Cela éclairera votre chemin lors d'obscurité. Profitez également de chaque moment agréable que je vous enverrai sur votre chemin. Ce sera le meilleur remède contre les maux de toutes sortes. Lorsqu'une problématique surviendra dans votre vie, utilisez ma Lumière de traité de paix. Celle-ci atténuera et éloignera vos problèmes. Priez-moi et je serai ravie d'être votre antidote guérisseur de vos chagrins et de vos maux. Buvez cet antidote et vous savourerez la paix intérieure instantanément et vos problèmes s'envoleront rapidement!*

---

# Chapitre V

## MARS – Mois de la conscience

### **Ange gouverneur :** Ange Harahel (59)

Plusieurs seront dans une période de questions et d'analyses existentielles. Vous avez un urgent besoin d'être en harmonie avec la vie. Vous réfléchirez longuement au sujet de votre avenir. Celui-ci vous inquiétera. Vous aborderez plusieurs sujets et votre analyse sera profonde. Plus que jamais, vous avez besoin d'être éclairé, de comprendre les événements qui se passe autour de vous et d'agir en conséquence pour obtenir satisfaction. Vous êtes épuisé d'être toujours dans l'attente qu'un jour tout s'arrangera. Vous prendrez également conscience que votre avenir vous appartient et que vous êtes le maître de votre destin. Si vous désirez un avenir équilibré et serein, vous devez y mettre tous les efforts pertinents pour l'obtenir. Rien ne viendra à vous si vous ne faites rien pour améliorer votre vie ! Telle sera votre prise de conscience au cours de ce mois. Fini les attentes de toutes sortes ! Vous réalisez finalement qu'il ne tient qu'à vous d'avancer et de faire les changements nécessaires pour obtenir les résultats rêvés !

À la suite de votre analyse, vous réaliserez également qu'il est maintenant temps pour vous d'agir au lieu de remettre ultérieurement vos actions. Vous êtes conscient que rien ne s'acquiert facilement.

Par contre, si vous persévérez, vos efforts porteront fruits. Cela vous encouragera donc à amorcer vos changements. Vous emprunterez parfois des routes inconnues. Toutefois, ces avenues éclaireront vos idées. Elles apporteront des réponses essentielles à vos questions. Vous trouverez des solutions à vos problématiques. Cela vous permettra également de réaliser vos rêves. Votre attitude s'améliorera. Vous serez confiant, en contrôle et en équilibre dans votre vie.

De plus, vous réaliserez l'importance de conserver une excellente santé. Cela sera primordial pour vous. Vous écouterez donc les alarmes de votre corps et vous respecterez également vos limites. Cette prise de conscience fera de vous un être gagnant et à l'écoute de ses besoins. Cela vous permettra de mieux vous concentrer sur ce que vous désirez et de la façon d'agir pour obtenir de bons résultats.

C'est la raison pour laquelle Dieu a délégué l'Ange Harahel pour gouverner le mois de mars. Cet Ange a accès au chapitre de tous les habitants de la Terre. Toutes les réponses sont contenues dans son âme et dans son cœur. Harahel possède la réponse à toutes les interrogations humaines. Qu'importe votre question, la mission de cet Ange est de vous trouver la meilleure réponse pour éclairer votre chemin et vous aider à retrouver votre équilibre ainsi que votre joie de vivre.

L'Ange Harahel est le 59$^{ième}$ Ange que Dieu a créé. Il est un Ange masculin et il fait partie du Chœur des Archanges. La mission de cet Ange est de répondre à vos questions existentielles. Si vous voulez obtenir une réponse, priez-le. Harahel évaluera chacune de vos questions et il vous guidera dans la bonne direction. Il illuminera votre chemin pour que vous puissiez vivre dans la joie et l'harmonie. Harahel dévoilera donc toutes les réponses essentielles pour atteindre votre bonheur, soit par le rêve, par un événement, par un proche ou par votre intuition. Votre intuition sera tellement forte que vous comprendrez facilement que l'Ange Harahel vous donne sa réponse.

De plus, la Lumière de cet Ange permet de faire fructifier une action, un geste ou une parole. Harahel affirme : « *Lorsque l'être humain est conscient de ses faiblesses, de ses forces et de son pouvoir, il n'a pas peur d'avancer et d'agir. Il est donc plus facile pour lui de suivre la route que je lui indiquerai, et ce, sans hésitation ! Celui-ci sera conscient que c'est la meilleure façon d'agir pour retrouver sa joie de vivre!»* Au cours de ce mois, priez donc Harahel! Cet Ange vous guidera vers des choix éclairés et bénéfiques pour votre bien-être. Au lieu d'emprunter des routes sinueuses, vous serez en mesure de faire des choix judicieux qui vous permettront de savourer les événements agréables que vous offre la vie.

## Les problématiques du mois de mars

Plusieurs situations problématiques dérangeront votre quiétude. Cela vous amènera à vous poser de sérieuses questions concernant vos habitudes de vie. Attendez-vous à vivre des déceptions de tout genre! Il est évident que ces événements vous porteront à réfléchir profondément sur l'ensemble de votre vie. Plusieurs questions seront élaborées, telles que: « Suis-je heureux? Suis-je épuisé? Dois-je m'améliorer? Quelle route dois-je prendre pour vivre sereinement? Comment dois-je percevoir mon avenir? ». Toutes ces questions existentielles hanteront votre esprit et vous n'aurez pas le choix d'y voir et d'y trouver une réponse. À la suite de cette analyse existentielle, certains réaliseront qu'ils ne sont pas heureux et qu'ils ont besoin d'améliorer certains aspects de leur vie pour retrouver leur joie de vivre. D'autres réaliseront qu'ils ont besoin de changements et de nouvelles aventures. Quelques-uns deviendront davantage conscients qu'ils surpassent régulièrement leurs limites et que leur santé se détériore. Ceux-ci n'auront pas le choix de ralentir le pas. Ils savent pertinemment que leur santé en écopera s'ils négligent leurs signaux d'alarme! Cela dit, plusieurs réaliseront qu'ils doivent améliorer leur vie, qu'ils doivent agir et arrêtez d'attendre après les autres.

**Les bienfaits de la Lumière de l'Ange Harahel** seront de repérer des moyens efficaces pour vous libérer de tout ce qui vous retient prisonnier. Cet Ange éclairera votre chemin. Il sera donc plus facile d'obtenir vos réponses. En période de questionnement existentiel, il arrive souvent que l'être humain est incapable de voir les opportunités et de prendre de bonnes décisions. Son esprit est confus par ces questions existentielles. Il est donc difficile pour lui de faire des choix judicieux. Donc, la mission de l'Ange Harahel est de diriger l'être égaré et confus vers la bonne route, vers le bon choix et la bonne décision. La Lumière d'Harahel agit comme un phare sur les problématiques. Vous serez donc en mesure de voir les événements tels quels, sans artifice. Sa Lumière vous éclairera. Vous serez en mesure de voir toutes les perspectives de vos choix, de vos décisions et de vos actions. Saisissez les possibilités qui se présenteront sur votre route grâce à l'intervention de cet Ange ! Cela améliorera votre vie et vous en serez très heureux par la suite !

## Exercice à compléter

Pour obtenir les réponses à vos questions, il suffit de le demander à l'Ange Harahel. Il sera important de poser une question à la fois. Si vous lui posez trop de questions, vous aurez de la difficulté à déchiffrer vos réponses. Écrivez une seule question. Lorsque l'Ange Harahel aura répondu à cette question. Posez-lui une autre question et ainsi de suite. À la suite d'une question, l'Ange Harahel enverra des possibilités sur votre chemin. À travers ces possibilités, vous obtiendrez votre réponse. De plus, cet Ange allégera vos craintes et il rehaussera votre confiance. Cela vous permettra de prendre votre vie en main et de l'améliorer.

Au cours de l'année, si vous avez besoin de connaître des réponses à vos questions ou des solutions à vos problématiques, il suffit de prier l'Ange Harahel. Sa Lumière éclairera votre chemin !

Indiquez une question dont vous aimeriez obtenir une réponse :

________________________________________

________________________________________

Au cours de la semaine, soyez attentif à votre environnement. L'Ange Hahahel enverra sa réponse. Pour vous avertir que la réponse est prête, vous entendrez les mots suivants : « réponse ou répondre ». Si vous entendez ces mots, attendez-vous dans les 24 heures à recevoir votre réponse.

Indiquez un problème dont vous aimeriez recevoir une solution:

________________________________________

________________________________________

Un autre mot qui lui est cher est *solution*. Si vous entendez ce mot, l'Ange Harahel vous annonce qu'il trouvera la meilleure solution pour régler votre problématique. Harahel s'assurera que la paix et l'équilibre anime votre vie.

## Prière à réciter pour recevoir une réponse de l'Ange Harahel

*Ô vous, Ange Harahel, je réclame immédiatement votre aide Angélique.*

*J'ai besoin de votre bienfaisance Lumière pour éclairer ma route et l'illuminer.*

*Avec gratitude, acheminez vers moi votre réponse divine à la question suivante :*

*(Formulez votre question).*

*Vous, fidèle Serviteur de Dieu,*

*Infusez-moi votre Lumière de sérénité.*

*Libérez-moi des problématiques qui entravent mon bonheur.*

*Aidez-moi à retrouver le chemin de la Lumière et de l'équilibre.*

*Que votre magnifique Lumière me protège et me permettre de vivre en toute quiétude.*

*Je vous le demande humblement avec mon cœur et mon âme.*

*Amen, (merci ou namasté)*

## Prière à réciter pour recevoir l'aide de l'Ange Harahel pour obtenir une solution à votre problématique

*Ô vous, Ange Harahel, je réclame immédiatement*
*votre aide Angélique.*

*J'ai besoin de votre bienfaisance Lumière pour*
*éclairer ma route et l'illuminer.*

*Avec gratitude, acheminez vers moi votre solution divine*
*au problème suivant :*

*(Soulevez votre problème).*

*Vous, fidèle Serviteur de Dieu,*

*Infusez-moi votre Lumière de sérénité.*

*Libérez-moi des problématiques qui entravent mon bonheur.*

*Aidez-moi à retrouver le chemin de la Lumière et de l'équilibre.*

*Que votre magnifique Lumière me protège et me permettre*
*de vivre en toute quiétude.*

*Je vous le demande humblement avec mon cœur et mon âme.*

*Amen, (merci ou namasté)*

## *Prière à réciter pour recevoir l'aide de l'Ange Harahel pour protéger votre mois de mars*

*Ô vous, Ange Harahel, protégez et illuminez mon mois de mars.*

*Éloignez-moi des situations problématiques.*

*Guidez mes pas vers le chemin de l'équilibre et*
*de la quiétude intérieure.*

*Faites jaillir la paix dans mon cœur et dans ma demeure !*

*Je vous demande humblement d'ensoleiller ma vie*
*et de la parsemer de moments agréables !*

*Je vous rends grâce des bienfaits que votre Lumière m'apportera*
*au cours de ce mois.*

Vous pouvez réciter cette prière régulièrement, hebdomadairement ou au début du mois.

## *Signes de l'Ange Harahel*

À la suite de votre prière, l'Ange Harahel vous enverra un signe. L'un de ses signes préférés est de vous donner l'envie de lire un livre. L'Ange Harahel est très curieux et il adore les livres et leur contenu. Il est évident que cet Ange piquera votre curiosité pour lire un passage d'un livre, un titre ou un paragraphe quelconque. Prenez le temps de lire le contenu d'un magazine ou d'un livre, un message s'y trouve pour vous ! De plus, ne soyez pas surpris de voir, sur la couverture du livre, l'image d'une note de musique, d'un accordéon, d'un globe terrestre, d'une plage ensoleillée, d'encens ou de bijoux avec une pierre d'ambre. C'est une façon originale pour cet Ange de vous indiquer qu'il a bel et bien entendu votre prière et qu'il s'apprête à vous aider.

Si vous voyez l'image d'une note de musique, par ce signe, l'Ange Harahel vous annonce que l'harmonie animera votre foyer. Si vous voyez un accordéon, ce signe vous indique qu'un accord sera entendu et respecté. Il vous libère d'un tracas. Si vous voyez l'image d'un globe terrestre, vous ferez un voyage d'agrément qui rehaussera votre énergie. Si vous voyez l'image d'une plage ensoleillée, cela annonce une période de bonheur. Si vous voyez l'image d'encens, cela annonce la purification de vos espaces. Vous trouverez la quiétude intérieure. Finalement, si vous voyez l'image d'un bijou avec une pierre d'ambre, cela annonce la fin des problématiques.

---

***Message de l'Ange Harahel :*** *Lorsque votre vie sombre dans le néant. Que vous êtes préoccupé par des questions existentielles et que le désarroi est à vos côtés, il est temps pour vous de prendre une pause et de vider votre esprit afin de ralentir la cadence de vos pensées. Ne négligez pas ce message de ma part ! Profitez d'un temps de pause et amusez-vous ! Faites une activité longtemps rêvée, passez du temps avec vos proches... L'important actuellement est de changer vos idées pendant une à deux journées. Cela allégera vos angoisses et vous permettra de faire des choix sensés, en plus de vous encourager à persévérer pour obtenir la quiétude et la paix intérieure. Prenez également le temps de méditer pendant une période de trente minutes ; vous verrez que vos réponses se trouvent à l'intérieur de vous. Il suffit d'unifier votre cœur avec ma Lumière. De plus, ne baissez jamais les bras lorsque survient un problème. Foncez tête première et réglez-le à la manière d'un brave chevalier ! Ne cédez jamais sous le poids de vos erreurs et de vos peurs. Tel un fier chevalier, sachez affronter les épreuves de la vie la tête haute en étant digne de ce que vous êtes. Ayez confiance en votre pouvoir, et rien n'arrivera à vous faire dévier de votre plan de vie. Au contraire, vous le réussirez tel que prévu ! Priez-moi et ma Lumière illuminera votre esprit égaré. Tel un phare, je guiderai vos pas vers la route du bonheur !*

---

# Chapitre VI

## AVRIL – Mois des décisions

### **Ange gouverneur :** Ange Daniel (50)

À la suite de votre introspection amorcée en mars, vous êtes maintenant conscient que vous devez prendre des décisions pour retrouver l'équilibre et l'harmonie dans votre vie. Il n'est jamais facile de faire des choix. La peur peut vous envahir et vous empêcher de régler vos problématiques. Il est évident que certains changements vous déconcerteront. Il est difficile de s'adapter à de la nouveauté. Toutefois, vous réaliserez que les événements qui se produisent présentement dans votre vie servent à l'améliorer. Il serait donc important de vivre vos événements dans l'acceptation au lieu de les contrer. Cela sera important et vous serez moins enclin au découragement.

Au cours de ce mois, la mission de l'Ange gouverneur est d'envoyer plusieurs possibilités sur votre route pour atteindre le bonheur. Ces opportunités vous aideront à reprendre le contrôle de votre vie, à bâtir solidement vos projets, à régler diplomatiquement vos problématiques, à retrouver votre équilibre, à mieux exprimer vos émotions, à mieux exposer vos problèmes et vos états d'âme et à obtenir une aide précieuse pour vous encourager à persévérer.

Grâce à l'énergie de cet Ange, vous bougerez au lieu de rester inerte devant les difficultés. Sa Lumière vous animera et elle vous permettra d'avancer avec détermination vers vos buts fixés. Vous serez donc en mesure de bien gérer votre mois et d'y apporter tous les changements nécessaires pour améliorer les aspects qui vous dérangent. Vous relèverez vos manches et vous foncerez vers les meilleures solutions. Vos décisions seront réfléchies et bien analysées. Vous serez moins enclin à faire des erreurs monumentales. Vous serez plus confiant envers votre potentiel. Cela vous avantagera énormément lors de vos actions.

Dieu s'est adressé à l'Ange Daniel pour qu'il veille sur le mois d'avril. Daniel est le 50$^{ième}$ Ange que Dieu a créé. Il est un Ange masculin et il fait partie du Chœur des Principautés. Équilibrer la vie des gens est la mission importante de l'Ange Daniel. Priez-le et il enverra plusieurs possibilités sur votre chemin pour que vous puissiez atteindre cette béatitude.

De plus, lors de décisions, l'Ange Daniel infusera sa Lumière bienfaitrice qui agira promptement et favorablement au cours de vos actions. Cela éclairera davantage vos choix puisque vous serez conscient des conséquences qu'engendront vos actes, ce qui vous aidera à faire des choix judicieux. Vous serez également animé par le courage et la persévérance. Cela vous aidera à entreprendre les changements nécessaires pour améliorer votre vie.

## Les problématiques du mois d'avril

Plusieurs seront déconcertés par les événements qui surviendront au cours de ce mois. Cela les épuisera et leur santé globale en prendra un vilain coup ! Vous ne serez pas trop en forme ni en énergie pour entreprendre quoi que ce soit ! Bref, mille et une questions hanteront votre esprit. « Est-ce le bon choix pour moi ? Comment agir dans ces conditions ? Quelle est la meilleure méthode à suivre pour améliorer certaines situations ? Comment exprimer mes émotions sans peiner mes proches ? ». Vous vivrez plusieurs émotions au cours de ce mois. Vous serez épuisé par ces questions existentielles. Il serait donc important de vous reposer lorsque votre corps réclamera du repos. Cela vous aidera également lors de la prise de décisions. Des décisions prises sous l'effet de la fatigue n'apporteront guère de bons résultats. Elles s'avèreront décevantes et cela vous découragera davantage. De plus, certaines personnes malades subiront une intervention chirurgicale. Ce sera pénible pour elles de remonter la pente. D'autres recevront de mauvaises nouvelles. Elles seront découragées par l'ampleur de certaines situations. Il serait donc important de prier l'Ange Daniel.

**Les bienfaits de la Lumière de l'Ange Daniel** seront de vous soutenir, de vous donner du courage et de l'espoir pour traverser vos épreuves. Lorsque vous ne savez plus où aller ni quoi faire ou quelle décision prendre, la mission de l'Ange Daniel est d'envoyer sur votre chemin des indices et des pistes à suivre qui vous dirigeront vers des choix judicieux. L'Ange Daniel vous aidera à prendre les meilleures décisions possibles pour que l'harmonie et la joie règnent de nouveau dans votre vie.

Les personnes malades qui ont besoin d'un regain de vie pour surmonter une intervention chirurgicale, une maladie grave ou remonter leur système immunitaire, priez Daniel. Sa Lumière rehaussera votre énergie. Cela vous permettra de vous relever et de recouvrer la santé plus rapidement.

Dès le moment où vous réclamerez l'aide de Daniel, vous ressentirez une énergie nouvelle. Cette énergie vous invitera à affronter de nouveaux défis avec détermination et dynamisme, à amorcer de nouveaux projets, à régler vos problématiques, à surmonter vos épreuves, etc. Vous serez habité par des sentiments de force, de courage, de détermination et d'ardeur. La présence de l'Ange Daniel dans votre vie allègera le fardeau sur vos épaules. Ouvrez-lui donc la porte de votre cœur et de votre demeure ; vous ne serez pas déçu !

## Exercice à compléter

Quel est l'aspect où vous aimeriez retrouver votre équilibre ? Il peut s'agir de votre vie amoureuse, familiale, financière ou de votre santé. La mission de l'Ange Daniel est de vous aider à retrouver la paix intérieure :

________________________________________

________________________________________

Grâce à sa Lumière, vous parviendrez à faire des choix judicieux pour que la paix, l'harmonie et le bonheur animent votre vie. Daniel enverra sur votre route des solutions idéales pour améliorer les aspects qui dérangent et déstabilisent votre vie. Lorsque vous retrouverez votre équilibre, vous pourrez lui faire une nouvelle demande.

## Prière à réciter pour recevoir l'aide de l'Ange Daniel pour protéger votre mois d'avril

*Ô vous, Ange Daniel, protégez et illuminez mon mois d'avril.*

*Donnez-moi la force et le courage de surmonter les épreuves de la vie.*

*Guidez mes pas vers le chemin de la quiétude et du bonheur !*

*Faites jaillir la paix dans mon cœur ainsi que dans ma demeure.*

*Je vous demande humblement d'ensoleiller ma vie*

*et de la parsemer d'événements agréables et prolifiques !*

*Je vous rends grâce des bienfaits que votre Lumière m'apportera au cours du mois d'avril.*

Vous pouvez réciter cette prière régulièrement, hebdomadairement ou au début du mois.

## Signes de l'Ange Daniel

À la suite de votre prière, l'Ange Daniel vous enverra un signe. L'un de ses signes préférés est de vous montrer un arc-en-ciel ou l'image d'un goéland. Si Daniel vous envoie un arc-en-ciel, cela annonce un événement positif qui surviendra dans votre vie. Il peut s'agir de la réalisation de l'un de vos rêves. Si Daniel vous montre l'image d'un goéland, cela annonce une bonne nouvelle qui arrivera sous peu. Ce symbole peut également vous indiquer la fin d'une problématique. Vous retrouverez un bel équilibre dans votre vie.

***Message de l'Ange Daniel :*** *Cette année, adoptez une attitude positive face à la vie. Dites adieu à vos mauvaises habitudes et à votre négativité. Prenez le contrôle de votre vie et dirigez-vous vers des situations lumineuses. Si vous le faites, vous passerez une agréable année ! N'oubliez pas que vous vivez en fonction de vos actes et de vos émotions. Au lieu de vous enliser dans les problèmes, relevez vos manches et réagissez positivement devant vos épreuves. Essayez de trouver des solutions plutôt de vous apitoyer sur votre sort. Prenez votre courage à deux mains et foncez vers un avenir qui promet de belles réussites et de l'énergie positive. Cela vous encouragera à persévérer pour améliorer votre vie. Au cours de l'année, ma Lumière vous épaulera, vous relèvera et vous apportera des solutions pragmatiques qui vous permettront de régler vos ennuis. Je vous aiderai également à atteindre vos buts avec satisfaction. J'infuserai à l'intérieur de vous l'énergie nécessaire pour retrouver votre équilibre et votre joie de vivre. Ouvrez-moi la porte de votre cœur et priez-moi ! Faites-vous confiance et agissez maintenant ! Ensemble, nous formerons une équipe victorieuse et prolifique. L'avenir vous appartient et vous le construirez au fur et à mesure que vous avancerez dans la vie. Vous devez donc faire des pas efficaces pour atteindre vos objectifs fixés et attirer l'abondance dans votre direction. Vous récolterez ainsi tous les bienfaits de vos efforts déployés ! Vous détenez maintenant la recette de votre bonheur ! Commencez à le cuisiner et je vous aiderai à le réussir !*

# Chapitre VII

## MAI – Mois de la fraternité et de l'entraide

### **Ange gouverneur :** Ange Jeliel (02)

L'année de la spiritualité se fera énormément sentir au cours de mai. À la suite d'événements qui surviendront sur le plan mondial, les gens chercheront à s'entraider, à s'épauler, à se rendre service. Vous serez débordant d'amour et vous le propagerez autour de vous. Vous réaliserez que les gens ont besoin de changer leur perception de la vie. Que le pouvoir est en train d'anéantir la planète et que l'Ombre existe sur Terre. Cette prise de conscience vous aidera à faire des changements dans votre mode de pensée. Vous serez moins enclin à la négativité. Vous chercherez à améliorer votre vie et à vous éloigner des problématiques. Vous serez friand d'énergie positive. Vous réaliserez que cette nourriture vous donne de l'élan pour entreprendre vos projets puisque cela vous encourage à persévérer pour obtenir de bons résultats.

Au cours de ce mois, plusieurs deviendront des messagers. Vos paroles rehausseront l'énergie des gens et les encourageront à améliorer leur vie. Vos gestes engendreront des prises de conscience sur votre prochain. Votre ardeur et vivacité les motiveront et leur fera prendre conscience des bienfaits que peuvent apporter l'entraide. La gratitude se fera largement sentir au cours de ce mois. Certains chercheront à apporter leur appui dans des causes humanitaires. D'autres amélioreront leur attitude. Ils se donneront comme mission d'envoyer un sourire à un inconnu, à un mendiant... Quelques-uns décideront de prier pour les plus démunis, pour leurs proches et pour la Terre. À chaque jour, ils réciteront une prière chère à leurs yeux. D'autres enverront des pensées positives à la Terre et à leurs proches. Bref, vous serez débordant d'amour et vous le propagerez autour de vous. Vos gestes seront remarquables et gratifiants. Vos paroles seront réconfortantes et empreintes de tendresse. Vous toucherez énormément les gens qui vous côtoieront au cours de ce mois. Plusieurs deviendront les porte-paroles des Anges. Ce rôle vous ira bien et vous l'accomplirez avec honneur!

Puisque l'énergie positive et l'amour seront présents en mai, cela aura un impact favorable pour les célibataires. Ceux-ci feront des rencontres intéressantes qui pourraient s'avérer sérieuses. Plusieurs célibataires rencontreront leur flamme jumelle au cours de ce mois. Le bonheur se lira dans leurs yeux! Les couples qui vivent une difficulté parviendront à trouver un terrain d'entente pour sauver leur union. Cela sera également une période fertile pour les femmes désireuses d'enfanter. De plus, les gens d'affaires verront leurs recettes monter en flèche! Cela les encouragera à donner un excellent service. Certains travailleurs vivront également des changements qui leur apporteront une meilleure sécurité.

Pour savourer la frénésie de mai, Dieu n'a désigné nul autre que l'Ange Jeliel pour protéger votre mois. L'Ange Jeliel est un Ange d'amour. Sa mission est d'aider l'être humain à trouver sa flamme jumelle pour bâtir une union solide. Sa Lumière influe également sur les unions pour qu'elles soient heureuses et fécondes. Il permet au couple d'avoir des bases solides fondées sur le respect mutuel, la fidélité et l'honnêteté. Sa Lumière éloigne les querelles, les chicanes, l'infidélité, les disputes et les divorces. Si vous le désirez, ouvrez la porte de votre cœur à l'Ange Jeliel. Sa Lumière protégera votre union. Avant de vivre une séparation, l'Ange Jeliel permettra au couple d'analyser profondément leur relation et leur décision. Cela les aidera à faire des choix judicieux et réfléchis.

L'Ange Jeliel est le 2ième Ange que Dieu a créé. Il est un Ange masculin et il fait partie du Chœur des Séraphins. Imaginez toute la vibration d'amour que contient cet Ange. Dieu lui a infusé de l'amour à profusion pour que cet Ange puisse le diffuser à son tour aux êtres humains. L'une des paroles de cet Ange est la suivante: *«Aidez-vous les uns les autres!»* Cela siéra bien le mois de mai. Telle sera la vibration que ressentiront les gens. L'énergie de Jeliel sera propagée sur la planète. Cela aura tout un effet parmi la société. De plus, la Lumière de Jeliel vous donnera la persévérance nécessaire pour atteindre vos objectifs. Sa Lumière éclairera vos idées et vos projets. Cela vous permettra de bien les analyser et de les conduire vers la réussite.

## Les problématiques du mois de mai

Plusieurs seront envahis par des sentiments négatifs. Cela entrainera des situations désagréables et désastreuses. Il y aura des batailles de mots qui blesseront les personnes impliquées, des chicanes familiales qui causeront des déchirures, des mises à pied au travail, des grèves, etc. Certains traverseront une période difficile sur le plan émotionnel. Quelques-uns parleront de séparation. D'autres la vivront. Certains feront une erreur monumentale et cela dérangera énormément leur santé globale. Cela dit, plusieurs personnes vivront des situations pénibles qui leur feront verser des larmes.

**Les bienfaits de la Lumière de l'Ange Jeliel** sauveront celui qui priera cet Ange. Cette merveilleuse Lumière remplie de bonté et d'amour sera versée sur vous. Cela calmera votre tempête intérieure et rehaussera vos sentiments nobles. Vous serez moins enclin à la négativité et à l'inertie. Vous serez en mesure de vous prendre en main et d'améliorer les aspects de votre vie qui dérangent votre quiétude. De plus, si vous avez commis des erreurs et que vous êtes prêt à les corriger, l'Ange Jeliel vous aidera. Sa Lumière vous donnera le courage de réparer ce que vous avez brisé. Jeliel vous donnera également le courage de demander pardon à ceux que vous avez blessés. Cela vous permettra de vous réconcilier avec votre partenaire, vos amis, vos collègues de travail et votre famille.

## Exercice à compléter

Écrivez une situation sur laquelle vous aimeriez que l'Ange Jeliel infuse sa Lumière d'amour :

______________________________________________

______________________________________________

Il peut s'agir de votre relation amoureuse, de votre travail, de votre famille, de votre situation financière, etc. La mission de l'Ange Jeliel est d'infuser sa Lumière d'amour et de paix. Cette magnifique Lumière aidera un couple à réussir leur séparation. Vous vivrez cette expérience difficile dans le calme et la paix. Jeliel travaillera en collaboration avec l'Ange Haaiah (26). En outre, sa Lumière rend fertiles toutes les situations. Il attirera la flamme jumelle vers les personnes célibataires. Il aidera le travailleur à obtenir un emploi rêvé. Cet Ange vous aidera également à réussir un projet, une idée, un objectif, etc.

Avant que l'année se termine, vous réaliserez que Jeliel a écouté précieusement votre demande. Vous savourerez tous les bienfaits qu'engendre sa Lumière dans votre vie et vous en serez heureux.

## Prière à réciter à l'Ange Jeliel

*Ô vous, Ange Jeliel, protégez et ensoleillez mon mois de mai,*

*Parsemez-le d'événements prolifiques qui rempliront mon cœur de joie.*

*Bonifiez ma vie d'amour, d'allégresse et de gratitude !*

*Infusez-moi le courage, la persévérance et la détermination pour réussir ma vie.*

*Je vous demande humblement d'illuminer mon foyer et de le couvrir de bonheur !*

*Je vous rends grâce des bienfaits que votre Lumière m'apportera au cours du mois de mai.*

Vous pouvez réciter cette prière régulièrement, hebdomadairement ou au début du mois.

## Signes de l'Ange Jeliel

À la suite de votre prière, l'Ange Jeliel vous enverra un signe. L'un de ses signes préférés est de faire clignoter une lumière sur votre passage. Évidemment, vous devez être très brave pour affronter ce signe. De plus, ne changez pas votre ampoule puisque Jeliel s'amuse à vous faire ce signe ! Il peut également vous envoyer une bille ou un petit objet rond que vous trouverez par terre ou dans un endroit quelconque. Conservez cet objet puisque Jeliel vous en fait cadeau. Il l'a purifié avec amour et il vous le donne pour protéger votre bonheur !

---

***Message de l'Ange Jeliel*** : *Ne jugez pas les autres, mais aidez-les à se relever. Lorsqu'à votre tour, vous tomberez, une main vous relèvera. Une aide vous secourra et vous soutiendra jusqu'à ce que vous retrouviez votre chemin. L'entraide est une qualité inestimable. Elle gouverne notre univers angélique. Sachez donc la parsemer dans votre univers ! Cela rehaussera les sentiments nobles que possède l'être humain. Les gestes et les paroles remplis d'amour vous aident à passer à travers les jours plus maussades. Nourrissez-vous donc de paroles réconfortantes, positives et entraînantes ! Toutes paroles prononcées ont un impact déterminant dans la vie de l'être humain. Alors, n'ayez que des belles paroles et celles-ci illumineront la vie de tous ceux qui les écouteront. Si vous faites le contraire, vos paroles nuiront autour de vous, et un jour, elles vous détruiront complètement. Priez-moi et ensemble nous formerons une équipe opérationnelle pour le bien de votre planète. Vous deviendrez mes messagers de paix, d'amour et d'harmonie. À l'unisson, envoyons* *une pensée positive à la Terre. Propagez une parcelle de votre amour et distribuez-le partout dans l'univers. Prenez également le temps de réciter une prière que vous adresserez à tous les habitants de la Terre. Cette prière atteindra chaleureusement leur cœur et chassera les sentiments dévastateurs.*

# CHAPITRE VIII

## JUIN – Mois de la justice

### **Ange gouverneur :** Ange Rochel (69)

Le mois de la justice bonifiera tous ceux qui ont apportés leur aide, leur soutien et des actions nobles pour aider leur prochain. Tous leurs efforts seront bien récompensés. De plus, tous ceux qui sont victimes d'injustice, une aide viendra vous secourir et vous aidera à trouver votre liberté. Plusieurs gains de cause seront à l'honneur. La justice se fera entendre. Elle sera équitable et constructive. La loi du retour s'appliquera vivement au cours de juin. Voilà donc une excellente raison pour accomplir des gestes gratifiants, honnêtes et empreints de sagesse. Ainsi, vos récoltes seront abondantes. Si vous agissez pour nuire à votre prochain, vous récolterez péniblement. Vous comprendrez rapidement que votre négativité et votre vengeance vous coûteront cher émotionnellement. Il serait donc important d'améliorer votre attitude. Ce sera salutaire !

Cela dit, pour certains, le mois de juin annonce la fin d'une étape difficile, compliquée et éprouvante. Une phase nouvelle s'ouvre à eux et leur permettra de se diriger vers la voie de leurs idées, projets, rêves, etc. Pour atteindre ces buts, il suffit de conserver une attitude positive. Ce sera la recette gagnante de juin. Si vous vous laissez emporter par les sentiments négatifs, vous aurez de la difficulté à amorcer votre nouvelle étape et vous resterez coincé avec vos problèmes.

Dieu a désigné l'Ange Rochel pour veiller sur la société au cours de juin. Il est l'avocat des Anges. Rochel est un excellent détective. Sa Lumière permet de voir au-delà des événements. Il est également l'Ange de la vérité. Il détecte rapidement les mensonges et les personnes malhonnêtes. Il travaille régulièrement avec l'Archange Michaël. Ensemble, il veille à rétablir la paix sur terre. Ces deux magnifiques Lumières possèdent l'autorité et le pouvoir de donner des leçons de vie aux personnes malhonnêtes, redoutables et menteuses. Ils sont les vaillants chevaliers de Dieu et ils chassent la méchanceté causée par l'Ombre destructrice.

L'Ange Rochel est le 69ième Ange que Dieu a créé. Il est un Ange masculin et il fait partie du Chœur des Anges. Pour cet Ange, le respect est important. Il est évident que cet Ange aidera tous ceux qui sont victimes de non-respect, d'intimidation, de violence, etc. Il défendra votre cause. Il enverra sur votre chemin une personne compétente qui saura vous sortir de vos ennuis. De plus, il enverra une leçon de vie aux personnes qui n'ont pas su respecter leur prochain.

Il serait donc important qu'en juin, les gens accomplissent de bonnes actions. Ils seront gratifiés par l'Ange Rochel et par l'Archange Michaël. Toutefois, si vous faites le contraire, attendez-vous à obtenir une leçon de vie. Celle-ci vous fera prendre conscience du geste malfaisant que vous avez posé sur autrui.

## Les problématiques du mois de juin

Plusieurs personnes seront victimes d'intimidation, de mensonges et de méchanceté de la part de personnes redoutables. Ces personnes vous épuiseront énormément. Elles vous feront verser des larmes. Il serait important de réclamer l'aide de Rochel pour vous libérer rapidement de cette énergie malsaine. D'autres sombreront dans une phase négative. À la suite d'une problématique, ils chercheront la vengeance au lieu d'une entente ou d'une solution. Cela déclenchera des batailles de mots blessants. Il y aura des désaccords, des disputes et de la chicane, ce qui attaquera énormément la santé mentale et émotionnelle de certaines personnes. Quelques-uns vivront de la dualité avec la loi ou le gouvernement. Vous aurez à défendre vos droits. Vous serez obligé de réclamer l'aide d'un avocat pour vous tirer de vos ennuis. De plus, certains auront des arguments reliés à un testament. D'autres auront des discussions vives reliées à la drogue, la boisson ou d'une dépendance quelconque.

**Les bienfaits de la Lumière de l'Ange Rochel** vous libéreront de vos ennuis. Cet Ange enverra une aide précieuse sur votre chemin. Celle-ci vous trouvera une bonne solution pour régler rapidement votre problématique. Avec Rochel vous verrez l'impossible se transformer en possible ! Il peut tout donner à celui qui le prie. Il ne juge pas vos actes. Toutefois, si vous faites du tort à autrui et que cette personne réclame de l'aide, il doit acquiescer à sa demande. Donc, une leçon de vie vous sera envoyée. Par contre, si vous le priez à votre tour, pour vous aider à chasser votre négativité, il vous relèvera et il vous permettra de réparer les pots brisés.

Rochel pardonne les erreurs. Il aidera tous ceux qui ont commis de graves erreurs envers l'humanité, ceux qui ont volé leur prochain. Si vous le priez, l'Ange Rochel vous aidera à rendre ce que vous avez dérobé sans trop causer de dommages. De plus, sa Lumière vous permettra de vous pardonner, de vous relever et d'avancer vers un chemin beaucoup plus lumineux. Ainsi, vous serez en harmonie avec votre vie.

Une autre mission importante de Rochel est de veiller à ce que les dernières volontés d'un défunt soient accomplies dans le respect le plus total. Il aidera donc les héritiers à respecter le testament de leur défunt.

Finalement, Rochel a aussi comme mission de libérer tous ceux qui ont des dépendances aux drogues, à l'alcool, au jeu, etc.

## *Exercice à compléter*

Quelle est la demande qui vous tient à cœur que vous aimeriez voir se réaliser ?

______________________________

______________________________

Qu'importe votre demande. N'oubliez pas qu'avec l'Ange Rochel, l'impossible se change en possible. Il peut s'agir de gagner un procès, de défendre vos droits, de réussir une entrevue, de passer une audition, de remonter votre situation financière, etc.

Tout au long de juin, accomplissez de bonnes actions et vous recevrez de belles récompenses de la part de l'Ange Rochel et de l'Archange Michaël !

## Prière à réciter à l'Ange Rochel

*Ô vous, noble Rochel,*

*Avocat des Anges et gardien des lois divines.*

*Protégez et ensoleillez mon mois de juin.*

*Parsemez-le d'événements prolifiques qui rempliront mon cœur de joie.*

*Bonifier ma vie d'amour, de paix et d'harmonie.*

*Infusez-moi le courage, la détermination et la persévérance pour réussir ma vie.*

*Fructifiez chacune de mes actions et accordez-moi cette demande désirée.*

*(Formulez votre demande)*

*Je vous demande humblement d'illuminer mon foyer et de le couvrir de bonheur !*

*Je vous rends grâce des bienfaits que votre Lumière m'apportera au cours de ce mois.*

Vous pouvez réciter cette prière régulièrement, hebdomadairement ou au début du mois.

## Signes de l'Ange Rochel

À la suite de votre prière, l'Ange Rochel vous donnera un signe. L'un de ses signes préférés est de vous envoyer quelques pièces de monnaie. Cet Ange sait pertinemment bien que l'être humain adore l'argent ! En signe d'amour et de reconnaissance pour le temps que vous lui consacrez, Rochel vous fera trouver des pièces de monnaie. Il aime envoyer la somme de 15 sous. Si vous additionnez son numéro angélique (6 + 9), ça donne une somme de 15. Attendez-vous donc à trouver trois pièces de cinq sous ou une pièce de dix sous plus une pièce de cinq sous. Vous pouvez également trouver un dollar et cinquante sous. Bref, vous verrez régulièrement le chiffre 15 tout au long de ce mois ! Rochel peut également faire clignoter une lumière sur votre passage. Évidemment, vous êtes de nature brave pour recevoir ce signe.

***Message de l'Ange Rochel :*** *Regardez votre reflet dans le miroir. Que vous dit-il ? Resplendissez-vous ou êtes-vous accablé par votre négativité ? Si votre image n'arrive pas à refléter une parcelle de votre beauté intérieure, il serait temps de prendre soin de votre âme. Priez-moi et je vous aiderai à nettoyer toutes les toiles qui obstruent l'ouverture de votre cœur qui empêchent vos sentiments nobles de rayonner. Dès maintenant, ouvrez-moi la porte de votre cœur et ressentez ma Lumière illuminer votre intérieur et se propager à l'extérieur. Ainsi, l'image qui se projettera dans votre miroir reflétera toute la beauté de votre âme et vous rayonnerez de bonheur. Au lieu de chercher la bataille, vous propagerez la paix. Au lieu de vivre dans les problématiques, vous trouverez des solutions. Au lieu de prononcer des balivernes, vous réfléchirez ! Au lieu de détruire, vous construirez. Telle sera l'efficacité de ma Lumière dans votre cœur. J'embellirai votre vie d'événements agréables, j'attirerai la bonté dans votre direction et j'enverrai des récoltes abondantes en guise de remerciements pour votre générosité envers autrui !*

# Chapitre IX

## JUILLET – Mois des solutions

### **Ange gouverneur :** Ange Hariel (15)

Plusieurs personnes feront des analyses existentielles au cours de juillet. Vous réalisez que vous avez envie d'être entouré d'énergie positive. Vous prenez également conscience que les énergies négatives vous dérangent énormément et vous accaparent. Vous chercherez donc à faire le ménage nécessaire pour vous libérer de toutes les situations et personnes qui dérangent votre quiétude intérieure. Vous ne voulez plus vivre dans les problématiques. Cela vous empêche de fonctionner et d'avoir de bonnes nuits de sommeil.

Cela dit, plusieurs réaliseront l'importance de vivre une vie exempte de problèmes. Vous êtes tout de même conscient que la vie comporte certaines difficultés et que vous devez y voir ! Vous êtes également conscient que certaines problématiques peuvent être évitées ; il suffit de s'éloigner des personnes négatives et malhonnêtes. C'est exactement ce que vous ferez au cours de ce mois. Vous établirez un plan et vous l'analyserez profondément. Vous noterez toutes les situations qui dérangent votre harmonie et vous chercherez à les solutionner. Vous prendrez un problème à la fois et vous le réglerez ! Telle sera votre manière d'agir ! Cette attitude sera gagnante et elle attirera de la satisfaction. Vous mettrez un terme aux situations dérangeantes et vous lâcherez prise sur les situations insolubles.

Vous serez beaucoup plus sévère avec les personnes négatives. Vous vous laisserez moins entraîner dans leur énergie destructive. Vous réaliserez que certaines personnes ne veulent pas s'aider. Vous lâcherez donc prise avec ces personnes. Il est évident que cette nouvelle attitude dérangera plusieurs. Toutefois, votre santé et votre bien-être seront vos priorités, et avec raison. Plus que jamais, vous avez besoin d'harmonie dans votre vie. Vous voulez vivre votre vie, et non la subir ! Vous chasserez donc toutes les situations de tracas, d'inquiétude, de soucis et autres. Vous travaillerez pour leur trouver des solutions adéquates et régler le tout incessamment. Cette détermination de votre part vous aidera à passer un bel été et à vous amuser ! Vous profiterez donc de vos moments agréables et vous les savourerez au maximum ! Vous réaliserez que ces moments sont importants dans votre vie, voire primordiale ! Cela vous permet de mieux chasser l'ennui et le désespoir. De plus, cette nourriture agréable rehausse vos énergies. Ainsi, il est plus aisé de faire des changements et de prendre de bonnes décisions par la suite !

Donc, pour parvenir à trouver de bonnes solutions pour régler vos problématiques, Dieu a délégué son pouvoir à l'Ange Hariel. La Lumière puissante de cet Ange agira favorablement au cours de juillet. Elle vous donnera la force et le courage de vous prendre en main et de ne pas abandonner en cours de route. Hariel vous aidera à établir un plan logique et fonctionnel. Il ouvrira la porte aux solutions. Cela vous aidera à régler tout ce qui vous dérange et tracasse.

L'Ange Hariel est le 15$^{\text{ième}}$ Ange que Dieu a créé. Il est un Ange masculin et il fait partie du Chœur des Chérubins. Sa Lumière donne une poussée nécessaire pour avancer et atteindre vos buts. Hariel vous redonnera confiance en vos capacités. Vous serez en mesure de vous prendre en main et de régler instantanément vos problématiques. Vous serez rempli d'énergie positive pour tout accomplir et réussir comme vous le souhaitez ! Hariel rehaussera également votre confiance personnelle. Il vous fera voir tout le potentiel qui est à l'intérieur de vous. Il vous permettra de l'exposer au grand jour. Vous serez très fier de vous et de tout ce que vous accomplirez par la suite ! Telle est la force de cet Ange !

## *Les problématiques du mois de juillet :*

Plusieurs personnes problématiques viendront déranger vos émotions. Ils chercheront votre attention et ils l'obtiendront ! Leur attitude vous dérangera énormément. Vous chercherez à comprendre les raisons pour lesquelles ils agissent de cette manière. Toutefois, vous n'y trouverez aucune réponse plausible. Cela vous épuisera. À un point tel, que vous aurez besoin de quelques jours de congé pour vous reposer. De plus, cela dérangera vos vacances d'été. Vous aviez planifié de passer du temps agréable avec vos proches et vous amuser. Malheureusement, vous serez confronté à une personne négative. Elle peut critiquer votre itinéraire, chialer constamment et refuser vos suggestions. Il est évident que cela vous frustrera et vous mettra dans un état lamentable ! Vous n'aurez pas le choix d'ignorer son attitude. Sinon, cela sabotera vos vacances !

D'autres personnes devront faire du ménage à l'intérieur de leur maison. Cela ne les enchantera guère. Cela peut être causé par un déménagement, un dégât quelconque, etc. Vous ne serez pas trop en forme pour faire ce ménage. Vous chercherez plutôt à profiter du beau temps à l'extérieur. Toutefois, une situation vous réclame du temps à l'intérieur de la demeure. L'envie n'y sera pas et votre négligence causera quelques ennuis qui peuvent être évités si vous y voyez rapidement !

Quelques-uns vivront des problèmes de toutes sortes. Ils auront besoin de solutions pour se libérer rapidement de leurs ennuis. Certaines personnes réaliseront également qu'ils ont exagérés dans la nourriture et qu'ils ont quelques kilos en surplus. Ils suivront un régime pour perdre le poids superflu. D'autres auront des problèmes cutanés. Cela les dérangera énormément. Ils devront consulter un dermatologue pour soigner leur peau. Finalement, plusieurs auront besoin d'un élan d'énergie pour entreprendre leurs tâches quotidiennes !

**Les bienfaits de la Lumière de l'Ange Hariel** vous donnera une poussée angélique qui vous fournira l'énergie nécessaire pour accomplir vos tâches et les réussir ! Vous reprendrez confiance en vos capacités, vous serez en mesure d'établir des buts et de les respecter. Vous relèverez vos manches avec détermination et vous avancerez fièrement vers une belle réussite personnelle. Hariel enverra sur votre route plusieurs possibilités qui vous aideront à régler les problématiques, à amorcer des changements, à réaliser et à atteindre vos objectifs. Vous serez en pleine forme et rempli d'énergie pour entreprendre tout ce qui vous passe par la tête ! De plus, si vous détestez faire du ménage, la Lumière de l'Ange Hariel vous donnera une poussée d'énergie afin d'entreprendre votre ménage annuel.

Au niveau de la santé, la Lumière d'Hariel calme les problèmes cutanés. Sa mission est de vous guider vers le meilleur médecin, la meilleure crème et la meilleure méthode pour guérir votre problème de peau. Hariel aidera également les victimes de viol, d'attouchements, de manipulations sexuelles ou autres à retrouver leur harmonie malgré les sévices qu'elles ont subis. Hariel les aidera à retrouver la quiétude intérieure et à aimer davantage leur corps physique.

Hariel est également l'Ange idéal de tous ceux qui veulent perdre du poids ! Cet Ange vous donnera l'énergie et la confiance de suivre un régime. Si vous le priez, il éloignera de vous les aliments nuisibles à votre santé et qui dérègle votre poids. Il vous permettra d'y résister ! Si vous désirez perdre du poids, référez-vous à la page 163 de mon livre *Les Anges au Quotidien*.

Le surnom d'Hariel est « l'Ange du nettoyage » ! Il lave et purifie toutes les cellules de vos corps physique, mental, émotionnel et spirituel. Il voit à leur bon fonctionnement. Priez-le et sa Lumière mettra en valeur votre beauté naturelle ! De plus, sa Lumière rehaussera votre énergie. Cela vous donnera de l'entrain pour amorcer tous vos projets !

## Exercice à compléter

Avez-vous une demande à formuler à l'Ange Hariel ? Si oui, indiquez-là :

________________________________________

________________________________________

Il peut s'agir de trouver une bonne solution pour régler une problématique, de perdre le poids superflu, de trouver un bon dermatologue pour la santé de votre peau, de mettre un terme aux souffrances du passé… L'Ange Hariel écoutera sagement votre demande et il enverra plusieurs possibilités sur votre chemin pour que votre demande soit exaucée. N'hésitez donc pas à le prier !

## Prière à réciter à l'Ange Hariel

*Ô vous, majestueux Hariel,*

*Ange purificateur du corps humain et créateur de solutions.*

*Protégez et ensoleillez mon mois de juillet,*

*Parsemez-le d'événements prolifiques qui rempliront mon cœur de joie.*

*Bonifiez ma vie d'amour, de paix et d'harmonie.*

*Chassez l'Ombre de ma vie et libérez-moi des problématiques.*

*Infusez-moi le courage, la détermination et la persévérance pour réussir ma vie.*

*Fructifiez chacune de mes actions et accordez-moi cette demande désirée.*

*(Formulez votre demande)*

*Je vous demande humblement d'illuminer mon foyer et de le couvrir de bonheur !*

*Je vous rends grâce des bienfaits que votre Lumière m'apportera au cours de ce mois.*

Vous pouvez réciter cette prière régulièrement, hebdomadairement ou au début du mois.

## *Signes de l'Ange Hariel*

À la suite de votre prière, l'Ange Hariel vous enverra un signe. La couleur préférée de cet Ange est le jaune. Selon lui, le jaune représente le soleil, l'illumination et la vivacité. Hariel affirme que lorsqu'une personne prend sa vie en main et obtient les résultats désirés, elle devient un vrai rayon de soleil. Tout son aura est entourée de cette magnifique teinte qui représente la satisfaction. Si vous priez Hariel, tels seront les bienfaits que vous procurera sa Lumière à l'intérieur de vous ! Ne soyez donc pas surpris de voir cette couleur tout au long de la semaine. Vous verrez des gens se vêtir dans ses teintes ! D'autres vous diront qu'ils aiment la couleur jaune, etc. De plus, Hariel peut vous envoyer l'image d'un papillon jaune ou un vrai. Ce signe vous annonce un changement bénéfique dans votre vie. Vous rayonnerez de bonheur !

Hariel se décrit comme étant un citron ! Il peut donc vous en montrer un et le faire tomber à vos pieds ! Il peut également envoyer une personne sur votre chemin et vous offrir un citron ! Par ce signe, l'Ange Hariel vous infusera l'énergie nécessaire ainsi que le courage de vous prendre en main et de régler vos problématiques, d'amorcer vos projets, de commencer un régime, etc. Cette poussée angélique vous donnera tout l'essor essentiel pour bien compléter vos projets et les réussir ! Notez le nombre de citrons que vous verrez au cours de la semaine. Ce nombre correspond aux situations bénéfiques qui surviendront dans votre vie pour l'améliorer !

***Message de l'Ange Hariel :*** *Soyez toujours loyal et respectueux envers votre prochain. Vous en récolterez des bienfaits ! Entourez-vous régulièrement de personnes positives, respectueuses et bienveillantes. Cela agira favorablement sur votre personne et vos actions ! Éloignez-vous continuellement des personnes problématiques. Celles-ci dérangent votre quiétude et augmentent les tourments de l'esprit. Ne laissez donc pas ces personnes négatives vous mener par le bout du nez. Sinon, vous sombrerez avec eux dans leur négativité.*

*Priez-moi et je vous aiderai à mieux maîtriser votre impulsivité face aux problématiques. J'exposerai votre potentiel et rehausserai votre confiance. Ainsi, vous serez en meilleur contrôle de vos émotions, de vos choix et, par conséquent, de votre vie. Rien ne viendra vous déstabiliser et vous serez en mesure de trouver la solution à chaque problème. Vous vaincrez donc l'Ombre avec perspicacité.*

# Chapitre X

## AOÛT – Mois de l'avenir

### **Ange gouverneur :** Ange Lauviah II (17)

Après plusieurs réflexions sur l'ensemble de leur vie, plusieurs seront confrontés à un défi de taille : la réussite de leur avenir ! Vous prenez conscience que vous êtes le maître de votre destinée et que vous devez améliorer certains aspects de votre vie pour atteindre la béatitude rêvée pour votre futur ! Vous conclurez que la meilleure méthode pour réussir votre avenir est de croire en votre potentiel, de relever vos manches, de faire les efforts nécessaires, de mettre à profit vos idées, vos rêves, vos objectifs et de passer à l'action. Cette révélation vous donnera l'énergie nécessaire pour apporter les modifications essentielles pour embellir votre quotidien. Vous êtes conscient que chacune de vos actions et décisions auront un impact majeur sur votre avenir. Vous chercherez donc à y mettre tous les efforts pertinents pour réussir votre destinée. Vous vous fixerez des buts et vous chercherez à les atteindre. Chaque pas que vous amorcerez sera donc important. Il révélera la direction que prendra votre destinée !

En outre, la réussite de votre avenir vous appartient. Cela dépend de la façon dont vous dirigerez votre vie et de votre attitude. Vous réaliserez également que pour obtenir de bons résultats, il faut faire les sacrifices nécessaires et être en excellente santé. Vous prioriserez donc votre santé au cours de ce mois. Certains réaliseront qu'ils vieillissent mal et qu'ils ne font pas attention à eux. Ce réveil brutal les conscientisera à amorcer des changements importants dans leur vie. D'autres constateront que le temps passe vite et qu'ils ont omis de savourer les événements agréables que leur offre la vie. Ils découvriront finalement l'essence de leur vie et, par le fait même, ils amélioreront leur perception de la vie.

Cela dit, plusieurs personnes seront confrontées dans leurs habitudes de vie. Ils prendront conscience de leurs faiblesses, de leurs forces, de leur indulgence, de leurs idées utopiques, etc. Cette prise de conscience les amènera à se poser mille et une questions sur leur avenir. Ils chercheront à trouver des réponses à leur questionnement. Quelques personnes consulteront des clairvoyants pour mieux connaître les événements de leur futur. D'autres déchiffreront leurs rêves. Certains planifieront leur avenir tel qu'ils le souhaitent. Quelques-uns feront un testament, écriront leurs pensées ou leurs dernières volontés, etc. Tout au long d'août, votre avenir vous préoccupera. La soif de connaître une parcelle de votre futur s'animera à l'intérieur de vous. Vous chercherez donc des moyens pour connaître ce qui se produira si vous agissez de telle ou telle manière!

Pour mieux connaître votre futur et vérifiez si vous êtes dans la bonne voie, Dieu a délégué l'Ange Lauviah II pour gouverner le mois d'août. La Lumière de cet Ange est magnifique et constructive. Le surnom de Lauviah II est « Ange révélateur du futur », car elle est l'Ange qui peut révéler le futur à travers les rêves et les symboles qu'elle envoie. Si vous consultez un clairvoyant, cet Ange saura bien guider ce clairvoyant pour qu'il vous révèle votre futur. Ainsi, vous pourriez faire les changements nécessaires pour réussir votre avenir et être heureux. De plus, cet Ange vous enverra des signes qui vous suggéreront d'améliorer quelques aspects de votre vie. Si vous êtes perdu en cours de route, la Lumière de cet Ange vous ramènera vers le chemin de la réussite et vers votre mission de vie.

L'Ange Lauviah II est le 17ième Ange que Dieu a créé. Elle est un Ange féminin et elle fait partie du Chœur des Trônes. Sa mission est d'aider l'être humain à ne pas stagner dans sa mission de vie. Si vous la priez, cet Ange vous donnera une poussée d'adrénaline pour continuer votre route et y apporter tous les changements nécessaires pour retrouver l'équilibre, le bonheur et la joie de vivre. Lauviah II vous permettra de réussir votre vie ainsi que votre avenir. Elle enverra des rêves révélateurs pour que vous puissiez prendre conscience de vos faiblesses et des situations problématiques que vous devez régler pour retrouver votre équilibre. Elle acheminera vers vous de belles possibilités pour amorcer des pas importants vers la direction de vos rêves, de vos objectifs, de vos attentes et autres. Enfin, vers la réussite de votre vie!

## Les problématiques du mois d'août

Plusieurs auront de la difficulté à passer de bonnes nuits de sommeil. Ils seront trop préoccupés par des questions existentielles et par leur avenir. D'autres seront confrontés à des épreuves. Leur action sera très révélatrice. Cela améliorera leur avenir ou l'aggravera! Ils voudront s'assurer de faire de bons choix. C'est la raison pour laquelle ils consulteront des clairvoyants, des personnes compétentes et des proches qui les aideront à faire des choix sensés. Vous serez énormément inquiet. Vous serez conscient que la réussite de votre avenir dépendra des choix et des actions que vous entreprendrez. Cela vous obligera à réfléchir profondément avant d'agir.

Ces analyses ne sont pas sans tourmenter votre esprit et l'égarer! Cela augmentera davantage votre anxiété. Certains seront obligés de prendre un médicament ou un repos obligatoire pour calmer la tempête mentale qui surgira dans leur quotidien. Votre avenir vous angoissera. Vous serez envahi par des peurs. La peur de vieillir, la peur de mourir, la peur de faire de mauvais choix, la peur de ne pas réussir, etc. Toutes ces peurs ne vous aideront guère à éloigner la tristesse, le mal de vivre et les angoisses.

Donc, **les bienfaits de la Lumière de l'Ange Lauviah II** vous sauvera de votre torpeur psychologique. Cet Ange possède une Lumière miraculeuse lorsqu'il s'agit d'aider l'être humain à surmonter ses épreuves. Si vous priez Lauviah II, sa Lumière magnifique vous donnera le courage nécessaire de surmonter vos épreuves avec sagesse et compréhension. Elle éclairera votre esprit. Cela vous aidera lors de vos actions. Cet Ange vous permettra de tirer une leçon positive de vos épreuves. Par la suite, elle vous aidera à bâtir plus solidement votre vie.

Lauviah II vous révélera le meilleur chemin à prendre pour esquiver les problématiques et pour solidifier votre vie. Vous reprendrez donc confiance en votre potentiel. Cela bonifiera vos actions et votre vie. Vous avancerez donc fièrement vers un avenir prometteur. La Lumière de Lauviah II est la meilleure boussole pour guider l'être humain et l'aider à retrouver son chemin, sa mission, son équilibre et sa joie de vivre ! Voilà l'importance de prier cet Ange lorsque vous êtes perdu !

Une autre mission importante de Lauviah II est d'aider l'être humain à avoir des nuits paisibles et apaisantes. Sa Lumière vous aidera à mieux dormir et facilitera votre sommeil. Si vous souffrez d'insomnie, Lauviah II enverra sur votre chemin une ressource qui vous permettra de guérir rapidement de votre insomnie. De plus, la Lumière de cet Ange chasse la peur de dormir seul ou de la noirceur ! Si vous avez l'envie d'avoir une nuit fraîche, calme et reposante, priez Lauviah II. Si vous êtes victime d'anxiété, de crise de panique, de surmenage et de dépression, la Lumière de cet Ange calmera votre esprit et le libèrera de ses tourments. Voilà d'excellentes raisons pour intégrer la Lumière de Lauviah II dans votre vie.

## Exercice à compléter

Sur quel sujet aimeriez-vous connaître votre avenir ?

________________________________________

________________________________________

Lauviah II enverra sa réponse par un rêve, une situation ou un proche. Soyez donc attentif à votre environnement lors des 48 heures qui suivront votre demande. Lauviah II y répondra. Toutefois, si vous avez de la difficulté à capter son message, ne vous inquiétez pas ; cet Ange enverra sur votre chemin des situations concrètes qui vous aideront à obtenir des détails révélateurs sur le sujet mentionné.

Aimeriez-vous obtenir une solution pour régler une problématique ? Si oui, écrivez votre problème à régler :

________________________________________

________________________________________

Avant de vous coucher, raconter à Lauviah II votre problème. Il y a de fortes chances que vous vous réveillerez le lendemain avec une solution. Vous pouvez effectuer ces exercices durant toute l'année. Lorsque Lauviah II aura répondu à l'une de vos demandes, écrivez un autre sujet. N'oubliez pas de la remercier !

## Prière à réciter à l'Ange Lauviah II

*Ô vous, magnifique Lauviah II,*

*Ange révélateur du futur et boussole angélique.*

*Protégez et ensoleillez mon mois d'août,*

*Parsemez-le d'événements prolifiques qui rempliront mon cœur de joie.*

*Bonifiez ma vie d'amour, de paix et d'harmonie.*

*Chassez l'Ombre de ma vie et libérez-moi des problématiques.*

*Infusez-moi le courage, la détermination et la persévérance pour réussir ma destinée.*

*Fructifiez chacune de mes actions et guidez-moi vers les meilleures ressources pour atteindre l'allégresse.*

*Avec respect, accordez-moi cette faveur tant désirée.*

*(Formulez votre demande sur le sujet que vous aimeriez connaître de votre futur, ou pour obtenir la solution à votre problème)*

*Je vous demande humblement d'illuminer mon foyer et de le couvrir de bonheur !*

*Je vous rends grâce des bienfaits que votre Lumière m'apportera au cours de ce mois.*

Vous pouvez réciter cette prière régulièrement, hebdomadairement ou au début du mois.

## Signes de l'Ange Lauviah II

L'un des signes préférés de l'Ange Lauviah II est de vous montrer une boussole ou le chiffre 2 écrit en romain (II). Si elle vous montre une boussole, par ce symbole, Lauviah II vous annonce un changement qui améliorera votre vie. Elle guidera vos pas vers les meilleures ressources pour que vous puissiez atteindre la quiétude. Si vous voyez régulièrement le chiffre 2 écrit en romain (II), elle vous annonce deux belles surprises qui surviendront au cours de l'année. Ces surprises rempliront votre cœur de bonheur !

---

***Message de l'Ange Lauviah II :*** *Vivre le moment présent, c'est prendre le temps de savourer sa vie. Ainsi, vous ne regretterez jamais votre passé et vous ne redouterez jamais votre futur puisque vous le construirez au fur et à mesure que vous avancerez. Cette année, vivez une journée à la fois et profitez des moments agréables que vous offre la vie. Chantez la joie, dansez le bonheur et riez de bon cœur ! Vous vivrez donc une année comblée, sans regrets ni remords. N'oubliez pas que la vie sans éclat n'est qu'une vie à moitié vécue ! Vivez donc pleinement votre vie ! Ainsi, vous récompenserez vertueusement votre futur à sa juste valeur ! Telle est la recette du bonheur et d'une vie réussie.*

---

# Chapitre XI

## SEPTEMBRE – Mois des récompenses

### **Ange gouverneur :** Ange Nithaël (54)

Comme il est agréable de voir les résultats des efforts fournis ! Il n'est jamais facile de faire des sacrifices, de prendre des décisions et de faire des choix. La peur peut déranger plusieurs personnes. Avant d'amorcer un pas, il est évident que l'être humain se pose mille et une questions existentielles. « Est-ce le bon choix pour moi ? Devrais-je attendre avant de faire un changement ? Suis-je prêt à faire un changement ? ». Toutes ces questions hantent votre esprit lorsque vous arrivez à une croisée des chemins et que vous devez prendre une décision. Il est même normal de se poser ce genre de questions. Tous cherchent à faire des choix sensés qui les aideront à atteindre le bonheur et la satisfaction.

Cela dit, vous serez donc bien servi au cours de septembre. Plusieurs personnes réaliseront que tous leurs efforts apportés au cours des derniers mois seront bien récompensés. Cela les encouragera à persévérer et à continuer d'améliorer leur vie. Attendez-vous à recevoir de deux à trois bonnes nouvelles qui agrémenteront votre mois. Certains changeront d'emplois. D'autres amélioreront leur condition de travail. Quelques-uns obtiendront une augmentation de salaire, signeront un contrat alléchant, réussiront une entrevue, retourneront aux études, etc. Certains feront de petits gains à la loterie. La Providence viendra récompenser tous ceux qui ont fait des sacrifices, qui ont rendu un service à leur prochain et qui ont pris le temps de prier les Anges. Votre grande générosité et votre bonté seront appréciées et récompensées par les Êtres de Lumière.

Vous réaliserez l'importance d'intégrer les Anges dans votre vie et d'accomplir de bonnes actions. Cela vous rendra heureux et attirera des événements agréables dans votre direction. Vous serez rempli d'amour, de joie et de bonheur ! Vous serez donc en pleine forme pour amorcer tous les projets qui vous passeront par la tête ! Certains reprendront une activité physique. D'autres amélioreront leurs habitudes de vie. Quelques-uns respecteront leur corps. Ils s'alimenteront mieux et auront de bonnes nuits de sommeil. En outre, votre perception de la vie changera. Vous réaliserez l'importance d'être en forme et de conserver une attitude positive face à la vie. Vous essayerez d'être moins négatif et plus attentif à votre environnement.

Pour savourer cette frénésie de septembre et obtenir les récompenses méritées, Dieu a délégué une fois de plus l'Ange Nithaël. Cet Ange adore gâter l'être humain. Il ne faut pas oublier que Nithaël est le gardien du coffre-fort de Dieu. Sa mission est de récompenser l'être humain de sa bonté et de sa générosité. Chaque bonne action mérite d'être notée et récompensée. Telle sera la mission de cet Ange au cours de septembre. Il récompensera donc vos bonnes actions ainsi que tous vos efforts déployés pour réussir vos projets.

L'Ange Nithaël est le 54[ième] Ange que Dieu a créé. Il est un Ange masculin et il fait partie du Chœur des Principautés. Pour cet Ange, il est important de vous donner une petite poussée angélique pour réussir vos projets, pour résoudre vos problèmes, pour retrouver votre équilibre et être heureux. Cette poussée vous aidera également à obtenir de bons résultats lors de vos actions. Nithaël vous dirigera aux endroits prolifiques qui vous permettront de recevoir de belles récompenses. Cela vous encouragera à persévérer pour améliorer votre vie et obtenir des résultats stimulants lors de vos actions.

## Les problématiques du mois de septembre

Certains travailleurs vivront des moments difficiles au sein de leur emploi. Ils vivront des changements qui ne feront pas leur bonheur. Ils devront prendre une décision importante pour retrouver leur équilibre. Quelques-uns seront envahis par la négativité. Ils ne verront donc pas les belles possibilités qui viendront à eux pour améliorer leurs habitudes de vie. De plus, cette attitude négative causera des ennuis. Vous blesserez des personnes avec vos paroles non réfléchies !

D'autres seront découragés par l'ampleur de certains événements. Il y aura également le manque d'argent. Pour plusieurs, le retour à l'école, les activités scolaires et familiales dérangeront leur budget. Vos problèmes financiers vous préoccuperont énormément. Vous cherchez une issue pour vous en libérer. Certains appliqueront pour obtenir un emploi plus rémunérateur. D'autres ajouteront à leur horaire un deuxième emploi pour parvenir à joindre les deux bouts ou se libérer de leurs dettes !

**Les bienfaits de la Lumière de l'Ange Nithaël** vous donneront la force et le courage de surmonter les intempéries de la vie. De plus, l'Ange Nithaël enverra de belles possibilités sur votre chemin pour atténuer vos angoisses. Cet Ange adore gâter l'être humain et lui envoyer de belles surprises. Attendez-vous donc à recevoir de petits cadeaux, embellir certaines de vos journées ! Il fouillera dans le coffre-fort divin et il enverra ce qu'il a de mieux pour vous. Si vous désirez changer d'emploi, vous l'obtiendrez ! Si vous désirez vous libérer de vos ennuis financiers, vous serez délivré ! Si vous voulez améliorer votre vie, vous serez guidé dans la bonne direction ! Telles seront les effets bénéfiques de la Lumière de Nithaël. Assurez-vous de le prier et de l'intégrer dans votre vie !

## Exercice à compléter

Quel est le cadeau que vous aimeriez recevoir ?

________________________________________

________________________________________

Soyez réaliste dans votre demande. Avant que l'année se termine, l'Ange Nithaël vous enverra ce cadeau. Si, pour une raison quelconque, il ne peut acquiescer à votre demande, il vous enverra un substitut qui vous fera autant plaisir. Vous réaliserez que ce cadeau sera mieux que ce que vous aviez souhaité !

Remplissez ce chèque. Inscrivez un montant. Si votre coffre-divin contient suffissament de points angéliques, vous recevrez ce montant d'ici un an.

## Chèque de l'abondance – À compléter

Ange Nithaël
1, rue Céleste
Ciel, Paradis
DIEU

DATE

PAYEZ À L'ORDRE DE ____________ $

/100 DOLLARS

POUR Récompense divine

*Ange Nithaël, Roi des Cieux*

## Prière à réciter à l'Ange Nithaël

*Ô vous, généreux Nithaël,*

*Ange de l'abondance et gardien de la chambre d'or de Dieu.*

*Protégez et ensoleillez mon mois de septembre,*

*Parsemez-le d'événements prolifiques qui rempliront mon cœur de joie.*

*Bonifiez ma vie d'amour, de paix, d'abondance et d'harmonie.*

*Chassez l'Ombre de ma vie et libérez-moi des problématiques.*

*Infusez-moi le courage, la détermination et*
*la persévérance pour réussir ma vie.*

*Fructifiez chacune de mes actions et accordez-moi*
*cette demande désirée.*

*(Formulez votre demande)*

*Je vous demande humblement d'illuminer mon foyer et*
*de le couvrir de bonheur !*

*Je vous rends grâce des bienfaits que votre Lumière m'apportera*
*au cours de ce mois.*

Vous pouvez réciter cette prière régulièrement, hebdomadairement ou au début du mois.

## Signes de l'Ange Nithaël

L'un des signes préférés de l'Ange Nithaël est de placer sur votre chemin des pièces de monnaie. Il est l'un des Anges de l'abondance. Prenez ces pièces de monnaie et insérez-les dans votre petit pot d'abondance[1]. Insérez également toutes vos demandes ainsi qu'une copie du chèque ci-mentionné. Lorsque vous réciterez sa prière, brassez votre petit pot d'abondance. Vous verrez des cadeaux inespérés venir vers vous. De plus, le nombre de pièces de monnaie que vous trouverez correspond aux cadeaux mérités ! Plus vous trouverez des pièces de monnaie, plus l'Ange Nithaël enverra des surprises emballer votre vie !

1. *Soins Angéliques – l'argent*, Éditions Le Dauphin Blanc, Le pot d'abondance, page 31.

***Message de l'Ange Nithaël :*** *Sous mes ailes coule l'abondance, entre mes mains règne votre destin. Propagez l'amour, la joie et le bonheur autour de vous. Aidez votre prochain à se relever. Donnez avec votre cœur. Ne jugez pas les erreurs commises par les autres. Partagez vos connaissances avec les ignares. Vous accumulerez ainsi des points angéliques. Cette année, chaque bonne action amorcée recevra ma récompense divine. Soyez donc heureux et profitez de ces cadeaux fortuits ! Vous les méritez grandement et je suis très fier de vous les envoyer !*

# Chapitre XII

## OCTOBRE – Mois de la motivation

### **Ange gouverneur :** Ange Ieiazel (40)

Au cours de ce mois, plusieurs personnes seront motivées à mettre un terme aux problématiques, à se prendre en main, à perdre le poids superflu, à éclaircir des malentendus, à rénover certaines pièces de la maison, etc. Vous serez également en mesure de trouver une solution à chaque problème. Vous ne laisserez rien en suspens et vous réglerez le tout à votre entière satisfaction. Bref, vous serez en pleine forme et vous en profiterez pour accomplir les tâches que vous aviez délaissées. Vous avez un urgent besoin de ramener de l'ordre dans votre vie et d'être en équilibre. Vous êtes conscient que pour atteindre cette béatitude, vous devez faire les efforts nécessaires. Il est évident que certaines journées seront difficiles et parfois ardues. Rien ne s'acquiert facilement. Toutefois, vos actions amélioreront plusieurs aspects qui dérangeaient votre quiétude. Cela vous encouragera à persévérer et à continuer dans la même direction.

De plus, vous vous éloignerez des personnes négatives et problématiques puisque vous réaliserez que leur énergie pernicieuse vous dérange et que vous ne voulez plus vivre ces situations désagréables dans votre vie. Vous avez tout simplement le désir d'être heureux, en paix et en harmonie avec ceux qui le méritent et ceux qui vous tiennent à cœur!

Au cours de ce mois, vous chercherez donc à vivre vos journées de manière sereine, exemptes de problèmes et de situations négatives. Cela ne veut pas dire que vous n'aurez aucun problème. Néanmoins, vous éviterez les personnes qui pourraient vous occasionner des problèmes. Vous écouterez votre petite voix intérieure et lorsque celle-ci vous avertira d'un danger, vous serez en mesure de vous en éloigner rapidement! Votre détermination et votre expérience vous aideront à contrôler les situations dérangeantes qui viendront vers vous. Vous serez également en mesure de vous armer contre les personnes et les situations négatives. Attention à ceux qui chercheront à vous nuire! Vous serez en plein pouvoir de vos ressources. Vous défendrez donc vos droits et chasserez ces personnes malintentionnées de votre entourage. Vous les inviterez à s'éloigner de vous!

Il est donc important de vivre sa vie et non la subir. Les personnes qui possèdent la capacité de se prendre en main détiennent plus de chance de réussir sa destinée, et ce, malgré les intempéries qui peuvent se produire dans leur vie. Pour vous donner ce courage et cette ardeur, Dieu a délégué ce pouvoir à l'Ange Ieiazel. Cet Ange détient la faculté de mettre un terme à une période difficile et de vous diriger vers une meilleure qualité de vie. Sa Lumière vous donnera le courage de régler immédiatement ce qui ne fonctionne pas bien dans votre vie.

L'Ange Ieiazel est le 40$^{\text{ième}}$ Ange que Dieu a créé. Il est un Ange masculin et il fait partie du Chœur des Puissances. Ieiazel est un Ange très joyeux. Toute une vivacité l'anime. Priez-le, et dans l'espace de peu de temps, votre énergie sera à la hausse! Cela vous aidera dans vos actions et vos décisions.

## Les problématiques du mois d'octobre

Plusieurs personnes vivront des problématiques causées par des personnes malintentionnées. Ces personnes chercheront à vous induire en erreur et à vous détruire. Cela dérangera énormément votre énergie. Elle sera à la baisse et un rien vous fera verser des larmes. Cette attitude ne vous aidera guère à prendre de bonnes décisions et à passer à l'action puisque le moral n'y sera pas. Vous serez affaibli, déconcerté et découragé par les événements négatifs. Vous ne verrez aucune issue pour vous libérer de cette période difficile. Vous aurez besoin d'aide !

De plus, certaines personnes réaliseront que leur surplus de poids dérange leur énergie. Ils se fatiguent constamment. D'autres opteront pour des régimes draconiens qui dérangeront leur humeur et leur moral. Quelques-uns se laisseront envahir par la négativité, cela attirera vers eux des ennuis.

**Les bienfaits de la Lumière de l'Ange Ieiazel** vous remonteront le moral et vous permettront de voir les bons côtés de la vie. Aidez-vous et l'Ange Ieiazel vous aidera ! Sa Lumière vous donnera l'élan essentiel pour renaître à la vie et pour vous libérer de tout ce qui vous retient prisonnier. Elle bonifiera également ceux qui veulent suivre un régime. Vous serez animé par la volonté et la détermination d'atteindre votre objectif. La mission d'Ieiazel est de vous guider vers un régime équilibré qui agira favorablement sur votre corps. Vous atteindrez donc un poids santé de façon saine et équilibrée.

Qu'importe les événements qui surviendront au cours de ce mois, la Lumière d'Ieiazel vous réconfortera. Elle vous donnera l'énergie nécessaire pour vous prendre en main et pour atteindre vos objectifs. Ainsi, vous vivrez votre vie de façon agréable au lieu de la subir !

## Exercice à compléter

Quel est l'objectif que vous aimeriez atteindre ? Indique-le à l'Ange Ieiazel :

___________________________________________

___________________________________________

La Lumière vivifiante d'Ieiazel vous motivera et vous donnera l'énergie essentielle pour atteindre votre objectif sans complication ! La persévérance vous siéra bien ! Il suffit de prier l'Ange Ieiazel et tout viendra à vous, comme par enchantement !

## *Prière à réciter à l'Ange Ieiazel*

*Ô vous, charmant Ieiazel,*

*Ange de la volonté et gardien du bonheur.*

*Protégez et ensoleillez mon mois d'octobre.*

*Parsemez-le d'événements prolifiques qui rempliront mon cœur de joie.*

*Bonifiez ma vie d'amour, de paix et d'harmonie.*

*Infusez-moi le courage, la détermination et la persévérance*

*pour réussir mes objectifs fixés.*

*Fructifiez chacune de mes actions et accordez-moi cette demande désirée.*

*(Formulez votre demande)*

*Je vous demande humblement d'illuminer mon foyer et de le couvrir de bonheur !*

*Je vous rends grâce des bienfaits que votre Lumière m'apportera au cours de ce mois.*

Vous pouvez réciter cette prière régulièrement, hebdomadairement ou au début du mois.

## *Signes de l'Ange Ieiazel*

L'un des signes préférés de l'Ange Ieiazel est de vous faire sourire. La meilleure façon pour y parvenir, c'est de créer des situations cocasses sur votre chemin. Tout au long de ce mois, vous vivrez des événements qui vous feront rire jusqu'à en verser des larmes. De plus, ne soyez pas surpris si une personne vous fait une grimace ou une mimique. Ne répliquez pas négativement à cette grimace, c'est Ieiazel qui sera à l'origine de ce signe. Cela vous indique de prendre la vie à la légère et d'arrêter de maugréer du noir.

Si vous voyez l'image d'un clown ou si vous le voyez en réalité, par ce signe l'Ange Ieiazel vous annonce un événement favorable qui arrivera bientôt dans votre vie. Cela apaisera vos angoisses et rehaussera votre énergie. Vous serez heureux et débordant de bonheur.

---

**Message de l'Ange Ieiazel :** *Soyez déterminé à prendre votre vie en main et à régler vos problématiques. Vivre sa vie avec un regard pessimiste ne vous apportera guère satisfaction. Vivre sa vie avec un regard lucide et passionné engendra de belles réussites. N'oubliez pas que vous êtes le maître de votre destinée. Dieu vous a légué le libre arbitre. Vous avez donc le choix d'être heureux ou malheureux. Vous avez le choix d'être actif ou inerte. Vous avez le choix de vivre votre vie ou la subir. Il ne tient qu'à vous de choisir adéquatement. De toute façon, vous reviendrez toujours compléter ce que vous n'avez pas achevé ni réussi dans cette vie actuelle. Prenez donc votre courage à deux mains et améliorez votre destin ! Vivez votre vie à son maximum et récoltez-en tous les bienfaits ! Ainsi, vous n'aurez aucun regret et vous ferez avancer votre âme continuellement. Vous atteindrez l'apogée de votre vie terrestre !*

---

# Chapitre XIII

## NOVEMBRE – Mois de la réflexion

### **Ange gouverneur :** Ange Sitaël (03)

Votre tête travaillera ardemment au cours de ce mois ! En même temps que vous planifierez vos préparatifs de Noël, vous planifierez également la nouvelle année qui arrive de ce pas ! Plusieurs personnes analyseront leur vie et feront un bilan. Tout ce que vous n'avez pas eu la chance de régler, vous le noterez. Tout ce que vous aimeriez réaliser, vous l'écrirez. Toutes les situations qui doivent être améliorées, vous les soulèverez. Vous serez donc prêt à amorcer la nouvelle année du bon pied ! Certains se diront qu'ils ne veulent plus vivre ce qu'ils ont vécu lors des derniers mois. Ils feront donc leur possible pour améliorer tous les aspects de leur vie qu'ils ont négligés en cours de route. Vous êtes conscient que des changements s'imposent pour retrouver votre équilibre. Vous ferez donc tout en votre pouvoir pour retrouver la paix dans votre cœur et l'harmonie dans votre vie.

Votre réflexion vous amènera à amorcer quelques changements dans votre routine quotidienne. Vous établirez un bilan de tout ce que vous aimeriez accomplir au cours de la prochaine année. Vous ne voulez plus vivre ce que vous avez vécu lors des derniers mois. Votre négligence vous a causé quelques ennuis. Vous voulez donc réparer les pots brisés. Votre détermination et votre ardeur attireront vers vous de belles réussites. Vous travaillerez ardemment pour atteindre vos objectifs fixés. Votre tête sera remplie de mille et un projets, de plusieurs résolutions à respecter et de plusieurs problèmes à résoudre. Vous vous fixerez des buts et vous chercherez à les atteindre! Toutes ces nouvelles résolutions ne débuteront qu'à la fin janvier 2018. Vous voulez attendre que la période des Fêtes soient passées avant d'amorcer vos projets. Après cette période, vous relèverez vos manches et vous foncerez tête première vers vos résolutions fixées. Vous regarderez minutieusement votre plan d'attaque et vous le respecterez. Vous prendrez le temps de biffer chaque situation qui se régleront et qui se réaliseront.

Cela dit, pour établir vos plans, vous chercherez donc la solitude. Ces moments seront précieux pour vous. Lors de votre analyse, tout y passera. Votre vie amoureuse, votre vie personnelle, votre vie professionnelle, vos amitiés, vos finances, votre santé, etc. Vous noterez les points à améliorer, à régler ou à y mettre un terme. À chaque situation, vous réfléchirez profondément à la façon appropriée pour mieux la régler. Lorsque vous aurez fait votre conclusion, vous agirez en conséquence et vous passerez à l'étape suivante. Vous n'aurez aucun regret ni aucune hésitation. Vous avancerez, et vous continuerez d'avancer. Votre ardent désir de retrouver la paix et une meilleure qualité de vie vous amèneront à réfléchir profondément sur vos actions à entreprendre pour vivre cette béatitude.

Vous ne voulez plus vivre dans la souffrance. Vous ne voulez plus verser des larmes de frustration et de déception. Vous ne voulez plus être la marionnette des personnes manipulatrices. Votre vœu sera de vivre une vie exempte de problèmes. Vous êtes conscient que cela est presque impossible. Toutefois, vous n'êtes plus obligé de souffrir pour les autres ni de vous laisser berner par les personnes malintentionnées. Vous réaliserez que vous avez le droit de refuser leur amitié et de vous en éloigner. Telles seront vos réflexions au cours de novembre.

Pour vous aider à mettre un terme définitif aux problématiques et à retrouver un bel équilibre dans votre vie, Dieu a délégué cette tâche à l'Ange Sitaël. La mission importante de cet Ange est d'aider l'être humain à régler ses problèmes pour qu'il puisse par la suite retrouver le chemin du bonheur. Sitaël affirme que lorsqu'un problème n'est pas réglé, il hante votre esprit. Cela vous empêche d'évoluer et de vous épanouir. Sitaël vous aidera donc à vous prendre en main et à chercher toutes les issues possibles pour vous libérer de vos tracas.

L'Ange Sitaël est le 3[ième] Ange que Dieu a créé. Il est un Ange masculin et il fait partie du Chœur des Séraphins. Sitaël est un Ange créateur. Sa Lumière fructifie, crée et construit. Elle dirige vos idées vers le chemin de la réalisation. Sitaël fructifiera chacune de vos actions. Il vous dirigera vers le succès. Il enverra de belles possibilités sur votre chemin pour réussir vos buts. Sitaël n'a pas de limites lorsqu'il s'agit de réaliser les désirs de l'être humain qui l'aideront à trouver un sens à sa vie et le rendre heureux! Alors, la Lumière de cet Ange vous aidera lors de la prise de décisions et dans vos actions. Vous serez en mesure d'analyser profondément vos situations et de prendre les décisions adéquates pour bien les réussir. Grâce à cet Ange, vous serez en mesure de mettre un terme aux situations insolubles et négatives.

## Les problématiques du mois de novembre

Plusieurs personnes vivront des moments ardus. Ils seront hantés par leur passé et ils ne sauront pas quoi faire pour atténuer leur douleur. D'autres vivront de la violence conjugale et autre. Cela atteindra énormément leur moral. Ils ne sauront plus où se diriger. Quelques-uns s'écrouleront sous le poids des épreuves. Ils sombreront dans une dépression. D'autres réaliseront que leur problème de consommation nuit énormément à leur santé et à leur bonheur. Des ultimatums leur seront lancés par leurs proches. S'ils ne cessent leur problème, leurs proches leur tourneront le dos. Les personnes excessives feront des dépenses épouvantables pour la période des Fêtes. Cela dérangera énormément leur budget. D'autres souffriront de maux de dos et ils s'inquiéteront de leur état. Les Fêtes approcheront et leur état de santé les empêchera de compléter leurs préparatifs de Noël. Cela les angoissera énormément. Finalement, certaines personnes chercheront à finaliser une transaction importante. Cela les inquiétera. Pour eux, il est primordial que cette transaction soit complétée et signée avant la fin de l'année.

**Les bienfaits de la Lumière de l'Ange Sitaël** vous soulageront, réconforteront et vous donneront l'élan pour établir des plans, les respecter et les atteindre. Au lieu d'échouer, vous sortirez gagnant de vos batailles ! Lorsque tout semble s'écrouler autour de vous, que vos énergies sont à plat, que vous vous sentez incapable de surmonter les intempéries de la vie et que vous sombrez dans une dépression, priez l'Ange Sitaël. Sa Lumière vous secourra et vous guidera vers les meilleures ressources pour vous libérer de tout ce qui vous retient prisonnier. De plus, sa Lumière vous donnera le courage de bâtir vos bases solidement et concrètement pour que vous ne puissiez plus vous écrouler sous le poids des épreuves. Si vos bases sont solides, vous serez apte à orienter votre vie vers des situations heureuses et bénéfiques pour votre santé globale.

Sitaël protège les victimes de la violence. Il leur donne la force et le courage de mettre un terme à cette violence qui la détruit. Il vous aidera à vous prendre en main et à avancer vers un chemin plus lumineux et heureux. Le rôle de l'Ange Sitaël est de vous donner la volonté d'agir et de vous libérer rapidement de vos problématiques. Cela peut également concerner les excès de tout genre. Sa Lumière calme les excès. Cet Ange vous démontrera tous les effets dévastateurs que peuvent engendrer les excès. Par la suite, il vous donnera l'énergie essentielle d'y mettre un terme.

L'Ange Sitaël collabore avec différents Anges pour le bien de chaque situation problématique. Si vous désirez perdre le poids superflu et mettre un terme aux friandises, il travaillera avec les Anges Hariel (15) et Ieiazel (40). Si vous désirez cesser de fumer, de boire, de consommer et de parier, il travaillera avec les Anges Aniel (37), Imamiah (52) et Sealiah (45). Si vous désirez mettre un terme au fantôme du passé, il travaillera avec l'Ange Aniel (37). Si vous devez négocier un contrat ou un achat, il collaborera avec l'Ange Menadel (36) et l'Ange Jeliel (02). Ensemble, ils forment une équipe du tonnerre pour vendre ou acheter une propriété. Bref, toutes ces magnifiques Lumières vous aideront à cesser vos dépendances et à reprendre le chemin de la quiétude intérieure !

## Exercice à compléter

Voulez-vous mettre un terme à une problématique ou une situation du passé ? Si oui, indiquez-la :

____________________________________________

____________________________________________

L'Ange Sitaël enverra sur votre chemin des possibilités qui vous aideront à régler vos problématiques. La Lumière de cet Ange vous donnera la force et le courage de mettre un terme définitif à la situation que vous venez de lui indiquer. Attendez-vous à être libérer de ce problème d'ici un an.

Sitaël vous demande d'écrire un plan pour votre nouvelle année. Déterminez vos rêves, vos désirs, vos attentes, vos solutions, etc.

____________________________________________

____________________________________________

Sa mission est de vous envoyer toutes les ressources essentielles pour que votre plan soit respecté et réussi tel que vous le souhaitez !

## Prière à réciter à l'Ange Sitaël

*Ô vous, magnifique Sitaël,*

*Ange purificateur du corps humain et créateur de plans fructueux.*

*Protégez et ensoleillez mon mois de novembre,*

*Parsemez-le d'événements prolifiques qui rempliront mon cœur de joie.*

*Bonifiez ma vie d'amour, de paix et d'harmonie.*

*Chassez l'Ombre de ma vie et libérez-moi des problématiques.*

*Infusez-moi le courage, la détermination et la persévérance pour réussir mes objectifs fixés.*

*Fructifiez chacune de mes actions et accordez-moi*
*cette demande désirée.*

*(Formulez votre demande)*

*Je vous demande humblement d'illuminer mon foyer et*
*de le couvrir de bonheur !*

*Je vous rends grâce des bienfaits que votre Lumière m'apportera*
*au cours de ce mois.*

Vous pouvez réciter cette prière régulièrement, hebdomadairement ou au début du mois.

## Signes de l'Ange Sitaël

Sitaël empruntera le corps de plusieurs personnes afin de vous envoyer de larges sourires. Ne soyez donc pas surpris de voir des étrangers vous adresser un sourire radieux ! Cet Ange peut également vous montrer un objet montrant un visage souriant. Sitaël enverra des situations agréables qui vous feront sourire. Si vous voyez un objet montrant un visage souriant, cela vous annonce un événement heureux qui se produira dans votre vie. Attendez-vous à vivre cet événement dans les trois jours qui suivront. De plus, si vous utilisez un outil lors de cette période, ne soyez pas surpris de le chercher. L'Ange Sitaël le déplacera ! Il cherchera votre attention ! Ne critiquez pas et souriez ! Sitaël s'amuse avec vous !

---

**Message de l'Ange Sitaël :** *Structurer sa vie n'est pas chose facile, surtout lorsqu'on l'a négligée depuis longtemps ! N'ayez pas peur d'affronter vos craintes et de tourner la page du passé. Faites un pas constructif vers votre avenir. Libérez-vous donc des situations et des personnes qui vous empêchent de vivre sereinement votre vie. Vous méritez l'allégresse et la paix. Alors, pourquoi ne pas savourer la* *vie à fond et y apporter tous les changements pertinents pour obtenir le bonheur. Prenez votre vie en main et savourez vos moments magiques que j'enverrai sur votre chemin. Amusez-vous, souriez et profitez de la vie ! Vous avez envie de créer, de bâtir un plan, une idée, un projet ? Alors, réalisez-les. Fixez-vous des buts et respectez-les ! De plus, choisissez des personnes compétentes et positives. Collez-vous à elles. Celles-ci vous encourageront et vous aideront à mettre sur pied vos projets, vos rêves, etc. Elles travailleront en concert avec vous, et non contre vous. Sachez bien les choisir et éloignez-vous des personnes problématiques. En outre, suivez mes pas et je vous dirigerai vers ces personnes ressources qui vous épauleront et vous encourageront dans l'élaboration de vos tâches. Ainsi, vous soutirez de la satisfaction et de la réussite. Cela vous encouragera à persévérer pour obtenir de bons résultats !*

# Chapitre XIV

## DÉCEMBRE – Mois de l'amour

### **Ange gouverneur :** Ange Vehuiah (01)

Qu'il est bon d'aimer et d'être aimé ! Le mois de l'amour vous réserve des journées agréables remplie de paroles positives et réconfortantes. Les gens s'aimeront et ils se le démontreront entre eux ! Cela apportera un vent de bonheur dans l'air et provoquera de l'entraide, de la compassion, du dévouement, etc. La fraternité se fera largement ressentir dans le cœur des gens. Chacun cherchera à apporter une touche personnelle de bienfaisance. Quelques-uns feront du bénévolat pour une cause quelconque. D'autres feront un don de générosité pour les familles dépourvues. Certains offriront leurs services pour venir en aide aux démunis. Votre acte de charité sera largement récompensé au cours de ce mois. L'Ange gouverneur gâtera toutes les personnes qui engendreront des actions bienfaitrices pour aider leur prochain. Ainsi, plusieurs personnes seront au diapason avec les événements qui surviendront au cours de décembre.

De plus, la frénésie du temps des Fêtes animeront plusieurs personnes. Vous serez dans vos préparatifs de Noël ! Vous chanterez des cantiques, vous danserez sur une musique enivrante, vous planifierez des activités familiales, etc. Vous serez dynamique et enjoué ! Vous serez également invité à prendre part à des rencontres sociales et à des soirées pour fêter Noël. Vous aurez l'envie d'y assister et de vous amuser. Plusieurs auront l'envie de passer un mois agréable, exempt de problème. Ils chercheront la compagnie de gens positifs et dynamiques. Cela rehaussera leur moral et leur énergie. Vous serez en forme pour entreprendre les courses de Noël. Vous regarderez votre liste et vous la respecterez. Vous irez exactement aux endroits spécifiques pour vous procurer les accessoires désirés. Vous ne flânerez pas dans les magasins. Votre but sera de passer autant de temps que possible avec vos proches. Attendez-vous donc à passer des soirées divertissantes en leur compagnie. Vous aurez du plaisir et rirez jusqu'aux larmes ! Il y aura un regain d'énergie dans l'air ! Cela aidera plusieurs personnes à accomplir leurs tâches, à amorcer des changements et à régler les problématiques.

Puisque l'amour est important dans la vie de l'être humain. Il est donc primordial de lui envoyer des situations lumineuses qui le rendront heureux ! Dieu a délégué le premier Ange qu'Il a créé. Cet Ange possède une puissante Lumière. Sa mission est d'infuser dans le cœur de chaque être humain, l'amour et le respect. Votre bonheur est important aux yeux des Anges. Tous les Êtres de Lumière possèdent la mission de rendre un cœur heureux et exempt d'ennuis. Ces Anges de Dieu travaillent ardemment pour voir briller dans les yeux de leurs enfants une lueur de bonheur ! Ils feront donc tout leur possible pour envoyer sur votre route de belles possibilités qui vous aideront à atteindre cette félicité et cette béatitude. Cela est important, voire primordial pour eux ! Priez les Anges et vous vivrez des situations qui embelliront plusieurs de vos journées !

Pour bien profiter des cadeaux providentiels qui vous seront envoyés et pour égayer le cœur de chaque humain, la mission revient à l'Ange Vehuiah. Elle est le 1er Ange que Dieu a créé. Elle est un Ange féminin et elle fait partie du Chœur des Séraphins. Sa Lumière d'amour réveillera le cœur des humains, rallumera la flamme du désir entre les couples, éveillera le cœur des célibataires et les guidera vers leur flamme jumelle, atténuera les angoisses, évitera les séparations, etc.

Vehuiah affirme que lorsqu'une personne est en pleine possession de ses capacités, elle a tout ce qu'il faut pour s'en sortir et retrouver le bonheur. Avant de prendre une décision, priez Vehuiah. Sa Lumière vous aidera à bien réfléchir avant d'agir. Vous serez en mesure de trouver la meilleure solution et de l'appliquer incessamment. Ainsi, vous retrouverez rapidement votre équilibre et la quiétude intérieure.

## Les problématiques du mois de décembre

Certains couples vivront des batailles émotionnelles. Ils auront des arguments au sujet des cadeaux, de l'argent, du manque de présence de l'un des conjoints, etc. Cela provoquera de la colère, des discussions animées et de la discorde. Cela dérangera énormément l'ambiance au foyer.

Quelques-uns seront angoissés par un examen important à écrire, une entrevue à réussir, un changement d'emploi, etc. La peur d'échouer vous envahira. Vous aurez de la difficulté à vous concentrer. Vous serez tourmenté par cette situation. Cela vous empêchera également d'avoir de bonnes nuits de sommeil.

Plusieurs personnes appréhenderont la période des Fêtes. Cela les rend malheureux et dépressif! Au lieu de s'amuser, ils critiqueront continuellement. Cela deviendra lourd sur les épaules de leurs proches.

De plus, quelques personnes souffriront de douleurs chroniques. D'autres attraperont une grippe virale et seront obligés de garder le lit pendant une période de 48 heures. Cela les angoissera énormément. Voyant la période des Fêtes arriver à grands pas et ne pouvant rien faire que de se reposer, ils seront davantage stressés. Cela ne les aidera guère à recouvrer la santé rapidement.

Donc, **les bienfaits de la Lumière de l'Ange Vehuiah** rehaussera la flamme de l'amour entre deux individus. La Lumière de cet Ange remplira votre cœur et elle vous donnera envie de rallumer la flamme de l'amour entre vous et votre partenaire. Elle solidifiera vos bases et vous fera prendre conscience de l'importance de votre vie à deux. De plus, cette magnifique Lumière agira favorablement sur les personnes qui appréhendent le temps des Fêtes. Vous serez animé par l'envie de festoyer et de vous amuser avec vos proches. Vous passerez de bons moments divertissants avec votre famille. Cela rehaussera votre moral et votre santé globale ira mieux.

Vehuiah n'aime pas voir les gens malheureux et triste à cause des épreuves de la vie. Cet Ange veut vous voir heureux et en harmonie avec votre vie. Vehuiah vous donnera donc l'énergie nécessaire pour que vous puissiez prendre votre vie en main et atteindre vos objectifs fixés. Elle vous aidera à réussir vos actions et en être satisfait. Vehuiah est la petite poussée requise pour apporter de l'amélioration dans votre vie et vous permettre de réussir vos projets pour mieux parfaire les aspects de votre existence.

Si vous vivez une période difficile où tout semble s'écrouler autour de vous, priez l'Ange Vehuiah. Sa Lumière vous aidera à retrouver le chemin du bonheur. De plus, la Lumière de cet Ange vous aidera lors d'un examen, d'une entrevue, pour l'obtention d'un emploi, etc. Celle-ci vous donnera de l'assurance au moment opportun.

## Exercice à compléter

Aimeriez-vous rallumer la flamme de l'amour dans votre couple ? Si oui, prenez une photo de vous et de votre partenaire. Au verso, écrivez ceci : «Vehuiah, prenez soin de nous et rallumez la flamme de notre amour. Faites de notre amour une union solide et heureuse». Si l'amour existe encore entre vous et votre partenaire, la Lumière de cet Ange agira favorablement. Toutefois, si l'un des deux partenaires n'éprouve plus aucun sentiment et qu'il désire mettre un terme à la relation, l'Ange Vehuiah vous infusera la force et le courage de surmonter cette épreuve. Elle enverra également sur votre chemin des situations lumineuses qui vous aideront à vous relever beaucoup plus rapidement.

Les Anges veulent récompenser votre assiduité avec eux. Si vous avez pris le temps de réciter vos prières tout au long de l'année, vous avez droit à une belle récompense de la part des Anges.

Quel est le cadeau qui vous ferait le plus plaisir ? Indiquez-le à l'Ange Vehuiah:

________________________________________

________________________________________

La mission de l'Ange Vehuiah est d'envoyer des situations prolifiques sur votre route au cours de la prochaine année. Si votre cadeau est réaliste, elle vous le donnera. N'hésitez pas à la prier !

## Prière à réciter à l'Ange Vehuiah

*Ô vous, flamboyante Vehuiah,*

*Ange de l'amour et protecteur des unions.*

*Protégez et ensoleillez mon mois de décembre,*

*Parsemez-le d'événements prolifiques qui rempliront mon cœur de joie.*

*Bonifiez ma vie d'amour, de paix et d'harmonie.*

*Chassez l'Ombre de ma vie et libérez-moi des problématiques.*

*Infusez-moi le courage, la détermination et la persévérance pour réussir mes objectifs fixés.*

*Fructifiez chacune de mes actions et accordez-moi cette demande désirée.*

*(Formulez votre demande)*

*Je vous demande humblement d'illuminer mon foyer et de le couvrir de bonheur !*

*Je vous rends grâce des bienfaits que votre Lumière m'apportera au cours de ce mois.*

Vous pouvez réciter cette prière régulièrement, hebdomadairement ou au début du mois.

## Signes de l'Ange Vehuiah

L'un des signes préférés de l'Ange Vehuiah est de vous montrer l'image d'un cygne blanc, d'une oie blanche ou d'une licorne. Ce sont ses animaux préférés. Si vous voyez l'un de ces symboles, cela vous annonce un changement bénéfique dans votre vie. Attendez-vous à vivre des moments intenses qui vous aideront à prendre le contrôle de votre existence. Vehuiah vous conduira exactement aux bons endroits pour vous aider à réussir votre vie terrestre et à obtenir de bons résultats. Cet Ange peut également vous montrer un parchemin. Si vous voyez un parchemin, l'Ange Vehuiah vous indique qu'elle regarde votre parchemin de vie. Si vous n'êtes pas sur le bon chemin, elle vous réorientera. De plus, elle vérifiera la date à laquelle elle vous enverra le cadeau que vous venez de lui demander. Si une personne vous parle d'une date importante, prenez note de cette date. Il y a de fortes chances que ce sera celle fixée pour recevoir votre cadeau ! Également, si vous allumez une chandelle, l'Ange Vehuiah fera valser la flamme de votre chandelle.

***Message de l'Ange Vehuiah :*** *L'amour est un sentiment puissant et guérisseur pour l'être humain. Il lui donne la poussée essentielle pour atteindre le sommet, régler les problématiques et réussir son existence. Ouvrez donc votre cœur à l'amour et chassez la tristesse, la haine et la vengeance. Ces sentiments négatifs n'aideront pas votre âme à évoluer et à s'épanouir. Il y a plusieurs facettes à l'amour. Il suffit de choisir celle qui vous interpelle le plus. Il peut s'agir d'aimer la danse, les animaux, les études, les moments de plénitude… Ouvrez toujours votre cœur à l'amour et laissez-le parler ! Si vous le faites, vous vivrez pleinement votre vie. Elle s'épanouira à travers l'amour, la joie et le bonheur. De plus, lors de festivités, tel un enfant qui aime rire et avoir du plaisir, amusez-vous. Profitez régulièrement des moments agréables avec votre famille. Ces moments sont uniques et éphémères. Ils remplissent votre cœur et le nourrissent*

*d'amour. Le rire guérit l'âme de ses tourments et des préoccupations. L'amour, la joie et le bonheur rehaussent vos énergies et possèdent un impact magique sur votre santé. Abreuvez-vous à ma Lumière et je rallumerai la flamme de l'amour à l'intérieur de vous. Cette flamme agira favorablement sur vous. Elle vous donnera l'énergie nécessaire pour bien accomplir votre mission de vie et être heureux.*

# Partie III

# Les Séraphins

*(21 mars au 30 avril)*

# Chapitre XV

# L'année 2017 des Séraphins

## *Vos actions seront prolifiques !*

L'année 2017 sera une année prolifique pour plusieurs ! Vous travaillerez ardemment pour obtenir des résultats à la hauteur de vos attentes, néanmoins, vous serez satisfait de vos actions. Vous serez souvent au bon endroit, au moment opportun. Cela vous permettra de réaliser plusieurs rêves et de savourer les événements agréables qui se produiront durant l'année ! De plus, cela vous permettra de régler vos problématiques. À chaque problème, une solution vous parviendra. Vous dépenserez beaucoup d'énergie pour parvenir à vos fins. Toutefois, vous serez régulièrement satisfait de vos décisions, de vos choix et de vos actions. Rien ne restera en suspens et tout se réglera grâce à votre détermination et votre vivacité ! Vous analyserez chaque petit détail de votre vie qui vous dérange et vous y apporterez de l'amélioration. Cela favorisera votre quotidien et votre santé mentale ! Bref, vous bougerez énormément au cours de l'année ! Vous serez partout et vous amorcerez plusieurs projets. Vos actions seront prolifiques. Celles-ci donneront naissance à des changements satisfaisants qui marqueront agréablement votre vie.

Au cours de l'année, attendez-vous à vivre de deux à quatre événements qui chambarderont favorablement votre vie. Certains travailleurs auront la chance d'améliorer leur vie professionnelle. D'autres verront leur situation financière s'améliorer grâce à une augmentation de salaire, un gain à la loterie, un emploi permanent ou autre bonne nouvelle. Les célibataires rencontreront leur partenaire idéal. Plusieurs couples seront heureux dans leur union. Ils planifieront plusieurs activités familiales qui rehausseront leur amour. Quelques personnes agrandiront leur famille par la venue d'un enfant. D'autres quitteront un lieu en particulier pour s'aventurer vers de nouvelles avenues. Il peut s'agir de la demeure familiale, de la ville natale, d'une région, etc. Votre décision sera difficile, néanmoins, vous réaliserez que vous avez besoin de ce changement dans votre vie et vous irez de l'avant avec votre idée !

En outre, vous serez en contrôle de votre vie. Vous accomplirez des actions efficaces et bénéfiques. Cela engendrera de belles réussites. Vous ne laisserez aucune personne vous influencer et vous agirez au moment opportun ! Vous produirez selon vos besoins et désirs. Vous penserez à vous en premier. Votre bonheur sera important et vous ferez votre possible pour atteindre cette béatitude. Plus que jamais, vous avez envie de vous épanouir à travers vos rêves, vos projets, vos changements et vos idées. Vous avez besoin de trouver un sens à votre vie et d'être en harmonie avec celle-ci. Vous parviendrez donc à atteindre cette félicité au cours de l'année 2017 ! Tels seront les bienfaits que vous apporteront l'année de la spiritualité ! De plus, plusieurs prendront le temps de méditer. Vous réaliserez les avantages que vous procure la méditation. Cela rehaussera votre énergie et vous donnera l'envie d'améliorer votre vie. Pour plusieurs, ce sera à travers la méditation, la relaxation ou une activité quelconque qu'ils trouveront les réponses à leur questionnement, les actions à amorcer, les idées à concrétiser, etc. Cette année, plus vous méditerez, plus vous bougerez, plus vous créerez et obtiendrez du succès dans vos démarches.

Il est évident qu'il y aura des mois difficiles. Certains proches réclameront votre aide et ils auront de la difficulté à accepter votre nouvelle perception de la vie. Ils la trouveront un peu irréaliste à leur goût ! Vous les avez tellement gâtés ! Plus souvent qu'autrement, vous avez priorisez leur besoin au lieu de prioriser vos rêves. Ceux-ci auront de la difficulté à vous laisser partir à l'aventure avec vos idées et projets ! La peur les envahira ! Ils réaliseront qu'ils ne peuvent plus vous manipuler avec leurs paroles mielleuses et cela les dérangera énormément ! Donc, ils feront tout pour détruire vos rêves ! Ils chercheront à vous dissuader d'agir de telle ou telle façon. Ils feront tout pour mettre des obstacles sur votre route. Cela dérangera énormément vos émotions. À certains moments, vous serez confus et cela vous empêchera d'avancer. Toutefois, vous ne resterez pas longtemps dans cette énergie de culpabilité. Votre attitude de gagnant vous libérera continuellement lorsque ces périodes dramatiques et émotionnelles arriveront ! Voilà l'importance de conserver une attitude gagnante et non pessimiste. Ainsi, vous verrez vos rêves se réaliser, vos problèmes se régler et vos actions se mettre en œuvre !

***Toutefois, les personnes ayant une attitude négative*** se laisseront influencer par leurs proches. Ceux-ci en profiteront pour vous déconcerter et attiser davantage votre négativité. Cela vous empêchera de voir toutes les opportunités sur votre chemin pour réaliser vos rêves. Vous voulez améliorer votre vie ? Vous rêvez de changement ? Vous avez besoin de vivre de nouvelles aventures ? Si oui, changez votre attitude. Prenez-vous en main et arrêtez de vous laisser influencer par les autres. Cessez également de mettre la faute sur les autres si rien ne se produit dans votre vie. N'oubliez pas que vous êtes le maître de vos choix et décisions. Vous voulez améliorez votre vie ? Commencez par vous ! Améliorez votre attitude et faites les efforts pertinents pour réussir vos objectifs. Bref, faites un pas constructif et tout viendra à vous par la suite ! Il suffit de croire en votre pouvoir. De plus, arrêtez de laisser les autres mener votre vie et vous, de mener la leur ! Mêlez-vous de vos affaires ! Cela sera bénéfique pour votre santé globale. Agissez positivement et récoltez abondamment ! N'hésitez pas à méditer et à réclamer l'aide de l'Ange gouverneur. Celui-ci vous aidera à changer positivement votre vision de la vie. Cela rehaussera votre confiance et atténuera votre pessimisme. Bref, arrêtez de vous appuyer sur votre sort et de sombrer dans la négativité. Changez votre attitude et améliorez votre vie ! Vous, le premier, serez heureux de la tournure des événements qui surviendront !

## *Les mois de l'année des Séraphins*

Au cours de l'année 2017, **vos mois favorables** seront ***janvier, mars, juin, juillet, août, octobre*** et ***décembre***. Lors de ces mois, profitez-en pour régler vos problèmes, pour procéder à des changements, pour prendre vos décisions, pour réaliser vos projets, pour élaborer des plans, etc. Vous serez productif et attentif aux événements. Vous serez souvent aux endroits prolifiques pour réussir vos objectifs. Cela favorisera vos actions ! Les mois dont la **Providence** sera à vos côtés seront ***juillet*** et ***août***. Attendez-vous à vivre des événements bénéfiques qui agrémenteront vos journées. Profitez-en également pour acheter des billets de loterie.

Les **mois non favorables** seront ***février, avril, mai*** et ***septembre***. Lors de ces mois, vivez une journée à la fois. Ce sera profitable pour votre moral ! De plus, n'hésitez pas à réclamer l'aide des Anges gouverneurs. Leurs énergies vous aideront à passer à travers vos journées les plus ardues. Ainsi, vous aurez moins tendance à vous laisser influencer par les personnes malintentionnées de votre entourage. Le **mois ambivalent** sera ***novembre***. Au cours de ce mois, il y aura de belles journées et parfois de moins bonnes. Vous serez envahi par toutes sortes d'émotions autant positives que négatives. Certaines journées, tout ira bien, et à d'autres, tout ira de travers.

## *Voici un bref aperçu des événements qui surviendront au cours des mois de l'année pour les enfants Séraphins*

Vous amorcerez votre nouvelle année en action ! Il y aura de trois à sept événements qui vous amèneront à bouger ici et là ! Plusieurs possibilités seront là pour régler vos problématiques et pour amorcer vos projets. Il ne tiendra qu'à vous d'aller de l'avant. Tout vous réussira bien ! À votre grande surprise, un proche se repentira d'un geste qu'il a fait et il viendra vous demander pardon. Vous aurez une discussion franche avec celui-ci. Vous parviendrez mutuellement à régler la situation. D'autres auront une discussion franche avec leur partenaire. Cette discussion leur sera favorable. Vous parviendrez à régler une problématique qui dérangeait votre union. Cela rehaussera votre bien-être intérieur.

À la suite de déplacements et de changements, votre mois de ***février*** sera épuisant. Vous serez partout en même temps. Plusieurs situations requerront votre attention et vous serez obligé d'y voir avant que le tout s'envenime. Surveillez également les intentions d'une personne manipulatrice. Ne laissez pas cette personne venir déranger vos émotions. Éloignez-vous d'elle. Dès les premières minutes à ses côtés, elle vous chamboulera. Ne restez pas dans cette ambiance malsaine et tournez-lui le dos rapidement. Ainsi, elle ne pourra vous anéantir. De plus, vous réalisez également que l'un de vos proches vous mène à sa guise. Celui-ci a de la difficulté à accepter vos changements. Vous priorisez vos choix au lieu de ses demandes. Cela n'est pas sans le déranger et vous le saurez rapidement. Il y aura parfois des moments où vous vous sentirez coupable d'agir de cette manière. Cela dérangera parfois vos décisions. Il serait donc important lors de cette période, d'attendre d'être en meilleure forme pour prendre des décisions. Ainsi, vous ne serez pas influencé par l'attitude des autres.

Au niveau de la santé, plusieurs se plaindront d'une grippe virale. Vous serez obligé de garder le lit pendant une période de 48 heures. D'autres se plaindront de douleurs ou de rougeurs. Vous consulterez votre médecin. Celui-ci diagnostiquera votre problème et il vous soignera en conséquence. Vous remonterez rapidement la pente par la suite. De plus, faites attention avec les objets tranchants, certains pourraient vous blesser! Assurez-vous d'avoir une trousse de premiers soins dans votre pharmacie.

Cela dit, plusieurs couples en difficulté trouveront le mois de février pénible. Certains auront des conversations explosives au sujet de leur relation. Vous vous remémorez un événement du passé qui n'est pas entièrement réglé. Cela dérangera vos émotions. Attendez-vous à de la bouderie de votre part.

Au cours du mois de ***mars***, plusieurs personnes obtiendront des réponses aux questions et situations non résolues. Vous aurez la possibilité de faire la lumière sur plusieurs situations problématiques. Vous êtes conscient que la réussite de votre année ne dépend que de vous. Vous ferez donc tous les efforts pertinents pour améliorer les aspects de votre vie qui vous dérangent. Attendez-vous à faire des appels téléphoniques, à envoyer des courriels pour obtenir des renseignements utiles. Tous ces renseignements vous permettront de régler vos problématiques, d'amorcer un projet et de clarifier une situation avec un membre de l'entourage. Vous prendrez donc une décision importante qui aura un impact majeur dans votre vie. La journée du mercredi apportera souvent des réponses essentielles à vos interrogations. En revanche, vous serez tellement préoccupé par vos actions que vous serez étourdi ! Soyez donc vigilant avec les objets tranchants. Certains risquent de se blesser. Soyez également prudent avec la vitesse. Certains risquent une contravention ou un accrochage.

Pour plusieurs, leur anniversaire de naissance sera mémorable. Vous êtes aimé et vous serez gâté par vos proches. Attendez-vous à des surprises agréables de leur part. Certains recevront un cadeau qui embellira leur journée ! Vous serez agréablement surpris de ce cadeau ! Vous en parlerez longtemps ! Quelques-uns se gâteront en planifiant un voyage outre-mer ou un séjour dans une auberge réputée. Votre itinéraire vous plaira énormément. Toutefois, la température ne sera pas toujours clémente. Cela dérangera un peu les plans du jour !

Cela dit, les mois d'***avril*** et de ***mai*** seront compliqués pour plusieurs. Vous réalisez que vous avez entrepris trop d'actions et que votre corps ne suit plus ! Il serait important de respecter vos signaux d'alarme. Sinon, votre période printanière sera épuisante mentalement, physiquement et moralement ! De plus, lors de cette période, vous devez régler des défis de taille. Certains seront découragés par l'ampleur des événements. D'autres penseront à quitter un travail ou un partenaire et cela les dérangera énormément. La peur de faire un mauvais choix les envahira. Il serait sage pour eux de prendre quelques jours de congé pour faire le vide dans leur esprit. Ainsi, leurs décisions ne seront pas influencées par la fatigue et le découragement. D'autres seront perturbés par leur état de santé ou par la santé d'un proche. Bref, vous serez très vulnérable lors de cette période. Il serait donc sage de prendre une journée à la fois et de régler un à un vos problèmes. Vous verrez que tout s'arrangera si vous procédez avec sagesse. Sinon, vous hypothéquerez votre santé inutilement. En outre, aussi bizarre que celui puisse paraître, les Séraphins gauchers devront surveiller leur posture. Certains souffriront de douleurs chroniques au niveau du cou ou du dos. Certains seront obligés de porter un corset orthopédique pour soulager leur douleur.

Quelques-uns devront consulter un physiothérapeute pour atténuer leur douleur.

Également, lors de cette période, pour ceux dont le toit de leur maison doit être réparé, ne négligez pas cet aspect! Certains subiront un dégât d'eau. Il peut s'agir de votre toit, de votre salle de bain, peut-être un robinet qui coule ou un problème avec un puit artésien. Ce dégât causera des dommages à vos biens. Assurez-vous également d'avoir une bonne police d'assurance, ainsi, vos dépenses seront minimisées. N'hésitez pas à réclamer de l'aide auprès des Anges gouverneurs. Ceux-ci enverront de bonnes solutions sur votre route. Cela vous encouragera. Vos soucis s'estomperont et vous serez en mesure de relever rapidement vos défis. Ainsi, vous vaquerez à vos tâches habituelles et reprendrez le cours normal de votre vie quotidienne.

À partir du ***8 juin***, tout rentrera dans l'ordre. Vous réaliserez qu'il a valu la peine de mettre autant d'efforts pour régler vos problématiques puisque vos efforts seront récompensés. Attendez-vous à recevoir trois bonnes nouvelles qui agrémenteront votre mois de juin. L'une de ces nouvelles concerne un papier gouvernemental, juridique, financier ou autre. Cette nouvelle remplira votre cœur de bonheur. Certains prendront une décision importante qui aura un impact majeur dans leur vie. Vous savourerez une belle réussite. La période estivale sera également très fertile. Si vous désirez agrandir votre famille, il y a de fortes chances que ce rêve devienne réalité!

De plus, plusieurs feront des déplacements et activités agréables avec leurs proches. Cela rehaussera leur énergie. Vous bougerez beaucoup lors de cette période; toutefois, vous serez satisfait de tout ce que vous entreprendrez. Vous serez encouragé et déterminé à réussir toutes les tâches ardues devant vous. Vous savez ce que vous voulez et vous ferez votre possible pour l'obtenir. Votre cran, votre vivacité et votre détermination vous apporteront de belles réussites et récompenses. Vous serez très fier de vous et des efforts déployés pour atteindre vos buts.

Dès le ***1er juillet,*** et ***jusqu'à la fin août***, vous entrez dans une période de chance. L'abondance sera à vos côtés et elle animera plusieurs aspects de votre vie. Les Anges ont entendu vos prières et ils récompensent vos bonnes actions. Vos discussions avec vos proches seront divertissantes ainsi que les moments que vous passerez avec eux ! La joie de vivre sera présente. Le moral sera à la hausse. Vous serez donc en forme pour entreprendre tous les projets que vous avez en tête ! Cela dit, attendez-vous à recevoir plusieurs petites surprises qui agrémenteront vos journées !

Profitez-en également pour jouer à la loterie. Si vous connaissez une personne de signe Poissons ou Balance, achetez une loterie avec elle. Cela sera chanceux. Le chiffre « **1** » et le chiffre « **10** » seront également bénéfiques. Assurez-vous de les inclure dans votre combinaison de chiffres. De plus, achetez une loterie avec votre partenaire. Vous formerez une équipe gagnante ! Demandez-lui de choisir ses chiffres et combinez-les aux vôtres ! Également, le lundi ainsi que le mercredi seront d'excellentes journées pour recevoir de bonnes nouvelles et faire des gains quelconques.

Plusieurs événements agréables viendront agrémenter votre période estivale. Attendez-vous à faire de belles rencontres qui pourraient s'avérer importantes pour les personnes célibataires, pour les gens d'affaires, pour les personnes malades, pour régler une problématique et pour amorcer un nouveau projet. Vous serez très heureux de ces rencontres puisqu'elles vous apporteront de bonnes nouvelles. Cela dit, les célibataires feront la rencontre de leur amour idéal. Les professionnels signeront des contrats alléchants. Les associations seront bénéfiques. Certains couples qui éprouvent de la difficulté dans leur union se donneront la chance de repartir à zéro pour éviter une séparation. Un médicament apportera un bienfait aux malades. Une solution arrivera à votre grand soulagement et vous l'appliquerez instantanément à votre problématique. Cela allégera vos épaules ! Bref, plusieurs événements chambarderont favorablement votre vie et vous passerez un bel été ! Plus que jamais, vous savez ce que vous voulez et vous ferez votre possible pour atteindre vos objectifs, aussi minimes soient-ils ! Cette attitude vous permettra d'obtenir de bons résultats et attirera vers vous de belles réussites. Néanmoins, vous devez fournir des efforts, toutefois, ils seront récompensés et vous en serez très heureux !

Pour plusieurs, la rentrée scolaire sera beaucoup plus dispendieuse qu'ils le croyaient ! Vous dépasserez votre budget ! Cela n'est pas sans vous tracasser. De plus, il y aura de deux à cinq dépenses imprévues.

Ces dépenses vous causeront des maux de tête! C'est la raison pour laquelle, vous devrez surveiller vos dépenses au cours de ***septembre***. Faites attention à votre argent! Ne prêtez pas votre argent, ainsi vous éviterez des pertes. Ne dépensez pas trop votre argent inutilement puisque vous en aurez quelques regrets. Surveillez également vos cartes de crédit et de débit. Certains pourraient les perdre ou être victimes d'un vol. Les joueurs compulsifs pourraient faire d'énormes pertes à cause de leur dépendance. Avant d'acheter un article, vérifiez les aubaines! Plusieurs pourraient faire des achats et payer le plein prix lorsque le même article sera en rabais dans un autre magasin. Donc, soyez vigilant avec votre argent.

Cela dit, tout ira de travers en ***septembre***. Vous devrez surmonter des défis de taille et cela dérangera parfois votre moral. Toutefois, malgré les problématiques, vous parviendrez à bien gérer votre mois! Avant que le mois se termine, certains penseront à faire un changement important dans leur vie. Il peut s'agir de quitter un partenaire amoureux, de quitter un lieu de travail, d'abandonner un projet ou autre. Cela sera une décision difficile à prendre et votre moral en écopera un peu. Toutefois, vous êtes conscient que ce geste de votre part est important pour votre bien-être. Vous voulez tout simplement repartir à zéro dans une atmosphère plus agréable et bonne pour votre santé. Lorsque votre décision sera prise. Vous reprendrez le dessus et vous foncerez avec fougue vers l'objectif fixé. Ne soyez donc pas surpris de rechercher la solitude pendant quelques jours. Ce temps de solitude vous sera favorable et il vous permettra de réfléchir profondément à votre décision. Vous élaborerez un plan d'attaque et vous l'amorcerez. Vous évaluerez le « pour » et le « contre », et vous prendrez les décisions qui s'imposent. Tout sera analysé minutieusement. Vous ne voulez pas faire d'erreur et vous voulez également être satisfait de vos choix! Donc, à la suite de vos réflexions, vous miserez sur vos priorités. Rien ni personne ne pourra vous faire changer d'idée!

En revanche, vous serez en pleine forme au cours d'***octobre***! Vous axerez vos énergies pour accomplir vos projets en tête. Vous amorcerez vos plans d'attaque et vous vous dirigerez aux endroits prolifiques pour que tout se règle tel que prévu! Votre détermination vous apportera du succès. Vous serez dans une période active et productive. Vous réglerez astucieusement vos problématiques. Il est évident que cette attitude gagnante dérangera énormément les personnes négatives. En ***novembre***, attendez-vous à des commentaires désobligeants de leur part. Toutefois, vous serez prêt et muni pour faire face à l'adversité. Vous ne mâcherez pas vos mots avec les personnes problématiques. Vous leur ferez comprendre votre point de vue et vous les inviterez à quitter votre domicile familial ou votre lieu de travail. Toutefois, s'ils changent leur attitude, ils seront toujours les bienvenus dans votre demeure. Tels seront les propos que vous leur tiendrez. Vous ne voulez plus vivre dans la négativité ni dans les problèmes. Vous avez besoin d'être bien entouré et en harmonie avec la vie. Donc, vous ferez le ménage nécessaire pour atteindre cette béatitude. D'ailleurs, votre moral en a besoin ! À la suite d'un entretien chaotique avec une personne négative ; celle-ci cherchera à rétablir la communication avec vous. Elle vous demandera pardon. Elle réalisera rapidement qu'elle a besoin de votre aide. Si vous lui fermez la porte, elle sera perdante ! Elle fera donc son possible pour se faire pardonner. Il ne tiendra qu'à vous d'accepter son pardon. Toutefois, si vous acceptez, cette personne devra montrer sa bonne volonté à changer. Sinon, vous mettrez un terme définitif à la relation. Tel sera votre avertissement envers elle.

Vous finirez l'année avec pleins d'idées en tête ! Vous planifierez vos objectifs pour la nouvelle année en cours. Vous bougerez beaucoup en ***décembre***. Attendez-vous à courir ici et là pour la préparation de Noël. Vous serez partout en même temps. Cela sera parfois épuisant ! Néanmoins, votre détermination à réussir vos projets, vous donnera l'énergie nécessaire pour entreprendre tout ce qui vous passe par la tête !

De plus, au cours de ***décembre***, vous récolterez également tous les bienfaits de vos efforts encourus depuis quelques mois. Plusieurs bonnes nouvelles viendront agrémenter votre mois. Avant de quitter pour la période des fêtes, certains obtiendront une promotion, une augmentation de salaire ou autres. Cela sera un cadeau bien apprécié ! Quelques-uns signeront un contrat important. D'autres mettront un terme à une problématique. Bref, plusieurs vivront une situation bénéfique qui leur permettra de passer un excellent temps des Fêtes ! La journée du vendredi sera porteuse de bonne nouvelle. Profitez-en pour amorcer des projets, des discussions et des actions. Cela sera profitable !

Vous regardez droit devant vers un avenir plus prometteur et rempli d'espoir. Telle sera votre attitude au cours de décembre. Vous réaliserez que votre patience en a valu la peine puisque vous récoltez plus que ce que vous aviez demandé ! En outre, lors de vos moments difficiles, vous avez su relever vos manches et faire tous les efforts nécessaires pour régler le tout à votre entière satisfaction. Vous n'avez pas été déçu. Vous êtes maintenant prêt à attaquer votre nouvelle année ! Vos expériences vous serviront bien. Cela vous permettra de bien diriger votre année 2018 !

---

***Conseil angélique des Anges Séraphins :*** *Malgré tous les projets stimulants que vous aurez en tête, il serait important de respecter la limite de vos capacités. Ainsi, vous éviterez quelques petits ennuis de toutes sortes. De toute façon, nous enverrons régulièrement sur votre route des opportunités et des personnes-ressources qui sauront vous épauler lors d'épreuves, de projets et d'actions. Ces personnes vous permettront de trouver de bonnes solutions pour que vos tracas disparaissent, pour que la paix et la sérénité se reflètent de nouveau dans votre vie. Vous serez souvent au bon endroit au moment opportun. Nous, les Anges Séraphins, nous organiserons pour que tout arrive à point dans votre vie. Vous avez su attendre ; nous récompenserons donc votre patience et votre fidélité envers notre Lumière. Au cours de cette année, nous vous réserverons trois belles surprises qui feront palpiter votre cœur de joie ! Ce sont des cadeaux bien mérités. Nous irons régulièrement vous visiter et vous infuser notre Lumière de courage, de persévérance et de détermination. Pour annoncer notre présence auprès de vous, nous vous ferons un signe particulier, nous déplacerons vos objets ! Ainsi, vous comprendrez que nous sommes avec vous ! De plus, lorsque nous enverrons l'image d'une personne en train de méditer, cela vous avertira de prendre le temps de vous reposer et de méditer sur la situation que vous vivez. Votre réponse s'y trouve ! Elle sera à l'intérieur de vous !*

---

## *Les événements prolifiques de l'année 2017*

* Vous vivrez de deux à quatre événements qui chambarderont favorablement votre année. Plusieurs retrouveront leur joie de vivre à la suite de ces événements. Vous réaliserez qu'il valait la peine de mettre autant d'efforts pour atteindre vos buts. Au lieu de jouer la victime, vous prendrez les commandes de votre vie et vous foncerez vers un avenir plus équilibré. Tel que vous le souhaitez et rêvez depuis si longtemps !
* Plusieurs auront le privilège d'améliorer leur vie professionnelle. Certains réussiront une entrevue. D'autres obtiendront un poste rêvé. Quelques-uns changeront d'endroit ou amélioreront leurs tâches. Certains retourneront aux études pour mieux se perfectionner dans leur domaine. Bref, il y aura plusieurs possibilités qui se présenteront à vous pour améliorer votre travail. Il ne tient qu'à vous de saisir les occasions qui se présenteront sur votre chemin.
* L'année 2017 sera productive et très fertile ! Vous bougerez beaucoup, néanmoins, tout ce que vous déciderez apportera du succès dans votre routine ! Vous serez souvent au bon endroit, au moment opportun. Cela vous avantagera dans plusieurs aspects de votre vie. Vous serez très fier de vous et de tout ce que vous accomplirez au cours de l'année. La satisfaction et la victoire seront vos récompenses !
* Les célibataires qui désirent mettre fin à leur célibat pourront y parvenir au cours de l'année. Vous ferez plusieurs rencontres intéressantes qui pourraient devenir sérieuses, si vous le souhaitez vraiment !
* Plusieurs réaliseront que la méditation, la relaxation ou une activité quelconque leur apporte un bien-être. Vous prendrez donc le temps nécessaire pour l'inclure régulièrement dans votre horaire. Cela aura un effet bénéfique sur votre santé !
* Vous ferez souvent la lumière sur des situations ambiguës. Cela vous permettra de solutionner régulièrement ces problématiques. Vous y mettrez un terme définitif et vous vous dirigerez vers de

nouvelles avenues plus agréables et bénéfiques pour votre bien-être ! Vous chercherez la présence de personnes positives et vous vous éloignerez des personnes problématiques.

## Les événements exigeants la prudence

* Sur une note préventive, surveillez la vitesse. Il y a risque d'accrochage ou de contravention. Soyez toujours vigilant sur la route, surtout lors de tempêtes. Certains risquent de se trouver devant des obstacles. Votre vigilance permettra de contourner ces obstacles, alors, soyez prudent ! De plus, lorsque vous voyez des caméras radars, ralentissez ! Sinon, vous aurez à payer de lourdes contraventions !
* Écoutez toujours les sages conseils de votre médecin. Si celui-ci vous prescrit un médicament, c'est que vous en avez besoin ; prenez-le ! Plus vous lutterez, moins vite vous recouvrez la santé et plus cela attaquera votre moral.
* Plusieurs seront victimes de douleurs physiques, d'un mal à l'épaule, d'un torticolis ou d'un mal à un genou. Évitez de soulever des objets lourds. Demandez de l'aide pour déplacer ou soulever vos objets et laissez votre orgueil à part ! Sinon, vous vous blesserez inutilement. Il faudra quelques semaines avant de retrouver votre flexibilité. De plus, certains proches ne demandent qu'à venir à votre rescousse. Laissez-leur donc cette opportunité de vous apporter leur aide. Ainsi, vous éviterez des ennuis de toutes sortes et vous rendrez vos proches heureux !
* Surveillez également les objets tranchants. Certains pourraient se blesser. Assurez-vous d'avoir une trousse de premiers soins dans votre pharmacie. Plusieurs se feront des ecchymoses, et ce, tout au long de l'année !
* Il y aura beaucoup de mouvement dans votre vie. Il serait donc important de ne pas abandonner en cours de route. Persévérez ! Vous touchez presque à vos buts. Lorsque vous les aurez atteints, vous serez satisfait et heureux. Vous vous êtes fait confiance ! Pour une fois, vous avez écouté votre cœur ! Vous ne serez

donc pas déçu ! Alors, ne laissez pas les personnes négatives et manipulatrices vous déconcentrer ni vous influencer dans vos décisions ! N'écoutez pas leurs balivernes. Ils sont tout simplement jaloux de vous voir agir ainsi. Bref, n'oubliez pas que les opportunités sont éphémères. De plus, celles qui arriveront vers vous sont là pour améliorer votre vie. D'ailleurs, vous l'avez tellement demandé ! Donc, écoutez votre bon jugement et passez à l'action. Si vous ne saisissez pas ces opportunités, vous risquez de vous retrouver avec les mêmes problèmes. Ne remettez pas à plus tard ce que la vie vous présente actuellement. Il est évident que vous aurez peur de faire des choix et d'apporter des changements. Toutefois, si vous allez de l'avant, cela sera à votre avantage et votre vie s'améliora !

Chapitre XVI

# Informations supplémentaires propres à chacun des Anges Séraphins

## *Les Séraphins et la chance*

Tel que l'an passé, votre chance sera **excellente**, et ce, dans plusieurs aspects de votre vie. Tout ce que vous entreprendrez sera couronné de succès. La Providence sera à vos côtés et vous saurez en tirez profit ! Cela vous avantagera et vous permettra de savourer les événements prolifiques de l'année 2017 ! Votre chance ressemblera à une boîte à surprises ! Vous en ignorez le contenu, toutefois, vous êtes tout excité de le découvrir pour connaître la surprise qui vous y attend ! Au cours de l'année, plusieurs vivront de deux à quatre événements qui chambarderont favorablement leur routine quotidienne ! Toutes ces situations seront provoquées par la chance. Bref, vous serez bien servi et comblé par la Providence. Attendez-vous à recevoir des cadeaux qui vous rendront heureux et qui embelliront votre année. Ces cadeaux arriveront toujours au moment opportun et vous les accueillerez toujours à bras ouvert !

Tous les enfants Séraphins seront avantagés par la Providence. Néanmoins, les enfants de **Vehuiah**, de **Mahasiah**, de **Lelahel** et d'**Achaiah** seront les plus chanceux parmi les Séraphins. Ceux-ci se trouveront souvent au bon endroit au bon moment. Cela les avantagera dans leur routine quotidienne. Ils peuvent également gagner de grosses sommes d'argent. En 2017, rien ne sera impossible pour eux ! Choisissez donc vos billets de loterie et votre combinaison de chiffres. N'oubliez pas qu'un seul billet peut suffire pour gagner !

Au cours de l'année 2017, les chiffres chanceux des Séraphins seront **02**, **04** et **23**. Leur journée de chance sera le **lundi.** Il y aura plusieurs mois où la chance sera avec eux. Toutefois, le mois de **juillet** et le mois d'**août** seront les plus prolifiques de l'année. Vous vivrez plusieurs événements agréables lors de ces deux mois. Profitez-en pour acheter un billet de loterie avec votre partenaire amoureux. Cela sera bénéfique ! Optez également pour les loteries instantanées. Certains gagneront de belles sommes d'argent grâce à ce genre de loteries.

N'oubliez pas également de prendre en considération le chiffre en **gras** relié à votre Ange de Lumière. Ce chiffre représente également un chiffre chanceux pour vous. Plusieurs situations bénéfiques pourraient être marquées de ce chiffre. Ajoutez-le à votre combinaison de chiffres. Ce sera favorable ! Votre Ange peut également utiliser ce chiffre pour vous annoncer sa présence auprès de vous. Si vous voyez régulièrement ce chiffre, cela vous indique que votre Ange est auprès de vous. Profitez-en pour lui parler et lui demander de l'aide ! Cela peut également signifier de prier l'Ange gouverneur. Vous avez possiblement besoin de sa Lumière pour traverser l'une de vos épreuves, pour prendre une décision, pour régler une problématique, etc.

---

***Conseil angélique :*** *Si vous voyez une femme enceinte aux cheveux roux et aux yeux pâles, allez acheter un billet de loterie puisque ce symbole représente votre signe de chance. Si une personne vous montre un bijou en forme d'étoile ou de flocon de neige ou si elle vous montre un croquis d'un visage, tous ces symboles vous indiquent* *que la chance est à vos côtés. Profitez-en pour vous procurer un billet de loterie ou pour amorcer un projet! Ce sera bénéfique!*

***Vehuiah :*** 05, 30 et 36. Le chiffre « **5** » est votre chiffre chanceux. La Providence est avec vous. Sachez en tirez profit! N'oubliez pas que tout est éphémère! Votre sixième sens sera très éveillé au cours de l'année. Si l'envie d'acheter un billet de loterie titille à l'intérieur de vous, faites-le! Vous ne serez pas déçu!

Vous avez la main chanceuse, il est préférable que vous choisissez vos billets de loterie. Optez pour des loteries instantanées. Ce sera chanceux! Jouez également seul! Par contre, si vous désirez participer à des groupes, ceux de deux et de cinq personnes vous favoriseront dans les jeux de hasard. Si vous connaissez un psychologue, un directeur d'école, un cavalier, un aumônier ou un animateur de radio, achetez des billets avec eux. Ces personnes attireront la chance dans votre direction!

La Providence vous apportera de bonnes nouvelles au cours de l'année. Vous réaliserez que tous vos efforts ont portés des fruits. Attendez-vous à signer deux contrats alléchants qui amélioreront votre vie. Toutefois, votre chance sera davantage perçue dans vos choix et décisions que vous prendrez au cours de l'année. Ils auront un impact favorable sur votre routine quotidienne. Vos idées seront claires. Vous savez ce que vous voulez! Vous êtes conscient de votre potentiel. Vous voulez améliorer votre vie et vous savez exactement quelle attitude prendre pour réussir vos objectifs. Tous les changements que vous amorcerez au cours de l'année apporteront de bons résultats. Vous envisagez un avenir plus prometteur et équilibré. Vous attirerez de bons événements dans votre direction, et ce, grâce à votre optimiste et détermination à réussir votre année.

Au cours de l'année, vous aurez la chance de réaliser plusieurs de vos projets, de mettre un terme aux difficultés. Vous éclaircirez des malentendus et vous ferez le point sur des situations ambiguës. Rien ne restera en suspens et tout se réglera! À chaque problème, vous trouverez une solution. À chaque question, vous trouverez une réponse. Telle sera votre chance ! Celle d'avoir la force, le courage et la détermination de prendre votre vie en main et d'améliorer tous les aspects qui dérangent votre quiétude et sérénité ! Bref, vous serez très fier de vos accomplissements en 2017 !

***Jeliel :*** 11, 13 et 36. Le chiffre « **11** » est votre chiffre chanceux. N'oubliez pas que la Providence vous réserve quelques surprises. Celle-ci enverra sur votre route deux possibilités pour améliorer votre vie et vous combler de bonheur. Profitez-en ! Vous le méritez grandement.

Que vous jouiez seul ou en groupe n'a pas d'importance. Toutefois, si vous jouez avec un collègue de travail, votre partenaire amoureux ou une personne dont le signe du zodiaque est Gémeaux, ces personnes seront prédisposées à attirer la chance dans votre direction ! De plus, si vous connaissez un médecin, un cavalier, un plâtrier, un jumeau, un sportif ou un électricien, achetez également des billets avec eux ! Ce sera profitable !

Cette année, vous améliorerez votre vie en y apportant les changements nécessaires pour que la paix, la joie et la sérénité animent votre demeure. Vous êtes fatigué des cris, des problématiques et de la négativité de vos proches. Plus que jamais, vous avez besoin de sérénité sous votre toit et vous ferez tout votre possible pour l'atteindre. Attendez-vous à mettre un terme à deux problématiques qui dérangent votre santé. Il est évident que cela ne sera pas facile, néanmoins, votre urgent besoin d'être heureux vous donnera le courage nécessaire pour amorcer vos changements. Vous éloignerez de votre vie les situations insolubles et les personnes problématiques. Vous voulez vivre une année 2017 exempte de problèmes. Vous tisserez des liens avec des personnes importantes qui sauront vous apporter leur soutien au moment opportun. Vous savez ce que vous voulez et vous vous dirigerez exactement vers les meilleurs résultats, même au prix de grands efforts. En revanche, vous parviendrez à atteindre vos objectifs et c'est ce qui comptera le plus pour vous. Fini les larmes causés par les autres. Cette année, vous avez l'envie de rire et de vous amuser. Telle sera votre philosophie de vie. Telle sera votre attitude face à la vie. Cette attitude fera de vous un être gagnant qui aura le privilège de savourer un beau succès à la suite des changements apportés au cours de l'année.

***Sitaël :*** 08, 18 et 36. Le chiffre « **8** » est votre chiffre chanceux. Cette année, la chance vous surprendra ! Vous gagnerez toutes sortes de cadeaux agréables ! Participez donc à des concours. Certains pourraient gagner un souper gastronomique, un panier d'épicerie, un séjour dans une auberge luxueuse, un motorisé, etc. Vous ne gagnerez pas nécessairement de l'argent, néanmoins, vous serez toujours satisfait et heureux des cadeaux qui viendront à vous.

De plus, priorisez les loteries instantanées. Vous risquez d'être surpris des gains que vous pourriez obtenir grâce à elles. Lors d'un déplacement à l'extérieur de votre ville, profitez-en pour acheter des billets de loterie. Cela pourrait être très bénéfique pour vous ! Si vous désirez vous joindre à un groupe, les groupes de deux, de trois et de quatre personnes attireront la chance dans votre direction. Si vous connaissez une personne de signe Lion, un Amérindien ou un joueur de fléchettes, achetez un billet avec eux. Cela sera chanceux !

Malgré le fait que la Providence vous réserve de belles surprises, la chance se fera davantage sentir au niveau de vos actions que vous entreprendrez pour améliorer votre vie. Vous serez déterminé à régler vos problématiques. Vous lâcherez prise sur des situations insolubles. Avant de prendre une décision, vous l'analyserez profondément. Cela vous permettra de trouver de bonnes solutions. Vous ne laisserez rien en suspens. Tout ce réglera, même si parfois, ce sera difficile. Vous démasquerez les personnes malintentionnées. Vous serez ferme et direct dans vos propos. Vous aurez l'étoffe d'un vainqueur et la satisfaction vous animera tout au cours de l'année ! Tout ce que vous entreprendrez obtiendra de bons résultats. Vous serez fier de vous et de vos actions. Grâce à cette attitude positive, vous retrouverez votre harmonie, votre équilibre et la paix dans votre cœur ! Vous retrouverez votre vivacité d'autrefois ! Cela vous permettra d'avancer vers un avenir plus serein. Certains feront un déménagement. Vous serez heureux de cette transition. D'autres obtiendront un poste rêvé ! Quelques-uns iront marchander une nouvelle voiture. Celle-ci sera conforme à votre budget. Vous serez satisfait de cette trouvaille. Telle sera votre chance en 2017 ! Soit d'obtenir ce que vous désirez à des prix d'aubaines. Vous n'avez qu'à lancer une demande à l'Univers et les Anges guideront vos pas pour l'obtention de cette demande. L'année de la spiritualité vous servira bien !

***Elemiah :*** 11, 22 et 40. Le chiffre « **22** » est votre chiffre chanceux. N'oubliez pas que la Providence est de votre côté. Vous serez souvent au bon endroit, au moment opportun. Cela vous avantagera dans plusieurs aspects de votre vie. Profitez-en également pour faire des changements longtemps mijotés ! Suivez votre instinct ! Vous serez agréablement surpris des résultats obtenus par la suite ! Bref, attendez-vous à recevoir plusieurs surprises qui embelliront votre année !

Jouez seul ! Ce sera bénéfique. Misez sur les loteries instantanées. Celles-ci vous réservent de petits gains agréables ! Si vous désirez joindre un groupe, les groupes de deux ou trois personnes vous seront favorables. Si vous connaissez une personne dont le signe du zodiaque est Capricorne, Vierge ou Taureau, achetez un billet avec elle. Ce sera chanceux ! Si une personne aux cheveux roux vous remet un billet en cadeau ou vous offre la possibilité d'acheter un billet, acceptez ! Ce sera bénéfique ! La journée du vendredi sera favorable à l'achat de billets, surtout si l'achat se fait à l'extérieur de votre ville !

En 2017, vous bougerez énormément. Vous irez aux endroits prolifiques pour trouver de bonnes solutions et les appliquer. Vous ferez également la lumière sur des situations ambiguës. Vous ne laisserez rien passer et vous réglerez tout. Vous serez direct dans vos propos ; gare à ceux qui chercheront à vous induire en erreur. Ils le sauront rapidement. Vous vous éloignerez de tout ce qui entrave votre bonheur. Vous êtes épuisé d'être à la merci de tout le monde et d'accomplir tout pour eux. Cette année, vous prenez soin de vous ! Vous bâtirez des projets. Vous vous fixerez des buts ! Vous améliorez votre vie ! Tout ce que vous entreprendrez, vous le ferez pour votre bien-être et non pour celui des autres. Vous passerez en premier et vous tiendrez tête à ceux qui chercheront à vous manipuler ou à vous faire changer d'idées. S'il le faut, vous mettrez un terme à ces relations. Plus que jamais, vous avez besoin de paix et d'harmonie dans votre vie. Vous êtes exaspéré par les problématiques causées par les autres. Ce scénario, vous l'abolirez de votre vie. Cette nouvelle vision attirera la paix, l'équilibre et la joie dans votre foyer. Finalement, certains penseront à déménager de ville. Vous pouvez tout abandonner pour repartir à zéro. Néanmoins, vous serez satisfait de votre décision.

***Mahasiah :*** 10, 20 et 38. Le chiffre « **10** » est votre chiffre chanceux. La Providence vous réserve de belles surprises qui agrémenteront votre année ! Tout viendra à vous comme par enchantement. Vous réaliserez que les Anges sont présents dans votre vie et qu'ils écoutent vos demandes ! Certains recevront de un à dix cadeaux providentiels qui les rendront heureux. Vous serez très favorisé par la chance !

Que vous jouez seul ou en groupe, cela importe peu puisque la chance est avec vous ! Les loteries instantanées attireront vers vous de petites sommes d'argent. Si vous désirez vous joindre à un groupe, les groupes de trois, six et dix personnes vous seront favorables. Plusieurs billets que vous recevrez en cadeau vous apporteront des gains. Si vous connaissez une personne dont le signe du zodiaque est Capricorne, Vierge ou Taureau, achetez un billet avec elle. Si vous connaissez une personne qui aime tricoter, une personne qui possède une tricoteuse, une couturière ou une hygiéniste dentaire, ces personnes attireront la chance dans votre direction. Donc, achetez des billets avec elles.

Cette année, vous aurez également la chance de vous trouver au bon endroit avec les bonnes personnes, au moment opportun. Cela vous avantagera dans plusieurs aspects de votre vie. Vous réglerez également plusieurs problèmes qui vous retiennent prisonniers. À chaque problème, vous trouverez une excellente solution. À chaque question, vous trouverez une bonne réponse. Vous mettrez un terme aux situations insolubles. Vous coupez tous les liens avec les personnes qui dérangent votre harmonie. Ce ne sera pas facile. Néanmoins, pour votre bien-être personnel, vous êtes conscient que vous n'avez pas le choix d'agir ainsi. Vous tisserez des liens avec des personnes compétentes qui vous aideront dans l'élaboration de vos projets. Vous savez ce que vous voulez et vous vous dirigez exactement vers les meilleurs résultats, même au prix de grands efforts. Vous parviendrez à atteindre vos objectifs et c'est ce qui comptera le plus pour vous ! Plusieurs vivront des événements importants qui changeront favorablement leur vie. Il peut s'agir de leur vie professionnelle, financière ou amoureuse.

***Lelahel :*** 10, 28 et 36. Le chiffre « **10** » est votre chiffre chanceux. N'oubliez pas que la Providence est de votre côté. Vous serez passionné par les événements qui se produiront au cours de l'année. Plusieurs cadeaux providentiels vous seront envoyés et vous apporteront du bonheur. Vous serez gâté par les événements de la vie! De toute façon, vous le méritez tellement! Profitez-en!

Jouez seul, ce sera favorable. Vous avez la main chanceuse! Prenez le temps de choisir vos numéros et vos billets de loterie. Pour certains, les loteries instantanées leur apporteront de petits gains. Si votre partenaire amoureux vous remet un billet en cadeau, il sera chanceux! Achetez également des loteries avec lui! Ensemble, vous pourriez gagner de belles sommes d'argent. Cela dit, les groupes de deux, de cinq ou de dix personnes vous seront également bénéfiques. Si vous connaissez une personne dont le signe du zodiaque est Sagittaire, achetez-un billet avec lui. Ce sera chanceux!

En 2017, plusieurs auront la chance de retrouver un bel équilibre dans plusieurs aspects de leur vie. Vous regardez votre avenir avec un œil prometteur. Plus que jamais, vous savez ce que vous voulez et vous irez dans la direction de vos besoins, de vos rêves et de vos buts. Votre chance se fera également sentir dans votre vie amoureuse et dans vos actions. Un beau bonheur vous est réservé. Certains retrouveront leur vivacité d'autrefois. Cela leur permettra de réaliser plusieurs projets. Au lieu de vous anéantir face à un défi ou un problème, vous vous prendrez en main et vous chercherez la meilleure solution pour régler le tout à votre entière satisfaction. Tel un chevalier, vous braverez vos problématiques avec courage, tact et dynamisme. Cela fera de vous un vainqueur au lieu d'un vaincu! Telle sera votre chance au cours de l'année!

***Achaiah :*** 10, 13 et 37. Le chiffre « **10** » est votre chiffre chanceux. Cette année, vous serez favorisé par la chance. Profitez-en au maximum puisque tout est éphémère. Plusieurs situations se régleront par enchantement! Vous serez très fier de tout ce qui se produira au cours de l'année. Vous serez gâté par la Providence! Plusieurs belles surprises vous combleront! Quelques-uns auront la chance de gagner des concours. D'autres peuvent gagner des accessoires utiles pour la maison. Certains peuvent obtenir un montant forfaitaire pour rénover l'une des pièces de la maison, etc. Vous serez toujours heureux du contenu des cadeaux qu'on vous offrira!

Jouez seul puisque la chance vous appartient! Toutefois, si vous désirez vous joindre à un groupe, les groupes de trois, de quatre et de dix personnes attireront la chance dans votre direction. Achetez des billets avec vos proches. Ce sera chanceux ! Si vous connaissez un homme barbu aux cheveux pâles, un cavalier ou un fabricant de jouets, achetez un billet avec eux. Cela sera bénéfique !

Cette année, plusieurs amélioreront leur vie. Vous miserez sur votre vie familiale. Attendez-vous à passer du temps de qualité avec vos proches. Vous ferez des activités plaisantes et agréables en leur compagnie. De plus, certains auront de belles promotions qui les aideront à remonter leur situation financière. D'autres auront des résultats satisfaisants dans l'élaboration de leurs tâches. Vous serez également inondé par de belles opportunités qui vous permettront de retrouver la joie de vivre et un bel équilibre. Telle sera votre chance au cours de l'année 2017. Vous saurez bien en tirer profit ! Cela fait tellement longtemps que vous attendiez ce moment magique ! Vous n'hésiterez donc pas à avancer lorsqu'une situation vous interpellera ! Cela dit, vous réaliserez que les Anges ont entendu vos prières et qu'ils vous envoient des cadeaux providentiels !

***Cahetel :*** 11, 22 et 38. Le chiffre « **11** » est votre chiffre chanceux. La Providence fera de vous un être heureux ! Attendez-vous à recevoir de petits cadeaux qui rempliront vos journées de gaieté ! De plus, vous aurez toujours le choix entre deux situations. Par exemple, si un problème se présente à vous. Il y aura deux solutions pour vous ! Vous n'avez qu'à choisir ce qui vous convient le mieux !

Que vous jouez seul ou en groupe, cela n'a pas d'importance. Néanmoins, vous serez plus chanceux en groupe ! Les groupes de deux et de trois personnes attireront la chance dans votre direction. Si vous connaissez un boucher, un technologue, un otorhinolaryngologiste ou une personne qui travaille dans un hôpital, achetez des billets avec eux. Cela sera chanceux !

En 2017, la chance se fera davantage sentir dans vos actions. Vous mettrez un terme à plusieurs situations problématiques qui dérangent votre quotidien et votre mental. Plus que jamais, vous avez besoin d'harmonie dans votre vie. Vous vous éloignerez donc des situations insolubles et des personnes malintentionnées. Vous rechercherez la compagnie des gens heureux et sereins. Vous ne voulez plus être à la merci des personnes manipulatrices dont la seule raison de vivre est de vous causer des tracas. Vous en avez marre de ce genre de situations. Donc, vous reprendrez le contrôle de votre vie et vous mettrez un terme à toutes les situations qui entravent votre sérénité ! Cette attitude aura un impact favorable sur votre santé ! Cela dit, plusieurs auront le privilège de signer deux contrats alléchants ou de régler deux problématiques de longue date. Qu'importe ce qui surviendra, vous serez satisfait de vos transactions.

## Les Séraphins et la santé

Tous ceux qui prioriseront leur santé seront en pleine forme. Ils réaliseront l'importance d'avoir une bonne santé. Ce sera primordial pour eux. L'an passé, plusieurs de vos proches ont été malades. Cela vous a énormément affectés. Vous avez réalisé que vous n'êtes pas à l'abri de la maladie. Donc, vous ferez tout pour être en santé ! Vous améliorerez vos habitudes de vie. Cela aura un effet bénéfique sur vous ! Tout ce qui est bon pour conserver la forme, vous l'essayerez ! Certains amorceront des activités physiques, telles que la marche, la natation, la bicyclette, etc. D'autres feront du yoga, de la méditation, de la danse, bref, vous vous tiendrez en forme ! Vous vous assurerez d'inclure une activité dans votre horaire. Ce sera important pour vous. De plus, vous respecterez la limite de vos capacités. Vous apprendrez à dire « non » lorsque vous êtes fatigué. Vous aurez de bonnes nuits de sommeil pour mieux récupérer. Ces bonnes habitudes vous aideront à bien accomplir vos journées et tous les projets que vous avez en tête !

Par contre, ceux qui négligeront leur santé devront faire face à quelques contrariétés. Cela vous obligera à consulter régulièrement votre médecin. Les personnes malades devront respecter les recommandations de leur spécialiste. Ainsi, ils éviteront de séjourner à l'hôpital ou de subir une intervention chirurgicale. Bref, ne négligez pas vos maux. Si votre corps lance un signal, il est évident qu'il vous avertit d'un danger imminent. Si vous n'y voyez pas immédiatement, vous aurez des ennuis. Soyez donc à l'écoute de ces signaux. Sinon, vous sombrerez dans un état lamentable et vous aurez de la difficulté à vous relever ! Faites attention à vous et vous éviterez le pire !

## *Sur une note préventive, voici les parties vulnérables à surveiller plus attentivement et les faiblesses du corps en ce qui concerne les enfants Séraphins pour 2017:*

Votre plus grande faiblesse sera vos muscles. Plusieurs se plaindront de douleurs musculaires. Le cou, les épaules et les genoux seront la source de vos douleurs. Évitez de soulever des objets lourds. Les haltérophiles devront prendre en considération ce conseil. Sinon, plusieurs souffriront d'entorses qui les obligeront à cesser leur activité pendant un temps indéterminé. II faudra également surveiller le système digestif. Plusieurs se plaindront de douleurs à la poitrine et à l'estomac. Certains auront des intolérances au lactose, d'autres au gluten. Ces personnes devront changer leurs habitudes alimentaires pour éviter les maux d'estomac. La période d'allergies sera atroce pour plusieurs Séraphins. Ils seront obligés d'utiliser leur inhalateur pour parvenir à passer de bonnes journées. De plus, certains souffriront de migraines, de sinusites, de laryngites, d'insomnie et d'infections virales. Certains devront prendre des médicaments pour soulager leurs douleurs. Il y a également les organes génitaux à surveiller de près. Certains devront subir une ou deux interventions chirurgicales pour des ennuis de santé. Tous ces symptômes peuvent être banals, si vous prenez soin de vous. Toutefois, si vous les négligez, vous souffrirez grandement!

***Vehuiah :*** plusieurs feront attention à leur santé. Ils auront de bonnes nuits de sommeil. Ils mangeront sainement. Ils feront des exercices respiratoires, de la natation, de la méditation, du yoga ou autre. Cette attitude les avantagera et elle éloignera les médicaments, les maladies et les médecins. Toutefois, les personnes négligentes iront consulter leur médecin pour des maux ici et là. Certains souffriront de maux musculaires à l'épaule ou au cou. Cela exigera un temps de repos. Plusieurs se plaindront également de douleurs lancinantes à l'estomac. Vous serez obligé d'améliorer votre alimentation et de prendre un médicament. De plus, soyez attentif et vigilant avec les outils. Certains pourraient se blesser à la main. Assurez-vous d'avoir une trousse de premiers soins dans votre pharmacie!

***Jeliel :*** plusieurs consulteront un spécialiste pour améliorer leur état de santé. Cela sera important pour eux. La tête sera fragile. Plusieurs se plaindront de migraines, de sinusites, d'otites et de grippes virales. Les personnes malades devront être vigilantes et écouter sagement les recommandations du médecin qui les soignera. Certains seront obligés de subir deux interventions chirurgicales au cours de l'année. Il faudra prendre le temps nécessaire pour remonter la pente! Si vous ne prenez pas soin de vous, il sera beaucoup plus pénible de recouvrer la santé. Cela dit, soyez également vigilant avec les objets tranchants. Certains souffriront de blessures et d'égratignures de toutes sortes qui nécessiteront des pansements. Assurez-vous d'avoir des diachylons et des pansements dans votre pharmacie. Quelques-uns pourraient être obligés de porter un plâtre!

***Sitaël :*** votre santé sera imprévisible. Certains peuvent tomber malade sans avertissement. Il serait donc important de respecter la limite de vos capacités! Reposez-vous lorsque votre corps le réclame. Sinon, tout peut arriver au cours de l'année. Plusieurs se plaindront de douleurs lancinantes qui les obligeront à consulter leur médecin. Il peut s'agir du système digestif, du cœur, des intestins, du pancréas ou de la fibromyalgie. D'autres souffriront de migraines et de sinusites. Ils trouveront également pénible la période des allergies. Si votre médecin vous prescrit un médicament ou du repos, écoutez-le, vous en avez besoin! Si vous faites le contraire, vous vivrez des ennuis qui vous obligeront à passer quelques jours à l'hôpital. À vous de décider ce que vous préférez!

***Elemiah :*** plusieurs se plaindront de douleurs musculaires. Le dos, les épaules, le cou, les genoux et les jambes seront la source de vos douleurs. Faites attention où vous mettez les pieds. Certains pourraient trébucher et être obligés de porter un plâtre. Tout au long de l'année, ne soyez pas surpris d'avoir des ecchymoses un peu partout sur votre corps! Cela est causé par votre étourderie! Certaines femmes se plaindront de varices. Elles consulteront un spécialiste pour soulager leurs douleurs. Il faudra également surveiller le système digestif. Plusieurs se plaindront de douleurs à la poitrine ou à l'estomac. Les personnes cardiaques devront être vigilantes avec leur santé. Sinon, elles seront obligées de subir une intervention chirurgicale. La peau sera également fragile. Assurez-vous d'appliquer une crème solaire lors d'exposition au soleil. Cela dit, plusieurs auront des ennuis cutanés qui exigeront l'intervention d'un dermatologue. La rosacée, l'eczéma, le psoriasis ou le zona dérangeront plusieurs personnes. Ils devront subir un traitement pour atténuer les problèmes de la peau.

***Mahasiah :*** votre santé vous préoccupera. Vous ferez donc attention à vous et aux alarmes de votre corps. Lorsqu'une douleur vous envahira, vous consulterez immédiatement votre médecin. Cela sera à votre avantage, ainsi vous éviterez que vos petits ennuis s'aggravent! Malgré tout, il faudra surveiller attentivement quelques parties de votre corps. Certaines femmes auront des ennuis avec leurs organes génitaux. Quelques-unes devront subir une hystérectomie. D'autres devront prendre un médicament. La vessie sera également fragile. Plusieurs se plaindront d'infections urinaires. La glande thyroïde causera quelques problèmes à certaines personnes. Vous n'aurez pas le choix d'être suivi méticuleusement par votre médecin. Certains se plaindront du syndrome du côlon irritable. Ces personnes n'auront pas le choix de changer leur habitude alimentaire. Il faudra également surveiller la période des allergies. Celle-ci en fera souffrir quelques-uns. L'utilisation d'un inhalateur et des antihistaminiques seront obligatoires. Finalement, soyez vigilant avec les objets coupants. Plusieurs se blesseront et se causeront des égratignures de toutes sortes. Assurez-vous d'avoir du diachylon et des pansements dans votre pharmacie!

***Lelahel :*** les cardiaques devront écouter sagement les recommandations de leur médecin. Sinon, leur santé en écopera. Un traitement ou une intervention chirurgicale s'avérera nécessaire. Les poumons seront également fragiles. Couvrez-vous bien lors de températures plus froides. Cette année, plusieurs auront des grippes virales, des bronchites, des sinusites, etc. L'utilisation d'un inhalateur sera obligatoire pour dilater vos voies respiratoires. Les alcooliques vivront des périodes difficiles; il y a risque de maladies graves si vous ne suivez pas les recommandations de votre médecin. Ceux qui se plaignent de problèmes d'estomac ou de foie, les aliments verts vous seront conseillés pour rétablir votre métabolisme. Bref, après avoir vécu une période difficile sur le plan de la santé, plusieurs réaliseront l'importance d'avoir une excellente santé et ils amélioreront leurs habitudes de vie.

***Achaiah :*** certains se plaindront de douleurs ici et là qui les obligeront à prendre un médicament ou à faire des exercices de physiothérapie. Il peut s'agir d'une douleur à l'épaule, de fibromyalgie ou d'une entorse lombaire. Votre médecin sera en mesure de bien vous soigner pour que la douleur s'atténue et cesse. Certains hommes auront des ennuis avec la prostate. Cela nécessitera l'intervention du médecin. Quelques-uns auront des ennuis avec leurs intestins. Ceux qui souffrent du côlon irritable devront changer leurs habitudes alimentaires. Cela ne sera pas facile au départ, toutefois, pour le bien de votre santé, vous n'aurez pas le choix d'y voir avant que votre état s'aggrave. Quelques-uns trouveront la période des allergies difficiles. Certains seront obligés d'utiliser un inhalateur et des antihistaminiques pour les soulager et pour les aider à bien entreprendre leurs journées ! Bref, à la suite d'une période difficile sur le plan de la santé, vous serez davantage vigilant et attentif à votre environnement. Certains feront des exercices pour retrouver la forme physique. D'autres prendront des produits naturels. Votre santé vous préoccupera et vous ferez tout pour la conserver et retrouver la forme physique.

***Cahetel :*** votre santé mentale sera à surveiller. Respectez vos limites et écoutez les signaux de votre corps. Ainsi, vous éviterez des problèmes majeurs. Plusieurs se plaindront de douleurs ici et là. Certains maux seront causés par la fatigue et le surmenage. Par contre, certains maux seront plus sérieux et nécessiteront l'aide d'un spécialiste. Vous passerez des examens médicaux pour déceler la cause de vos douleurs. Certains seront obligés de prendre un médicament. D'autres subiront une intervention chirurgicale. Quelques-uns devront prendre quelques jours de repos. Vous n'aurez pas le choix de surveiller attentivement votre santé si vous voulez récupérer et vaquer à vos tâches hebdomadaires.

Cela dit, les oreilles, les migraines, les sinusites, les torticolis seront vos faiblesses cette année. Couvrez-vous toujours lors de périodes froides. Ce sera à votre avantage. Plusieurs auront des grippes virales qui les obligeront à garder le lit pendant une période de 48 à 72 heures. Assurez-vous de toujours laver vos mains lors de périodes vulnérables. Certains devront consulter un otorhinolaryngologiste. Celui-ci sera en mesure de bien vous soigner. D'autres seront obligés de porter un appareil auditif. Quelques-uns auront des acouphènes. Certains souffriront d'infections ou d'otites. La peau sera également fragile. Certains auront des feux sauvages à répétition. D'autres souffriront d'eczéma et de problèmes cutanés. De plus, ne manipulez aucun objet dont vous ignorez le fonctionnement. Vous pourriez subir de fâcheux incidents. Plusieurs seront très lunatiques et seront sujets à se blesser inutilement. La vigilance est de mise. Ne négligez jamais les consignes de sécurité, ainsi, vous éviterez de graves ennuis.

## Les Séraphins et l'amour

Pour plusieurs, leur union leur apportera de la satisfaction. Malgré vos horaires chargés, vous prendrez du temps avec votre partenaire. Cela sera prioritaire. Il peut s'agir d'une journée en particulier, d'une soirée, d'un week-end, etc. Vous chercherez à respecter cette entente mutuelle. Cela sera important pour vous. Lors de vos sorties, vous aurez du plaisir avec votre partenaire. Celui-ci sera attentif à vos besoins et vous aux siens. Lorsque vous serez fatigué ou en peine, celui-ci vous réconfortera par une sortie, une parole ou un geste. Attendez-vous également à bâtir un projet mutuel. Il peut s'agir de rénover ou construire votre demeure, de planifier un week-end amoureux, un voyage, un déplacement, etc. Ce projet vous rapprochera de votre partenaire. Vous aurez un plaisir fou à l'accomplir ensemble ! De plus, lors de votre période estivale, vous passerez beaucoup de temps à ces côtés. Vous ferez de belles sorties agréables et divertissantes en amoureux. Vous aurez beaucoup de plaisir et vous adorerez ces moments intimes.

Au cours de l'année, vous vivrez plusieurs journées agréables qui rehausseront votre amour conjugal. Ces journées surviendront au cours des mois suivants : ***janvier, mars, juin, juillet, août, octobre*** et ***décembre***. Au cours de ces mois bénéfiques, plusieurs événements vous rapprocheront de votre partenaire.

Il y aura tout de même des périodes plus compliquées. Lors de ces moments tendus, si vous y voyez rapidement, vous réglerez facilement vos problématiques et le tout redeviendra à la normale. Si vous négligez vos problèmes, vous vous compliquerez la vie inutilement. Vous et votre partenaire, vous enfermerez dans un mutisme qui ne vous aidera guère à régler vos ennuis.

**Voici quelques situations qui pourraient déranger l'harmonie conjugale** : le travail. Certains seront obligés d'apporter du travail à la maison ou de faire des heures supplémentaires. Il est évident que cela dérangera votre union surtout si vous apportez du travail lors des journées de congé. Si vous êtes submergé par le travail, prenez un temps de pause. Ne négligez pas votre entente mutuelle ! Respectez-la ! Si votre partenaire vous lance un appel de détresse ou vous réprimande sur vos absences, voyez-y avant qu'il soit trop tard. Prenez une ou deux journées de congé et passez du temps en amoureux. Ainsi, vous éviterez des batailles de mots, de la bouderie et du stress familial !

## Les couples en difficulté

Certains iront consulter un médiateur ou un psychologue pour les aider à sauver leur union. Cette décision leur sera salutaire. Il est évident que ces couples devront travailler ardemment pour éviter une séparation. Il y a trop de situations que vous avez négligées au cours des dernières années. Celles-ci dérangent actuellement votre relation. Si vous voulez éviter une séparation, vous n'avez pas le choix d'y voir. Plus vous attendez, pire ce sera puisque vous ne parviendrez pas à trouver un terrain d'entente et chaque partenaire partira dans une autre direction. Cela n'est pas sans vous affecter émotionnellement et vous détruire mentalement. Au cours de l'année, il serait donc important de dialoguer avec votre partenaire et d'essayer de régler vos problématiques. Ceux qui consulteront un médiateur ou un psychologue auront davantage de chances d'éviter une séparation. Ceux qui négligeront cet aspect, la probabilité d'en arriver à la séparation sera alors plus grande.

## Les Séraphins submergés par la négativité

Votre arrogance détruira votre partenaire. Vous lui causerez de la peine. Si vous éprouvez des sentiments pour votre partenaire, changez votre attitude ! Essayez de discuter avec lui de façon sereine et calme. Montrez-lui que vous êtes prêt à faire des changements pour éviter la séparation. Si vous négligez cet aspect, votre partenaire vous tournera le dos et cherchera une issue pour se libérer de vous. À la suite d'une décision, votre partenaire vous quittera et il sera trop tard pour le reconquérir. Lorsque sa décision sera prise, votre partenaire ira de l'avant avec son choix et ne regardera plus en arrière. Il est évident que cela viendra déranger vos émotions. Vous aurez d'amers regrets par la suite !

## Les Séraphins célibataires

Vous voulez rencontrer votre partenaire idéal ? Acceptez les offres de sorties que vous lanceront vos amis. Vous ferez de belles rencontres qui s'avéreront intéressantes et importantes. Lors d'une soirée, votre cœur palpitera en présence d'une personne. Dès le premier contact, vous serez envouté par son regard mystérieux ! Cette personne adorable saura vous charmer et vous envoûter !

Plusieurs moments se présenteront pour faire la rencontre de cette charmante personne. Toutefois, la période estivale sera la plus propice pour rencontrer des gens intéressants. Ne refusez donc pas les sorties qui seront offertes en ***juillet*** et ***août***. Bref, vous passerez un bel été en compagnie de vos amis. Tous chercheront à vous présenter votre partenaire idéal ! Il suffit de décrire l'être que vous recherchez ! Vous verrez dans l'espace de peu de temps, plusieurs amis auront une personne à vous présenter ! Vous aurez l'embarras du choix. Donc, profitez de ces rencontres pour apprendre à les connaître davantage. Lorsque votre choix sera arrêté sur une personne en particulier, laissez-vous aimer et charmer par cette personne. À force de discuter et d'apprendre à bien la connaître, vous découvrirez que vous possédez plusieurs points en commun. Vos rêves sont presque les mêmes ! Vos dialogues sont intéressants. Vous parlerez de sujets variés qui animeront agréablement vos discussions. De plus, cette personne sera très spirituelle. Vous serez charmé par sa façon de voir la vie. Cela fait longtemps que vous priez les Anges pour cette rencontre, alors ne laissez pas passer cette chance de connaître l'amour et de savourer le bonheur !

## Les célibataires submergés par la négativité

Si vous voulez refaire votre vie, arrêtez de parler de vos échecs, de votre passé et de votre dernière relation. Ces sujets de conversations ne sont ni intéressants ni attirants. Il est évident que cette attitude fera fuir toutes les personnes sujettes à vous rendre heureux. Si vous êtes prêt à laisser l'amour venir agrémenter votre vie, changez votre attitude et soyez souriant ! Vous verrez qu'il y a plusieurs personnes intéressées à vous côtoyer. Il suffit d'être rayonnant et d'engager des dialogues divertissants ! Soyez charmeur et tous viendront à votre rencontre !

## Les Séraphins et le travail

L'année 2017 sera importante pour plusieurs travailleurs. Vous verrez plusieurs possibilités venir agrémenter votre année. Que ce soit pour changer de lieu de travail, améliorer l'atmosphère au travail ou les tâches, obtenir un poste rêvé, retourner aux études, signer un contrat, vous aurez le privilège de voir venir à vous des offres alléchantes pour améliorer vos conditions de travail. À vous de saisir ces moments bénéfiques ! Si vous les ignorez, vous resterez donc au même endroit et avec les mêmes problèmes. Cela fait longtemps que vous voulez améliorer votre vie professionnelle ? Alors l'année 2017 vous offre cette possibilité. Saisissez donc votre chance d'améliorer votre travail.

Au cours de l'année, attendez-vous à vivre trois événements favorables. Certains auront la possibilité de signer un contrat alléchant. Vous serez émerveillé de cette entente. D'autres travailleront ardemment pour réussir un projet, une entrevue ou respecter une date d'échéance. Vous y parviendrez grâce aux efforts fournis. Vous serez très fier des résultats de vos actions. Cette année, vos projets seront fertiles, vos idées, constructives et vos actions, prolifiques.

Les périodes estivale et automnale seront prolifiques pour plusieurs. Attendez-vous à vivre des changements agréables. Les problèmes se résoudront à votre avantage. De plus, à la suite d'une décision ou d'un changement, vous retrouverez votre équilibre et votre joie de vivre. Ce sera agréable pour vous de vous rendre à votre travail. Ce ne sera plus une tâche ardue ! Ceux qui amorceront un nouveau travail seront angoissés. La peur de ne pas réussir vous hantera. Toutefois, vous vous habituerez rapidement à vos nouvelles tâches et vous y excellerez. Vos compétences seront remarquables et vos nouveaux collègues louangeront votre capacité d'adaptation.

**Voici quelques situations qui pourraient déranger l'harmonie au travail** : les commérages. Ne vous impliquez pas dans les histoires des autres. Restez neutre lors de conversations entre les collègues. Cela vous sera favorable. Au cours de l'année, il y aura un événement qui surviendra à votre travail et qui fera parler les gens. Gardez votre point de vue pour vous ! Sinon, vous vivrez des ennuis. Certains collègues déformeront vos commentaires. Vous aurez à confronter votre directeur. Cela ne sera pas agréable et ça vous mettra dans une position inconfortable. Si vous voulez éviter cette situation, éloignez-vous des commérages !

### Les travailleurs Séraphins submergés par la négativité

Votre attitude négative déclenchera plusieurs discussions entre vos collègues. Vous deviendrez leur cible. Ceux-ci se plaindront continuellement de votre attitude. Il y aura donc beaucoup de plaintes et de bavardages contre vous. Cela ne vous sera pas favorable et vous nuira énormément. À la suite de plusieurs plaintes, votre employeur apportera de sérieux changements dans vos tâches. Celui-ci vous donnera un ultimatum. Ne prenez pas à la légère cet entretien. Sinon, vous le regretterez ! Vous serez mis à pied et vous aurez de la difficulté à vous trouver un autre emploi. Un dossier sera monté contre votre incapacité de travailler en équipe et d'atteindre les objectifs exigés. Il est évident que cela vous frustrera, néanmoins, vous ne pourrez rien y faire puisque tous seront contre vous et personne ne viendra vous appuyer dans votre plaidoyer. Si vous voulez conserver votre emploi, essayez d'améliorer votre attitude. Sinon, vous vivrez de grandes difficultés. Avec le temps, cela attaquera votre moral ! Voyez-y avant de tout perdre !

# Chapitre XVII

# Événements à surveiller durant l'année 2017

Voici quelques événements qui pourraient survenir au cours de l'année 2017. Pour les situations négatives, lisez-les à titre d'information. Le but n'est pas de vous perturber ni de vous blesser. Il s'agit tout simplement de vous informer.

- Au cours de l'année, saisissez toutes les chances qui viendront vers vous. Celles-ci chambarderont favorablement votre vie. L'une de ces chances concerne votre travail ou votre situation financière. Vous serez heureux lorsque celle-ci s'offrira à vous !
- Plusieurs auront le privilège de solidifier et de reconstruire leur situation financière. Vous travaillerez ardemment. Vous ferez un budget et vous chercherez à le respecter. Vous serez satisfait des résultats encourus.
- Plusieurs s'adonneront à la méditation. Ils réaliseront que cela leur procure des moments de détente et que leur moral se porte mieux.
- Vous passerez régulièrement du bon temps avec vos proches. Attendez-vous à plusieurs soupers familiaux. Vous vous amuserez comme des fous lors de ces soirées.

- Au cours de l'année, certains recevront un bijou significatif. Il peut s'agir d'un bijou appartenant à un ancêtre, d'un bijou historique ou autre. Ce bijou sera important pour vous.
- Vous ferez souvent des sorties agréables. Vous irez au cinéma. Vous irez visiter des amis, de la famille. Vous recevrez à souper. Vous irez magasiner pour une tenue de soirée. Vous bougerez beaucoup et vous aurez beaucoup de plaisir lors de vos sorties. Cela se reflétera sur votre humeur !
- Les femmes désireuses d'agrandir leur cercle familial auront la chance de voir leur rêve se réaliser au cours de l'année. Vous entendrez également parler de deux à trois grossesses autour de vous. Ne soyez pas surpris d'entendre parler d'une grossesse gémellaire ou multiple.
- Au niveau de la santé, certaines femmes se plaindront régulièrement de maux de ventre. Certaines devront consulter leur médecin pour déceler la cause de leurs maux. Certaines sont allergiques au gluten et au lactose. D'autres, les organes génitaux en seront la cause. Quelques-unes seront obligées de subir une hystérectomie. À la suite de cette intervention, vous serez obligée de prendre quelques jours de repos pour recouvrer la santé. Il serait donc important de respecter les consignes de votre médecin. Ainsi, vous éviterez de faire une rechute. Bref, qu'importe le problème, votre médecin sera en mesure de vous soigner.
- Certains seront victimes de douleurs physiques, d'un mal à l'épaule, d'un torticolis. Soyez toujours vigilant lors de tâches ardues. Évitez de soulever des objets lourds. Demandez de l'aide pour déplacer ou soulever vos objets. Sinon, vous vous blesserez et il vous faudra quelques semaines avant de retrouver votre flexibilité.
- Plusieurs se feront des égratignures, des blessures et des brûlures. Certains se blesseront de multiples façons. N'entamez aucune tâche inhabituelle. Prenez également le temps de lire les directives d'installation pour éviter de fâcheux incidents. Assurez-vous d'avoir une pharmacie bien remplie ! Vous aurez

régulièrement besoin de diachylons et de pansements pour soigner vos blessures.

- Lors de la période hivernale, certains travailleurs vivront des contrariétés à leur travail. Vous penserez à quitter votre emploi. D'autres le feront. Quelques-uns devront recommencer un projet qui allait bien. Cela est causé par le départ de l'un de leurs collègues ou d'un changement de la part des autorités. Toutefois, malgré les obstacles, vous serez en mesure de tout accomplir en respectant les dates d'échéance. De plus, il y aura toujours une bonne personne près de vous. Celle-ci vous réconfortera, vous épaulera et vous encouragera à attaquer vos tâches et les terminer tel que convenu. Vous apprécierez énormément la qualité de son aide et de son encouragement. Vous lui en serez très reconnaissant.
- Au cours de l'année, vous réaliserez que vous possédez tous les atouts nécessaires pour réussir vos projets. Cette prise de conscience vous sera favorable. Celle-ci vous permettra d'amorcer plusieurs projets et de les réussir !
- Vous, ou un proche, demanderez pardon à une personne que vous avez blessée par votre attitude. Cette personne vous boudera un peu et ensuite tout rentrera dans l'ordre.
- Un voyage ou un déplacement vous décevra. Celui-ci coûtera plus cher que prévu ou trop cher pour sa qualité.
- Quelques-uns se plaindront de douleurs à leur genou. Certains devront faire des exercices de physiothérapie. D'autres subiront une intervention chirurgicale. Quelques-uns devront perdre le poids superflu.
- Avant que l'année se termine, plusieurs auront le privilège de réaliser l'un de leurs vœux les plus chers. Vous sauterez de joie lorsque ce vœu se réalisera !
- Vous, ou un proche alcoolique, ne tiendrez pas une promesse telle que prévue. Vous vous repentirez de votre attitude. Vous demandez pardon à l'un de vos proches. Vous le supplierez de vous donner une seconde chance de vous rattraper. Il ne tient

qu'à lui d'accepter. Toutefois, votre proche vous fera comprendre que cette seconde chance est finale. Si vous sombrez toujours dans l'alcool, il mettra un terme à la relation.

- Plusieurs situations vous amèneront à bouger un peu partout. Il y aura des moments où vous serez essoufflé. Néanmoins, vous ne serez pas déçu !
- Surveillez les commérages et les personnes négatives. Ces personnes n'ont rien de bon à vous offrir. Lors d'une soirée, l'attitude d'une personne vous dérangera énormément. Celle-ci parlera méchamment dans le dos de gens que vous aimez. N'écoutez pas ses paroles et éloignez-vous d'elle immédiatement, sinon, elle vous impliquera dans le problème même si vous n'avez rien dit ! Cela risque de vous frustrer énormément !
- Les célibataires devront surveiller une rencontre sur le net ou lors d'une soirée. Cette personne n'est pas libre de vous aimer. Elle est déjà en union. Sa seule envie est d'avoir une relation sexuelle avec vous. Rien ne plus ! Évitez cette relation. Elle vous fera plus de tort que de bien !
- Attendez-vous à recevoir plusieurs coups de téléphone vous annonçant toutes sortes de nouvelles. Certaines vous feront sauter de joie. D'autres vous laisseront indifférents. Lors d'un entretien avec une personne, vous exploserez ! Vous viderez votre cœur ! Vous mettrez un terme à la conversation, et ce, sans difficulté. Jamais, vous n'aurez été si en colère avec les propos qui seront énoncés. Cela vous prendra quelques jours avant de récupérer de cette situation. Par la suite, vous irez mieux !
- Vous, ou un proche malade, ferez la lumière sur votre santé. À la suite de plusieurs examens approfondis, votre médecin vous soignera en conséquence. Toutefois, certains devront affronter un problème de santé grave. Pendant une période de neuf mois, ce sera difficile. Néanmoins, plusieurs personnes vous apporteront leur soutien. Cela vous aidera à récupérer plus rapidement !
- Certains planifieront un voyage dans le sud ou outre-mer. Vous vous reposerez énormément lors de ce voyage. Vous reviendrez à la maison avec de bons souvenirs et des photos.

- Plusieurs mettront de l'ordre dans leur vie. Vous ferez des changements importants qui amélioreront la qualité de votre vie. Vous serez en harmonie avec tous les changements que vous apporterez à votre quotidien. Vous reprendrez goût à la vie et celle-ci vous servira bien avec tous les événements agréables qu'elle enverra sur votre route.
- Au cours de l'année, plusieurs se fixeront des buts et ils chercheront à les atteindre. Il y aura deux buts importants que vous aimeriez accomplir. Vous avancerez fièrement et déterminé à réussir ces buts fixés. Vous travaillerez ardemment pour les réussir. Néanmoins, vous y parviendrez grâce à votre détermination et votre attitude gagnante.
- Lors de vos mois de chance, profitez-en pour acheter des billets de loterie avec votre partenaire amoureux. Ce sera chanceux ! Vous pouvez également lui demander d'acheter ces billets ! Certains gagneront régulièrement des petits gains, des billets gratuits, etc.
- Tous ceux qui ont perdu un être cher l'an passé, vivront une période de nostalgie pendant une période de quelques jours. Vous penserez beaucoup à votre défunt. Vous vous remémorerez des événements vécus avec lui. Des larmes seront versées. Toutefois, l'amour de vos proches vous permettra de remonter la pente et de vaquer à vos tâches quotidiennes.
- Vous ferez la lumière sur plusieurs points en suspens dans votre vie. Vous serez comme un détective à la recherche de réponses. Lorsque vous obtiendrez ce que vous cherchiez, vous prendrez les décisions qui s'imposent et vous les appliquerez dans votre vie. À la suite de vos analyses, plusieurs changements surviendront. Vous ne laisserez rien passer. Vous serez très fier de vos actions. Grâce à ces actions, vous trouverez rapidement votre équilibre, la satisfaction et la joie de vivre !
- Vous, ou un proche, vivrez un événement qui vous bouleversera. Pendant une période de quelques jours, vous serez comme un automate. Vous aurez la difficulté à amorcer vos journées tellement vous serez émotionnellement perturbé par cet événement. La

citation suivante: « Seul le temps arrange les choses » s'appliquera bien à votre événement.

- Après avoir vécu une période difficile, vous, ou un proche, vous remettrez vite sur vos deux pieds et avancerez fièrement vers de nouvelles avenues meilleures pour votre moral.
- Faites attention à votre alimentation. Votre estomac réclame de la bonne nourriture. Certains auront du reflux gastrique. Quelques-uns devront prendre un médicament. La digestion sera douloureuse.
- Les haltérophiles devront surveiller leurs activités physiques. Certains se blesseront au cou, au dos ou à l'une de leurs épaules. Ne surpassez pas la limite de vos capacités. Sinon, vous souffrirez d'une douleur chronique. Vous serez obligé de cesser votre activité, de consulter un physiothérapeute en médecine sportive et vous reposer.
- Plusieurs amélioreront leur union. Vous ferez des sorties agréables avec votre partenaire. Vous vivrez de deux à quatre événements qui rehausseront votre amour. Votre partenaire vous réserve une belle surprise lors d'un souper en tête-à-tête !
- Lors de la période estivale, vous ferez plusieurs activités avec votre partenaire. Vous passerez beaucoup de temps à l'extérieur, sur des terrasses, près d'une piscine, près d'un lac ou d'une rivière. Vous serez heureux de vous promener main dans la main. Vous aurez des conversations divertissantes qui vous rendront heureux ! Ces temps de plaisir vous aideront à surmonter les périodes plus ardues.
- Certains couples qui vivent une période difficile feront tout en leur pouvoir pour sauver leur union. Ceux-ci travailleront ardemment pour ramener l'harmonie au sein de leur foyer. Leur dialogue sera profond et réconfortant. Ils se donneront la chance de repartir à zéro ! Toutefois, certains couples auront de la difficulté à surmonter leur problématique. Quelques partenaires éprouveront des sentiments pour une autre personne et ils refuseront de sauver leur union. Ils penseront que la nouveauté sera meilleure pour eux !

- Lors de la période printanière ou hivernale, certains auront des ennuis avec la tuyauterie de leur demeure. Vous serez obligé d'appeler un plombier. Il y a risque de dégâts d'eau dans votre maison. Un robinet peut causer des fuites. Voyez-y avant qu'il soit trop tard. Il en est de même pour le toit de votre demeure!
- Certains rénoveront un plancher. Ils opteront pour un plancher de bois franc. Vous dépasserez votre budget, mais vous serez satisfait de votre rénovation.
- Plusieurs personnes passeront une journée agréable lors de leur anniversaire de naissance. Un proche vous réserve une belle surprise!
- Lors de la période automnale et hivernale, soyez vigilant et respectez la limite de vos capacités. Prenez également le temps nécessaire pour vous reposer. Si vous négligez cet aspect, vous vous retrouverez facilement en arrêt de travail à cause d'un surmenage, d'une dépression ou d'une fatigue chronique.
- Certains seront invités à prendre part à une fête champêtre. Vous passerez une magnifique journée. Il y aura des jeux de société et vous vous amuserez. De plus, vous reverrez des vieilles connaissances. Vous aurez un plaisir fou à parler avec elles et à vous remémorer votre jeunesse!
- Vous avez de belles possibilités pour améliorer votre travail. Toutefois, rien ne vous sera acquis facilement. La compétition sera serrée et vous aurez à travailler ardemment pour prouver vos capacités, pour réussir vos entrevues, pour obtenir gain de cause, pour changer de travail et pour réaliser vos projets. Vous récolterez tout de même de belles satisfactions, mais au prix de grands efforts! Toutefois, vous réaliserez que cela en valait largement la peine!
- Vous, ou un proche, aurez des ennuis avec la loi à cause d'une problématique. Il peut s'agir de la drogue, d'un vol ou d'une dispute. Vous serez obligé de réclamer l'aide d'un avocat pour vous libérer de ce pétrin. La loi obligera certains à passer quelques nuits en prison et à faire des travaux communautaires.

- Une femme donnera naissance par césarienne. La période de labeur sera difficile. Le gynécologue décidera de lui faire une césarienne pour retirer le bébé coincé entre les parois vaginales. Toutefois, tout ira bien par la suite!
- Les célibataires qui ouvriront la porte de leur cœur feront la rencontre d'une bonne personne qui saura les aimer et les respecter. Une belle histoire d'amour s'amorcera!
- Un couple fêtera leur anniversaire de mariage. Plusieurs personnes voudront participer à votre soirée! Cela vous surprendra! Vous réaliserez que les gens vous aiment et qu'ils sont heureux de votre bonheur! Attendez-vous à recevoir des cadeaux qui vous feront plaisir.
- Une personne prise avec un problème de jeu, vivra une grande perte financière au cours de l'année. Elle n'aura pas le choix de repartir à zéro.
- Certains auront des ennuis mécaniques. Vous devrez prendre une décision. Vous faites réparer la voiture ou vous la changez!
- Vous, ou un proche, rencontrerez un directeur d'école ou un psychologue. Votre adolescent néglige ses devoirs et il ne se présente pas à ses cours. La direction vous en avisera. Si celui-ci ne change pas son attitude, il sera expulsé de son école.
- Vous, ou un proche, laisserez tomber un projet. Après mûre réflexion, vous déciderez de le remettre à plus tard, même si ce sera à contrecœur. Néanmoins, ce sera la meilleure décision dans les circonstances actuelles.
- Vous aurez besoin des services d'une couturière. Vous avez besoin de faire réparer certaines tenues vestimentaires. D'autres voudront embellir leur fenêtre par de belles draperies et autres.
- Plusieurs auront la force pour vaincre tous les obstacles qui se présenteront sur leur route. Rien ne vous déstabilisera et rien ne vous fera changer d'idée. Votre urgent besoin d'avancer vers un avenir plus prometteur et plus équilibré vous donnera l'élan nécessaire pour surmonter vos problématiques et leur trouver de bonnes solutions pour les régler rapidement.

- Vous recevrez un appel qui vous surprendra. Vous n'aviez pas eu de nouvelles de la personne au bout du fil depuis longtemps ! Vous serez très heureux de votre entretien. Certains planifieront une sortie agréable pour continuer la conversation.
- Il y aura trois situations qui seront retardées. Cela vous préoccupera énormément. Par contre, vous réaliserez que l'attente en valait la peine !
- Lors de la période estivale, certains iront visiter un endroit de villégiature. Ce sera une journée agréable et vous passerez du bon temps avec vos proches.
- Vous, ou un proche, révélerez votre orientation sexuelle. Cela vous soulagera.
- Certains adopteront un nouveau « look ». Plusieurs remarques positives vous seront lancées. Vous serez fier de votre initiative, et ce, malgré le fait que cela vous ait coûté une petite fortune !
- Lors de la période estivale, vous, ou un proche, ferez de l'aménagement paysager. Vous serez fier de votre travail. Vos plates-bandes seront décoratives et elles enjoliveront votre demeure. Certains ajouteront également un bassin d'eau dans leur cour. Vous irez régulièrement vous prélasser près de ce bassin.
- Une solution arrivera au bon moment et elle soulagera vos nuits. Un problème se résoudra à votre grande joie et vous en serez très heureux !
- Certains auront la chance de remettre une personne négative à sa place. Celle-ci sera déboussolée par votre attitude. Par la suite, elle viendra vous voir et elle admettra que vous avez eu raison d'agir de la sorte.
- Au cours de l'année, vous, ou un proche, recevrez un verdict impartial. Vous ne serez pas en accord avec ce verdict. Néanmoins, ce verdict mettra fin à une longue bataille juridique.
- À la suite de randonnées pédestres, certains se blesseront à la cheville. Assurez-vous d'avoir de bonnes chaussures de marche. Ainsi, vous éviterez les incidents. De plus, assurez-vous de faire

des exercices de réchauffement avant d'entreprendre toute activité. Certains pourraient s'étirer un muscle au niveau de la jambe.

- Une personne en état d'ébriété se fera arrêter et verra son permis être suspendu. Ce sera dévastateur pour cette personne.
- Plusieurs seront obligés de prendre un médicament pour soulager les douleurs de l'arthrite, l'arthrose ou la fibromyalgie. Toutefois, d'autres miseront sur un nouveau mode de vie. Cela leur sera salutaire et bénéfique. Leurs douleurs seront moins intenses.
- Certains seront fatigués d'entendre les gens se plaindre. Ne soyez pas surpris de vous éloigner des gens négatifs, et ce, pour le bien de votre moral. Votre attitude frustrera énormément l'une de ces personnes. Celle-ci vous avait pris pour son bouc émissaire et voyant votre refus de lui parler ou de l'écouter se plaindre, elle vous fera tout un plat! Vous réaliserez rapidement que vous avez fait un bon choix en vous éloignant d'elle.
- Plusieurs recevront de belles récompenses. Elles seront toutes bien méritées! Vous récolterez les bienfaits de vos efforts et vous en serez très heureux.

# Partie IV

# *Les Chérubins*

*(1er mai au 10 juin)*

# Chapitre XVIII

# L'année 2017 des Chérubins

## *Vous améliorez votre mode de vie !*

L'année de la spiritualité vous permettra de renouer avec vos sources. Vous réaliserez l'importance de prendre soin de votre âme ! Étant très cartésien, vous risquez d'être surpris par votre envie de connaître un mode de vie différent. Cela ne veut pas dire que vous prierez régulièrement ! Cela veut tout simplement dire, que vous prendrez le temps de vous ressourcer. Certains adopteront leur propre méthode. Il peut s'agir de prendre quelques minutes et faire le vide. D'autres s'adonneront à la méditation. Quelques-uns opteront pour des massages thérapeutiques, la marche en plein air, etc. Vous prendrez soin de votre être. Cela fait trop longtemps que vous vivez dans la même routine quotidienne et que vous n'êtes pas complètement heureux ! Plus que jamais, vous avez besoin de vous affirmer en tant qu'individu, de bouger, d'accomplir de bonnes actions, de réaliser vos rêves, de créer des projets et de penser à vous ! Donc, au lieu de prendre soin de tout le monde autour de vous, vous prendrez soin de votre personne ! Cela ne sera pas égoïste de votre part. Au contraire, vous avez besoin de ce temps précieux en votre intérieur. Vous vous êtes trop négligé les dernières années. C'est pourquoi vous rechercherez davantage la tranquillité, la paix, l'harmonie et le bien-être ! Vous voulez prendre le temps de savourer vos journées. Vous ne voulez plus courir pour mille et une personnes et chercher à leur plaire. Vous cesserez également de tout contrôler ! Vous avez besoin de vous gâter et d'être gâté par vos proches. Vous chercherez tout simplement à entreprendre des actions qui vous plaisent et qui vous animent au lieu de vous épuiser ! Cette attitude vous aidera énormément sur le plan de la santé mentale. L'an passé, vous vous êtes épuisé à maintes reprises pour mille et une raisons. Cette année, ce sera différent. Vous analyserez vos besoins au lieu des besoins des autres. Vous chercherez à être heureux et en harmonie avec votre vie. Vous chercherez également les façons adéquates pour atteindre vos objectifs ?

En outre, vous avez besoin de diversité dans votre vie et d'agréments. Attendez-vous donc à planifier plusieurs activités agréables qui rempliront vos journées. Vous bougerez beaucoup. Toutefois, vous serez heureux de tout ce que vous entreprendrez au cours de 2017 ! Vous êtes également conscient que vos actions auront un impact sur votre avenir. Vous chercherez donc à accomplir des actions enrichissantes ! Vous serez animé par la passion d'innover. Attendez-vous à améliorer plusieurs aspects de votre vie. Tout ce qui vous dérange, vous le réglerez avec satisfaction. Grâce à votre nouvelle perception de la vie, des opportunités s'offriront à vous. Celles-ci vous permettront de mettre à profit vos rêves, vos objectifs, vos passions, vos désirs, etc. La réussite de vos actions vous donnera régulièrement l'envie de progresser. Vous serez davantage en contrôle avec votre vie. Vous vivrez pour vous et non pour le plaisir des autres ! Vous conduirez votre vie et non celle des autres. Vous serez donc moins enclin à la négativité et au jugement. Vous critiquerez moins ! À vous maintenant de passer à l'action et de saisir les opportunités que vous offrent la vie !

Il est évident qu'il y aura des mois difficiles, il n'est jamais facile de dire « non » à vos proches. Vous les avez tellement gâtés ! Néanmoins, vous leur ferez comprendre que vous les aimez toujours. Mais en ce moment, vous avez besoin de penser à vos désirs et de les accomplir au lieu de réaliser les objectifs des autres ! Cela ne veut pas dire que vous ne les gâterez plus. Au contraire, vous allez toujours être là pour eux ! Par contre, cette année, vous avez besoin d'atteindre vos objectifs et de les réussir ! En revanche, reprendre le contrôle de sa vie n'est pas aisé non plus ! Cela n'est pas évident de ne plus s'en faire pour les autres et de refuser leurs demandes. Certaines journées, vous aurez la larme à l'œil et vous serez tenté d'acquiescer à leurs demandes. Si vous agissez ainsi, vous tomberez à nouveau dans ce piège. Avant de sombrer dans la même routine qu'avant ; n'hésitez pas à réclamer de l'aide auprès de l'Ange gouverneur. Celui-ci vous donnera la force et le courage de continuer à persévérer pour atteindre vos objectifs et à lâcher prise sur les situations qui vous épuisent émotionnellement !

***Les personnes ayant une attitude négative*** rencontreront des problèmes de toutes sortes au lieu d'être en paix et en harmonie avec leur vie. Votre attitude vindicative vous nuira énormément et vous attirera des problématiques. Au lieu de chercher la paix, vous chercherez la bataille ! Vous blâmerez la vie pour les événements qui vous arrivent au lieu de blâmer votre attitude. Vous critiquerez continuellement vos proches et vous argumenterez continuellement lors de discussions avec eux. Vous dramatiserez les événements. Ce sera très difficile sur leur mental ! Il est évident que votre famille s'éloignera de vous au lieu de rester dans cette énergie négative. Lorsqu'ils s'éloigneront de vous, au lieu de changer votre attitude, vous chercherez leur compassion. Vous jouerez le rôle de la victime ! Vous clamerez tout haut que personne ne vous aime et que vous faites tout pour eux ! En agissant de la sorte, il est compréhensible que vos proches s'éloigneront davantage de vous et ils ne chercheront pas à rétablir la communication. Si vous pensez que vos proches exagèrent avec leurs remarques et leur froideur, prenez le temps de vous analyser pendant une journée. Soyez honnête dans votre analyse ! Vous verrez que vous n'êtes pas de tout repos avec vos commentaires désobligeants et votre attitude de victime ! Si vous désirez revoir vos proches et vous rapprocher d'eux, améliorez votre attitude ! Ce sera à votre avantage !

## Aperçu des mois de l'année des Chérubins

Au cours de l'année 2017, **vos mois favorables** seront ***janvier, mars, avril, juillet, août, septembre, octobre, novembre*** et ***décembre***. Lors de ces mois, profitez-en pour régler vos problèmes, pour procéder à des changements, pour prendre vos décisions, pour réaliser vos projets, pour élaborer des plans, etc. Vous serez productif et attentif à votre environnement. Tout vous réussira bien ! Cela vous encouragera à progresser dans la même direction. Les mois où la Providence sera à vos côtés seront : ***janvier, mars, juillet, septembre, octobre*** et ***décembre***. Attendez-vous à vivre des événements bénéfiques qui favoriseront vos journées. Profitez-en également pour acheter des billets de loterie !

Les **mois non favorables** seront ***février*** et ***juin***. Lors de ces mois, vivez une journée à la fois. Régler les problèmes un à un. Cela sera profitable pour votre santé mentale ! De plus, n'hésitez pas à réclamer l'aide des Anges gouverneurs. Leurs énergies vous aideront à passer à travers vos journées les plus ardues. Vous aurez moins tendance à vous laisser influencer par les situations et les personnes problématiques.

Le **mois ambivalent** sera ***mai***. Au cours de ce mois, il y aura de belles journées et parfois de moins bonnes. Vous serez envahis par toutes sortes d'émotions, autant positives que négatives. Certaines journées, tout ira bien et d'autres tout ira de travers. Si vous le pouvez, prenez le temps de vous reposer et de méditer. Cela vous sera salutaire lors de vos journées compliquées !

## Voici un bref aperçu des événements qui surviendront au cours des mois de l'année pour les Chérubins

Vous amorcerez l'année avec un regard prometteur sur votre avenir. Votre tête est remplie de bonnes idées que vous chercherez à réaliser. Vous analyserez chaque détail de votre vie et vous améliorez tout ce qui vous dérange. Plus que jamais, vous savez ce que vous voulez et vous axerez vos énergies vers vos objectifs ! Fini les attentes inutiles. Au lieu d'attendre après les autres, vous agirez ! De plus, au lieu de remettre ultérieurement vos décisions, vous passerez à l'action ! Cela fera de vous un être vainqueur et déterminé à réussir son année.

Dès le ***4 janvier***, votre vie prendra une nouvelle tournure. Attendez-vous à vivre plusieurs événements agréables au cours de ce mois. Vous bougerez beaucoup ! Vous ferez des appels, des rencontres, etc. Vous aurez également des dialogues intéressants et divertissants avec votre entourage. Vous irez également à la recherche de solutions pour régler vos problématiques. Tout ce que vous chercherez à obtenir, vous l'obtiendrez ! Ce sera un mois prolifique et constructif. Certains travailleurs vivront un changement bénéfique au niveau de leur vie professionnelle. Quelques-uns signeront un contrat alléchant. D'autres obtiendront une promotion, les entrevues seront réussies, etc.

Au cours de ce mois, attendez-vous à vivre cinq situations qui vous rendront heureux. De plus, la Providence fera son entrée dans votre vie. Profitez-en pour jouer à la loterie. Achetez un billet avec un collègue de travail. Les loteries instantanées seront également bénéfiques ! Plusieurs trouveront des solutions pour régler leurs problématiques et ils les appliqueront immédiatement. Les effets de vos actions seront bénéfiques. Cela vous encouragera à continuer dans la même direction. Vous ne vous laisserez aucunement importuner par qui ou quoi que ce soit. Vous serez en contrôle avec les événements de la vie. Votre détermination vous apportera donc de belles réussites dans tous les aspects de votre vie. Vous mettrez également à profit vos idées et vos projets. Vous amorcerez des changements qui vous apporteront de la satisfaction.

Cela dit, vous serez partout en même temps ! Donc, ne soyez pas surpris d'être quelque peu fatigué au cours de ***février*** ! Vous aurez besoin de quelques jours de repos ! De plus, vos changements apporteront quelques contrariétés. Certains proches auront de la difficulté avec certaines de vos décisions. Cela n'est pas sans provoquer des discussions animées avec eux ! Leur attitude vous perturbera. À un point tel que vous verserez des larmes ! Vous serez préoccupé. Cela vous amènera à vous questionner davantage sur vos décisions prises pour améliorer votre vie. Vous chercherez donc la solitude pour mieux analyser vos choix. Toutefois, vous parviendrez à reprendre le dessus assez rapidement !

Donc, au cours de ***février***, plusieurs problématiques viendront déranger l'harmonie au foyer. Certains auront une discussion avec leur partenaire à cause d'un enfant ou de leur budget. D'autres auront des désaccords qui les amèneront à discuter amèrement et à voix haute leur divergence d'opinion. Quelques-uns se disputeront la garde de leur enfant, etc. Les couples qui éprouvent de la difficulté vivront une période difficile. Plusieurs problématiques viendront déranger leur union. Quelques-uns parleront de séparation. Chez d'autres, l'un des partenaires se questionne au sujet de ses sentiments. Cela n'est pas sans causer quelques contrariétés à son conjoint.

Avec toutes ses problématiques, plusieurs seront épuisés et devront prendre quelques jours de repos pour refaire le plein d'énergie. De plus, quelques-uns se plaindront d'un mal de dent. Vous consulterez votre dentiste. D'autres souffriront d'une grippe virale, d'une otite ou de migraines. Vous serez obligé de prendre un médicament et de vous reposer. Surveillez également les objets tranchants, certains se blesseront. Assurez-vous d'avoir des diachylons et des pansements dans votre pharmacie. Vous en aurez besoin ! Surveillez également vos paroles. Vous pourriez blesser vos proches ! Attendez d'être en meilleure forme pour répliquer ! Avec tous ses événements qui surviendront au cours de ce mois, le mieux à faire est de prendre une journée à la fois ! Profitez également des moments agréables pour vous divertir et vous changez les idées. Ce sera bénéfique pour votre moral !

Après avoir vécu des luttes et du découragement, ***mars*** sera prolifique ! Attendez-vous à recevoir de bonnes nouvelles qui vous feront oublier vos tracas des dernières semaines ! L'une de ses nouvelles enlèvera un fardeau sur vos épaules et vous en serez très heureux ! Vous réaliserez également que tous vos efforts ont porté fruits ! Votre patience a valu la peine puisque vous avez récolté plus que ce que vous aviez demandé. Vous serez satisfait et vous regarderez avec admiration les résultats encourageants de vos actions. Vous vivrez également de deux à six événements agréables qui chambarderont favorablement votre vie. Certains obtiendront gain dans une cause qui leur tenait à cœur. D'autres recevront un honneur. L'un de vos gestes sera récompensé. Quelques-uns recevront une excellente nouvelle au sujet d'un travail.

La Providence sera avec vous. Profitez-en pleinement pour amorcer vos idées et projets. Certains verront l'un de leurs vœux se réaliser, et ce, à leur grande surprise ! Avec tous les événements agréables qui surviendront, vous réaliserez que la chance est avec vous. Exploitez donc votre chance et amorcez les changements désirés. Vous ne serez pas déçu ! Si vous le désirez, profitez-en également pour acheter des billets de loterie. Les groupes de deux ou de six personnes pourraient être avantagés ! Si vous connaissez une personne dont le signe du zodiaque est Bélier, Taureau ou Scorpion, achetez un billet avec elle. Cela sera chanceux ! De plus, tous les billets que vous recevrez en cadeau seront favorables. Si vous vous procurez un billet, assurez-vous que le numéro « 6 » soit dans votre combinaison de chiffres. Ce sera un bon chiffre pour vous !

Lors de cette période, certains solitaires feront des rencontres amicales qui les aideront à chasser leur solitude. Les célibataires feront des rencontres intéressantes qui pourraient changer leur statut de célibat ! D'autres rencontreront des gens importants qui leur permettront de réaliser leurs rêves. Ces personnes ressources vous seront d'un grand service ! Le tout se poursuivra jusqu'en ***avril***. Gardez l'œil ouvert puisque vous serez avantagé par plusieurs événements qui changeront votre vie surtout sur le plan professionnel et personnel. Tout au long du mois, vous serez animé par l'envie de faire des changements de toutes sortes. Certains risquent d'être dispendieux. Toutefois, cela ne vous dérangera aucunement. Tout article qui vous interpellera, vous l'achèterez ! Vous vous gâterez ! Que ce soit pour rénover votre demeure, votre lingerie, votre personnalité, vous irez de l'avant avec vos désirs ! Vous regardez droit devant vous vers un avenir plus prometteur et en harmonie avec vos rêves et vos objectifs. Ce sera pour vous une nouvelle façon de voir la vie. Vous désirez ardemment vivre une vie moins compliquée et plus en harmonie. Vous ferez votre possible pour atteindre cette félicité !

Lors de cette période, certains seront gâtés par leurs proches. Ceux-ci souligneront votre anniversaire de naissance. D'autres planifieront un voyage agréable. Vous serez heureux de votre itinéraire. Quelques-uns adopteront un animal de compagnie. Vous passerez beaucoup de temps en sa compagnie. Cet animal comblera vos journées ! Il y aura également la signature d'un contrat alléchant. Tout entretien avec une personne dont le signe du zodiaque est Lion ou Poisson sera favorable. Cette discussion portera ses fruits. Vous en serez très fier par la suite. La seule ombre à votre tableau : surveillez les plats chauds et ne laissez aucune chandelle allumée sans votre présence. Ainsi, vous éviterez des ennuis de toutes sortes !

En ***mai***, certains seront oubliés lors de leur anniversaire de naissance et certaines, lors de la fête des mères. Cela vous peinera énormément. Au lieu de bouder vos proches, expliquez-leur votre émotion. Cela les amènera à réfléchir sur leur attitude envers vous. De plus, n'essayez pas de contrôler la vie de vos proches. Cela attirera des problématiques. Si vous voulez éviter des discussions orageuses, mêlez-vous de vos affaires ! Même si les raisons vous dérangent ! Vous pouvez donner votre avis. Toutefois, n'essayez pas de dicter leur vie. Vos proches sont assez matures pour prendre leurs propres décisions, même si celles-ci ne reflètent pas ce que vous souhaitez ! N'oubliez pas que leur vie leur appartient ! De toute manière, plus vous chercherez à les contrôler, plus vos proches s'éloigneront de vous. Ce n'est pas ce que vous désirez ! Donc, laissez-les faire, et s'il réclame votre aide, agissez !

Votre ***juin*** ne sera pas de tout repos ! Avec tous les événements qui se produiront, plusieurs seront exténués par l'attitude et les paroles de leurs proches. Certains vivront une période de découragement. Vous ne saurez plus comment agir pour que la vie prenne son cours normal. À la suite d'une discussion, vous serez rassuré et vous continuerez votre route tout en étant déterminé à régler vos problématiques. De toute façon, plusieurs solutions seront à vos pieds. Il suffira de les appliquer à vos problématiques. Lors de cette période, méfiez-vous des personnes hypocrites et négatives. Ces personnes peuvent vous impliquer dans l'un de leurs problèmes et causer des ennuis de toutes sortes. Si une personne entame une conversation au sujet d'une connaissance, abstenez-vous de donner votre point de vue et ne faites aucun commentaire. Cela vous sera salutaire.

De plus, certains devront faire réparer leur voiture. La facture sera très onéreuse. Surveillez également la vitesse et soyez vigilant sur la route. Ainsi, vous éviterez une contravention ou un accrochage. Certains penseront à changer leur véhicule. D'autres devront faire réparer le toit de leur maison, changer leur fenêtre ou améliorer l'aspect de leur demeure. Tout cela encourra des frais dispendieux ! Avant que le mois se termine, on vous annoncera une mauvaise nouvelle. Cette nouvelle vous peinera pendant quelques jours. Mais la bonne humeur reviendra dans votre foyer, et ce, dès le ***1er juillet***.

Vous passerez un bel été en compagnie de vos proches. Vous planifierez plusieurs activités qui vous rassembleront régulièrement. Vous aurez un plaisir fou avec des jeux de sociétés, des dialogues divertissants, des soupers agréables, des baignades, etc. Les rires seront présents et animeront vos journées ! Plusieurs vivront de belles aventures avec leur partenaire. Vous planifierez un voyage romantique. Cela rehaussera la flamme de l'amour ! L'un de vos projets verra le jour et vous en serez très heureux ! Bref, de bonnes nouvelles viendront agrémenter votre été. Certains obtiendront de belles victoires au sujet de leurs situations problématiques. Vous trouverez de bonnes solutions et vous les appliquerez à vos problèmes, et ce, sans tarder. Certains parleront de rénovation. Vous améliorerez quelques pièces de votre propriété. Plusieurs travailleurs auront la possibilité de faire un changement bénéfique qui leur apportera de l'agrément. Il peut s'agir d'accomplir un travail très différent de vos tâches habituelles. Toutefois, cela sera très enrichissant pour vous !

La Providence vous côtoiera lors de cette période. Profitez-en pour acheter vos loteries préférées ! Tout vous réussira et tournera en votre faveur. Certains feront la rencontre d'une femme qui jouera un rôle majeur dans leur vie. Celle-ci vous sera d'une aide très précieuse. Elle sera votre Ange ! Grâce à cette personne, plusieurs situations favorables arriveront vers vous.

Plusieurs personnes malades se rétabliront au cours d'***août*** ! Un médicament, un traitement ou un changement dans vos habitudes vous aideront à recouvrer la santé. Plusieurs réaliseront l'importance de conserver une bonne santé et ils amorceront tous les changements nécessaires pour améliorer leur état de santé. Quelques-uns iront consulter un chiropraticien pour soulager une douleur au cou ou au dos. D'autres feront des exercices physiques pour retrouver la forme. Quelques-uns décideront de perdre le poids superflu. Vous analyserez énormément votre vie lors des prochains mois. Dès le ***20 août***, vous entrerez dans une période de questionnement. À la suite de cette analyse, vous réaliserez que vous n'avez pas tout à fait accompli correctement les changements tel que souhaités. Vous y verrez donc au cours de ce mois. Vous reprendrez tout le travail mis de côté temporairement et vous vous organiserez pour le terminer tel que prévu ! Vous vous prenez en main et vous avancez confiant vers un bel avenir. Lors de cette période, soyez vigilant lorsque vous entreprendrez des activités inusuelles. Certains pourraient se blesser. La tête, l'épaule, la jambe, la cheville ou le bras seront des parties vulnérables pour subir une blessure. Soyez donc attentif à votre environnement. Ne soyez pas surpris, si vous, ou un proche, portez un plâtre à la suite d'un faux mouvement !

À partir du ***4 septembre***, et ce, jusqu'à la fin de l'année. Vous entrez dans une période favorable. La Providence sera toujours à vos côtés et celles-ci vous permettra de réussir plusieurs projets tel que vous le souhaitez ! Grâce à certains événements, vos inquiétudes s'estomperont. Cela aura un effet bénéfique sur votre moral. Vous parviendrez à mettre un terme à toutes les situations ambiguës qui dérangeaient votre vie. Vous saisirez également toutes les opportunités sur votre chemin. Attendez-vous à vivre, de quatre à six événements qui viendront chambarder favorablement les prochains mois.

De plus, plusieurs révélations seront faites. Elles vous permettront de mieux réfléchir à l'action que vous devez poser pour retrouver l'harmonie dans votre vie. Ce sera également une période favorable sur le plan professionnel. Certains réussiront une entrevue. Vous aurez le privilège de faire d'une à trois entrevues intéressantes. Si vous acceptez l'offre d'emploi, vous serez satisfait de ce nouveau travail. D'autres recevront une augmentation de salaire. Quelques-uns changeront de travail ou l'atmosphère au travail s'améliorera. Qu'importe ce que vous vivrez, vous serez satisfait des résultats. En revanche, certains recevront une somme d'argent par l'entremise d'une assurance, d'une loterie, d'une vente ou du gouvernement. Qu'importe la provenance, vous serez très heureux de recevoir ce gain. Profitez-en également pour vous procurer vos loteries préférées. Jouez en groupe. Ce sera chanceux. Optez pour les groupes de quatre personnes. Quelques-uns pourraient gagner une somme considérable grâce à un groupe. Pour certains, le retour à l'école se fera sans tracas. Bref, tout ira bien pour vous. Lorsqu'une difficulté arrivera vous serez en mesure de la régler rapidement.

Toute cette belle énergie engendra un mois d'***octobre*** agréable. Vous bougerez beaucoup au cours de ce mois. Certains marchanderont un nouveau véhicule. D'autres, une nouvelle propriété. Quelques-uns iront à la recherche d'aubaine pour décorer leur intérieur. Certains commenceront à planifier leurs cadeaux de Noël. Attendez-vous également à prendre part à trois événements agréables. L'une d'elle exigera une tenue de soirée ! Les personnes célibataires feront la rencontre d'une gentille personne. Celle-ci vous fera tout un effet. Vous chercherez à la connaître davantage. Certains couples travailleront ardemment pour ramener l'harmonie dans leur foyer. Quelques-uns planifieront un week-end en amoureux. Attendez-vous à des rires et du plaisir auprès de votre partenaire. Vous vous gâterez mutuellement. Le tout se poursuivra en ***novembre***. Vous réaliserez l'importance de votre union.

Vous chercherez donc à la conserver. Vous passerez du temps de qualité avec votre partenaire. Attendez-vous à des sorties divertissantes qui vous rapprocheront. Pour les célibataires, une nouvelle rencontre prend une magnifique direction ! Votre cœur devient tout fébrile en sa compagnie. Un nouvel amour naîtra et mettra un terme à votre célibat.

Tout au long du mois, vous vivrez des situations agréables qui vous apporteront beaucoup de joie. Toutes vos transactions vous apporteront de la satisfaction. Vous serez remplie d'ardeur et d'énergie. Cela vous permettra d'entreprendre plus d'une chose à la fois ! Vous serez choyé par les événements favorables qui surviendront dans votre vie. Vous mènerez à terme vos projets et vos idées. Cela vous donnera l'envie de progresser et de réussir vos objectifs. Vous réaliserez que vos prières ont été entendues et que certaines seront exaucées, et ce, à votre grande joie et surprise. Vous finirez donc votre année en beauté ! La victoire, la récompense et la satisfaction animeront vos journées. Vous réaliserez qu'il valait la peine de continuer votre route et d'avoir fait les efforts nécessaires pour atteindre vos buts. Vous parviendrez à obtenir les résultats souhaités. Cela rehaussera votre confiance et vous permettra de planifier de nouveaux objectifs pour 2018, sachant que vous parviendrez à les réussir !

Cela dit, ***décembre*** vous réserve des surprises inimaginables ! Vous serez gâté par la Providence ! Vous passerez donc une magnifique période des fêtes. Certains couples reconstitués parleront de cohabiter ensemble. Vous prendrez des décisions importantes qui s'avéreront bénéfiques pour votre relation. Tout au long du mois, vous passerez du temps de qualité avec vos proches. Ces temps seront précieux à vos yeux et vous profiterez de chacun de ces moments pour leur rappeler que vous les aimez et que vous appréciez leur compagnie.

---

***Conseil angélique des Anges Chérubins :*** *Chers enfants, ayez confiance en la vie car elle ne vous décevra pas. Seules vos mauvaises décisions peuvent vous décevoir. Toutefois, ne regrettez aucun de vos choix car ils font de vous une personne forte et modeste. Soyez donc toujours motivés à améliorer votre vie. N'ayez pas peur* *d'affronter vos craintes ni de fermer la page du passé. Libérez-vous des problématiques qui vous empêchent de vivre sereinement votre vie. Soyez vainqueurs et savourez vos moments magiques. Ceux-ci vous donneront toujours de l'ardeur pour continuer de bâtir votre bonheur! Ne laissez quiconque venir entraver vos rêves! Soyez le défi de votre vie! Mettez vos idées à profit. Ainsi, vous n'aurez jamais de regrets! Bâtissez votre avenir avec douceur et bienveillance. Celui-ci ne s'effondrera pas au moindre vent! Foncez dans la vie avec certitude et confiance, et jamais vous n'échouerez! Armez-vous d'une foi inébranlable et vous serez apte à soulever des montagnes. Croyez en votre potentiel et vous bâtirez un bel avenir. Croyez en notre Lumière et nous vous guiderons vers le chemin du bonheur. Pour indiquer notre présence auprès de vous, nous vous enverrons deux signes particuliers. Nous vous montrerons régulièrement les chiffres 2 et 8. Ceux-ci sont représentatifs pour nous. Nous sommes le deuxième plancher que Dieu a créé. Toutefois, sur le plan humanitaire, nous sommes le huitième plancher! De plus, l'addition de ces deux chiffres équivaut à dix. Attendez-vous à ramasser sur votre passage des pièces de monnaie de dix sous. Cela vous annoncera que l'une de vos demandes est en route et nous vous l'accorderons! Cette année, notre devoir est de guérir votre âme blessée. Soyez donc heureux et accueillez le bonheur dans votre foyer!*

## Les événements prolifiques de l'année 2017

- Plusieurs célibataires feront la rencontre d'une bonne personne et entameront une belle relation amoureuse. Vous serez heureux de mettre fin à votre statut de célibataire!
- Au cours de l'année, vous vivrez plusieurs situations importantes qui vous permettront de réaliser vos objectifs fixés. Vous réaliserez que votre avenir est entre vos mains et si vous y mettez les efforts nécessaires, vous ne serez pas déçu et tout viendra à vous tel que vous le souhaitez! Attendez-vous à vivre un changement

bénéfique grâce à une décision que vous prendrez. Ce ne sera pas facile. Toutefois, lorsqu'elle sera prise, vous serez fier de vous! Cela ne prendra pas de temps pour réaliser les effets bénéfiques de cette décision dans votre vie.

* Votre tête sera également remplie d'idées ingénieuses. Vous serez animé par l'envie de les concrétiser. Votre ardeur et votre détermination vous apportera que du succès et des récompenses méritées!

* Certains feront un déménagement. Après avoir vécu plusieurs années dans un endroit, vous vous établirez ailleurs. Ce ne sera pas facile. Vous avez des souvenirs, vos amis, etc. Toutefois, vous ne serez pas déçu de votre décision. Votre nouvelle demeure vous plaira beaucoup et celle-ci vous fera oublier vos moments d'incertitude que vous avez vécus auparavant.

* À maintes reprises, vous réaliserez que les Anges ont entendu vos prières et qu'ils les exaucent. Vous vivrez plusieurs événements sublimes qui agrémenteront votre année. Certains signeront un papier important chez le notaire, à la banque, ou à leur travail. Ce papier fait partie de l'une de vos demandes! Lors de la signature, vous fêterez l'événement!

* Il y aura toujours un événement qui arrivera à point pour vous aider dans vos actions. Vous flairerez continuellement les bons endroits, les bonnes personnes au moment opportun. Cela vous avantagera énormément. De plus, vous ne laisserez aucune opportunité vous passez sous le nez! Vous saisirez tout ce qui vous interpelle! Il est évident que cette attitude enrichira votre vie!

## Les événements exigeant la prudence

* Ne négligez pas vos maux de tête et de dos. Si vous souffrez régulièrement de migraines et de douleurs au dos, consultez votre médecin. Soyez toujours prévoyant en ce qui concerne votre santé! Si votre corps lance une alarme, écoutez-le! Plus vous négligerez votre corps, plus difficile ce sera de recouvrer la santé!

* Cette année, ne brisez pas votre union pour une personne aux idées folles et audacieuses, du style *Casanova*. Vous perdrez votre cœur et vos avoirs ! Avant de vous lancer dans une relation inhabituelle, assurez-vous de connaître profondément les intentions de la personne. Vous éviterez ainsi une catastrophe ! Cette charmante personne aime le plaisir charnel et les portefeuilles bien garnis ! Soyez donc sage dans vos décisions ! Laissez tomber les coups de tête et les coups de foudre ! À moins que cela ne vous dérange pas de tout perdre et de repartir à zéro !

* À la suite d'une chute, certains devront porter un plâtre. Quelques-uns seront obligés de subir une intervention chirurgicale. Surveillez-vous lors des chaussées glissantes. Ainsi, vous éviterez de vous blesser. Les personnes âgées devraient redoubler de prudence et attendre pour de l'aide lorsque les chaussées sont dangereuses.

* N'essayez pas de diriger la vie des autres. Avant de juger les actions de vos proches, apprenez à regarder dans votre propre jardin. Réglez vos problématiques au lieu de commenter les actions des autres pour améliorer leur vie. Sinon, vous risquez de vous mettre des gens à dos. Cela vous dérangera énormément. Donc, au lieu de sauver les autres, prenez soin de vous !

* Faites également attention à votre négativité. Elle peut entraver votre bonheur, vos rêves et votre joie de vivre. De plus, elle éloignera les gens qui vous aiment. Vous pourriez vous retrouver seul, et ce n'est pas ce que vous souhaitez ! Donc, surveillez cette faiblesse qui vous nuit et détruit tout sur votre passage ! Vous avez tellement de beaux projets en tête. Ne gâchez pas ces projets avec votre attitude de victime. Jouez la carte du gagnant et vous verrez la réussite dans tout ce que vous entreprendrez au cours de l'année !

Chapitre XIX

# Informations supplémentaires propres à chacun des Anges Chérubins

## *Les Chérubins et la chance*

En 2017, la chance des Chérubins sera **moyennement élevée.** Au moment opportun, la Providence vous réservera de belles surprises qui sauront vous rendre heureux. Il peut s'agir d'un gain d'argent, d'un cadeau important, d'un voyage, d'un changement professionnel, d'un événement, etc. Bref, cette année, la Providence se fera sentir davantage dans votre vie personnelle que dans la loterie. Des situations agréables surviendront et elles embelliront votre vie. Tout ce que vous pensiez impossible deviendra réalisable ! Telles seront les bienfaits de la Providence !

Au niveau de la loterie, les enfants de **Lauviah I** et d'**Hahaiah** seront les plus chanceux parmi leur Chœur. Ces personnes risquent de gagner régulièrement des gains. Il peut s'agir de sommes considérables ou moindre. Si l'envie d'acheter un billet de loterie titille à l'intérieur de vous, achetez-en un ! Ce sera bénéfique !

Au cours de l'année, plusieurs chiffres attireront la chance vers vous. Toutefois, les chiffres **10, 14** et **20** seront les plus prolifiques pour 2017. Votre journée de chance sera le **vendredi.** Les mois les plus propices a attiré la chance vers vous seront **janvier, mars, juillet, septembre, octobre** et **décembre**. Plusieurs situations bénéfiques surviendront lors de ces mois. Profitez-en donc pour acheter des loteries, pour prendre des décisions, pour signer des contrats, pour faire des changements. Ces mois vous avantageront dans plusieurs aspects de votre vie. Lorsqu'une opportunité s'offrira à vous, saisissez votre chance ! Ne laissez pas passer ces occasions uniques d'améliorer votre vie ! Celles-ci sont souvent éphémères et de courte durée ! Voilà l'importance d'en profiter au moment opportun !

De plus, n'oubliez pas de prendre en considération le chiffre en **gras** relié à votre Ange de Lumière. Ce chiffre représente également un chiffre chanceux pour vous. Plusieurs situations bénéfiques pourraient être marquées de ce chiffre. Il serait important de l'ajouter à votre combinaison de chiffres. Toutefois, votre Ange peut également utiliser ce chiffre pour vous annoncer sa présence auprès de vous. Lors d'une journée, si vous voyez continuellement ce chiffre, cela indique que votre Ange est avec vous. Profitez-en pour lui parler et lui demander de l'aide ! Cela peut également signifier de prier l'Ange gouverneur. Vous avez possiblement besoin de sa Lumière pour traverser l'une de vos épreuves, pour prendre une décision, pour régler une problématique, etc. Soyez toujours attentif aux signes que vous enverront les Anges au cours de l'année. Ceux-ci vous seront d'un grand secours !

---

*Conseil angélique : Si vous voyez l'image d'un renard roux, d'un lion ou d'une licorne, achetez un billet de loterie puisque ces symboles représentent votre signe de chance.*

---

***Haziel :*** 07, 16 et 28. Le chiffre « **16** » est votre chiffre chanceux. La chance arrivera souvent à l'improviste. Vous ne saurez jamais quand elle viendra vous surprendre. Toutefois, elle vous surprendra à chaque fois et elle vous rendra heureux ! Participez à des concours. Cela sera bénéfique ! Certains auront la chance de gagner un petit voyage ou un séjour dans un endroit paradisiaque ou autre.

De plus, priorisez les loteries instantanées et les billets de groupe. Cela sera bénéfique. Les groupes de trois, de cinq et de six personnes seront propices à attirer des gains vers vous. Aussi bizarre que cela puisse paraître, achetez un billet lors d'une pluie torrentielle. Ce sera chanceux ! Toutefois, si vous connaissez une personne dont le signe du zodiaque est Poissons ou Scorpion, achetez des billets avec elle. Si vous connaissez une personne gauchère, achetez également un billet avec elle. Toutes ces personnes attireront la chance dans votre direction. Vous pourriez gagner des sommes agréables !

Malgré tout, en 2017, la chance se fera davantage sentir dans la prise de vos décisions pour rebâtir votre vie sur des bases plus solides que dans la loterie. Vous faites du ménage dans votre vie. Tout ce qui dérange votre bonheur, vous le réglerez. Vous mettrez un terme à des situations problématiques qui durent depuis trop longtemps. Vous êtes conscient que ces situations dérangent votre harmonie et joie de vivre. Cette année, vous chercherez davantage la sérénité, la paix et la quiétude dans votre vie. Donc, c'est pourquoi vous réglerez vos problématiques. Il y aura des journées qui ne seront pas faciles. Par contre, vous parviendrez à trouver de bonnes solutions. Vous aurez également la chance d'obtenir une aide précieuse qui vous réconfortera et vous aidera dans vos démarches. Cette aide vous sera d'un très grand secours lors de vos moments plus difficiles. Elle sera votre Ange gardien ! Cette personne vous aidera également à accomplir plusieurs de vos projets. Elle saura bien répondre à vos besoins ! Vous lui serez très reconnaissant de l'aide qu'elle vous apportera. Bref, vous finaliserez plusieurs situations qui étaient demeurées en suspens. Vous relèverez vos manches et vous travaillerez ardemment pour régler le tout à votre satisfaction. Les résultats obtenus vous convaincront de continuer dans la même direction. Vous amorcerez plusieurs changements bénéfiques. Cela apaisera vos angoisses. Votre santé se portera mieux et vous serez heureux ! Cela fait longtemps que vous rêvez de ce moment et vous aurez la chance de le vivre au cours de l'année !

***Aladiah :*** 03, 12 et 24. Le chiffre « **3** » est votre chiffre de prédilection ! Cette année, la chance vous surprendra ! Vous pouvez gagner toutes sortes de cadeaux agréables. Certains pourraient gagner un souper gastronomique, un séjour dans une auberge luxueuse, un spectacle, la rencontre d'un artiste. Vous ne gagnerez pas nécessairement de l'argent, mais vous serez toujours satisfait des cadeaux qui viendront à vous. De toute façon, qu'importe ce que vous gagnerez, vous l'accueillerez toujours à bras ouverts ! Participez donc à des concours, vous pourriez gagner le prix décerné !

En ce qui vous concerne, il serait préférable d'acheter des billets de loteries instantanées et de jouer en groupe. Lors d'un déplacement à l'extérieur de la ville, profitez-en pour vous acheter des billets de loterie. Si vous désirez joindre un groupe, les groupes de deux, de trois et de quatre personnes vous seront bénéfiques. Si vous connaissez une personne dont le signe du zodiaque est Bélier, Sagittaire ou Taureau, achetez un billet avec elle. Si vous connaissez un autochtone, un éleveur de chevaux ou de chiens, achetez également des billets avec ces personnes. Celles-ci attireront la chance dans votre direction.

Cette année, vous serez plus porté à régler vos problématiques et à réaliser vos rêves que de jouer à la loterie. La chance se fera donc sentir au niveau de vos actions. Vous trouverez de bonnes solutions pour régler vos problèmes. Vous lâcherez prise sur des situations insolubles. Vous démasquerez les personnes malintentionnées. Vous réglerez vos problèmes avec détermination ! Vous serez ferme et direct dans vos propos. La satisfaction vous animera. Elle vous donnera l'élan nécessaire pour entreprendre vos actions et faire des choix sensés. Tout ce que vous entreprendrez obtiendra de bons résultats. Vous serez fier de vous et de vos actions. Vous retrouverez votre harmonie, votre équilibre et la paix dans votre cœur ! Certains auront la chance de marchander une voiture rêvée avec un prix conforme à leur budget. Vous serez satisfait de votre trouvaille ! D'autres s'équiperont pour pratiquer l'un de leur sport préféré. Ils obtiendront un bon rabais sur leur équipement. Bref, telle sera votre chance cette année ! Soit d'obtenir ce que vous désirez à des prix d'aubaines !

***Lauviah I :*** 01, 11 et 22. Tel que l'an passé, le chiffre « **1** » est votre chiffre chanceux ! Votre chance est excellente, voire inouïe. La Providence vous sourit de nouveau et vous saurez bien en profiter ! Vous vous trouverez souvent au bon endroit au moment opportun. Cela vous favorisera dans plusieurs aspects de votre vie. Certains pourraient même gagner un gros montant d'argent, un voyage dans un pays de rêve ou autre ! Tout peut arriver avec la Providence. Sachez remercier les Anges lorsque vous vivrez un événement fortuit !

Que vous jouez seul ou en groupe, cela n'a pas d'importance puisque vous êtes chanceux ! Optez pour vos loteries préférées ! Lors d'une sortie à l'extérieur de la ville, profitez-en toujours pour vous procurer un billet de loterie. Cela sera chanceux ! Si vous désirez participer à un groupe, assurez-vous de faire partie d'un groupe de deux, de trois ou de cinq personnes. Si vous connaissez un capitaine de bateau, un marin, un plongeur, un soldat, un haltérophile, un entraineur, un joueur de basketball ou de soccer, achetez un billet avec eux. De plus, si vous connaissez une personne dont le signe du zodiaque est Poissons ou Scorpion, achetez un billet avec elle. Toutes ces personnes attireront la chance dans votre direction !

Cette année, la chance se fera également sentir dans vos actions. Plusieurs se prendront en main et apporteront tous les changements nécessaires pour améliorer leur vie. Dès le début de l'année, vous vous fixerez des buts et vous chercherez à les atteindre. Plus que jamais, vous avez besoin de changements et de nouveautés dans votre routine quotidienne. Vous ferez donc votre possible pour voir vos rêves prendre le chemin de la réalité ! Vous serez déterminé et enjoué à l'idée d'apporter de l'amélioration dans votre vie. Cette attitude positive apportera d'excellents résultats et de belles réussites dans vos actions. Cela vous encouragera à continuer dans la même direction ! Tout ce que vous entreprendrez comblera votre vie ! Vous serez très fier de vous et de tout ce que vous réaliserez au cours de l'année 2017 ! Attendez-vous également à vivre de bons changements au niveau de votre vie financière et professionnelle. Plusieurs recevront de bonnes nouvelles concernant ce sujet. De plus, les célibataires auront le privilège de rencontrer leur amour idéal. Les couples passeront beaucoup de temps ensemble. Le bonheur sera présent dans leur foyer et ils en seront heureux ! Cela dit, vous êtes conscient que votre avenir vous appartient et vous voulez le réussir tel que vous le souhaitez. Vous ferez donc tous les changements pertinents pour atteindre vos objectifs ! Telles seront vos priorités pour 2017 !

***Hahaiah :*** 07, 26 et 32. Le chiffre « 7 » est votre chiffre chanceux. La chance vous sourit et vous saurez bien en profiter. Vous pourriez même être surpris des montants que vous gagnerez ! Vous serez gâté par les événements qui se produiront. Vous pouvez gagner toutes sortes de prix ! Profitez-en donc pour participer à des concours organisés et pour entreprendre tout ce qui vous trotte dans la tête ! Certains pourraient gagner un petit montant d'argent, une motomarine, un café, une soirée agréable, un meuble, etc.

Jouez seul. Ce sera favorable. Priorisez vos loteries préférées et les courses de chevaux. Si vous désirez vous joindre à un groupe, seulement les groupes de deux, de trois et de sept personnes attireront la chance vers vous. Si vous le désirez, vous pourriez également acheter une loterie avec un partenaire amoureux, un ami ou un collègue de travail. Ce sera bénéfique. Si vous connaissez une personne dont le signe du zodiaque est Bélier, achetez un billet avec elle. Également, si vous connaissez un éleveur de chevaux, un jockey ou un entraineur, cette personne attirera la chance dans votre direction. N'hésitez donc pas à acheter des billets de loterie avec elle. De plus, lors d'une sortie dans une ville étrangère, procurez-vous un billet de loterie. Cela pourrait être bénéfique !

Cette année, tout ce que vous entreprendrez et déciderez sera couronné de succès. Vous serez très fier de vous et de vos actions ! Fini les paroles en l'air ! Maintenant, vous agissez ! Vous vous prenez en main et vous réglez toutes les situations qui vous dérangent. Vous ne laisserez rien en suspens. Tout se réglera astucieusement. L'année 2017 annonce la fin de vos difficultés et l'arrivée d'une vie meilleure. Une vie telle que vous rêviez d'avoir depuis un certain temps. Vous êtes conscient que l'avenir vous appartient et vous voulez le réussir tel que vous le souhaitez. Vous miserez donc davantage sur la réussite que sur le désespoir ! Votre attitude gagnante vous apportera que du succès dans vos actions. Plus que jamais, vous serez en contrôle avec votre vie. Vous savez ce que vous désirez ; vous travaillerez donc en conséquence de vos désirs, de vos choix et de vos décisions. La satisfaction vous animera régulièrement au cours de 2017 ! Certains amorceront de nouveaux projets qui leur apporteront de belles satisfactions. D'autres iront chercher de l'aide qui leur sera bénéfique dans leurs démarches. Quelques-uns amélioreront leur santé en s'adonnant à des exercices de remise en forme, etc. Bref, votre vie prendra une nouvelle orientation, et ce, beaucoup plus bénéfique pour votre santé et pour votre moral. Cela fait longtemps que ces changements auraient dû se faire. Vous le savez, maintenant, vous agissez ! Telle sera votre détermination au cours de l'année 2017. Cette attitude fera de vous un être gagnant et satisfait de sa performance effectuée au cours de l'année. Celle-ci lui permettra de savourer de belles réussites !

***Yezalel :*** 03, 18 et 40. Le chiffre « **3** » est votre chiffre chanceux. Cette année, lorsque la chance frappera à votre porte, elle vous surprendra à un point tel que vous aurez de la difficulté à y croire ! Vous serez triplement chanceux ! Lorsque vous ferez un gain, deux autres suivront ! Cela ne sera pas nécessairement de gros montant d'argent. Toutefois, qu'importe ce que vous gagnerez, vous l'accueillerez toujours à bras ouverts ! C'est tellement rare que la chance vous sourit ! Vous en profiterez du mieux que vous le pouvez !

Participez à des concours et joignez un groupe. Cela sera favorable. Les groupes de deux, de trois, de six ou de dix-huit personnes seront prédisposés à vous apporter de la chance. Si vous connaissez une personne dont le signe du zodiaque est Cancer ou Poissons, achetez un billet avec elle. Vous pouvez également acheter un billet avec une femme aux cheveux et aux yeux pâles. Cela sera chanceux ! De plus, si vous connaissez un dentiste, un médecin, un vétérinaire, un éleveur de chien ou une personne qui possède un chien de la race des Danois, ces personnes attireront la chance dans votre direction. Profitez-en pour vous joindre à leur groupe ou achetez un billet avec elles. Également, lors de vos mois de chance, la journée du mardi sera favorable ainsi que les journées de pleine lune pour l'achat de vos billets.

Cette année, votre chance se fera davantage sentir au niveau de votre santé mentale, votre vie personnelle et professionnelle. Vous bougerez énormément en quête de nouveauté. Vous avez un urgent besoin de changements bénéfiques dans votre vie. Attendez-vous donc à amorcer plusieurs actions qui favoriseront votre routine quotidienne. Plus que jamais, vous savez ce que vous voulez ! Vous ferez donc votre possible pour tout obtenir tel que vous le désirez! À la suite de vos changements, vous retrouverez un bel équilibre et la joie de vivre! Toutes vos décisions seront à la hauteur de vos attentes et elles apporteront les résultats souhaités. Plusieurs auront la chance de régler des problèmes de longue date qui les accaparent et qui les empêchent d'être heureux. Lorsque ces situations seront réglées, une lourdeur sur vos épaules s'atténuera. Vous reprenez goût à la vie. Cela vous permettra de savourer les moments agréables que vous offre la vie. Attendez-vous également à obtenir un gain dans une cause gouvernementale, juridique, professionnelle ou affective. Ce gain vous apportera de la joie! Au niveau de la santé, vous améliorez votre négligence des dernières années. Vous prendrez soin de vos alarmes au lieu de les négliger! Cela sera à votre avantage!

***Mebahel :*** 04, 30 et 33. Le chiffre « **4** » est votre chiffre chanceux. La Providence vous surprendra! Profitez-en au maximum! Cela n'arrive pas souvent! Lorsque l'envie d'acheter une loterie titille à l'intérieur de vous, allez-y! Profitez-en également pour régler vos problématiques, améliorer votre vie, réaliser vos rêves et autres. Fixez-vous des buts et allez de l'avant pour les atteindre. Votre désir d'améliorer votre vie vous permettra de les réussir!

Cette année, priorisez les groupes et les loteries instantanées. Ce sera favorable! Les groupes de deux et de quatre personnes vous seront bénéfiques. Si vous connaissez une femme aux yeux bleus, qui se maquille régulièrement et qui se parfume, si vous connaissez une personne dont le signe du zodiaque est Verseau ou Poissons, si vous connaissez une chirurgienne, une dentiste, une sommelière et une joaillière, participez à leur groupe ou achetez des billets avec elles. Toutes ces personnes attireront la chance dans votre direction.

Cette année, votre chance se fera également sentir dans vos choix et décisions. Plus que jamais vous savez ce que vous voulez et vous ferez tout votre possible pour l'obtenir. Votre grande détermination apportera du succès dans vos démarches. Vous parviendrez à régler plusieurs problèmes ardus. Cela vous allégera et apaisera vos angoisses. Tout au long de l'année, vous travaillerez ardemment pour retrouver l'harmonie, la paix intérieure et la sérénité. Néanmoins, vous y parviendrez au prix de grands efforts. Vous serez toujours satisfait de vos actions. Cela vous encouragera à améliorer votre vie et à vous faire confiance. Lorsqu'arrivera un problème, un échec ou une déception, au lieu de vous décourager, vous relèverez vos manches et vous trouverez rapidement la meilleure solution. Vous l'appliquerez instantanément à votre problématique et vous réglerez le tout à votre entière satisfaction. Cela favorisera votre année et votre santé mentale ! De plus, plusieurs tourneront la page du passé. Ils s'aventureront vers un avenir plus équilibré et serein. Ce sera votre priorité de l'année ! Vous voulez profiter davantage de la vie et savourer les événements agréables qui s'offrent à vous. Cela fait trop longtemps que vous rêvez de ce moment ! Vous vivrez donc un jour à la fois et vous continuerez de construire votre avenir, tel que vous le souhaitez ! Cette nouvelle attitude vous donnera l'énergie nécessaire pour mener à terme vos buts fixés. Vous retrouverez rapidement votre équilibre et votre joie de vivre grâce à cette nouvelle vision de la vie !

***Hariel :*** 01, 07 et 25. Le chiffre « 7 » est votre chiffre chanceux. La Providence enverra sur votre chemin de nombreuses possibilités pour régler vos problématiques, pour réaliser vos projets, pour améliorer votre vie et vos conditions de travail. Saisissez donc ces occasions uniques et faites les changements nécessaires pour retrouver votre équilibre. Agissez rapidement et ne laissez aucunement passer ces chances uniques. Celles-ci ont pour but d'améliorer votre vie !

Priorisez les groupes et les loteries instantanées. Cela sera favorable ! Les groupes de deux et de sept personnes vous seront bénéfiques. Si une femme aux cheveux longs et foncés, portant un foulard blanc, beige ou rose, vous offre un billet, prenez-le ! Cela sera chanceux pour vous ! Si vous connaissez une fleuriste, une ménagère, une couturière ou une préposée à la vente de vêtements, participez à son groupe ou achetez des billets avec elle. Toutes ces personnes attireront la chance dans votre direction.

Cette année, la chance se fera davantage sentir dans vos actions. Vous envisagez un avenir plus équilibré et serein. Vous vous fixez des buts et vous chercherez à les atteindre. Qu'importe si cela exige des efforts de votre part ! Vous êtes prêt à tout pour être heureux et en harmonie avec la vie. Vous vous réconciliez avec la vie, au lieu de vous appuyer sur votre sort ! Vous sortirez gagnant de vos batailles ! Vous vous prenez en main et vous réglez toutes les situations qui vous dérangent. Attendez-vous à faire des mises au point avec vos proches. Cela atténuera vos angoisses.

Vous réparez les pots brisés. Qu'il s'agisse de situations que vous avez provoqués ou qu'il s'agisse de situations dont vous avez été victime, vous les réglerez ! Cette année, vous mettrez un terme à toutes les situations qui vous tracassent et qui dérangent votre sommeil. À chaque problème, vous trouverez sa solution. À chaque question, vous trouverez sa réponse. Vous aurez également la chance de faire des rencontres intéressantes qui vous aideront dans l'élaboration de vos tâches. Bref, plusieurs événements favorables viendront embellir votre année ! Vous serez privilégié ! Vous réaliserez que les Anges ont entendu vos demandes ! Vous l'apprécierez et vous tirerez profit de ces chances uniques !

***Hekamiah :*** 05, 24 et 30. Le chiffre « **5** » est votre chiffre chanceux. La chance vous sourit et vous saurez bien en profiter. Vous serez souvent au bon endroit avec les bonnes personnes, au moment opportun. Vous serez vif d'esprit. Lorsqu'une opportunité s'offrira à vous, vous la saisirez rapidement ! Rien ne vous passera sous le nez ! Tel un renard, vous saurez bien renifler les bonnes transactions, les bons moments et vous en profiterez au maximum ! Cette attitude gagnante attirera vers vous de belles situations. Cela vous encouragera à continuer dans la même direction.

Jouez seul, cela sera bénéfique ! Si vous désirez participer à un groupe, optez pour des groupes de deux, de trois ou de cinq personnes. Achetez également un billet avec un proche masculin. Ce sera bénéfique. Si vous connaissez un homme dont le signe du zodiaque est Cancer ou Scorpion, achetez un billet avec lui. Si vous connaissez un homme au teint foncé, un musicien, un violoniste, un barman, un sommelier ou un homme de loi, achetez des billets avec eux. Tous ces hommes attireront la chance dans votre direction.

Cette année, la chance se fera également sentir au niveau de vos transactions et de vos actions. Plusieurs amélioreront leur vie. Quelques-uns signeront des papiers importants qui leur apporteront de la satisfaction. Certains auront de belles promotions. D'autres auront de bons résultats dans l'élaboration de leurs tâches. De plus, les gens vous serviront bien. Ils vous aideront à atteindre vos objectifs, à résoudre vos problèmes, etc. Ils récompensent vos actions posées envers eux. Leurs conseils seront judicieux et pratiques. Vous les appliquerez régulièrement dans votre vie. Cela fait longtemps que vous aidez votre prochain sans rien réclamer en retour. Vous recevez maintenant les récoltes de vos bienfaits ! Ne refusez rien et acceptez tout ! Vous le méritez tellement ! Cela dit, plusieurs finaliseront deux transactions importantes. D'autres mettrons un terme à leurs fantômes existants ou reliés à leur passé. Quelques-uns recouvreront la santé et retrouveront leur énergie d'autrefois, et ce, grâce à des changements apportés à leur alimentation. Plusieurs profiteront de la vie. Ils iront au cinéma, à des spectacles, etc. Vous passerez beaucoup de temps avec votre famille. Cela rehaussera votre moral ! Tel est l'effet bénéfique que vous procurera l'année 2017 !

## Les Chérubins et la santé

Cette année, plusieurs personnes devront prendre soin de leur santé. Ils n'ont pas le choix puisque leur corps lancera régulièrement des alarmes. Cela exigera des examens chez le médecin. Cela ne veut pas dire que vous serez toujours malade ! Cela vous avertit de ralentir le pas et de respecter vos limites ! Sinon, vous éprouverez régulièrement des douleurs lancinantes qui vous dérangeront continuellement. Si vous prenez le temps de vous reposer, vous irez bien. Donc, tous ceux qui feront attention à leur santé, qui prendront le temps de se reposer, qui amélioreront leurs habitudes de vie, seront en pleine forme ! Ils seront remplis d'énergie et cela les aidera dans leurs tâches quotidiennes !

Toutefois, les personnes négligentes feront face à des ennuis de santé. Ceux qui ne respectent pas la limite de leurs capacités seront fatigués et découragés. Ils feront de l'insomnie. Ils auront de la difficulté à se concentrer. Cela leur occasionnera toutes sortes de blessures désagréables. Certains seront obligés de prendre un repos obligatoire et cesser de travailler temporairement. D'autres subiront de deux à trois interventions chirurgicales au cours de la même année. Voilà donc de bonnes raisons pour prendre soin de vous !

***Sur une note préventive, voici les parties vulnérables à surveiller plus attentivement et les faiblesses du corps en ce qui concerne chacun des enfants Chérubins.***

Plusieurs souffriront de douleurs musculaires qui les dérangeront énormément. Certains consulteront un physiothérapeute ou un chiropraticien. Quelques-uns opteront pour l'acupuncture. D'autres absorberont des médicaments contre la douleur. L'estomac sera également une partie fragile ainsi que les intestins. À la suite d'examens, certains subiront une intervention chirurgicale. Cela prendra quelques jours avant de pouvoir recouvrer la santé. Il serait donc important pour ces personnes d'écouter sagement les recommandations de leur médecin. Les personnes cardiaques, les toxicomanes, les alcooliques et les diabétiques devront également surveiller leur santé. Sinon, vous aurez de graves ennuis!

Cette année, ménagez-vous et écoutez les alarmes de votre corps! Bref, ne surpassez pas la limite de vos capacités. Ainsi, vous éviterez une hospitalisation, une dépression ou un problème grave. Tout au long de l'année, des mises-en-garde vous seront lancées. Écoutez-les! Sinon, attendez-vous au pire!

***Haziel :*** pour une fois dans votre vie, respectez votre corps! Arrêtez de brûler la chandelle par les deux bouts, sinon vous en souffrirez péniblement. Vous vous retrouverez rapidement sans aucune énergie vitale pour accomplir vos tâches quotidiennes. Cela vous découragera et vous entraînera vers une dépression majeure. Vous serez obligé de prendre des médicaments, de suivre une thérapie et de vous mettre au repos le temps nécessaire pour récupérer! Également, surveillez votre dos. Cela sera votre faiblesse. Plusieurs seront lunatiques. Soyez donc très prudent. N'amorcez aucune tâche ardue sans aide. Si vous devez utiliser une échelle ou aller sur le toit de la maison, ; assurez-vous qu'une personne est avec vous. Vous pourriez tomber et vous blesser. D'autres devront être vigilants avec les objets tranchants, certains pourraient s'estropier. Tout au long de l'année, plusieurs se feront des égratignures banales ou sérieuses. Certains devront porter un plâtre. D'autres subir une intervention chirurgicale. Au bout du compte, assurez-vous d'avoir une trousse de premiers soins et des diachylons dans votre pharmacie. Vous en aurez souvent de besoin! Mieux vaut prévenir que guérir!

***Aladiah :*** votre santé sera imprévisible. Vous pouvez tomber malade sans avertissement. Si vous négligez les alarmes de votre corps, vous souffrirez de douleurs atroces qui exigeront un suivi médical.

Certains devront prendre un médicament. D'autres iront consulter un physiothérapeute, un acupuncteur ou un chiropraticien. Quelques-uns subiront une intervention chirurgicale pour régler leur problème. Surveillez également votre système digestif, le pancréas, les intestins et la prostate chez certains hommes. Ce sont des parties vulnérables. Consultez votre médecin, si une anormalité se produit. Prenez soin de vous et vous éviterez plusieurs ennuis!

***Lauviah I :*** cette année, plusieurs souffriront de douleurs musculaires qui nécessiteront la prise de médicaments pour les soulager. Cela affectera souvent leur humeur et leur concentration au travail. Vous souffrirez également d'insomnie. Rien pour améliorer votre situation. De plus, les haltérophiles devraient redoubler de prudence lors de leurs activités. Assurez-vous de soulever uniquement le poids habituel. Si vous dépassez votre limite, vous pourriez vous blesser. Cela s'applique aux autres également; surveillez les charges trop lourdes et ne soulevez aucun objet au bout de vos bras; réclamez de l'aide. Ainsi, vous éviterez des blessures insignifiantes et difficiles à guérir! Surveillez également votre alimentation. Plusieurs se plaindront de maux à l'estomac. Quelques-uns seront obligés de prendre un médicament pour atténuer leur douleur. Il faudra également surveiller la vessie, certains auront des infections urinaires. D'autres souffriront de lithiases rénales (pierres aux reins). Ils seront obligés de manger plus sainement pour éviter ce problème.

***Hahaiah :*** certains souffriront de douleurs lancinantes. Cela sera votre faiblesse! Vous aurez mal partout! Ce sont vos émotions qui ressortent! Votre corps réagira vivement aux douleurs émotionnelles. Lorsque vous vivrez un événement intense, cela affectera votre moral et votre corps physique! Également, soyez vigilant et regardez droit devant vous. Certains risquent de tomber et de se blesser. Lors de randonnées pédestres, assurez-vous d'avoir toujours de bonnes chaussures. Sinon, abstenez-vous de faire la randonnée! Cela sera à votre avantage! Surveillez également vos mains lors de rénovations. Ainsi, vous éviterez des incidents fâcheux. Plusieurs se feront des égratignures et des petites blessures. Assurez-vous d'avoir des pansements et des diachylons à votre portée! De plus, il serait important de ne pas prendre des médicaments sans consulter votre médecin. Ce qui est bon pour les autres n'est pas nécessairement bon pour vous! Si vous êtes inquiet au sujet d'une douleur ou d'un malaise, consultez votre médecin. Lui seul saura bien vous soigner et vous prescrire le médicament adéquat !

***Yezalel :*** tous ceux qui ont négligé leur santé seront confrontés à un problème important. Cela les angoissera. Plusieurs souffriront de dépression et de fatigue chronique. Cela nécessitera un traitement et un repos obligatoire indéterminé. Votre santé mentale sera très précaire. Vous devez donc la respecter. Faites de la méditation et de la relaxation. Cela aura un effet bénéfique sur votre mental. Sinon, vous souffrirez d'anxiété et vous serez obligé de prendre un médicament pour atténuer vos angoisses. Ce ne sera pas évident pour vous ! D'autres auront des ennuis avec la glande thyroïde qui nécessitera un traitement. La nuque, le cou et la gorge seront également des parties à surveiller. Certains souffriront de torticolis ou de douleurs au cou. Couvrez-vous bien lors de journées plus froides. Cela sera important !

Cette année, plusieurs personnes négligentes iront passer quelques jours à l'hôpital pour subir des traitements ou une intervention chirurgicale. Toutefois, après avoir vécu une période difficile avec leur santé, plusieurs changeront leurs habitudes de vie. Ils feront des changements importants pour améliorer leur état de santé. Cette décision leur sera bénéfique et leur permettra de retrouver une meilleure qualité de vie !

***Mebahel :*** la santé mentale sera précaire. Vous verserez souvent des larmes de fatigue et d'épuisement. Il serait important de prendre soin de vous, d'avoir de bonnes nuits de sommeil et une alimentation saine. Respectez également la limite de vos capacités. Reposez-vous lorsque votre corps est épuisé. Sinon, vous sombrerez dans un état lamentable et cela prendra beaucoup plus de temps à recouvrer la santé. Vous êtes conscient de la vulnérabilité de votre santé mentale. Ce n'est pas la première fois que cela vous arrive. Donc, au lieu de tomber dans le néant, redressez-vous et prenez soin de votre corps. Vous éviterez ainsi des ennuis de toutes sortes. Plusieurs se plaindront également de maux de ventre intense. Il peut s'agir des intestins, des organes génitaux ou d'une hernie. Vous serez obligé de consulter votre médecin. Celui-ci vous fera des examens approfondis pour découvrir les raisons de vos maux. À la suite d'un diagnostic, il vous soignera en conséquence. Les femmes qui subiront une intervention chirurgicale devront prendre le temps nécessaire pour remonter la pente et respecter les recommandations de leur médecin. Sinon, votre convalescence sera longue. Cela dit, surveillez également les objets tranchants. Certains subiront des blessures nécessitant un pansement. Assurez-vous d'avoir une trousse de premiers soins dans votre pharmacie. Cela vous sera salutaire!

***Hariel:*** les personnes négligentes se plaindront régulièrement de maux d'estomac et de ventre. Vous consulterez votre médecin pour déceler l'origine de vos maux. Il y a de fortes chances que cela soit causé par les intestins. Ceux qui souffriront du syndrome du côlon irritable devront changer leurs habitudes alimentaires. Certains réaliseront qu'ils sont allergiques au gluten. La vessie sera fragile. Certains se plaindront d'infection urinaire. D'autres souffriront de lithiases rénales (pierres aux reins). Ils seront obligés de manger plus sainement pour éviter ce problème. La peau sera également fragile. Certains auront des rougeurs sur la peau. Vous consulterez un dermatologue qui vous prescrira un médicament ou une crème pour atténuer et éliminer les rougeurs. Les personnes âgées devront surveiller le zona. N'hésitez pas à vous faire vacciner. Cette année, quelques-uns se plaindront d'une douleur musculaire à la cheville. Cela les ralentira dans leurs activités hebdomadaires. Pour éviter des douleurs inusuelles, soyez toujours vigilant lorsque vous entamez des tâches inhabituelles. Certains pourraient se blesser. Assurez-vous d'avoir une trousse de premiers soins dans votre pharmacie. Cela sera profitable et fonctionnel!

***Hekamiah:*** plusieurs se plaindront de douleurs musculaires. Le dos, le cou et un bras seront la source de vos douleurs. Certains iront consulter un spécialiste. Vous passerez mille et un examens. Ce médecin parviendra à trouver la source de vos problèmes. À la suite de ce diagnostic, vous apporterez des changements dans vos habitudes de vie. De toute façon, vous n'aurez pas le choix. Toutefois, ces changements vous seront salutaires et vous retrouverez rapidement la forme par la suite. De plus, certains hommes auront des ennuis avec leur prostate, les intestins ou leurs organes génitaux. Ils devront se faire soigner et écouter sagement les conseils de leur médecin. Cette année, il faudra aussi surveiller le cholestérol et l'hypertension. Certains devront prendre un médicament pour régulariser leur problème. Si vous voulez recouvrez la santé, il serait important d'écouter les recommandations du médecin qui vous soignera. Sinon, votre état de santé se détériorera et il sera beaucoup plus difficile pour vous de remonter la pente et de vous en sortir !

## Les Chérubins et l'amour

Cette année, plusieurs couples miseront sur la réussite de leur union. Vous éclaircirez vos malentendus. Vous aurez de bons dialogues. Vous prendrez de bonnes décisions. Vous chercherez mutuellement toutes les issues pour vous en sortir et rehausser la flamme de l'amour dans votre relation. Vous partez donc à l'aventure avec votre partenaire. Vous ferez des sorties agréables comme dans le début de votre relation. Vous vous découvrirez à nouveau. Vous avez besoin de ce nouveau départ. Vous êtes également conscient que si vous ne faites aucun changement, votre relation s'effondrera sous le poids de la routine. Vous ne voulez plus vivre dans la dualité ni dans la dispute. Plus que tout, vous avez besoin de trouver votre équilibre et votre harmonie avec votre partenaire. Vous ferez donc votre possible pour combler ce besoin fondamental dans votre union. À la suite d'importants changements, attendez-vous à passer du temps de qualité avec votre partenaire. Vous ferez des activités plaisantes et agréables. Votre couple se retrouve après avoir vécu une période de conflit d'horaire, d'un surplus de travail, de tracas financier, etc. Vous êtes conscient que cette période a énormément déranger votre union. Avec toutes vos responsabilités familiales, vous avez négligé votre amour. Cela vous a éloigné quelque peu. Au cours de l'année, vous chercherez donc à vous rapprocher. Si vous ne le faites pas, vous irez chacun dans une direction opposée. Attendez-vous à vivre une séparation par la suite. Si vous voulez éviter que cela se produise. Vous devez faire les changements nécessaires pour voir luire de nouveau le soleil et le bonheur dans votre demeure !

Cela dit, plusieurs mois favoriseront votre vie conjugale. Lors de ces mois, vous en profiterez pour faire des sorties agréables avec votre conjoint. Vous irez au cinéma. Vous irez voir un spectacle de l'un de vos groupes préférés. De plus, même si certaines sorties n'interpelle pas l'un des partenaires, celui-ci ira pour faire plaisir à l'autre. Telle sera votre nouvelle vision de la vie. Soit de prendre soin de l'un comme de l'autre. En 2017, vous vivrez plusieurs journées agréables dans les bras de votre partenaire. Ces journées surviendront lors des mois de ***janvier, avril, juillet, août, septembre, octobre, novembre*** et ***décembre.***

Il aura également des périodes compliquées. Si vous y voyez rapidement, vous réglerez facilement vos problématiques et le tout redeviendra à la normale. Toutefois, si vous négligez vos problèmes, si vous boudez ou si vous criez, cela risque de nuire davantage à votre relation.

**Voici quelques situations qui pourraient déranger l'harmonie conjugale :** vos divergences d'opinons en ce qui concerne les enfants ou les proches. Cela dérangera énormément votre relation. Lors de certaine période, ni l'un ou l'autre des partenaires voudra lâcher prise. Donc, cela amènera quelques batailles de mots ! À la suite d'une brouille avec votre partenaire, vous vous bouderez ou vous critiquerez chaque geste qu'il fera ! À la longue, cela deviendra épuisant ! Toutefois, vos réconciliations vous rapprocheront. Tant qu'il y aura de l'amour dans votre union, vous vous pardonnerez ces moments de dualité. La journée où l'amour s'estompera, il deviendra plus compliqué de trouver un terrain d'entente.

## Les couples en difficulté

Plusieurs couples en détresse auront de la difficulté à avoir des dialogues calmes et profonds. La plupart crieront et critiqueront continuellement l'attitude de leur partenaire. Vous vous affronterez sur tous les sujets qui dérangent votre harmonie. Il peut s'agir de la situation financière, des enfants, de la famille, du travail, etc. Lorsque vous chercherez à établir la conversation avec votre partenaire, celui-ci fera la sourde oreille et il vous tournera le dos. Cela envenimera davantage la relation. Au cours de l'année, plusieurs couples devront faire face à des problèmes de taille. Plusieurs périodes enclencheront des tourments, des inquiétudes et possiblement une séparation, si vous ne parvenez pas à trouver une entente. Par contre, si vous parvenez à écouter les besoins de votre partenaire et lui les vôtres, vous parviendrez à éviter la séparation. Vous vous donnerez une autre chance de repartir à zéro sur des bases plus solides. Certains couples iront consulter un psychologue, un thérapeute ou un proche avant d'entreprendre des procédures de divorce. Cela leur sera bénéfique et sauvera leur union !

## Les Chérubins submergés par la négativité

Arrêtez de contrôler la vie de tout le monde ! Si vous tenez à votre union, changez votre attitude ! Votre soif de pouvoir et de contrôle apportera des ennuis majeurs dans votre relation. Surveillez également vos paroles dévastatrices. Celles-ci blessent énormément votre partenaire. Plus vous abaisserez votre partenaire, plus vous l'éloignerez de vous. Au lieu d'éprouver de l'amour pour vous, ses sentiments se transformeront en pitié ou en haine. Évidemment, votre partenaire vous quittera avant que l'année se termine. Si vous aimez votre partenaire et ne voulez pas le perdre, améliorez votre attitude. Proposez-lui des sorties comme au début de votre relation. Faites des efforts. Cela vous sera bénéfique. Ainsi, l'amour viendra de nouveau combler votre foyer et votre cœur !

## Les Chérubins célibataires

Plusieurs célibataires auront la chance de rencontrer le grand amour ! La passion sera instantanée et réciproque. À la première poignée de main, au premier regard que vous poserez l'un sur l'autre, un sentiment puissant se développera en vous. Il en sera de même pour lui aussi. Ce sera un sentiment fou et incompréhensible. Toutefois, ce sentiment vous chavira favorablement ! Votre cœur saura immédiatement que c'est le partenaire de votre vie, et il en sera de même avec celui-ci. Malgré tout, vous prendrez le temps de vous connaître avant de vous engager sérieusement dans la relation.

Tout au long de l'année, vous ferez de belles rencontres. Vos amis vous présenteront régulièrement de bonnes personnes. Toutefois, parmi ces nouvelles connaissances, une seule personne viendra faire palpiter votre cœur ! Lorsque vos regards se croiseront, vous comprendrez rapidement que c'est le partenaire que vous attendiez depuis longtemps. Donc, ne refusez aucune rencontre ni sortie lors des mois suivants : ***avril, juillet, août, septembre, octobre, novembre*** et ***décembre.*** Il y a de fortes chances que vous le rencontriez dans une ville étrangère, lors d'un mariage ou d'une fête champêtre. Les journées du vendredi et du samedi seront favorables à sa rencontre. Cette personne portera du bleu au moment de la rencontre. Cette couleur lui siéra bien ! Vous le fixerez toute la soirée. Vous serez charmé par sa beauté, sa souplesse et sa gentillesse. Cela ne prendra pas de temps que vous chercherez à le connaître davantage et à lui texter ! Il peut prendre de cinq à quinze semaines avant que la relation devienne plus sérieuse ! Prenez votre temps et vous aurez un être à l'écoute de vos besoins ! Si vous allez trop vite, vous l'apeurerez et vous le perdrez ! Soyez donc patient ! Cela en vaut la peine !

### Les célibataires submergés par les émotions négatives

Vous serez d'humeur maussade. Vous critiquerez et vous vous plaindrez sur tout ! À vous entendre parler, il n'y a rien de bon qui se produit dans votre vie ! Vous chanterez la même rengaine habituelle. Lorsqu'une gentille personne vous fera un commentaire agréable, vous répondrez par un commentaire déplaisant. Rien de charmant pour les personnes qui chercheront à vous plaire. De plus, votre indifférence sera également décourageante. Avant de laisser leur peau, toute personne sujette à vous rendre heureux s'éloignera de vous. Vous conserverez donc votre statut de célibataire, encore une fois ! Toutefois, si vous désirez ardemment trouver un compagnon de vie, changez votre attitude, changez votre perception de la vie. Soyez attirant, charmeur et accessible. Vous verrez qu'en peu de temps, vous ferez de bonnes rencontres susceptibles de vous rendre heureux. Lorsque vous aurez déniché la bonne personne, courtisez-la ! Cela vous fera du bien et vous finirez l'année en beauté avec le partenaire rêvé ! Vous serez heureux et amoureux !

## *Les Chérubins et le travail*

Plusieurs possibilités s'offriront à vous pour améliorer votre vie professionnelle. Que ce soit pour changer de lieu de travail, obtenir une promotion ou améliorer l'atmosphère ou les tâches, vous aurez le privilège de voir venir à vous des offres alléchantes qui amélioreront vos conditions de travail. Cette année, vous écouterez votre cœur ! Certains feront des choix presqu'incompréhensibles pour les autres. Toutefois, vous avez besoin de nouveautés. Attendez-vous donc à quitter un emploi sécurisant ou de longue date, et ce, pour vous aventurer vers de nouvelles avenues pas nécessairement sécurisantes et très différentes de vos tâches habituelles. Par contre, vous avez besoin de ces nouveaux défis ! Qu'importe où cela vous conduira ! Vous irez de l'avant avec votre décision. Certains réaliseront qu'ils ont fait de bons choix. D'autres seront déçus. Malgré tout, vous ne regretterez rien ! Vous aviez besoin de faire ces choix et vous les avez faits ! Dans votre cœur, c'est ce qui importe ! De toute façon, il y aura toujours une opportunité qui vous permettra de changer en cours de route. Vous ne resterez pas longtemps sans travail. Attendez-vous à de l'action de votre part ! Vous serez animé par les changements qui s'opéreront au cours de l'année !

Dès ***janvier***, tout tournera en votre faveur. Plusieurs prendront une décision importante lors de ce mois et la concrétiseront ! Voici donc les mois qui seront favorables pour tout changement au cours de 2017 : ***janvier, mars, avril, juillet, septembre, octobre, novembre*** et ***décembre***. Lors de ces mois, plusieurs possibilités viendront agrémenter vos conditions de travail. Toute entrevue qui se produira lors de cette période, apportera de bons résultats. Tout travail qui s'amorcera vous apportera également de la satisfaction. Si vous devez prendre une décision, la réussite se fera davantage sentir lors de ces mois.

**Voici quelques situations qui pourraient déranger l'harmonie au travail** : les confidences. Faites attention ne pas trop discuter de votre vie personnelle avec vos collègues. Certaines personnes pourraient ébruiter vos confidences. Il est évident que cela dérangera vos émotions. Assurez-vous que vos confidents soient honnêtes et qu'ils n'aillent pas colporter votre vie personnelle. Ce qui se passe dans votre vie devrait rester confidentiel. Sinon, vous vivrez une période difficile causée par vos propos personnels. Une gêne s'établira entre vous et certains de vos collègues ! De plus, si vous trouvez l'un de vos collègues attirant, gardez-le pour vous ! Vous éviterez ainsi des ennuis. Sinon, un malaise s'établira entre vous et ce collègue !

## Les travailleurs Chérubins submergés par la négativité

Si vous voulez profiter des avantages bénéfiques de votre travail, si vous voulez améliorer votre vie professionnelle, si vous voulez participer aux événements favorables qui se produiront au cours de l'année, alors améliorez-vous ! Changez votre attitude de guerrier et remplacez-la par un caractère plus jovial, amical et collaboratif. En agissant ainsi, cela vous ouvrira des portes pour améliorer votre travail. Les autorités vous tiendront informé de tout changement qui se produira à votre travail. Ils vous donneront la chance d'offrir votre candidature pour solliciter un nouvel emploi. De plus, lors de réunions, ils vous demanderont votre avis sur certaines de vos tâches. Cela vous avantagera et vous permettra d'améliorer vos conditions de travail. Toutefois, si vous conservez votre attitude de guerrier et que vous continuez à semer la zizanie dans votre équipe, vous serez rétrogradé. Si vous ne voulez pas perdre tous vos acquis, voyez-y avant qu'il soit trop tard!

# Chapitre XX

# Événements à surveiller durant l'année 2017

Voici quelques événements qui pourraient survenir au cours de l'année 2017. Pour les situations négatives, lisez-les à titre d'information. Le but n'est pas de vous perturber ni de vous blesser. Il s'agit tout simplement de vous informer.

- Plusieurs trouveront des pièces de monnaie. Conservez ces pièces et échangez-les pour des vœux ! Faites un vœu et lancez la pièce. Vous pouvez également prendre ces pièces et les insérer dans votre petit pot d'abondance. Lorsque vous en avez ramassées suffisamment, profitez-en pour acheter un billet de loterie. Cela vous sera bénéfique. De plus, les Anges Chérubins enverront régulièrement sur votre route des pièces de dix sous ! Par ce signe, ils vous accordent l'un de vos vœux !
- Plusieurs recevront de belles récompenses bien méritées. Vous récolterez les bienfaits de vos efforts et vous en serez très heureux ! Certains recevront de deux à dix bonnes nouvelles qui agrémenteront leur année.
- La Providence sera au rendez-vous. Celle-ci vous réserve de belles surprises qui feront palpiter votre cœur de joie. Certains verront l'un de leurs vœux les plus chers se réaliser lors de cette période.

Attendez-vous à vivre des moments féériques et magiques grâce aux Anges. Continuez de prier et les Anges continueront à vous gâter !

- Vous, ou un proche, serez confronté à un problème de santé. Cela vous dérangera énormément. Lors de cette période, il serait important de vivre une journée à la fois et d'écouter sagement les recommandations de votre médecin. Lui seul sait comment vous soigner ! De plus, arrêtez d'écouter les histoires des autres. Chaque personne réagit différemment aux traitements et médicaments. Donc, n'écoutez pas les balivernes de tout le monde. De toute façon, cela ne vous aidera guère et empirera plutôt votre cas. Si vous êtes de nature hypocondriaque, ces commentaires ne vous aideront guère à conserver une bonne santé !
- Plusieurs personnes se plaindront de maux physiques. Certains devront consulter un spécialiste pour leur venir en aide. Des examens approfondis seront exigés. À la suite de certains examens, quelques-uns subiront une intervention chirurgicale. D'autres prendront des médicaments et plusieurs personnes malades devront se reposer pendant quelques jours. Il serait important d'écouter les directives de votre médecin. Plus vous vous buterez à ses recommandations, plus votre état se détériorera et moins vite vous recouvrerez la santé.
- Soyez vigilant avec votre santé mentale. Respectez la limite de vos capacités. Prenez le temps nécessaire pour vous reposer. Si vous négligez cet aspect, vous vous retrouverez facilement en arrêt de travail à cause d'un surmenage, d'une dépression ou d'une fatigue chronique.
- Faites attention à votre alimentation. Votre estomac réclame de la bonne nourriture. Certains auront du reflux gastrique. Quelques-uns devront prendre un médicament. La digestion sera douloureuse. D'autres auront des ennuis avec leurs intestins.
- Chaussez-vous bien lorsque vous irez à l'extérieur. Certains pourraient glisser. De plus, lors de vos randonnées pédestres, assurez-vous d'avoir de bonnes chaussures de marches. Certains pourraient se blesser à la cheville ou au pied !

- Il faudra surveiller les brûlures, les coupures et les égratignures. Certains se blesseront de multiples façons. N'entamez aucune tâche inhabituelle. Prenez également le temps de lire les directives d'installation pour éviter de fâcheux incidents. Au cours de l'année, soyez toujours vigilant dans les tâches ardues. Plusieurs se feront des égratignures et des blessures. Assurez-vous d'avoir une pharmacie bien remplie de produits antiseptiques !

- Vous, ou un proche, devrez cesser de fumer. Vous aurez des ennuis avec vos poumons. Certains opteront pour l'hypnose. D'autres seront suivis par leur médecin. Vous chercherez donc la meilleure méthode pour cesser de fumer et vous l'essayerez.

- La réussite de votre vie amoureuse sera l'une de vos priorités au cours de l'année 2017. Plusieurs couples rehausseront leur union par des sorties, des discussions, des voyages… Cela sera très important pour vous. Vous réaliserez que vous avez négligé votre relation. Vous chercherez donc à l'améliorer. Vous vous ferez des promesses et vous les respecterez. Cela sera important pour la survie de votre couple.

- Attendez-vous à être invité à plusieurs repas familiaux. Vous aurez toujours du plaisir lors de ces sorties avec vos proches.

- Vous, ou proche, avez un problème de jeu ou de boisson. Cela causera beaucoup d'ennui dans votre relation amoureuse. Certains penseront à quitter leur partenaire à cause de ce problème de taille. Si vous voulez éviter une séparation, prenez-vous en main et cessez votre problème. Cela vous sera salutaire.

- Vous ou un proche, demanderez pardon à votre partenaire. À la suite d'un malentendu, vous avez crié votre mécontentement. Cela a énormément peiné votre partenaire. Lorsque vous serez dans un état plus calme, vous réaliserez toute la peine que vous avez fait subir à votre partenaire et vous lui demanderez pardon.

- Certains devraient surveiller les beaux parleurs ! Ne mettez pas votre relation en péril à cause d'une personne malintentionnée. Apprenez à connaître ses intentions avant de foutre en l'air votre relation ! Ce sera à votre avantage !

- Un couple renaît à la vie. Après une séparation temporaire, ceux-ci se donneront la chance de rebâtir leur vie sur des bases plus solides. Leur bonheur se lira de nouveau sur leur visage.

- Les célibataires qui ouvriront la porte de leur cœur feront la rencontre d'une bonne personne qui saura les aimer et les respecter. Tout au long de l'année, vous serez invité à prendre part à plusieurs soirées qui vous permettront de rencontrer votre amour idéal ! Il ne tient qu'à vous de sortir et de faire des rencontres !

- Certains célibataires amorceront une relation par le biais de l'Internet. Apprenez à bien connaître cette personne avant de vous lancer dans cette aventure. Vous risquez d'être déçu ! De plus, les personnes engagées devraient éviter de *chatter* sur le net. Votre partenaire découvrira vos dialogues. Attendez-vous à une tempête émotionnelle ! Vous risquez de perdre un bon partenaire à cause de cette faiblesse de votre part. Si vous aimez votre partenaire, évitez ce genre de discussions.

- Plusieurs travailleurs auront des conversations reliées à leur emploi. Vous devez prendre une décision importante. Toutefois, vous avez peur de le regretter. Ne vous inquiétez pas, si vous faites une erreur, vous serez en mesure de la réparer. Il y aura toujours une possibilité qui surviendra au moment opportun et qui vous aidera à améliorer vos conditions de travail.

- Dès le début de l'année, certains amélioreront leur travail. Il peut s'agir d'un changement de carrière, de nouvelles tâches, d'un poste rêvé, etc. Vous serez satisfait à la signature de ce contrat !

- Lors de la période hivernale, vous ferez la rencontre d'un homme important. Cet homme vous sera d'un très grand secours lors d'une discussion, d'une signature d'un contrat, d'une problématique, etc. Cet homme vous secourra dans votre détresse. Vous lui en serez très reconnaissant par la suite !

- Au cours de l'année, certains se feront manipuler par un collègue de travail. Cette situation vous angoissera à tel point que vous aurez de la difficulté à vous concentrer pour accomplir vos tâches. Vous n'aurez pas le choix d'y voir avant que la situation s'envenime et qu'elle vous cause des ennuis de santé.

- Vous, ou un proche, recevrez une offre sur un plateau d'argent. Impossible de refuser cette offre. Ce sera un cadeau du ciel !
- Certains iront consulter un avocat ou une personne ressource pour les aider dans une épreuve. Vous avez besoin de conseils et de clarifier certaines situations. Cet entretien vous fera du bien ! Il vous apportera toutes les réponses à vos questions.
- Quelques-uns partiront en vacances. Toutefois, vous vous sentirez très seul lors de votre voyage. Votre partenaire sera évasif et peu loquace. Ne vous inquiétez pas. Il est tout simplement fatigué et il a besoin de se reposer. Vous verrez que, vers la fin de la semaine, son attitude s'améliorera et vous vous retrouverez !
- Tout au long de l'année, vous serez déterminé à réussir vos objectifs ! Vous travaillerez ardemment, néanmoins, vous ne serez pas déçu de vos actions.
- Plusieurs retrouveront leur équilibre au prix de grands efforts. Ils apporteront des changements majeurs à leur vie quotidienne. Toutefois, ces changements leur serviront bien.
- Certains consulteront un médiateur, un psychologue ou une personne ressource pour se faire conseiller dans une situation précaire. Cette personne saura bien vous conseiller. À la suite de cet entretien, vous prendrez une décision importante.
- Vous, ou un proche, aurez une discussion animée à cause d'un enfant. Il peut s'agir d'une bataille pour la garde d'un enfant, d'un désaccord, d'un point de vue différent, etc. Surveillez vos paroles, vous pourriez vous blesser mutuellement.
- Certains parents doivent être prudents lors de désaccords. Leurs conversations animées dérangent l'harmonie au foyer. Bref, évitez d'argumenter devant vos enfants. Cela dérangera énormément un enfant. Votre attitude le fait souffrir. Il n'est plus capable de vous entendre vous disputer. Cela affecte énormément son comportement à l'école. Une mise-en-garde d'un proche vous fera prendre conscience de cette faille de votre couple.
- Lors de la période estivale, vous, ou un proche, ferez de l'aménagement paysager. Vous serez fier de votre travail. Vos plates-bandes seront décoratives et elles enjoliveront votre demeure.

Certains ajouteront également un bassin d'eau dans leur cour. Vous irez régulièrement vous prélasser près de ce bassin.

- Vous, ou un proche, serez victime d'une extinction de voix, d'une laryngite ou d'un mal de gorge. Vous serez obligé de prendre un médicament pour soulager la douleur.
- Lors de la période hivernale, un enfant se plaindra d'un mal à l'oreille ou d'un mal de dent. Vous consulterez un spécialiste pour soulager sa douleur.
- Soyez toujours vigilant avec vous outils. Si vous avez des enfants en bas âge, ne laissez pas traîner vous outils. Rangez-les toujours dans un coffre. Sinon, un enfant pourrait se couper et se blesser. Vous serez le seul à blâmer! Donc, si vous voulez éviter qu'un enfant se blesse, rangez vos outils dans un lieu sécuritaire. Mieux vaut être prudent!
- Lors de la période estivale, plusieurs situations vous amèneront à bouger un peu partout. Il y aura des moments où vous serez essoufflé. Malgré tout, vous serez satisfait de vos actions. Tous vos changements donneront les résultats souhaités!
- Certains vivront une période d'incertitude et de confusion qui durera quelques jours. Vous serez tourmenté par une situation ou par l'attitude d'un proche. Par la suite, vous prendrez une décision ou vous aurez une conversation franche qui vous soulagera.
- Un proche vous demandera de lui donner une autre chance. Celui-ci a mal agi et il s'excusera de son comportement. Sa demande sera sincère. Accordez-lui cette chance. Cela en vaudra la peine!
- Plusieurs seront gâtés par leurs proches. Votre bonté sera bien récompensée. Attendez-vous à recevoir toutes sortes de belles surprises de leur part. L'une d'elles vous fera sauter de joie et elle vous rendra heureux!
- Certaines nuits seront courtes lors de la période estivale. Vos soirées seront très longues et vos matinées très courtes! Il est évident que cela aura un impact sur votre patience! Donc,

prenez le temps de relaxer lorsque l'occasion se présente à vous! Néanmoins, vous passerez de magnifiques soirées avec vos proches!

- Quatre de vos proches vous sortiront pour votre anniversaire de naissance, pour fêter un événement ou à la suite d'une bonne nouvelle sur le plan médical. Vous passerez du bon temps avec eux. Attendez-vous à des rires, des taquineries et des blagues de leur part! Le temps passera très vite en leur compagnie!
- Lors de la période printanière, tous billets que vous recevrez en cadeaux attireront la chance dans votre direction! Attendez-vous à de petits gains agréables ou à d'autres billets gratuits!
- Il y aura six personnes qui auront besoin de votre aide. L'une concerne les finances; l'autre concerne un problème juridique, la vie amoureuse, la santé ou un déménagement, tandis que la dernière concerne un choix de carrière. Vos conseils judicieux aideront énormément ces personnes lors de leurs décisions.
- Au cours de l'année, une solution arrivera au bon moment et elle soulagera vos nuits. Un problème se résoudra à votre grande joie et vous en serez très heureux!
- Certains signeront de deux à six papiers importants. Il peut s'agir d'un contrat de travail, d'un achat ou de la vente d'une propriété. À la signature de l'un de ces papiers, c'est l'un de vos rêves qui se concrétisera!
- Lors de la période estivale, il y a de fortes chances que vous décidiez de changer votre véhicule pour un modèle plus récent. Alors ne soyez pas surpris de magasiner une nouvelle voiture. Vous serez tenté par une voiture de couleur crème, bleue ou grise. Vous serez satisfait de votre achat!
- Vous serez invité à prendre part à trois événements agréables. L'un deux sera à l'extérieur de la ville et vous serez enchanté d'y assister. Certains seront appelés à parler devant les invités! Cela vous stressera. Toutefois, vous épaterez les invités avec votre discours! Toute la soirée, on louangera votre discours!

- Vous serez invité à assister à une dégustation *vins et fromages*. Vous ferez de belles rencontres et aurez de belles discussions. Certains partiront avec un cadeau sous le bras. Vous gagnerez un prix de présence !
- Une personne diabétique devra surveiller son alimentation. Sinon, elle aura de graves problèmes qui nécessiteront l'intervention d'un médecin. Certains pourraient être hospitalisés d'urgence.
- Lors des périodes estivale et automnale, vous serez en forme pour vaincre tous les obstacles qui se présenteront sur votre chemin. Rien ne vous déstabilisera et rien ne vous fera changer d'idée. Vous avancerez confiant vers un avenir plus équilibré et prometteur.
- Vous vivrez trois événements qui vous surprendront. Ne soyez pas étonné de revoir certains objets qu'on vous avait empruntés. Vous resterez même surpris, car vous pensiez ne plus les revoir ! Également, une somme d'argent vous sera remboursée. Ce sont de belles surprises et vous les accueillerez chaleureusement !
- Vous, ou un proche féminin, subirez une chirurgie esthétique pour atténuer des vergetures ou des rides, ou pour vos seins. Vous serez satisfait des résultats de cette chirurgie.
- Ceux qui aiment la bonne bouffe auront le privilège d'aller dans un restaurant très réputé et de haute gamme. Vous serez rassasié et satisfait de votre repas.
- Certains adopteront un animal de compagnie. Votre nouveau compagnon apportera beaucoup de joie dans votre foyer.
- Plusieurs auront le privilège d'être au bon endroit avec des personnes compétentes et importantes ! Sachez en profiter ! Plusieurs situations bénéfiques surviendront à la suite de ces rencontres !
- Lors de la période estivale, plusieurs feront du camping et des activités de plein air. D'autres visiteront des villes étrangères. Vous serez dans l'esprit des vacances et vous en profiterez au maximum ! Ces moments de joie seront importantes pour certains couples.

- Vous, ou un proche, travaillerez à la sueur de votre front pour réaliser deux de vos projets. Néanmoins, les résultats obtenus vous apporteront une belle satisfaction. Donc, cela vous encouragera à continuer et à persévérer pour atteindre vos buts.
- Ceux qui fêteront la St-Jean Baptiste ou le 1er juillet à l'extérieur de leur ville auront énormément de plaisir.
- Vous, ou un proche, vivrez une séparation temporaire qui peut durer de six jours à six mois. Ce ne sera pas facile. Toutefois, cette période permettra aux partenaires de réaliser qu'ils s'aiment toujours et qu'ils ont besoin de reprendre vie commune.
- Au cours de l'année, vous serez souvent passionné par plusieurs événements qui se produiront dans votre vie. Toutefois, certaines de vos passions risquent d'être dispendieuses!
- Cette année, plusieurs partenaires qui vivent de la difficulté au sein de leur relation s'affronteront souvent à cause des enfants et des absences d'un l'un des deux. Celui-ci sortira souvent à l'extérieur et négligera sa vie familiale. Il ne voudra pas participer à des activités suggérées par son partenaire. Son partenaire réclamera sa présence pour le bien des enfants. Toutefois, il fera la sourde oreille. Son partenaire lui lancera un ultimatum. Si celui-ci ne change pas, ce partenaire prendra une décision avant que l'année se termine.
- Une femme obtiendra un poste de rêve. Cette femme se consacrera à son travail, ce qui lui vaudra des honneurs et de belles récompenses par la suite.
- Surveillez le sentiment de jalousie. Cela apportera que de la contrariété dans vos relations.
- Vous, ou un proche, perdrez de belles opportunités à cause de votre attitude négative. Cela vous frustrera énormément. Il est évident que vous avez toutes les qualités pour réussir l'un de vos projets. Cependant, votre façon de traiter vos collègues, votre famille, vos amis, ainsi que votre côté autoritaire et votre envie de toujours vouloir contrôler les autres, ne sont pas sans vous nuire. Si vous désirez ardemment faire un changement et

réussir l'un de vos projets rêvés, améliorez votre attitude. Si vous parvenez à mettre en confiance vos proches, ceux-ci se feront un plaisir de vous apporter leur soutien et de vous aider à réussir ce projet auquel vous tenez tant! Améliorez votre caractère et tous se colleront à vous pour vous aider à réaliser vos rêves les plus fous!

- Lors de la période estivale, la rencontre d'une personne piquera votre curiosité. Vous chercherez à savoir ce que cette personne vous veut et ce qu'elle est venue faire dans votre vie. À la suite d'un événement, vous trouverez votre réponse.
- Certains organiseront un événement qui coûtera très cher. Toutefois, vous adorerez votre journée. Les participants apprécieront leur soirée! Attendez-vous à recevoir des éloges de leur part. Cela sera gratifiant et vous en serez très heureux!
- Vous chercherez toujours de bonnes issues pour régler vos problématiques. Il y aura des journées où tout ira bien. D'autres journées seront plus pénibles. Néanmoins, vos efforts seront satisfaisants.
- Cette année, si une personne vous invite à prendre part à son groupe de loterie, acceptez! Vous pourriez gagner de petits gains grâce à ce groupe!
- Plusieurs mettront de l'ordre dans leur vie. Vous ferez des changements importants qui amélioreront la qualité de votre vie. Vous serez en harmonie avec tous les changements que vous apporterez à votre quotidien. Vous reprenez goût à la vie et celle-ci vous servira bien avec tous les événements agréables qu'elle placera sur votre chemin.
- Vous partirez en voyage. Vous irez visiter un lieu pittoresque. Ce voyage durera plus de 10 jours.
- Tout au long de l'année, vous réaliserez que les Anges ont entendu vos prières. Attendez-vous à vivre des événements favorables qui embelliront plusieurs de vos journées!

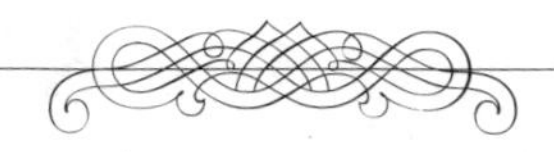

# Partie V

# Les Trônes

*(11 juin au 22 juillet)*

# Chapitre XXI

# L'année 2017 des Trônes

## *Une bonne étoile vous suivra tout au long de l'année !*

Vous serez émerveillé par tous les événements prolifiques qui surviendront au cours de 2017. L'année de la spiritualité aura un impact magique sur tous ceux qui ont pris le temps de prier les Anges, sur les personnes de bonne volonté, généreuses et spirituelles. Vous serez gâté par les événements qui se produiront au cours de l'année. Votre grande bonté ne passera pas inaperçu. Vous serez souvent au bon endroit, au moment opportun. Cela vous avantagera dans plusieurs aspects de votre vie. Vous ferez également la rencontre de personnes importantes qui sauront vous épauler, vous aider et vous réconforter lors de certaines situations. Vous aurez l'impression qu'une bonne étoile vous suit et vous en profiterez au maximum ! Tout le bien que vous avez engendré depuis les dernières années seront récompensés au cours de 2017 ! Cela vous encouragera à continuer à propager la joie, l'entraide et le bonheur autour de vous. Vous réaliserez également l'importance que vous occupez dans la vie des gens. Que ce soit par des paroles ou des gestes, ces personnes vous démontreront tout l'amour qu'ils ont pour vous ! Cela rehaussera donc votre confiance et votre énergie.

De plus, tout ce que vous entreprendrez, vous le réussirez ! Vos actions seront prolifiques. Cela vous encouragera à continuer à créer, bâtir, réaliser et agir tel que vous le souhaitez ! Votre corps fourmillera et vous ne pourrez pas rester en place une minute. Aussitôt que vous serez assis ou en pause, une idée viendra éclairer votre esprit de nouveau ! Il est évident que certaines journées ne seront pas de tout repos ! Vous serez partout en même temps. Votre tête sera remplie d'idées constructives et parfois folles ! Néanmoins, il y a longtemps que vous n'aviez pas eu ce sentiment de création. Plus que jamais, vous voulez améliorer votre vie, créer des projets et les amorcer. Votre enthousiasme épatera votre entourage. Cela fait longtemps que vos proches ne vous ont pas vu en forme de la sorte. Ils seront heureux de vous voir ainsi. C'est la raison pour laquelle ils vous prêteront mains fortes lorsqu'il s'agira de vous épauler et vous aider dans vos actions. Ceux-ci seront très fiers de vous et de votre vivacité pour améliorer votre vie.

Cela dit, certains retourneront sur le marché du travail, et ce, après une longue période d'arrêt. D'autres retourneront aux études pour s'orienter dans un domaine différent. Quelques-uns déménageront dans une ville étrangère. Certains quitteront un lieu de travail pour amorcer leur propre entreprise. D'autres prendront une pause temporaire pour mieux réfléchir à leur avenir. Certains axeront leur énergie vers un travail plus zen et spirituel. La méditation, la relaxation, le yoga, la massothérapie et autres seront des avenues qu'ils exploreront davantage. Plusieurs chercheront à profiter de la vie et cesser de courir. Vous chercherez avant tout le bonheur. Vous voulez être heureux à votre travail, à la maison, avec vos amis, vos proches, etc. C'est pourquoi, vous ferez des changements importants dans votre routine quotidienne. Vous voulez vivre sereinement et non anxieusement. Telle sera votre priorité au cours de l'année. Grâce aux événements prolifiques, vous parviendrez à atteindre vos objectifs et vous en serez très fier.

Il est évident qu'il y aura des mois difficiles, à certains moments, la peur vous envahira. Cela sera normal puisque vous prendrez de grandes décisions. Cela n'est pas sans vous effrayer. Plusieurs questions seront élaborées par la suite. Toutefois, cela ne prendra pas de temps que vous reprendrez le dessus et que vous continuerez à faire des changements importants pour améliorer votre vie. De plus, il n'est jamais facile d'emprunter des routes inconnues pour parvenir à réaliser vos projets. Généralement, vous aimez votre routine et la sécurité que vous procure votre vie. Toutefois, en 2017, vous déployez vos ailes et vous vous envolez vers un nouvel horizon qui chambardera favorablement votre vie et qui aura un impact important sur votre avenir! Vous aurez donc raison d'avoir peur et de vous questionner au sujet de vos choix. Lors de cette période, réclamez l'aide de l'Ange gouverneur. Grâce à son aide, vous ne resterez pas longtemps inerte; vous reprendrez rapidement vos tâches et continuerez à créer, améliorer et réaliser vos projets.

***Les personnes ayant une attitude négative*** vivront continuellement dans la peur. Elles ne seront pas heureuses. Leur vie sera un vrai chaos de problèmes. Elles auront peur de faire des changements, peur des impressions des autres, etc. Elles préfèreront vivre dans cette énergie chaotique au lieu de l'améliorer. Cela troublera énormément leur santé mentale. Tout ira de travers et rien ne se réglera. La peur les empêchera de voir les opportunités qui s'offriront à elles pour améliorer leur vie. Plusieurs proches chercheront à les aider. Toutefois, ils refuseront continuellement leur aide. Vous vous retirez dans un mutisme et cela sera difficile pour eux de comprendre votre attitude. Si vous parvenez à changer votre attitude, à laisser aller vos peurs, à lâcher prise sur des situations insolubles et à accepter l'aide de vos proches, vous parviendrez à trouver un sens à votre vie. Cela vous encouragera à aller de l'avant avec vos rêves, vos idées et vos projets. Au lieu de jouer à la victime, vous serez heureux de jouer la carte du gagnant. Cela vous permettra de surmonter des défis, de réaliser des rêves et de croire en votre potentiel. Rien ne sert de vous apitoyer sur votre sort. Sortez de votre zone de confort et améliorez votre vie! Vous le premier serez heureux et satisfait de cette nouvelle vision de la vie!

Toutefois, si vous restez dans vos peurs. Rien ne se produira comme vous le souhaitez ! Il est évident que cela attaquera votre santé mentale. N'hésitez donc pas à demander l'aide de l'Ange gouverneur ; celui-ci vous donnera le courage de prendre votre vie en main et d'atteindre vos buts. Cela peut prendre un certain temps ; néanmoins, les résultats vous enchanteront. Mieux vaut faire un pas à la fois pour le moment ; ce sera mieux pour vous ! Lorsque vous retrouverez votre confiance, ce sera différent. Vous serez en mesure d'accomplir tout ce qui vous passe par la tête ! Donc, cette année, respectez votre santé mentale et ne faites qu'un seul pas à la fois.

## Les mois de l'année des Trônes

Au cours de l'année 2017, **vos mois favorables** seront ***janvier, février, mars, juin, juillet, août, septembre, octobre*** et ***novembre***. Lors de ces mois, profitez-en pour régler vos problèmes, pour procéder à des changements, pour prendre vos décisions, pour réaliser vos projets, pour élaborer des plans, etc. Vous serez productif et attentif aux événements. Vous serez souvent aux endroits parfaits pour réussir vos objectifs. Cela favorisera vos actions ! Les mois dont la Providence sera à vos côtés seront ***mars, juillet, août, septembre*** et ***novembre.*** Attendez-vous à vivre des événements bénéfiques qui agrémenteront vos journées. Profitez-en également pour acheter des loteries.

Les **mois non favorables** seront ***avril*** et ***mai***. Lors de ces mois, vivez une journée à la fois. Réglez les problèmes un à un. Ce sera profitable pour votre santé mentale ! De plus, n'hésitez pas à réclamer l'aide des Anges gouverneurs. Leurs énergies vous aideront à passer à travers vos journées les plus ardues. Vous aurez moins tendance à vous laisser influencer par les situations et les personnes problématiques.

Le **mois ambivalent** sera ***décembre***. Au cours de ce mois, il y aura de belles journées et parfois de moins bonnes. Vous serez envahi par toutes sortes d'émotions, autant positives que négatives. Certaines journées, tout ira bien, et à d'autres, tout ira de travers. Si vous le pouvez, prenez le temps de vous reposer et de méditer. Cela vous sera salutaire lors de vos journées compliquées !

## *Voici un bref aperçu des événements qui surviendront au cours des mois de l'année pour les Trônes*

Vous amorcerez votre nouvelle année en forme et en force pour tout accomplir ce qui vous passe par la tête ! Vous vous fixerez des buts et vous chercherez à les atteindre. Votre vision de la vie est différente. Vous voulez progresser et améliorer votre quotidien. Vous avez un urgent besoin d'être en harmonie avec votre vie. Vous êtes conscient que, pour atteindre cette béatitude, vous devez améliorer certains aspects de votre vie. C'est exactement ce que vous entreprendrez au cours de l'année. Attendez-vous donc à faire un grand ménage dans votre vie. Tout y passera. Vous effraierez énormément vos proches avec cette attitude. Toutefois, lorsqu'ils verront vos changements apporter des bienfaits dans votre vie, ils seront fiers de vos actions et ils vous encourageront à continuer dans cette même énergie. Plusieurs proches vous épauleront et vous aideront lors d'actions plus ardues. Leur dévotion envers votre cause vous touchera énormément. Vous réaliserez que l'on vous aime et que l'on veut que votre bonheur. Autant ceux-ci vous apporteront de l'aide, autant vous les soutiendrez dans leur projet.

Donc, cette année, plusieurs personnes solliciteront votre aide. Votre vivacité et votre ardeur d'améliorer tous les aspects de votre vie, les encouragera à améliorer la leur. Vous serez un bel exemple à suivre et ils auront confiance en votre capacité de réussite. Vos commentaires et vos conseils seront importants à leurs yeux ! Ces personnes apprécieront énormément votre dévouement envers leur cause. Attendez-vous à des éloges et des petits cadeaux de leur part. Acceptez-les, puisque ces personnes vous les donnent avec gratitude. Votre grand cœur égayera la journée de plusieurs et vous en serez heureux. Vous aimez tellement gâter vos proches. Vous vous sentirez également apprécié et aimé de tous. D'ailleurs, ces personnes vous le démontreront bien. Vous occupez une place importante dans leur vie et elles vous le diront. Cette vague de bonheur, vous la vivrez tout au long de l'année 2017. Vous savourerez chaque événement heureux qui se produira dans votre vie. Cela vous fera chaud au cœur.

À partir du ***5 janvier***, et ce, ***jusqu'à la fin mars***, vous entrez dans une période productive et prolifique. Tout vous réussira bien! Plusieurs belles possibilités vous permettront d'amorcer trois de vos projets. Vous travaillerez ardemment ; toutefois, les résultats seront meilleurs que ce que vous aviez souhaité! Cela vous encouragera donc à continuer à faire des changements, à créer et à amorcer vos projets. Vous êtes en contrôle avec votre vie, et plus que jamais, vous savez ce que vous voulez. Vous ferez donc votre possible pour tout atteindre et réussir tel que vous le désirez!

Profitez-en également pour acheter vos loteries préférées! Certains seront surpris des gains qu'ils feront. Les personnes dont le signe du zodiaque est Bélier, Verseau ou Taureau attireront la chance dans votre direction. Profitez-en pour acheter un billet avec elles! De plus, les contrats que vous signerez apporteront de la satisfaction. Si vous désirez améliorer vos conditions de travail, un événement surviendra pour que vous puissiez le faire! Certains recevront une augmentation de salaire. D'autres auront le privilège de changer de travail. Ce nouveau travail sera plus valorisant et prolifique. Bref, au cours de cette période, tout vous réussira bien! Attendez-vous également à régler une situation problématique. Vous serez heureux de la tournure de l'événement. Un bel équilibre se fera sentir et vous serez débordant d'énergie pour entreprendre tout ce qui vous passe par la tête!

Attendez-vous d'être très fatigué au cours d'***avril*** et de ***mai***. Avec tout ce que vous avez entrepris lors des derniers mois, il est normal que la fatigue vous envahisse. De plus, certains remettront en question leurs changements. Ils se demanderont si c'est la meilleure méthode à suivre pour améliorer leur vie. Cette période de questionnement dérangera énormément votre mental. Il serait donc important de prendre une ou deux journées de repos pour faire le vide. Cela sera bénéfique! Sortez de votre routine et faites une activité qui vous plait! Sortez avec vos amis. Allez au cinéma! Changez vos idées. En peu de temps, vous reprendrez le contrôle et vous continuerez à amorcer vos changements tel que vous le souhaitez!

Il y aura également quelques préoccupations au cours de la période printanière. Ce sera une période pénible. Des larmes seront versées. Il peut s'agir d'une mauvaise nouvelle, d'un décès, d'une déception, d'une confrontation avec un proche, d'un événement relié au passé, d'une problématique, d'une séparation, etc. Cette situation vous bouleversera pendant quelques jours. De plus, certains couples en difficulté auront des dialogues animés au sujet d'un enfant, de l'argent ou du travail. Cela dérangera l'harmonie au foyer. Quelques-uns penseront à quitter leur partenaire. D'autres partiront ! Tout peut arriver lors de cette période. Il serait donc important de prendre une journée à la fois et de régler les problèmes un à un. Cela sera mieux ainsi. N'hésitez pas à réclamer l'aide des Anges gouverneurs. Leurs énergies vous aideront à passer à travers vos journées les plus difficiles.

Au niveau de la santé, certains se plaindront de maux de tête, d'infection à l'oreille ou d'un mal de dent. Vous irez consulter un spécialiste. Un médicament vous sera prescrit pour soulager votre douleur. D'autres souffriront d'insomnie. Soyez également vigilant avec les objets tranchants. Certains se blesseront. Assurez-vous d'avoir des diachylons ou des pansements à votre portée. Vous en aurez besoin !

Au niveau professionnel, attendez-vous à quelques désagréments avec l'un de vos collègues de travail. De plus, un changement d'autorité vous inquiétera énormément. Toutefois, lors d'une réunion, votre perception changera. Vous serez très heureux lorsque le mois de ***juin*** arrivera ! Vos problématiques se dissiperont comme par enchantement et vous passerez un bel été ! Lors de votre période estivale, attendez-vous à vivre de deux à dix événements agréables. Tous les efforts apportés pour améliorer votre vie seront récompensés de diverses manières. Vous serez heureux de la tournure qu'engendront vos actions. Vous bougerez beaucoup. Vous vous amuserez ! Vous créerez et vous agirez ! Vous serez encouragé et déterminé à réussir toutes les tâches devant vous. Telle sera la façon que vous conduirez votre été ! Votre cran, votre vivacité et votre joie de vivre vous apporteront de belles réussites et récompenses. Vous serez très fier des efforts déployés pour atteindre vos buts. Cela vous permettra de réaliser tout le potentiel qui est en vous. Vous n'aurez donc plus peur de l'exposer et de l'exploiter pour améliorer votre quotidien !

Lors de cette période prolifique, certains signeront un contrat important. Il peut s'agir de la vente ou l'achat d'une propriété, d'une prolongation au travail, d'une somme d'argent à percevoir, etc. Ce papier atténuera vos angoisses. La quiétude vous animera à la suite de cette signature. Certains quitteront la ville pour aller vivre en campagne. Vous serez heureux de votre décision. Cela dit, plusieurs couples vivront une période agréable et charmante. Vous passerez beaucoup de temps avec votre partenaire. Vous vous amuserez comme lors de vos premières rencontres. Ce sera également une période fertile pour celles qui désirent agrandir leur famille. Les familles reconstituées prendront une décision importante qui favorisera leur relation. Les célibataires désireux de faire la rencontre de leur partenaire idéal verront leur rêve se réaliser. Lors d'une sortie avec vos amis, une charmante personne vous fera toute une impression. Elle fera palpiter votre cœur ! Vous chercherez à la connaître davantage ! Une belle union naîtra !

Vous serez également souvent au bon endroit avec des personnes compétentes. Cela vous aidera énormément dans vos actions. Profitez-en également pour acheter vos loteries préférées. Demandez à votre partenaire de participer avec vous. Cela sera chanceux ! Si vous connaissez une femme enceinte, achetez également une loterie avec elle. Celle-ci attirera la chance dans votre direction ! Quelques-uns feront un voyage agréable, vous adorerez votre itinéraire. Plusieurs couples se retrouveront lors de cette période.

Cette belle frénésie se poursuivra jusqu'à la fin ***novembre***. Vous serez comblé par tous les événements agréables qui surviendront lors de cette période. Vous serez gâté par la Providence. Profitez-en ! Vous le méritez tellement ! Plusieurs bonnes nouvelles agrémenteront vos journées. Même si vous vivez une journée compliquée, il y aura toujours une solution qui viendra vers vous pour régler le tout. Tout se réglera et rien ne restera en suspens ! Telle sera l'efficacité de la période automnale. Il est donc normal qu'en ***décembre***, vous serez un peu essoufflé. Certains auront besoin de vacances ou de quelques jours de congé pour refaire le plein d'énergie ! De plus, en décembre, il y aura trois situations qui requerront votre attention immédiate. Vous devrez y voir rapidement. Cela n'est pas sans vous contrarier et vous épuiser. Malgré tout, vous passerez un beau Noël. Vous serez gâté et vous gâterez vos proches !

***Conseil angélique des Anges Trônes :*** *Chers enfants, croire en son potentiel, c'est franchir les étapes de la vie sans inquiétude, puisqu'à l'intérieur de vous, vous êtes conscient que vous possédez les qualités pour bien gérer votre vie et la réussir ! Soyez tout de même humbles, mais sachez toujours reconnaître vos qualités à leur juste valeur. Également, n'ayez pas peur de sortir des sentiers battus et routiniers pour faire place à de la nouveauté. Si vous désirez ardemment améliorer votre vie, faites-le ! Ne remettez pas* à plus tard *ce que vous pouvez accomplir aujourd'hui. Acceptez également les offres avantageuses qui se présenteront sur votre route. Elles ont pour but d'améliorer votre vie et de vous rendre heureux. Nous avons écouté vos demandes et nous vous les offrons sur un plateau d'argent. Maintenant, il ne tient qu'à vous de saisir ces occasions uniques et de les intégrer dans votre vie. Cette année, pour annoncer notre présence, nous vous enverrons un signe. Nous ferons scintiller une étoile dans le ciel ainsi qu'une pièce de monnaie sur le sol. Ramassez-la. Celle-ci vous portera chance. Lorsqu'une étoile scintillera, cela annoncera la venue d'un cadeau pour vous ! Continuez de prier profondément, d'avoir des pensées positives, de travailler ardemment, d'aimer passionnément et de savourer chaque moment agréable que nous vous offrons. Toute cette nourriture spirituelle vous donnera l'ardeur de réussir tous vos plans de l'année 2017.*

## *Les événements prolifiques de l'année 2017*

* Certains verront un Ange venir vers eux, soit en réalité, soit en rêve. Ce signe sera très favorable. Il annoncera une meilleure vie pour vous. Un changement se prépare et améliorera votre qualité de vie. Cette année, plusieurs auront le privilège de voir deux de leurs rêves se réaliser à leur satisfaction et bonheur.

* Vous avez la main chanceuse. Profitez-en pour acheter vos loteries préférées. De plus, chaque action que vous entreprendrez apportera de belles réussites.

* Plusieurs vivront un tournant positif dans plusieurs aspects de leur vie. Cela rehaussera leur confiance et leur permettra de savourer gaiement la réussite des efforts fournis pour améliorer leur vie. Vous serez enivré par la béatitude et la joie de vivre !

* Cette année, vous chercherez davantage la quiétude que la zizanie. Donc, vous vous éloignerez des personnes et des situations qui pourraient vous causer des ennuis. Votre petite voix intérieure saura bien vous guider au moment opportun. Plus que jamais, vous avez besoin de vivre harmonieusement et sereinement votre vie, loin des problèmes et des tracas. Cela ne veut pas dire que vous n'aurez aucun problème, toutefois, vous éviterez tout ce qui pourrait déranger votre quotidien. Les personnes négatives n'ont qu'à changer leur attitude s'ils veulent conserver votre amitié.

* Les femmes désireuses d'enfanter verront leur rêve se réaliser. Il peut s'agir d'adoption. Vous serez heureuse de tenir un enfant dans vos bras. Il en est de même pour les personnes qui désirent devenir grands-parents. Vos enfants vous réservent une belle surprise ! De plus, certains se feront demander d'être le tuteur d'un enfant lors d'un baptême ou advenant le décès des parents. Vous serez agréablement surpris de cette demande.

* Vous ferez la rencontre de trois bonnes personnes. Ces personnes vous apporteront chacune de bonnes nouvelles. Elles croiront énormément en votre potentiel et s'organiseront pour que vous puissiez l'exposer au grand jour. Elles travailleront de

concert avec vous, vous conseilleront et vous guideront vers les meilleures méthodes pour que vous puissiez voir naître de bons résultats. Ces bons conseillers auront un impact majeur dans votre vie. Ils seront le catalyseur de vos réussites et vous leur en serez très reconnaissant. Vous les considérez comme vos Anges ! Vous aurez raison de les identifier ainsi. Ils méritent cette appellation de votre part !

## *Les événements exigeant la prudence*

* Cette année, les mouvements répétitifs vous causeront quelques ennuis. Certains souffriront de tendinites et de douleurs musculaires. Le cou, l'épaule, le bras et le poignet seront la source de vos douleurs. Le tunnel carpien causera également quelques ennuis. Certains seront obligés de subir une intervention chirurgicale pour soulager leur douleur et entreprendre leurs activités usuelles. Le repos de quelques semaines sera conseillé à plusieurs. Écoutez donc les alarmes de votre corps et essayez d'être moins exigeant envers vous-même. Sinon, vous souffrirez de douleur et il vous sera impossible de continuer vos activités journalières.

* Surveillez également votre santé mentale. Si vous souffrez d'anxiété et que vous avez de la difficulté à dormir et à entreprendre vos journées, consultez votre médecin et écoutez sagement ses conseils. Toutefois, la méditation, la marche et la relaxation auront un effet bénéfique sur votre mental.

* Plusieurs vivront une période de nostalgie qui durera quelques jours. Vous verserez des larmes. Vous vous questionnerez sur votre vie. Vous douterez de vos changements, plusieurs souvenirs viendront hanter votre esprit, etc. Lors de cette période, vous aurez besoin de repos et de vous changer les idées. Ce sera une période difficile émotionnellement. N'hésitez pas à réclamer l'aide de vos proches et priez les Anges gouverneurs. Ceux-ci clarifieront davantage vos idées. Cela vous permettra de reprendre vos énergies et de continuer votre route vers l'accomplissement de vos désirs.

* Certaines pièces de votre maison exigent des rénovations. Attendez-vous à faire de deux à trois dépenses imprévues pour votre demeure. Pour certaines personnes, cela dérangera énormément leur budget. D'autres veulent entreprendre les travaux eux-mêmes. Toutefois, le manque de temps les en empêchera. Ils devront remettre à plus tard leurs travaux de rénovations. Il est évident que cela ne fera pas le bonheur du partenaire.

* Plusieurs sentiront un vide à l'intérieur. Même entouré de leurs proches, ce vide sera intense. Certains réaliseront que leur corps vieillit et qu'ils n'ont plus la capacité d'autrefois. Pour d'autres, le sentiment d'abandon sera intense. Le passé viendra hanter votre présent et votre présent hantera votre futur. Vous serez prisonnier de votre bulle et vous serez inaccessible pendant quelques jours. Vous serez confronté à la peur de l'avenir, la mort, la vieillesse et l'abandon. Cela réveillera des angoisses et des émotions de toutes sortes. Toutefois, une bonne nouvelle arrivera au moment opportun et elle vous permettra de sortir de cette torpeur temporaire !

# Chapitre XXII

# Informations supplémentaires propres à chacun des Anges Trônes

## *Les Trônes et la chance*

Tel que l'an passé, votre chance sera **excellente,** voire inouïe! Tout tournera en votre faveur. Cela vous permettra de réaliser plusieurs projets et de régler plusieurs situations problématiques. La Providence apportera de la magie dans votre quotidien et elle touchera favorablement plusieurs aspects de votre vie. Vous serez toujours au bon endroit au moment opportun. Vous rencontrerez des gens dynamiques, compétents et honnêtes qui vous permettront de réussir plusieurs objectifs fixés. De plus, pour chaque problème, une solution vous parviendra. À chaque question, une réponse suivra! Avec toute cette frénésie, vous réaliserez qu'il y a un Ange qui veille sur vous! Tous les Trônes seront prédestinés à la Providence. Toutefois, les enfants de **Caliel** et **Melahel** seront les plus chanceux parmi les enfants Trônes.

Au cours de l'année 2017, plusieurs chiffres seront prédisposés à attirer la chance dans votre direction. Toutefois, les chiffres **10**, **17** et

**20** seront les plus chanceux. Votre journée de chance sera le **vendredi.** Les mois les plus propices a attiré la chance vers vous seront **mars, août, septembre** et **novembre**. Plusieurs situations bénéfiques surviendront lors de ces mois. Profitez-en donc pour acheter des loteries, pour prendre des décisions, pour signer des contrats, pour faire des changements et autres. Ces mois vous avantageront dans plusieurs aspects de votre vie. Lorsqu'une opportunité s'offrira à vous, saisissez votre chance ! Ne laissez pas passer ces occasions uniques d'améliorer votre vie ! Celles-ci sont souvent éphémères et de courte durée ! Voilà l'importance d'en profiter au moment opportun !

De plus, n'oubliez pas de prendre en considération le chiffre en **gras** relié à votre Ange de Lumière. Ce numéro représente également un chiffre chanceux pour vous. Plusieurs situations bénéfiques pourraient être marquées de ce nombre. Il serait important de l'ajouter à votre combinaison de chiffres. Toutefois, votre Ange peut également utiliser ce numéro pour vous annoncer sa présence auprès de vous. Lors d'une journée, si vous voyez continuellement ce chiffre, cela indique que votre Ange est avec vous. Profitez-en pour lui parler et lui demander de l'aide ! Cela peut également signifier de prier l'Ange gouverneur. Vous avez possiblement besoin de sa Lumière pour traverser l'une de vos épreuves, pour prendre une décision, pour régler une problématique, etc. Soyez toujours attentif aux signes que vous enverront les Anges au cours de l'année. Ceux-ci vous seront d'un grand secours !

---

***Conseil angélique :*** *Si vous trouvez une pièce de monnaie marquée de l'année 1970, si une personne lève son verre en vous regardant dans les yeux, alors procurez-vous un billet de loterie puisque ces symboles représentent votre chance.*

---

***Lauviah II :*** 22, 28 et 36. Le chiffre « **22** » est votre chiffre chanceux. La Providence vous surprendra ! Elle vous aidera toujours au moment opportun. Cela vous encouragera à continuer à faire des changements car vos récoltes seront abondantes, agréables et productives.

Jouez seul puisque la chance vous appartient ! Misez davantage sur vos loteries préférées. Lors d'un déplacement dans une ville étrangère, profitez-en pour acheter une loterie. Cela pourrait être chanceux pour vous ! Si vous désirez vous joindre à un groupe, les groupes de deux, de quatre et de six personnes vous seront favorables. Si vous connaissez une personne dont le signe du zodiaque est Capricorne, Bélier ou Taureau, achetez un billet avec elle. Si vous connaissez un taxidermiste, un éleveur d'animaux, un physiothérapeute et un joueur d'hockey, achetez également des billets avec eux. Ceux-ci attireront la chance dans votre direction.

Cette année, vous serez productif, actif et dynamique. Vous serez partout en même temps et vous améliorerez votre vie. Certains quitteront un lieu de travail, un domicile, un amoureux, etc. Ils partiront à l'aventure d'une vie améliorée. Vous vous lancerez corps et âme dans cette nouvelle expédition. Qu'importe les conséquences de vos actes. Cela n'aura aucune importance pour vous ! Votre soif de connaissances et de changements seront à la hausse et elles vous tiendront en haleine ! Vous serez parfois essoufflé mais heureux ! Vous parcourerez donc plusieurs avenues pour combler cette soif en vous ! Vos actions seront prolifiques. Elles chambarderont favorablement votre vie. La Providence vous aidera à trouver des solutions pour régler vos problèmes, à faire la lumière sur des situations ambiguës et problématiques, à résoudre les conflits et les problèmes qui dérangent votre quiétude. Vous ne laisserez rien passer et vous réglerez tout. Vous serez direct dans vos propos ; gare à ceux qui chercheront à vous induire en erreur. Ils le sauront rapidement. Bref, vous êtes épuisé d'être à la merci de tout le monde et d'accomplir tout pour eux. Cette année, vous bâtirez des projets, vous vous fixerez des buts, vous améliorerez votre vie. Tout ce que vous entreprendrez, vous le ferez pour votre bien-être et non pour celui des autres. Vous passerez en premier et vous tiendrez tête à ceux qui chercheront à vous manipuler ou à vous faire changer d'idée. Cette nouvelle vision de la vie attirera la paix, l'équilibre, la joie et la satisfaction. Exactement ce que vous souhaitez vivre cette année !

***Caliel :*** 03, 16 et 30. Le chiffre « **3** » est votre chiffre chanceux. N'oubliez pas que la chance est de votre côté ! Profitez-en pour amorcer des projets qui vous plaisent, prendre des décisions importantes, signer des contrats, etc. La Providence enverra régulièrement sur votre route de belles possibilités pour atteindre vos objectifs et les réussir. Attendez-vous à vivre trois événements favorables qui rempliront votre cœur de bonheur. Ces événements bénéfiques atténueront énormément vos angoisses et vos peurs.

Cette année, priorisez les groupes ! Les groupes de trois personnes attireront la chance dans votre direction. Si vous connaissez un sommelier, un maître de cérémonie, un inspecteur en bâtiment ou une personne dont le signe du zodiaque est Poissons, achetez des billets avec eux. Ce sera chanceux !

La Providence vous permettra de fêter trois événements agréables qui se produiront dans votre vie. Il peut s'agir d'une somme d'argent, d'un mariage, d'une célébration quelconque, d'un honneur, de la venue d'un enfant, etc. Qu'importe l'événement, il vous rendra heureux ! De plus, vous aurez régulièrement la chance de trouver des solutions lorsqu'un problème surviendra. Vous lâcherez prise sur des situations insolubles. Vous trouverez un sens à votre vie. Vous prendrez soin de votre santé. Vous mettrez un terme à plusieurs situations dérangeantes qui accaparent vos journées et dérangent votre sommeil. Vous chercherez la quiétude et vous ferez tout pour l'obtenir. À la suite de changements, plusieurs retrouveront leur équilibre et la paix dans leur cœur. Vous serez satisfait de vos choix et de vos décisions. Ceux-ci vous permettront de retrouver l'harmonie dans votre foyer et la sérénité dans votre cœur ! Plus que jamais, vous avez besoin de combler votre vie avec des événements favorables. Cette année, votre rêve se concrétisera !

***Leuviah :*** 06, 24 et 33. Le chiffre « **6** » est votre chiffre chanceux. Vous vivrez régulièrement des situations prolifiques qui auront un impact bénéfique dans votre vie. Cela vous permettra de vous prendre en main et de renaître à la vie ! Vous réaliserez également que le proverbe « *On n'est jamais si bien servi que par soi-même !* » s'appliquera bien dans votre année ! Tel un élève astucieux, vous réussirez bien vos leçons !

Jouez seul, cela sera plus chanceux pour vous ! Toutefois, si vous voulez participer à des groupes, ceux de deux et de six personnes vous seront bénéfiques. Si vous connaissez un marin, un pêcheur, un mécanicien, un capitaine de bateau, achetez des billets avec eux ! Ceux-ci attireront la chance dans votre direction. De plus, lors d'une sortie à l'extérieur de votre ville, profitez-en également pour vous procurer des billets de loteries. Cela pourrait être favorable.

Cette année, la chance se fera davantage sentir au niveau de vos choix et décisions. Vous analyserez profondément votre vie et toutes ses lacunes. Vous ferez des choix judicieux et vous l'appliquerez instantanément à votre quotidien. Vous mettrez fin à plusieurs situations problématiques qui déragent votre quiétude et votre harmonie. Vous enterrez finalement les fantômes du passé. Vous réaliserez que ceux-ci vous empêchent de vous épanouir et de profiter de la vie à sa pleine capacité. Il est évident que cela ne sera pas facile pour vous de faire le ménage de vos souvenirs. Néanmoins, vous êtes conscients que ce ménage sera bénéfique pour votre santé globale. Lors de cette période, vous chercherez davantage la solitude que la compagnie des gens. Pour vous, cela sera important. Les décisions que vous prendrez seront bien analysées. Vous évaluerez également les conséquences de vos actes. Donc, lorsque vous serez prêt, vous agirez et améliorerez votre routine quotidienne. Cela dit, à la suite de changements, plusieurs retrouveront leur équilibre et la paix dans leur cœur. Cela aura un impact favorable dans leur vie. Vous serez fier de vous et des actions entreprises pour retrouver votre harmonie. Telle sera votre vraie chance en 2017. Tout vous réussira bien et vous en profiterez au maximum !

***Pahaliah :*** 01, 09 et 18. Le chiffre « **1** » est votre chiffre chanceux. Vous serez triplement chanceux lors de vos mois bénéfiques. Lorsque la chance frappera à votre porte, elle vous apportera toujours trois bonnes nouvelles de suite. Vous aurez de la difficulté à le croire ! Vous qui, habituellement, n'êtes pas chanceux ! Ce sera différent cette année. Cela ne veut pas dire que ces cadeaux seront des gains à la loterie. Il peut s'agir de bonnes nouvelles, de petits cadeaux agréables, de rencontres, etc. Tout peut arriver ! De toute façon, qu'importe ce que vous gagnerez, vous l'accueillerez toujours à bras ouverts ! Profitez-en également pour participer à des concours. Vous pourriez gagner des prix agréables !

Que vous jouez seul ou en groupe, cela n'a pas d'importance, la chance sera avec vous de toute manière ! Toutefois, les groupes de trois ou de six personnes seront favorables. Si vous connaissez une personne dont le signe du zodiaque est Scorpion, Cancer ou Poisson, achetez un billet avec elle. Si vous connaissez également une styliste, une préposée à la vente de vêtements féminins, une éleveuse de chien de race Lévrier, toutes ces personnes seront prédisposées à vous apporter de la chance. De plus, profitez-en pour acheter vos loteries préférées lors de la pleine lune. Cela sera chanceux !

Cette année, la chance se fera davantage sentir au niveau de votre santé mentale et votre vie personnelle. Vous améliorerez votre vie en y apportant des changements bénéfiques. Cela fait longtemps que vous mijotez ces changements. Vous êtes maintenant prêt à passer à l'action. Plusieurs auront donc le privilège de régler des problèmes de longue date qui les accaparent et qui les empêchent d'être heureux. Lorsque ces situations seront réglées, vous serez heureux et débordant d'énergie. Vous retrouverez votre équilibre et votre joie de vivre. Cela vous permettra de vous concentrer davantage sur vos objectifs fixés et sur vos projets que vous désirez accomplir au cours de l'année. Vous reprenez goût à la vie. Vous prendrez le temps de savourer les moments agréables que vous offrira la vie. Ce sera prioritaire ! Cela fait trop longtemps que vous avez négligé vos rêves, vos désirs pour faire plaisir à vos proches. Cette année, ce sera le contraire. Vous serez le premier. Non pas pour nuire aux autres, mais vous voulez au moins une fois dans votre vie penser davantage à vous ! Ce sera important pour votre bien-être et votre confiance. Telle sera votre chance en 2017 ! Prendre le temps de penser à vous et à vos rêves ! Vous ferez donc tout votre possible pour atteindre et réussir vos buts. Attendez-vous également à recevoir trois bonnes nouvelles qui chambarderont favorablement votre année. L'une de ces nouvelles enlèvera un fardeau sur vos épaules.

***Nelchaël :*** 09, 27 et 36. Le chiffre « **9** » est votre chiffre chanceux. Profitez de vos mois de chance pour améliorer votre vie. Faites des changements, réglez vos problématiques et amorcer des projets qui vous interpellent ! Cela sera avantageux pour vous !

Cette année, priorisez les groupes. Cela sera plus chanceux ! Les groupes de trois, de quatre et de neuf personnes seront prédisposés à vous faire gagner ! Si vous connaissez une hygiéniste dentaire, un dentiste, un médecin, un chirurgien, un pharmacien ou une secrétaire médicale, achetez des billets avec ces personnes ! Ce sera bénéfique !

En 2017, la chance enverra sur votre route de belles possibilités qui vous permettront d'améliorer votre vie. Vous serez en mesure de prendre votre vie en main et d'y apporter tous les changements nécessaires pour que vous puissiez retrouver votre équilibre, votre joie de vivre et la paix intérieure. Bref, vous serez beaucoup plus chanceux pour trouver des solutions pour régler vos problèmes que de faire des gains. Aussitôt qu'une solution arrivera, le problème se réglera ! Vous ferez également taire les mauvaises langues. Vous leur ferez comprendre que leur énergie vous dérange et que vous préférez vous éloignez d'elles. Vous mettrez également un terme aux situations du passé qui dérangent votre vie actuelle. Plus que jamais, vous voulez vivre sereinement et profiter des événements agréables que vous offre votre vie présente. Votre cran et vos astuces vous permettront également de faire la lumière sur des situations ambiguës et problématiques. Bref, plusieurs apporteront des changements importants dans leur vie pour améliorer leur quotidien et ils en seront fiers ! Cela sera plus important pour vous que de gagner à la loterie ! Vous parviendrez à mettre un terme à plusieurs de vos tracas. Vous priorisez également votre santé mentale. Vous tiendrez à améliorer cet aspect de votre vie. Plusieurs s'adonneront à des activités qui auront un effet bénéfique sur leur mental. Vous avez un urgent désir de vous remettre en forme, loin des tracas et des problèmes de toutes sortes et vous y parviendrez cette année. Telle sera votre chance !

***Yeiayel :*** 08, 28 et 46. Le chiffre « **8** » est votre chiffre chanceux. Au lieu de dépenser de l'argent dans les loteries, gâtez-vous ! Cette année, vous serez animé par des coups de cœur. Cela peut être dispendieux ! Placez donc votre argent dans les bonnes causes : vos coups de cœur ! Vous ne serez pas déçu ! De toutes façons, la Providence vous gâtera au moment opportun. Il peut s'agir d'un montant d'argent ou de rabais pour acheter vos articles « coup de cœur » ! Qu'importe le cadeau, vous l'accueillerez toujours à bras ouvert !

Priorisez les groupes. Cela sera avantageux ! Les groupes de deux, de trois, de cinq ou de dix personnes attireront la chance dans votre direction. Achetez également une loterie avec un ami d'enfance. Cela sera bénéfique ! Si vous connaissez de gens qui travaillent dans une animalerie, un professeur, une éducatrice, un garde de sécurité, achetez des billets avec eux. Ce sera chanceux !

Cette année, la chance se fera davantage sentir au niveau de vos actions. À la suite d'une période difficile, plusieurs se prendront en main et feront tout pour retrouver leur vivacité d'autrefois. Vous travaillerez ardemment pour atteindre cette béatitude. Néanmoins, vous y parviendrez grâce à votre détermination et votre bonne volonté. La Providence apportera de belles possibilités pour améliorer tous les aspects qui vous dérangent. Lorsqu'une possibilité vous interpellera, vous saisirez l'occasion et vous l'appliquerez instantanément dans votre quotidien. Grâce à cette attitude, vous ferez des changements importants dans votre vie. Vous serez régulièrement satisfait de vos choix, décisions et actions pour améliorer la qualité de votre vie. Vous serez également en mesure de relever tous les défis qui se présenteront sur votre chemin. Vous serez en forme et déterminé à réussir vos objectifs de l'année. Vous retrouverez votre équilibre et vous serez heureux ! Vous rencontrez également de bonnes personnes qui sauront vous épauler et vous guider au moment opportun. Toutefois, l'une d'elles deviendra votre Ange gardien. Celle-ci chambardera favorablement votre vie. Elle sera toujours présente lorsque vous aurez besoin de ses services. Son aide sera précieuse à vos yeux et ses conseils seront judicieux. Ils vous permettront de prendre de bonnes décisions et de faire d'excellents changements dans votre vie. Vous lui serez très reconnaissant par la suite. Donc, votre chance sera la rencontre de cet Ange. De plus, vos coups de cœur agrémenteront également vos journées !

***Melahel :*** 01, 22 et 30. Le chiffre « **1** » est votre chiffre chanceux. Vous êtes l'un des enfants Trônes priorisés par la Providence. Attendez-vous à vivre des événements qui embelliront certaines de vos journées. Tout ce que vous entreprendrez apportera de bons résultats. Vous serez donc fier de vous et de vos actions.

Jouez seul. Cela sera bénéfique. Vous avez la main chanceuse. Priorisez donc les loteries instantanées. Celles-ci vous réservent de belles surprises. Certains pourraient gagner une somme de plus de dix mille dollars avec ce genre de loteries. Si vous désirez joindre un groupe, les groupes de deux et de trois personnes vous seront favorables. Si vous connaissez une personne dont le signe du zodiaque est Capricorne, Bélier ou Taureau, achetez un billet avec elle. Si vous connaissez un homme barbu aux yeux clairs, un pompier, un géologue, un historien, un agent d'immeuble ou un artificier, achetez un billet avec eux. Vous pouvez également acheter des billets avec un collègue de travail. Toutes ces personnes attireront la chance dans votre direction.

Au cours de l'année, votre grande bonté sera largement récompensée. Vous récolterez tous les bienfaits de vos efforts. D'ailleurs, vous les méritez grandement ! La chance favorisera plusieurs aspects de votre vie. Plusieurs opportunités se présenteront sur votre chemin et vous permettront d'améliorer votre routine quotidienne. Vos actions seront bénéfiques. La satisfaction sera votre récompense. Vous serez souvent au bon endroit, au moment opportun. Cela vous favorisera régulièrement. Vous saisirez régulièrement les occasions uniques qui se présenteront sur votre chemin pour améliorer votre vie. Vous ne laisserez rien passer. Vous serez un fin limier qui saura flairer les bonnes affaires ! Plusieurs événements surviendront pour régler une situation, pour amorcer un projet, pour répondre à une question, etc. Vous n'aurez donc pas le choix d'admettre que les Anges sont présents dans votre vie et qu'ils répondent continuellement à vos demandes. Il y aura toujours une bonne nouvelle au moment opportun. Cela rendra votre année agréable. De plus, certains obtiendront une promotion. D'autres réussiront un examen indispensable. Quelques-uns obtiendront un emploi de rêve. Certains signeront des papiers importants. Lorsqu'arrivera un problème, un échec ou une déception, au lieu de vous décourager, vous relèverez vos manches et vous trouverez rapidement la meilleure solution. Vous réglerez le tout à votre entière satisfaction. Donc, cette année, vous avez la chance de bien mener à terme vos projets, vos idées, vos buts, et vous en profiterez incessamment.

***Haheuiah :*** 12, 34 et 48. Le chiffre « **12** » est votre chiffre chanceux. La Providence mettra un terme à vos souffrances. Celle-ci enverra sur votre route de belles opportunités qui vous rendront heureux. Écoutez également la voix de votre intuition. Si l'envie d'acheter une loterie vous titille à l'intérieur, faites-le ! Vous serez surpris des montants que vous pourriez gagner ! Participez également à des concours, plusieurs gagneront des prix agréables. Profitez-en bien puisque tout est éphémère !

Misez toujours sur vos loteries préférées. Si vous préférez jouer seul, faites-le ! Si vous préférez joindre un groupe, les groupes de deux ou de trois seront les seuls qui attireront la chance vers vous. Si vous connaissez un homme barbu aux yeux foncés, un joaillier, un bijoutier, un fermier, un paysagiste, un fleuriste ou un ouvrier, achetez un billet avec eux. Vous pourriez faire plusieurs gains d'argent avec ces personnes.

Cette année, la chance se fera davantage sentir dans votre vie personnelle. Vous vous prenez en main et vous améliorez tous les aspects qui vous dérangent. Vous tenez à votre bonheur et vous ferez ce qu'il faut pour être heureux. Vous chercherez également la paix intérieure. Cela sera important pour vous. Vous avez un urgent besoin de vous sentir aimé, apprécié et important aux yeux de vos proches. Cela vous amènera à faire du ménage dans votre vie. Vous apporterez plusieurs changements qui amélioreront votre routine quotidienne. Vous ne voulez plus vivre dans la détresse mais plutôt dans l'allégresse. Vous avez besoin de reprendre contact avec la vie. Vous y parviendrez grâce à votre détermination pour atteindre la béatitude. De plus, vous serez souvent au bon endroit au moment opportun. Vous ferez également la rencontre de personnes compétentes qui sauront vous épauler et vous conseiller lors de problématiques. Cela vous favorisera continuellement. Vous éclaircirez des malentendus. Vous ferez la lumière sur des situations problématiques. À chaque problème, vous trouverez une solution. À chaque question, vous obtiendrez une réponse. Vous vous sentirez bien, en sécurité et en contrôle avec les événements de la vie. Tels seront les événements prolifiques de 2017 !

## *Les Trônes et la santé*

Ceux qui écouteront les alarmes de leur corps et respecteront leurs limites, seront en pleine forme pour bien conduire leur année. Ils seront en mesure d'accomplir leurs journées sans trop de problèmes ! Plusieurs apprendront à relaxer et à prendre soin de leur santé. Vous prioriserez votre santé mentale et physique. Vous réaliserez également qu'il est important de conserver la forme, sachant que vous avez mille et une idées en tête et que vous voulez toutes les accomplir ! Vous avez donc besoin d'être en forme pour les entreprendre et les réussir comme vous le souhaitez ! Bref, vous vous tiendrez en forme. Vous pouvez changer vos habitudes alimentaires, prendre du repos, faire des exercices, etc. Plusieurs miseront sur la méditation, la relaxation et la respiration. Ils réaliseront que ces activités les aident énormément lors de journées plus ardues. De plus, cela les aidera également à prendre de bonnes décisions et à faire le vide intérieur lorsqu'ils seront dérangés par les problématiques. Vous savez que votre faiblesse est la santé mentale, celle-ci vous joue parfois de vilains tours. Votre corps a besoin de repos. Vous bougez tellement que celui-ci réclame parfois un temps d'arrêt ! Si vous prenez le temps de lui accorder ces quelques heures de repos qu'il exige, votre santé globale ira à merveille. Toutefois, si vous faites le contraire, vous serez malade. À vous de choisir ce que vous préférez !

Les personnes négligentes et malades vivront des périodes difficiles. Certains devront subir deux interventions chirurgicales. Plusieurs devront prendre des médicaments sur une base régulière. Quelques-uns souffriront de douleurs intenses et lancinantes. À la suite d'examens médicaux, des mises-en-garde vous seront lancées et il serait important de les écouter, sinon, attendez-vous à vivre plusieurs ennuis majeurs. Toutefois, tout peut être évité si vous écoutez sagement les conseils du médecin qui vous traitera.

### *Sur une note préventive, voici les parties vulnérables à surveiller plus attentivement et les faiblesses du corps en ce qui concerne chacun des enfants Trônes.*

À part la santé mentale, une autre de vos faiblesses sera les allergies. Lors de la période des allergies, plusieurs souffriront. Le nez et les yeux piqueront et couleront souvent. Quelques-uns seront obligés de prendre des antihistaminiques pour se soulager et passer de bonnes journées. Certains asthmatiques devront utiliser leur inhalateur. Il y aura également les piqûres d'insectes, les égratignures, les coupures, etc. Assurez-vous d'avoir une pharmacie bien remplie de produits qui vous permettront de vous soigner en conséquence lorsqu'arrivera un pépin. Il faudra également surveiller l'estomac. Essayez de ne pas trop vous empiffrer lorsque vous serez devant vos aliments préférés. Également, surveillez l'alcool. Certains auront quelques ennuis de santé causée par les boissons alcoolisées. De plus, certains souffriront d'une tendinite. Vous serez obligé de cesser vos activités pendant quelques semaines. D'autres recevront une piqûre de cortisone pour soulager leur douleur.

***Lauviah II :*** plusieurs se plaindront de douleurs musculaires et de maux d'estomac. Vous aurez de la difficulté avec votre digestion. Vous souffrirez de reflux gastrique qui vous obligera à prendre un médicament. Attendez-vous également à passer des examens pour déceler l'origine de vos maux. À la suite d'un diagnostic, vous serez soigné en conséquence ! Quelques-uns développeront des allergies alimentaires. Certains auront des intolérances au lactose, d'autres au gluten. De plus, faites attention aux objets tranchants et regardez où vous mettez les pieds. Certains se blesseront et devront porter un plâtre ou un pansement. La peau sera également fragile. Plusieurs auront des ennuis cutanés qui exigeront l'intervention d'un dermatologue. La rosacée, l'eczéma, le psoriasis ainsi que l'acné dérangeront plusieurs personnes. Ils devront subir un traitement pour atténuer leur problème de peau.

***Caliel :*** les personnes cardiaques et alcooliques devront écouter sagement les recommandations de leur médecin. Ainsi, ils éviteront de graves ennuis. Certaines personnes auront de la difficulté avec le sang. Il peut s'agir d'anémie, de diabète ou autre problème. Vous serez obligé de prendre un médicament et vous faire soigner. La période des allergies en fera souffrir quelques-uns. Vous devrez prendre un inhalateur et des antihistaminiques pour accomplir vos journées et passer de bonnes nuits. L'estomac sera également une partie fragile. Vous bannirez les aliments qui dérangent votre estomac. Cela ne sera pas facile, néanmoins, votre estomac ira mieux !

***Leuviah :*** il faudra surveiller le surmenage. Cela sera votre faiblesse. Prenez le temps de vous reposer lorsque le corps le réclame. Sinon, votre santé globale en prendra un vilain coup ! Vous aurez de la difficulté à dormir. Vos nuits seront agitées et tourmentées par toutes sortes de situations problématiques. Cela aura un effet dévastateur sur votre humeur et votre attitude. Il y aura des périodes de découragement, de frustration et votre corps réagira vivement à ces émotions. Cela engendra des maux de tête, des pertes d'appétit, de grandes fatigues et des douleurs lancinantes. Il est évident que cela attaquera votre attitude. Prenez donc le temps nécessaire pour relaxer, vous reposer et bien vous nourrir. Ce sera primordial et salutaire pour le bien de votre santé ! Si vous ne le faites pas, vous trouverez vos journées ardues et difficiles. Vous ne serez pas toujours en forme et avec raison. Si vous voulez éviter des problèmes éprouvants, soyez donc à l'écoute des signaux de votre corps. Lorsque vous avez besoin de repos, reposez-vous ! Plus vous négligerez vos alarmes, plus vous hypothéquerez votre santé ! Cette année, soyez vigilant et prenez soin de vous !

***Pahaliah :*** plusieurs souffriront de fatigue chronique qui nécessitera un repos obligatoire. Surveillez précieusement votre santé mentale. Essayez de tout faire en même temps ne vous aidera guère à conserver une bonne santé. Lorsque votre corps réclame du repos, écoutez-le ! Sinon, vous serez confronté à un problème important qui vous angoissera. Si vous voulez éviter cette situation, respectez-vos limites ! De plus, vous serez très lunatique, ce qui provoquera des incidents quelconques. Soyez donc vigilant ! Assurez-vous d'avoir une pharmacie bien remplie pour soigner vos blessures ! Quelques femmes auront des ennuis avec la glande thyroïde. Votre médecin vous soignera adéquatement. Quelques-uns souffriront de torticolis ou de douleurs au cou. Couvrez-vous bien lors de journées plus froides. Ce sera à votre avantage ! De plus, la peau sera fragile. Faites attention aux rayons de soleil. Assurez-vous de couvrir votre peau d'une bonne crème solaire ! Ainsi, vous éviterez des rougeurs et des problèmes cutanés. Pour terminer, les alcooliques, les toxicomanes et les cardiaques devront redoubler de prudence et respecter les recommandations de leur médecin. Certains iront passer quelques jours à l'hôpital pour subir des traitements ou une intervention chirurgicale.

***Nelchaël :*** la tête sera une partie fragile. Certains se plaindront de migraines atroces. D'autres feront de l'insomnie. Quelques-uns se blesseront à la tête. Les ouvriers devront s'assurer de porter un casque de sécurité en tout temps et de respecter les consignes de sécurité. La santé mentale sera vulnérable. Reposez-vous lorsque vous êtes fatigué. Vous risquez de trouver vos journées longues et ardues. Il serait donc important de prendre le temps nécessaire pour vous reposer. Cela sera un atout pour votre santé mentale ! À la suite d'une rencontre médicale, votre médecin vous suggérera un repos temporaire, le temps de refaire vos énergies. Si vous n'écoutez pas ses recommandations, vous sombrerez dans une dépression et il sera beaucoup plus pénible de remonter la pente. De plus, assurez-vous d'avoir une pharmacie bien remplie. Vous serez régulièrement victime d'écorchures, d'égratignures et de blessures causées par des moments d'inattention.

***Yeiayel :*** plusieurs seront épuisés et en manque d'énergie. Vous avez de la difficulté à arrêter, donc, vous brûlez la chandelle par les deux bouts et cela affecte votre santé globale. Il serait donc important de respecter la limite de vos capacités, sinon, vous en souffrirez péniblement. Vous vous retrouverez rapidement sans aucune énergie vitale pour accomplir vos tâches quotidiennes. Tout cela pourra être évité si vous faites attention à vous. Si vous ne respectez pas vos alarmes, vous serez en congé obligatoire sous la recommandation de votre médecin. Il faudra également surveiller les allergies et les infections. Vous serez obligé de prendre un médicament pour vous soulager et être en mesure de passer de bonnes journées. Certains souffriront de problèmes cutanés. Quelques-uns auront des feux sauvages. Surveillez également les rayons du soleil. Assurez-vous d'utiliser une bonne crème solaire. De plus, vos moments d'inattention causeront souvent des blessures minimes. Assurez-vous d'avoir des diachylons et des pansements à votre portée ! Vous en utiliserez souvent !

***Melahel :*** certains se plaindront d'une douleur à l'épaule ou au bras. Il peut s'agir d'une tendinite. Vous serez obligé de faire de la physiothérapie et de prendre un médicament pour la douleur. Il faudra également surveiller les allergies et les infections. Certains souffriront de feux sauvages. D'autres, de démangeaison. Vous serez obligé d'utiliser une crème médicamentée pour atténuer votre problème cutané. Soyez également vigilant en présence d'un feu. Plusieurs se brûleront. Assurez-vous d'avoir des pansements et une trousse de premiers soins dans votre pharmacie. Vous en aurez besoin pour nettoyer et couvrir les plaies causées par vos moments d'inattention. De plus, ne manipulez aucun objet dont vous ignorez le fonctionnement puisque vous pourriez subir de fâcheux incidents. Votre vigilance est de mise, et ce, en tout temps ! Bref, ne négligez aucunement les consignes de sécurité ; ainsi, vous éviterez de graves blessures.

***Haheuiah :*** plusieurs souffriront de douleurs imprévisibles et intermittentes. Quelques-uns auront des ennuis avec leur système digestif. D'autres réaliseront qu'ils ont des allergies alimentaires. Ils seront obligés de changer leurs habitudes alimentaires. Sinon, ils souffriront de ballonnements et de maux de ventre atroces. Il peut s'agir d'une intolérance au lactose, au gluten ou aux épices. Il y a également le foie, le pancréas et les intestins qui seront des parties vulnérables. Attendez-vous à consulter régulièrement votre médecin pour examiner vos problèmes. Celui-ci sera en mesure de trouver les causes de vos ennuis de santé et il vous soignera adéquatement. Surveillez également où vous mettez les pieds. Certains se blesseront à la cheville, au talon ou au genou. Vous serez obligé de faire des exercices de physiothérapie pour guérir votre problème. Il peut s'agir également du tendon d'Achille.

Tel que l'an passé, plusieurs souffriront d'allergies. Lors de périodes plus accrues, vous serez obligé de prendre des antihistaminiques et un inhalateur pour parvenir à passer d'agréables journées et nuits. La peau sera également fragile, quelques-uns auront des rougeurs près du nez et des feux sauvages sur les lèvres. Certains appliqueront une crème à base de produits naturels. Cela calmera les rougeurs. Surveillez également les rayons de soleil. Assurez-vous d'utiliser une bonne crème solaire. Ainsi, vous serez moins enclin au cancer de la peau. Toutes les personnes qui adorent se prélasser devant les rayons du soleil devraient prendre en considération ce conseil!

## *Les Trônes et l'amour*

La réussite de votre vie amoureuse dépendra de vos états d'âme. Si vous prenez soin de votre santé mentale, tout ira bien dans votre relation. Si vous la négligez, tout ira de travers. Votre bonheur dépend de vous. Lorsque vous êtes fatigué, vous êtes vulnérable et non accessible. Vous raisonnez de travers. Rien ni personne ne peut vous faire changer d'idée! Ce ne sera pas évident pour votre partenaire! Malgré tout, ce sont parfois des situations désastreuses qui aident les couples à se rapprocher! Prenez donc le temps nécessaire pour dialoguer de vos états d'âme avec votre partenaire. Celui-ci comprendra vos sauts d'humeur et vos distances. Si vous ne lui en parler point, votre partenaire pensera que vous ne l'aimez plus et que vous voulez le quitter. Il est évident qu'il réagira vivement lorsque vous vous retirerez dans votre mutisme. Votre froideur lui fera de la peine, et avec raison. Si vous lui partagez vos opinions et vos états d'âme, vous vous rapprocherez et à rallumerez la flamme de l'amour dans votre union. Prenez le temps de vous réconforter dans les bras de l'un comme de l'autre. Vous avez besoin de tendresse et de réconfort.

Votre partenaire sera heureux de vous en donner. Bref, à la suite d'une épreuve, plusieurs couples travailleront ardemment pour retrouver leur équilibre amoureux. Vous miserez davantage sur votre bonheur. Vous ferez tout votre possible pour être heureux. La période estivale ainsi qu'automnale vous réserve de belles surprises. Vous aurez régulièrement des dialogues enrichissants avec votre partenaire. Cela lui permettra de mieux comprendre vos intentions et vos états d'âme.

Au cours de l'année, vous vivrez plusieurs journées agréables qui rehausseront votre amour conjugal. Ces journées surviendront au cours des mois suivants : ***janvier, février, mars, juillet, août, septembre, octobre*** et ***novembre***. Lors de ces mois, vous passerez du temps avec votre partenaire. Vous ferez de belles sorties. Certains planifieront un voyage pour se rapprocher. Ce voyage sera extraordinaire. Vous admirerez énormément l'attitude de votre partenaire envers vos besoins. Vous découvrirez une passion mutuelle. Cela rehaussera votre union et la sécurisera !

Il y aura tout de même des périodes plus compliquées. Lors de ces moments tendus, si vous y voyez rapidement, vous réglerez facilement vos problématiques et tout reviendra à la normale. Si vous négligez vos problèmes, vous vous compliquerez la vie inutilement. Vous et votre partenaire deviendrez distants. Cela nuira énormément à votre relation. Cette froideur vous amènera à quitter et vous subirez une séparation.

**Voici quelques situations qui pourraient déranger l'harmonie conjugale :** les états d'âmes. Souffrir intérieurement pour mille et une raisons n'aidera guère votre relation. Lors de ces périodes, vous serez évasif, inaccessible et méprisant. Il est évident que cette attitude arrogante dérangera énormément l'harmonie dans votre foyer. Cela enchaînera des discussions animées avec votre partenaire. Cela ne peut que nuire à votre relation. Si vous laissez vos états d'âme prendre le dessus, vous vivrez plusieurs contrariétés dans votre relation. Vous risquez de perdre votre partenaire et de subir une séparation. S'il le faut, consultez un thérapeute, un psychologue ou votre médecin pour qu'il vous aide à améliorer votre santé mentale. Vous avez possiblement besoin de repos. Celui-ci pourrait vous le prescrire. Ce sera d'un très grand secours dans votre vie amoureuse et dans plusieurs aspects de votre vie. De plus, ayez des dialogues francs avec votre partenaire. Expliquez-lui vos états d'âmes. Celui-ci sera en mesure de vous appuyer et vous encourager à vous en libérer. Cette année, si votre esprit vous fait souffrir, prenez-vous en main et consultez une personne compétente. Faites-vous ce cadeau, avant de tout détruire sur votre chemin!

## Les couples en difficulté

Il est évident que les états d'âme nuiront énormément aux couples qui vivent de la difficulté. Ni l'un ni l'autre ne chercheront des issues pour sauver leur union. Vous serez comme deux enfants gâtés qui ne veulent pas lâcher prise et qui cherchent à gagner leur point de vue. L'un des partenaires a de la difficulté à comprendre les états d'âme de son conjoint. Tandis que l'autre ne se sent pas appuyer ni réconforter par son partenaire dans cette bataille de l'esprit. Ce ne sera pas évident, autant pour l'un que pour l'autre. Il serait important de dialoguer et d'impliquer une tierce personne pour vous aider à comprendre vos divergences d'opinions. Ni l'un ni l'autre n'a tort. Le problème est que vous êtes incapable de surmonter cette épreuve sans l'aide d'une personne compétente. À moins que vous preniez le temps d'analyser profondément votre situation, de chercher de bonnes solutions pour régler vos problématiques et de parvenir à trouver une entente mutuelle. Si vous agissez ainsi, vous parviendrez à sauver votre union. Toutefois, si votre situation ne s'améliore pas avant la fin de l'année, attendez-vous à une séparation suivie d'une bataille juridique.

## Les Trônes submergés par la négativité

Plusieurs manqueront de respect à leur partenaire et le négligeront. Ils prendront soin de tout le monde, sauf de leur partenaire! À la moindre faille, vous vous emporterez et vous lui lancerez des mots blessants! Cela ne sera pas évident pour votre partenaire. Vous chercherez également à le contrôler. Si celui-ci refuse l'une de vos demandes, vous le bouderez! Il est évident que cette attitude vindicative découragera et peinera énormément votre partenaire. Vous le blesserez et lui ferez verser des larmes. Cela dit, si vous n'êtes plus heureux dans votre relation, dites-lui le fond de votre pensée. Arrêtez de le faire souffrir et soyez franc avec lui.

Rien de mieux qu'un bon dialogue pour réparer les pots brisés ou pour prendre de bonnes décisions.

## Les Trônes célibataires

Plusieurs célibataires rencontreront de bonnes personnes. Ouvrez donc la porte de votre cœur et vous ne serez pas déçu ! Si vous laissez la chance à l'amour de s'intégrer dans votre vie, vous vivrez un beau bonheur avec une charmante personne.

Tout au long de l'année, il y aura des moments fortuits pour la rencontre de votre amour idéal. Attendez-vous à faire de bonnes rencontres lors des mois suivants : ***janvier, février, mars, juillet, août, septembre, octobre*** et ***novembre***. Dès que vous poserez votre regard sur cette nouvelle rencontre, vous serez charmé par sa joie de vivre, son rire, son regard mystérieux et sa manière de s'exprimer. Elle fera palpiter votre cœur d'amour ! Vous prierez les Anges pour que cette nouvelle relation devienne plus sérieuse ! Soyez donc patient et votre rêve se concrétisera. Il ne faudra pas trop brusquer cette personne. Celle-ci a besoin de temps. Elle vous analysera profondément. Lorsqu'elle se sentira en sécurité avec ses émotions, elle vous l'avouera. L'attente sera difficile pour vous. Toutefois, cela en vaudra la peine. Lorsque votre perle rare ouvrira la porte de son cœur, elle se laissera emporter par la passion d'aimer et d'être aimé. Elle vous gâtera et vous chantera des mots doux à l'oreille. Tout pour vous faire craquer de bonheur !

Vous pourriez faire sa rencontre grâce à l'entremise d'une dame, dans un endroit animé et agréable, près d'un lac, lors d'une fête champêtre ou lors d'une activité physique. Lors de vos premières rencontres, vous parlerez énormément de vos passions. Le temps passera très vite en sa compagnie. Vous aurez plein de points en commun et plein de choses à vous dire. Vous aurez toujours de belles discussions sur des sujets divertissants. Cela ne prendra pas de temps que vous apprendrez à vous connaître et à vous aimer. Toutefois, cela peut prendre un certain temps avant que celle-ci avoue ses sentiments. Soyez patient et une belle relation naîtra !

### Les célibataires submergés par la négativité

Vous serez préoccupé par des situations et par certains événements du passé. Vous ne serez donc pas dans une bonne énergie pour faire des rencontres. Vous serez nostalgique et distant. Donc, ni abordable ni intéressant pour plaire aux personnes intéressées. Vous ferez des rencontres, toutefois, personne ne sera à la hauteur de vos attentes. Vous serez très exigeant et la barre sera très élevée ! Il sera impossible d'engager la conversation avec vous et de vous plaire. Lorsqu'une gentille personne s'approchera de vous, votre froideur l'éloignera ! Cette attitude vous permettra de conserver votre statut de célibataire, et ce, tout au long de l'année ! Toutefois, si vous changez d'avis. Vous pourriez faire des rencontres intéressantes qui vous feront oublier les désagréments de votre passé. Vous fonderez sous l'effet de l'amour ! À vous d'ouvrir la porte de votre cœur et de faire place à l'amour. Cela vous rendra heureux et vous atteindrez le bonheur !

## *Les Trônes et le travail*

Il y aura plusieurs événements qui surviendront pour améliorer vos conditions de travail. Il suffit de saisir les opportunités qui s'offriront à vous. Vos sacrifices des dernières années seront largement récompensés au cours de l'année 2017. Plusieurs travailleurs auront le privilège de faire des changements bénéfiques qui leur apporteront de la satisfaction et du bonheur. À la suite d'une décision, d'une réunion, d'une convocation ou d'un changement, vous retrouverez votre équilibre et votre joie de vivre au sein de votre emploi. Vous serez satisfait de cet événement. Vous réaliserez que les Anges ont entendu vos demandes et qu'ils vous les présentent sur un plateau d'argent. À vous de saisir ces opportunités. Écoutez la voix de votre cœur. Vous ne serez pas déçu. Cela fait trop longtemps que vous rêvez de changements et de meilleures conditions de travail. C'est exactement ce que vous vivrez au cours de l'année. Certains auront le privilège de signer des contrats importants. D'autres réussiront deux entrevues, un examen ou un entretien avec les autorités. À la suite de cette réussite, un meilleur emploi vous sera offert. Tout au long de l'année, il y aura régulièrement des améliorations, peu importe les décisions qui seront prises. Plusieurs problèmes se résoudront à votre avantage. Plusieurs tâches s'amélioreront. Cela facilitera davantage votre travail. Cette belle frénésie à votre travail surviendra lors des mois suivants : ***janvier, février, juin, juillet, août, septembre, octobre*** et ***novembre.*** Lors de ces mois, plusieurs possibilités viendront agrémenter vos conditions de travail. Toute entrevue apportera de bons résultats. Tout travail qui sera amorcé apportera la réussite. Les décisions prises lors de ces mois seront avantageuses et vous apporteront de la sécurité.

**Voici quelques situations qui pourraient déranger l'harmonie au travail** : les rumeurs. Avant de vous laisser influencer par une rumeur, allez à la source même. Ainsi, vous éviterez des ennuis et des problèmes quelconques. Certains collègues s'amuseront à ébruiter des rumeurs dont la plupart seront fausses. Donc, ne vous laissez pas importuner par ces rumeurs. Sinon, votre travail et votre santé en écoperont. Vous vivrez dans l'inquiétude. Cela vous ralentira dans vos tâches. Votre concentration sera également dérangée et vous pourriez faire des erreurs monumentales. Faites attention ! Vous pourriez vous faire réprimander par les autorités ! Cela ne vous aidera guère lors d'entrevue ou autres !

## Les travailleurs Trônes submergés par la négativité

Avis aux hommes qui ne parlent que de sexualité : cette année, votre attitude vous causera un énorme ennui. Vous pourriez perdre votre travail et vous serez confronté à la loi. Faites attention à vos commentaires désobligeants et sexuels. Cela vous nuira énormément. Si vous voulez attirer l'attention d'une personne, agissez autrement. Sinon, vous perdrez tout ! Pour les autres travailleurs, votre négativité dérangera énormément vos collègues de travail. Ceux-ci vous bouderont et vous tourneront le dos, mais avec raison ! Cela nuira énormément à certaines de vos tâches. L'atmosphère sera pénible et difficile à supporter, ce qui engendra des discussions animées avec les autorités. Un ultimatum vous sera lancé. Il faudra le respecter sinon vous vous attirerez des ennuis. Si vous désirez que l'harmonie règne de nouveau avec vos collègues, il faudra changer votre attitude et être plus attentif aux besoins des autres. Si vous désirez ardemment faire un changement sur le plan professionnel, il faudra améliorer votre attitude. Si vous ne faites rien pour améliorer la situation, c'est vous qui écoperez ! Avant que l'année se termine, vous serez obligé de donner votre démission, de chercher un autre emploi, etc. Vous serez rétrogradé ou renvoyé !

# Chapitre XXIII

# Événements à surveiller durant l'année 2017

Voici quelques événements qui pourraient survenir au cours de l'année 2017. Pour les situations négatives, lisez-les à titre d'information. Le but n'est pas de vous perturber ni de vous blesser. Il s'agit tout simplement de vous informer.

- Au cours de l'année, plusieurs se verront offrir des opportunités sur un plateau d'argent. Ce sont des occasions en or mais elles sont éphémères. Ces événements vous mettront à l'envers pendant quelques jours. Vous aurez de la difficulté à prendre une décision. Vous serez également conscient que ces opportunités sont uniques et qu'elles ne se présenteront pas de nouveau. Vous serez donc fébrile devant ces offres alléchantes. Toutefois, la peur vous envahira souvent, vous vous demanderez si vous être prêt à aller de l'avant avec les opportunités offertes. Si vous acceptez, ce sont vos vœux qui se réaliseront ! Cela dit, les opportunités sont devant, il ne tient qu'à vous de saisir vos chances !
- Vous ferez la rencontre de quatre bonnes personnes. Ces personnes vous apporteront chacune de bonnes nouvelles. Elles croiront en votre potentiel et elles s'organiseront pour que vous puissiez l'exposer au grand jour. Elles travailleront de

concert avec vous, vous conseilleront et vous guideront vers les meilleures méthodes pour que vous puissiez voir naître de bons résultats. Ces bons conseillers auront un impact majeur dans votre vie. Ils seront les catalyseurs de vos réussites et vous leur en serez très reconnaissant. Plusieurs prendront leur vie en main et avanceront fièrement vers des buts qu'ils se sont fixés. De belles réussites les attendent. Lorsque l'année sera terminée, vous serez fier de vos actions et des résultats obtenus !

- Vous ferez mille et une activités. Vous bougerez beaucoup. Néanmoins, vous serez heureux de vos déplacements. Plusieurs prendront des décisions importantes lors de l'année. Ces décisions amélioreront plusieurs aspects de votre vie. Tout ce qui vous passera par la tête, vous chercherez à l'accomplir !
- Vous, ou un proche, vous plaindrez de douleurs intermittentes. Vous consulterez un spécialiste pour que celui-ci décèle les raisons de ces douleurs. Attendez-vous à passer des examens et d'être suivi par votre médecin. Quelques-uns seront obligés de prendre un médicament. D'autres devront faire des exercices de physiothérapie pour soulager leur douleur.
- Il serait important de couvrir votre cou lors de journées plus froides ; ainsi, vous éviterez une douleur musculaire. Certains souffriront d'un torticolis !
- Vous, ou une femme, aurez des ennuis cardiaques. Si vous fumez, votre médecin vous suggéra d'arrêter pour le bien de votre santé ! Il est évident que ce ne sera pas facile. Néanmoins, plusieurs de vos proches vous appuieront dans votre démarche. Cela vous facilitera la tâche.
- La période des allergies en fera souffrir plusieurs. Vous serez obligé de prendre des antihistaminiques pour pouvoir passer de belles journées !
- Plusieurs ne respecteront pas la limite de leurs capacités. Donc, ils s'épuiseront facilement. Il serait important de vous reposer lorsque votre corps sera fatigué. Cela vous permettra de retrouver vos forces. Profitez de vos journées de congé pour relaxer et pour entamer des activités qui vous plaisent ! Ainsi, vous

souffrirez moins d'états d'âme qui perturberont plusieurs aspects de votre vie.

- Vous, ou un proche, ronflez. Cela dérange vos nuits et celles de votre partenaire. Vous souffrez d'apnée du sommeil. Vous serez obligé d'acheter un appareil pour cesser de ronfler et avoir de meilleures nuits de sommeil. Sinon, votre partenaire vous demandera d'aller coucher dans une autre chambre !
- Au cours de la période hivernale, couvrez-vous bien et évitez les endroits contaminés par les virus. Sinon, vous serez obligé de garder le lit pendant une période de quelques jours. Vous serez très vulnérable face aux laryngites, infections aux oreilles et streptocopes.
- Plusieurs auront des ennuis avec leur système digestif. Vous serez obligé de changer vos habitudes alimentaires. Cela prendra un certain temps avant d'accepter vos nouvelles habitudes. Toutefois, les résultats seront magnifiques et vos maux disparaîtront.
- Cette année, il serait important de vous reposer lorsque votre corps le réclame. Ainsi, vous éviterez des incidents quelconques.
- On vous annoncera le rétablissement de deux personnes. Une personne malade renaît à la vie. Sa vie n'est plus en danger. Elle fêtera cet événement avec vous !
- Lors de la période hivernale, plusieurs saisiront de belles opportunités pour améliorer leur relation amoureuse, leur situation professionnelle ou financière. Vous serez très fier de vos décisions !
- Certaines personnes âgées subiront une intervention chirurgicale aux yeux. À la suite de cette intervention, le port de lunettes ne sera plus nécessaire !
- Tout au long de l'année, vous vous fixerez des buts. Ceux-ci vous tiendront à cœur. Vous travaillerez ardemment pour parvenir à les réussir. Toutefois, les résultats obtenus vous encourageront à continuer votre chemin !
- Plusieurs amélioreront leur qualité de vie. Tous vos changements chambarderont favorablement votre routine quotidienne.

Certaines journées, vous aurez des remises en question. Toutefois, vous ne baisserez jamais les bras devant vos obstacles. Votre nature positive vous permettra de réussir votre année comme vous le souhaitez !

- Faites attention à l'électricité. N'essayez pas de changer une prise électrique. Si vous manquez d'expérience, ce sera dangereux. Certains pourraient se blesser. De plus, surveillez également vos factures d'électricité. Ne les oubliez pas ! Sinon, un avis vous sera envoyé ! De plus, quelques-uns manqueront de l'électricité pendant une période de 48 heures ou plus ! Certains iront loger chez des proches.
- Vous, ou un proche, recevrez un pardon de la part d'un ancien amoureux ou d'un membre de votre famille. Sa demande est sincère. Votre présence lui manque et il vous le dira. Il ne tiendra qu'à vous d'accepter sa demande ou pas. Si vous acceptez, vous verrez de belles améliorations dans la relation. Cela vous prouvera sa bonne volonté à protéger le lien qui vous unit à lui.
- Plusieurs couples réaliseront l'importance de leur union. Ils feront tout pour rallumer la flamme de leur désir et de leur amour. Il est évident que certaines journées seront difficiles. Néanmoins, vous chercherez toujours de bonnes solutions pour régler vos problématiques. Vous retrouverez la sérénité grâce à une activité ou une promesse. Un bel équilibre sera atteint et vous en serez heureux. Vos dialogues seront enrichissants et vos parviendrez à trouver de bonnes solutions pour régler vos problématiques.
- Attendez-vous à faire plusieurs sorties agréables lors des périodes estivale et automnale. Vous serez amoureux et débordant de bonheur. Plusieurs couples s'investiront davantage dans leur relation. Ils planifieront plusieurs activités familiales qui solidifieront leur union.
- Vous, ou un proche, réglerez un problème important. Cela aura un effet bénéfique sur votre relation amoureuse. Vous réaliserez que ce problème aurait dû se régler depuis longtemps !

- Les personnes veuves et célibataires feront de belles rencontres au cours de l'année. Si vous ouvrez la porte de votre cœur, une relation naîtra. Vous réaliserez que vous avez plusieurs points communs avec cette nouvelle connaissance. Toutefois, la peur de décevoir et de peiner vos proches vous hantera ! N'oubliez pas que les bonnes personnes vous encourageront à amorcer cette relation. De plus, si vous craignez la réaction de vos proches, parlez-leur de votre peur de rester seule. Avouez-leur que vous craignez la solitude. Confiez-leur vos besoins de partager une vie à deux. En agissant ainsi, ceux-ci comprendront et ils accepteront plus facilement votre désir de connaître davantage cette nouvelle rencontre. Les Anges ont entendu vos demandes et ils vous envoient votre partenaire idéal. Ne le laissez pas partir et vainquez vos peurs.

- Vous vivrez plusieurs situations qui vous passionneront. Ces situations vous apporteront de la joie, du bonheur et des rires. Vous savourerez chaque moment important que vous offrira votre année 2017. L'harmonie sera présente. Cela aura un impact majeur sur votre santé globale.

- Lors de la période hivernale, plusieurs auront des projets innovateurs en tête. Vous travaillerez ardemment pour la réalisation de ces projets. Toutefois, la réussite et la satisfaction vous attendent. Certains rencontreront un homme important qui leur permettra d'améliorer leur travail. Une entrevue sera réussie. Un nouvel emploi vous sera offert et vous l'accepterez !

- Lors d'une sortie à l'extérieur de votre ville. Profitez-en pour acheter une loterie ou un billet quelconque. Vous pourriez gagner une somme d'argent, un voyage ou plusieurs prix agréables. Bref, participez régulièrement à des concours. Plusieurs seront chanceux et ils gagneront plusieurs prix alléchants !

- Vous planifierez un voyage avec votre partenaire. Ce sera à la dernière minute. Néanmoins, vous aurez un plaisir fou lors de ce voyage ! Certains couples retourneront dans un lieu de leurs premières rencontres.

- Certains auront une discussion avec leur patron ou un collègue de travail. D'autres devront assister à une réunion. Le sujet de cette réunion concernera un changement majeur au sein de la direction. Cela effrayera quelques-uns !
- Quelques-uns auront le privilège de déposer leur candidature pour un emploi de direction. Cela vous énervera. Toutefois, vous possédez toutes les qualités exigées pour cet emploi. Vous aurez une entrevue du tonnerre ! C'est la raison pour laquelle vous serez choisi pour ce travail. Vous serez abasourdi lorsqu'on vous annoncera cette excellente nouvelle. Pendant quelques jours, la peur d'être incompétent vous envahira. Toutefois, à la suite d'une conversation avec une autorité, vous réaliserez qu'il a confiance en votre potentiel. Cela atténuera vos peurs ! Après une période de deux mois, vos autorités louangeront vos compétences, ce qui vous encouragera à croire en votre potentiel et à apporter tous les changements nécessaires pour améliorer l'atmosphère et alléger les tâches de vos collègues. Votre qualité de travail sera énormément appréciée. Cela attirera le respect de vos collègues.
- Plusieurs ajouteront des activités à leur agenda. Vous passerez du bon temps avec vos proches. Vous les inviterez à souper. Vous aurez de belles discussions et vous rirez toute la soirée. Attendez-vous à jouer aux cartes, à regarder des albums photos, à vous remémorer de vieux souvenirs, etc. Ces activités rehausseront votre moral.
- Un contrat sera renouvelé à la grande surprise de quelques-uns. Ce contrat mettra un terme à leur inquiétude.
- Plusieurs retrouveront leur équilibre. Plus que jamais, vous êtes conscient de vos faiblesses et de vos forces. De plus, vous n'avez plus peur de l'avenir. Vous savez ce que vous désirez et vous axerez vos actions vers vos choix et désirs. La réussite de votre avenir vous appartient et vous en êtes conscient ! Telle sera l'attitude de plusieurs pour 2017. Cette attitude leur sera bénéfique ! Elle améliorera plusieurs aspects de leur vie. La seule ombre au tableau : les états d'âme. Si vous parvenez à surmonter

cette épreuve, tout vous réussira bien durant l'année. Sinon, cela prendra un peu plus de temps avant d'amorcer vos changements !

- Certains régleront un problème de loi. D'autres consulteront un avocat pour un litige quelconque. Quelques-uns devront prouver à leur assurance, leur incapacité de travailler. Bref, plusieurs situations problématiques requerront l'aide d'un spécialiste.

- Votre intuition sera remarquable. Prenez le temps d'écouter votre voix intérieure. Elle saura bien vous guider au moment opportun. Si vous sentez un danger, éloignez-vous immédiatement !

- Plusieurs recevront des petits cadeaux inattendus qui leur feront énormément plaisir. Tous ces petits cadeaux sont des marques d'affection de votre entourage. Ceux-ci récompensent votre grande générosité envers eux. Certains seront surpris lors de la St-Valentin. Il n'y a pas que votre amoureux qui vous gâtera ! Également, plusieurs seront fêtés. Vous vous souviendrez de votre anniversaire de naissance. Certains prendront une bonne cuite lors de la soirée ! Le lendemain sera affreux, toutefois, vous garderez de bons souvenirs !

- Vous mettrez un terme à plusieurs difficultés qui hantent vos journées. Vous vous prendrez en main et vous réglerez vos problématiques avec tact et dynamisme. Jamais on ne vous aura vu aussi déterminé qu'en 2017 ! Rien ni personne ne pourra vous faire changer d'idée !

- Certains parleront de rénovations. Vous améliorerez entre une et quatre pièces de la maison. Vous embellirez ces pièces en y apportant votre touche personnelle. Votre proche louangera vos travaux !

- Certains penseront à changer leur voiture. À la suite d'une évaluation des coûts pour remettre leur véhicule en état de bien fonctionner, certains se renseigneront au sujet d'un nouveau véhicule. Si leurs finances leur permettent, ils achèteront une voiture plus récente.

- Au cours de la période printanière, un rien vous fera exploser ! Vos proches n'ont qu'à se tenir tranquille en votre présence ! Sinon, vous ne mâcherez pas vos mots et vous les enverrez se promener !
- Tout au long de l'année, soyez toujours à l'écoute de votre environnement. Plusieurs auront le privilège de recevoir des messages provenant de personnes importantes. Par leurs paroles et gestes, ces personnes pourraient déclencher des actions très prolifiques. Cela vous aidera à réaliser de grands rêves, de petits désirs, etc. De plus, les Anges pourraient emprunter temporairement le corps d'un humain et vous transmettre un message. Lorsque vous vivrez une période d'incertitude ou de questionnement, les Anges s'organiseront toujours pour vous donner le message adéquat pour que vous puissiez prendre de bonnes décisions. Toutefois, il faut être à l'écoute de ces messages qui viendront à vous.
- Vous, ou un proche, chercherez à connaître la vérité dans une situation ambigüe. Plusieurs révélations seront faites. Elles vous permettront de mieux réfléchir à l'action que vous devez poser pour retrouver l'harmonie dans votre foyer.
- Lors d'une activité ou d'un geste répétitif, évitez de vous surpasser. Si une douleur persiste, reposez-vous. Sinon, vous serez obligé de cesser votre activité pendant quelques semaines, le temps que votre corps récupère. Il peut s'agir d'une tendinite.
- À votre grande surprise, quelqu'un vous fera un aveu ou une confidence qui vous soulagera puisqu'elle répondra à plusieurs de vos questions. Votre confident ne cherche que votre bonheur, c'est pourquoi il se confiera à vous et il répondra à toutes vos questions.
- Plusieurs chasseront l'ennui en s'inscrivant à des cours quelconques. Vous ferez de bonnes rencontres et vous apprécierez vos cours.
- Vous, ou un proche, vivrez des batailles à la suite d'une séparation. Chaque partenaire cherche à obtenir la garde des enfants. Faites

attention, cette bataille juridique dérangera énormément les enfants. Soyez intelligent et gardez vos différents à l'écart de vos enfants. Pensez plutôt à leur bien-être au lieu de la vengeance! Au bout de la ligne, vous deviendrez gagnant!

- Certains prendront de deux à quatre semaines pour se rétablir d'un mauvais rhume! Sortez vos mouchoirs et vos meilleurs films puisque vous serez obligé de rester à la maison.
- Méfiez-vous d'un beau parleur charmeur. Cette année ne mettez pas votre relation en péril à cause d'une nouvelle rencontre. Apprenez à connaître profondément ses intentions avant de vous engager dans cette aventure. Celui-ci peut vous induire en erreur. Son intention n'est pas nécessairement ce qu'il prétend. Avant de vous aventurer dans une relation incertaine et avant de mettre un terme à une relation existante, évaluez votre décision. Demandez-vous si cela vaut la peine de tout quitter pour ce charmeur! Vous pourriez mettre votre cœur en péril et votre sécurité amoureuse. À moins que c'est ce que vous souhaitez! Sinon, éloignez-vous de lui immédiatement!
- Certains recevront un beau bijou en cadeau. Ce bijou sera très significatif et important à leurs yeux! Il peut s'agir d'un bijou appartenant à l'un de leurs ancêtres, à une époque antérieure ou provenant de leur amoureux pour sceller leur union.
- Celles qui ont accouché en 2016, surveillez votre année 2017! Vous pourriez avoir une grande surprise! Si vous ne voulez pas agrandir de nouveau votre famille, prenez vos précautions! Sinon, vous donnerez naissance à nouveau en 2018!
- Deux mauvaises nouvelles dérangeront votre année. Il peut s'agir de la maladie d'un proche. Vous serez perturbé par cette nouvelle.
- Plusieurs empoteront des plantes pour donner naissance à de nouvelles plantes. Cette activité calmera votre mental. D'autres enjoliveront certaines pièces de leur demeure avec des plantes décoratives.

- Vous serez très lunatique au cours des périodes automnale et hivernale. Cela causera de petits incidents parfois farfelus, parfois sérieux.
- Plusieurs auront le privilège de réaliser deux de leurs rêves les plus fous ! Vous serez fier et heureux d'avoir eu la chance de les voir se concrétiser !
- Vous, ou un proche, apprendrez qu'une connaissance est victime de la maladie du Parkinson. Cette nouvelle vous touchera énormément.
- À la suite d'une demande à un défunt, celui-ci vous enverra un signe évident. Ne soyez pas surpris de voir régulièrement un chiffre en particulier et de vous réveiller à une heure précise.
- La période estivale sera importante pour certains agriculteurs. Ceux-ci développeront une nouvelle méthode qui leur sera bénéfique. Certains parleront de faire l'achat d'une machinerie. Vous ne serez pas déçu de votre transaction puisque cette machinerie donnera les résultats escomptés.
- Lors de la période automnale, certains iront cueillir des pommes dans un verger. Vous trouverez vos pommes succulentes ! Quelques-uns s'amuseront à faire de bonne confiture !
- Un enfant sera tracassé par une situation. Vous serez obligé d'intervenir pour calmer l'esprit tourmenté de l'enfant. Vos paroles le réconforteront. Par la suite, ses nuits seront meilleures !
- Vous, ou un proche, recevrez un diplôme, un prix honorifique, un trophée ou autre. Vous devrez assister à un gala pour recevoir le prix qui vous sera décerné. Votre prestance fera tout un effet aux gens de la salle.
- Certains réaliseront que la citation « Seul le temps arrange les choses » s'appliquera bien à certaines situations qu'ils vivront.
- Certains planifieront un voyage dans un endroit paradisiaque. Vous irez vous prélasser près de la mer. Vous opterez pour un forfait tout inclus. Vous vous reposerez énormément lors de

ce voyage. Vous reviendrez à la maison en pleine forme pour entreprendre les nouvelles idées surgies dans votre esprit lors de vos moments de détente.

- Surveillez les feux, les plats chauds et le barbecue. Certains risquent de se brûler. Vous serez obligé d'appliquer une pommade pour calmer et soulager la douleur de la brûlure.
- Un couple renaît à la vie. Après avoir vécu une séparation temporaire, ils se donneront la chance de rebâtir leur vie sur des bases plus solides. Leur bonheur se lira de nouveau sur leur visage.
- Plusieurs fêteront l'halloween. Certains assisteront également à une soirée disco. Vous aurez un plaisir fou à vous trouver une tenue vestimentaire de cette époque. Une superbe soirée à prévoir ! Quelques-uns gagneront un prix pour leur costume !
- Vous, ou un proche, devrez surveiller les chaussées glissantes. Il y a risque d'accrochage. Assurez-vous d'avoir de bons pneus d'hiver. Bref, soyez toujours vigilant sur la route, surtout lors de tempêtes. Certains risquent de se retrouver devant des obstacles. Votre vigilance permettra de contourner ces obstacles, alors, soyez prudent !
- Plusieurs s'adonneront à la méditation, la relaxation, le yoga ou des techniques de respiration. Ils réaliseront que cela leur procure des moments de détente et que leur moral se porte mieux.
- Vous ferez souvent des sorties agréables. Vous irez au cinéma. Vous irez visiter des amis, de la famille. Vous recevrez à souper. Vous irez magasiner pour une tenue de soirée. Vous aurez beaucoup de plaisir lors de vos sorties. Cela se reflétera sur votre humeur !
- Certains dépenseront une somme d'argent pour redorer une pierre tombale. À la suite d'un vandalisme, une pierre tombale sera profanée. Vous vous porterez volontaire pour défrayer les coûts pour la remettre à neuf. Votre entourage gratifiera ce geste de votre part.

- Au cours de l'année, vous réaliserez que vous possédez tous les atouts nécessaires pour réussir vos projets. Cette prise de conscience vous sera favorable. Celle-ci vous permettra d'amorcer plusieurs projets et de les réussir !

- Les travailleurs vivront de belles possibilités pour améliorer leur emploi. Toutefois, rien ne leur sera acquis facilement. Les compétitions seront serrées. Vous travaillerez ardemment pour prouver vos capacités. Néanmoins, vos efforts seront récompensés ! Attendez-vous à signer un contrat qui vous fera sauter de joie !

- Certains toxicomanes et alcooliques ne tiendront pas leur promesse telle que prévue. Vous vous repentirez de votre attitude. Vous demanderez pardon à l'un de vos proches. Vous le supplierez de vous donner une seconde chance de vous rattraper. Il ne tient qu'à lui d'accepter. Toutefois, votre proche vous fera comprendre que cette seconde chance est finale. Bref, si vous sombrez toujours dans votre problématique, il mettra un terme à la relation.

- Saisissez toutes les chances qui viendront vers vous. Des occasions chambarderont favorablement votre vie. Ne laissez pas passer ces chances uniques qui vous apporteront de la joie et du bonheur.

- Lors de vos mois de chance, profitez-en pour acheter des loteries avec votre partenaire amoureux. Cela sera chanceux ! Vous pouvez également lui demander d'aller acheter vos billets ! Certains gagneront régulièrement des petits gains, des billets gratuits, etc.

- Après avoir vécu une période difficile, certains retrouveront leur courage et avanceront fièrement vers de nouvelles avenues meilleures pour leur moral.

# Partie VI

# *Les Dominations*

*(23 juillet au 2 septembre)*

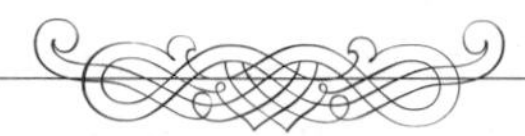

# Chapitre XXIV

# L'année 2017 des Dominations

## *Vous prenez soin de vous !*

L'année de la spiritualité vous permettra de fusionner avec votre être intérieur. Vous prendrez du temps pour vous. Cela fait longtemps que vous ne l'avez pas fait. Depuis les dernières années, vous avez négligé votre personne, vos besoins, vos rêves, etc. Vous avez toujours fait passer les rêves des autres en premier, et ce, au détriment de vos propres désirs. De plus, vous mettrez un terme aux conflits intérieurs. Vous étiez souvent en bataille à l'intérieur de vous. Vous réaliserez que certaines faiblesses dérangent régulièrement votre harmonie et votre bien-être intérieur. C'est souvent un combat entre l'Ombre et la Lumière. Cette année, la Lumière gagnera la bataille. Cela vous permettra de mettre un terme aux fantômes intérieurs qui vous empêchent d'être heureux. Il peut s'agir de cesser l'alcool, la toxicomanie, la cigarette, la jalousie, la peur de l'avenir, la solitude, etc. Toutes les situations qui entravent votre bonheur, vous les réglerez à votre entière satisfaction. Vous renaîtrez à la vie. Vous mettrez un terme à un style de vie pour en amorcer un meilleur. Vous fermez le livre du passé et vous ouvrez celui de l'avenir : votre avenir, celui dont vous rêvez depuis si longtemps ! Un avenir calme, serein et productif ! Pour atteindre cette béatitude, vous devez y mettre les efforts nécessaires. Néanmoins, ceux-ci donneront les effets désirés !

De plus, vous dirigerez votre vie comme vous le souhaitez et non pour le plaisir des autres. Vous avez besoin de vous affirmer et de prendre des décisions importantes pour le bien de votre santé globale. Vous ne voulez plus être tourmenté par des décisions, des inquiétudes, des « j'aurais donc dû agir de telle manière », etc. Plus que jamais, vous voulez profiter des occasions que vous offre la vie. Vous en avez assez de tourner en rond et de ne rien accomplir. Vous en avez assez d'être fatigué sans aucune raison valable. Vous voulez vivre une année loin des tracas et des problématiques. Cette année, au lieu de chercher à sauver le monde, vous vous sauverez en premier. Cette nouvelle attitude vous apportera du succès dans vos actions et vos décisions. Cela ne veut pas dire que vous n'apporterez aucune aide à vos proches. Toutefois, vous évaluerez votre disponibilité de temps. Au lieu de vous épuiser à plaire à tout le monde, vous apprendrez à dire « non » au moment opportun. Vous respecterez vos limites. Cela aura un effet bénéfique sur votre santé mentale.

Au cours de l'année, vous bougerez beaucoup mais dans la bonne direction ! Vous accomplirez et réaliserez de grands projets. Attendez-vous à vivre cinq événements qui chambarderont favorablement votre année 2017 ! Il y aura des journées où vous serez étourdi par tout ce qui se produira. Vous accomplirez également des gestes qui vous surprendront vous-même ! Toutefois, vos réalisations et vos actions vous apporteront une satisfaction personnelle. Vous vous sentirez bien dans votre peau et rien ne vous arrêtera ! Vous serez animé par la joie de créer, de bâtir, de réaliser et d'obtenir des résultats prolifiques. Cette frénésie vous apportera du succès, et ce, tout au long de l'année ! Cela vous rendra heureux et de bonne humeur. Lorsque vous êtes en forme, vous avez de bonnes idées et vous pouvez facilement les réaliser. Cette année, votre ardeur, votre détermination, votre vivacité et votre volonté alimenteront votre potentiel. Tout pour réussir votre année !

Il est évident qu'il y aura des mois difficiles ; il n'est pas facile d'admettre que les fantômes intérieurs dérangent votre harmonie et surtout d'y faire face pour mieux les régler. La peur d'être incapable de tenir vos promesses vous envahira également. C'est tout un défi de taille que vous devez surmonter. Toutefois, vous êtes également conscient que cela est pour le bien de votre santé. Donc, certaines journées seront difficiles émotionnellement. Il vous faudra quelques jours avant de remonter la pente. Toutefois, lorsque vous aurez vaincu votre adversaire intérieur, vous serez l'être le plus heureux au monde! Lors de ces périodes ardues, n'hésitez pas à écouter sagement les conseils de vos proches. Ceux-ci ne cherchent qu'à vous épauler et vous aider dans votre bataille. De plus, réclamez l'aide des Anges gouverneurs; ceux-ci vous appuieront dans vos démarches. Leur Lumière vous donnera le courage et l'énergie nécessaire pour continuer à affronter vos problèmes un à un. Ils vous aideront également à mener à terme vos projets et idées. Grâce à leur aide, vous ne resterez pas longtemps inerte et vous reprendrez pleine possession de vos capacités. Cela sera bénéfique pour reprendre vos tâches et continuer à créer, à réaliser et à terminer vos projets!

***Les personnes ayant une attitude négative*** resteront victimes de leurs fantômes. Donc, l'Ombre gagnera sa bataille sur la Lumière. Cela risque d'être pesant sur vos épaules. Toutefois, vous ne faites rien pour améliorer la situation. Cette année, pour le bien de votre santé globale, il serait important d'aller chercher de l'aide extérieure. Vous en avez besoin! Arrêtez de vous cacher et de faire semblant que tout va bien! Admettez que vous êtes prisonnier de vos vices intérieurs. En agissant ainsi, vous ferez un pas vers la guérison de votre âme! Prenez-vous en main! Vous le premier serez heureux de cette initiative de votre part. Améliorez votre existence! Faites-vous ce cadeau! Axez vos énergies sur des situations positives au lieu de sombrer dans le néant! Changez votre attitude! Vous verrez que votre vie s'améliorera. Vous aurez également le privilège de voir de belles possibilités venir à vous qui amélioreront votre qualité de vie. Donc, cette année, faites face à vos vices intérieurs et amorcez des changements. Si vous vous sentez incapable de les attaquer seul, réclamez de l'aide! Vos proches se feront un plaisir de vous encourager! Ils attendent impatiemment cette chance de votre part. Faites leur donc plaisir, offrez-leur la chance de participer à votre bataille, et ensemble, guérissez votre âme! Soyez donc votre sauveur! Par la suite, vous aurez le privilège de savourer votre victoire!

## *Aperçu des mois de l'année des Dominations*

Au cours de l'année 2017, **vos mois favorables** seront ***janvier, mars, avril, juin, août, novembre*** et ***décembre***. Lors de ces mois, profitez-en pour régler vos problèmes, pour procéder à des changements, pour prendre vos décisions, pour réaliser vos projets, pour élaborer des plans, etc. Vous serez productif et attentif aux événements. Vous serez souvent aux endroits prolifiques pour réussir vos objectifs. Cela favorisera vos actions ! Les mois dont la Providence sera à vos côtés seront ***janvier, mars, avril, novembre*** et ***décembre***. Attendez-vous à vivre des événements bénéfiques qui agrémenteront vos journées. Profitez-en également pour acheter vos loteries préférées.

Les **mois non favorables** seront ***février, mai*** et ***octobre***. Lors de ces mois, vivez une journée à la fois. Réglez les problèmes un à un. Cela sera profitable pour votre santé globale ! De plus, n'hésitez pas à réclamer l'aide des Anges gouverneurs. Leurs énergies vous aideront à passer à travers vos journées les plus ardues. Vous aurez moins tendance à vous laisser influencer par les situations et les personnes problématiques. Grâce à leur aide, vous ne resterez pas longtemps inerte et vous reprendrez pleine possession de vos capacités. Cela vous encouragera à persévérer pour obtenir les résultats désirés.

Les **mois ambivalents** seront ***juillet*** et ***septembre***. Au cours de ces mois, il y aura de belles journées et parfois de moins bonnes. Vous serez envahi par toutes sortes d'émotions autant positives que négatives. Certaines journées, tout ira bien, mais à d'autres, tout ira de travers. Si vous le pouvez, prenez le temps de vous reposer et de méditer. Cela vous sera salutaire lors de vos journées compliquées !

## *Voici un bref aperçu des événements qui surviendront au cours des mois de l'année pour les Dominations*

Vous amorcerez votre nouvelle année avec des idées constructives, des projets, des rêves, etc. Vous vous fixerez des buts et vous chercherez à les atteindre. Vous analysez profondément votre vie et ses lacunes. Ensuite, vous établirez un plan et vous le mettrez en action.

Tout ce qui dérange votre quiétude, vous l'améliorez. Vous lâcherez prise sur les situations insolubles. De plus, vous enverrez des ultimatums aux personnes problématiques. Cela fait trop longtemps que vous les avertissez d'améliorer leur attitude. Cette année, vous ne parlerez plus, vous agirez ! Vous mettrez donc un terme à ceux qui ne vous respectent pas, qui dérangent votre quiétude et qui vous causent des ennuis. Vous voulez vivre une année exempte de problèmes et de négativité. Vous ne voulez plus être la proie de ces personnes malintentionnées. En 2017, vous vous affirmerez et vous chercherez la compagnie de personnes sympathiques qui vous apporteront que du bon et du beau dans votre vie. Cette nouvelle vision de la vie aura un effet bénéfique sur votre santé globale. Toutefois, cela dérangera énormément les personnes problématiques. Elles réaliseront qu'elles ne peuvent plus vous contrôler comme avant. Cela n'est pas sans les frustrer et vous le saurez ! Votre froideur envers leur comportement les dérangera. Ils feront tout pour attirer votre attention dans leur direction. Par contre, vous fuirez ces gens. Vous ne voulez plus être à leur merci. Vous les avertirez. S'ils veulent conserver votre amitié, ils n'ont qu'à changer leur attitude en votre présence. Sinon, vous mettrez un terme à ces relations problématiques.

En ***janvier***, quelques-uns auront le privilège de signer un contrat important. Vous sauterez de joie à la signature de ce contrat. D'autres feront la lumière sur une situation ambigüe. Cela vous permettra de prendre les mesures nécessaires pour régler le tout à votre entière satisfaction. Un secret vous sera également révélé. Vous serez surpris de cette confidence. Tout au long de janvier, vous serez consulté pour mille et une raisons. Cela mettra du piquant dans votre routine quotidienne. Ne soyez donc pas surpris d'être fatigué et épuisé lorsqu'arrivera le mois de ***février***. Plusieurs seront au lit à cause d'une grippe virale. Cela prendra jusqu'à neuf jours avant de vous en remettre. Au lieu de maugréer, prenez le temps de vous soigner ! En agissant ainsi, vous reprendrez la forme plus rapidement et vous pourrez vaquer à vos tâches habituelles.

De plus, une situation requerra votre attention immédiate. Vous n'avez pas le choix d'y voir avant qu'elle prenne des proportions dramatiques. Cela vous tracassera temporairement. Toutefois, vous parviendrez à trouver une bonne solution et l'appliquer incessamment à cette problématique. Par la suite, tout rentrera dans l'ordre. Pour ceux qui planifieront un voyage lors de cette période, ne soyez pas surpris si la température n'est pas clémente comme vous le souhaitez! De plus, certains pourraient souffrir de problèmes gastriques ou de digestion. Cela empoisonnera un peu votre voyage.

À partir du ***1er mars***, la Providence vous réserve de belles surprises qui égayeront vos journées. Le tout se poursuivra jusqu'à la fin ***avril***. Ces mois seront actifs et productifs et ils toucheront favorablement plusieurs aspects de votre vie. Profitez-donc des belles possibilités qui s'offriront à vous pour améliorer votre vie, pour amorcer vos projets et les réussir. Profitez-en également pour acheter vos loteries préférées. Certains pourraient gagner une belle somme d'argent. Lors de cette période, les chiffres 1 et 2 attireront la chance dans votre direction. Assurez-vous de les inclure dans votre combinaison de chiffres. De plus, si vous connaissez une personne dont le signe du zodiaque est Poisson, achetez un billet avec elle. Cela sera chanceux! Cela dit, tout au long de ces deux mois, tout ce que vous entreprendrez sera couronné de succès. Vous serez très fier de vous et de vos actions. Attendez-vous à vivre deux événements qui agrémenteront votre vie.

Cela sera également une période favorable pour améliorer vos conditions de travail. Certains se verront offrir une belle opportunité. Il peut s'agir d'un nouvel emploi, d'une augmentation de salaire, d'un changement bénéfique dans leurs tâches, etc. Certains en profiteront pour passer des entrevues. La journée du mardi sera favorable aux entrevues et entretiens avec les autorités. Faites-vous confiance et vous savourerez de belles réussites.

De plus, les célibataires pourraient faire une rencontre importante. Il peut s'agir de leur amour idéal. Cette rencontre fera palpiter votre cœur de bonheur! Les couples iront visiter un lieu rêvé ou la famille. Vous irez fêter Pâques en leur compagnie. Vous ferez également plusieurs activités avec votre partenaire. Cela rallumera la flamme de votre amour. Vous serez heureux et en pleine forme pour amorcer vos projets. Vous bougerez beaucoup et vous ferez plusieurs sorties intéressantes. Cela aura un effet bénéfique sur votre moral!

Les propriétaires qui cherchent à compléter une transaction de vente ou d'achat verront leur rêve se réaliser au cours de cette période.

Attendez-vous à la signature d'un contrat qui vous satisfera. De plus, certains iront se prélasser près de la mer. Vous aimerez votre voyage. Il vous permettra de faire le vide et de rehausser vos énergies. Vous reviendrez donc en forme pour finaliser tout travail non achevé.

Le mois de ***mai*** sera problématique pour plusieurs. Vous souffrirez de douleurs lancinantes et vous consulterez votre médecin pour déceler l'origine de vos maux. Votre état de santé vous inquiétera énormément. Attendez-vous à passer des examens approfondis pour déceler l'origine de vos maux. Le foie, le pancréas et l'estomac seront des parties vulnérables. Les personnes alcooliques, cardiaques et diabétiques devront redoubler de prudence lors de cette période. Ils devront écouter sagement les conseils de leur médecin. Ainsi, vous éviterez des ennuis quelconques. Toutefois, certains seront obligés de subir une intervention chirurgicale. Vous recouvrerez rapidement de cette intervention.

Vous serez également tourmenté par certaines problématiques et par l'attitude de certaines personnes. Cela vous empêchera d'avoir de bonnes nuits de sommeil. Si vous êtes capable de méditer, de relaxer ou tout simplement d'écouter une musique douce, cela sera bénéfique et votre mental se portera mieux. Ainsi, vous pourriez facilement trouver de bonnes solutions pour régler vos ennuis. De plus, si vous succombez à vos faiblesses ou si vous ne tenez pas une promesse, ne vous laissez pas abattre par cette situation. Redressez-vous et continuez à relever votre défi. Vous en êtes capable. Demandez aux Anges de vous donner la volonté de continuer vos changements. Plus que jamais, vous avez besoin d'être en équilibre avec votre vie. Continuez à procéder aux changements nécessaires pour atteindre cette béatitude. Vous le méritez tellement !

À la suite d'une décision, plusieurs verront leur avenir sous un angle différent. Vous réaliserez que vous êtes le maître de votre destin. Vous ferez donc votre possible pour le vivre comme vous le souhaitez ! C'est pourquoi qu'en ***juin***, vous relèverez vos manches et vous améliorerez deux situations problématiques. Vous éclaircirez des malentendus. Vous dialoguerez profondément avec les personnes concernées. Vous réglerez astucieusement vos problématiques et vous vaquerez plus rapidement à vos tâches habituelles. Votre ardeur vous permettra de compléter de deux à cinq situations importantes pour vous.

Quelques-uns verront une décision les avantager. Il peut s'agir d'une situation gouvernementale, juridique, familiale ou professionnelle. À la suite d'un entretien, vous apprendrez une nouvelle qui vous soulagera. Cela enlèvera un fardeau sur vos épaules. Quelques-uns feront la rencontre d'un homme important. Celui-ci vous aidera à bien achever l'un de vos projets. Ses conseils seront judicieux et vous les apprécierez énormément. Bref, votre période estivale sera fructueuse. Vos actions seront profitables. Votre regard sur l'avenir est prometteur. Vous êtes en contrôle avec votre vie. Vous réglerez un problème qui vous tracassait depuis longtemps. Il peut s'agir d'un problème impliquant un enfant, un collègue de travail ou votre partenaire. Une solution arrivera par enchantement et vous serez heureux de le régler ! Certains iront faire du camping en famille. D'autres iront visiter des lieux enchanteurs. Tous ces déplacements vous apporteront du plaisir. Ne soyez pas surpris de faire plusieurs dépenses imprévues lors de vos randonnées. Néanmoins, vous ne regretterez rien ! La seule ombre au tableau sera en ***juillet*** : un proche sera malade et cela retardera quelques-unes de vos actions. Attendez-vous également à réprimander l'un de vos proches. Vous ne mâcherez pas vos mots. Toutefois, vous serez soulagé et heureux de lui avoir parlé franchement. Vous serez en mesure de lui faire part de vos inquiétudes face à ses agissements. Ensemble, vous parviendrez à résoudre cette problématique. Par la suite, le soleil luira de nouveau dans votre demeure.

Lors de cette période, surveillez également les objets tranchants. Certains pourraient se blesser. De plus, vous, ou une proche, donnerez naissance par césarienne. Le bébé sera trop gros et le gynécologue optera pour une césarienne. Votre bébé sera en pleine forme et joufflu ! Vous serez très heureux de le tenir dans vos bras ! Lors de votre anniversaire de naissance, attendez-vous à recevoir huit cadeaux qui vous surprendront. Vous êtes aimé par vos proches et ces cadeaux vous le prouveront. L'un de ces cadeaux est un objet qui vous sera très utile au cours de l'année. Toutefois, vous serez surpris lorsque vous recevrez ce cadeau !

Au cours de ***septembre***, plusieurs possibilités viendront vers vous pour régler vos problématiques. Vous aurez l'embarras du choix. Vous travaillerez ardemment, mais vous serez satisfait de vos résultats. Vous écouterez votre cœur et vous irez aux endroits qui vous enchanteront.

Vous partez à l'aventure. Certains quitteront un lieu de travail pour retourner aux études. D'autres apprendront de nouvelles techniques pour parfaire leur connaissance. Quelques-uns quitteront une région pour s'installer dans une région étrangère. L'envie de changement se fera largement ressentir lors de cette période. Attendez-vous à prendre des décisions qui auront un impact dans votre vie. Certaines décisions seront pris à la hâte, d'autres seront bien mijotées. Ce sont vos élans de cœur qui vous influenceront et qui vous feront agir rapidement. Malgré tout, lorsque vous réaliserez que vous avez faites une erreur, vous la corrigerez à votre avantage. À la suite d'une décision hâtive, l'un de vos proches vous suppliera de changer d'idée. Ne négligez pas sa demande. Ses raisons sont valables. Donc, réfléchissez bien avant d'agir. Cela sera à votre avantage.

Avec toute cette frénésie, vous ferez parler les gens. Ne soyez donc pas surpris si en ***octobre***, l'attitude des gens et les commérages dérangent votre mois. Vous vivrez quelques frustrations à cause des comportements agressifs de la part de certains membres de votre entourage. Vous chercherez à les comprendre, mais en vain. Ils ne seront pas accessibles. Vous leur offrirez également votre aide et du temps pour discuter. Ils refuseront. Vous réaliserez qu'il sera préférable de lâcher prise que d'essayer de leur plaire. De toute façon, vous n'y parviendrez pas ; ils sont trop bornés et têtus pour essayer de régler le problème. Malgré tout, vous confronterez une personne concernant des commentaires désagréables qu'elle a proférés à votre sujet. Vous serez direct, franc et impassible avec elle. Vous émettrez votre point de vue avec tact et vous lui tournerez le dos. Votre façon d'aborder le sujet déconcertera énormément cette personne. Celle-ci se repentira et elle regrettera amèrement ses paroles. Elle réalisera l'ampleur de sa perte : votre amitié. Il sera impossible pour elle de retrouver la complicité qui existait entre vous. Après quelques semaines, elle vous fera part de sa déception et de sa peine. Elle vous avouera sa douleur de vous avoir perdu. Malgré tout, vous ne reviendrez pas sur votre décision et vous partirez ! Cela ne veut pas dire que vous ne lui adresserez plus la parole. Vous changerez tout simplement la nature de votre relation. Au lieu de faire partie de votre cercle d'amis, vous l'avez rétrogradée au cercle des connaissances. Donc, l'intérêt de la relation a changé. Vous ne communiquerez plus avec elle. Vous respecterez votre choix, même à la suite de ses aveux.

Vous finirez l'année en beauté. Dès le ***7 novembre***, vous entrez dans une période de chance et d'opportunités. Le tout se poursuivra jusqu'à la fin de l'année. Lors de cette période, vous récolterez les bienfaits de vos efforts et des services rendus. Toute l'aide apportée au fil de l'année se transformera en récompenses. Attendez-vous à recevoir des cadeaux providentiels venir emballer plusieurs de vos journées ! Profitez-en pour vous procurer vos loteries préférées. De plus, participez à des concours, certains pourraient y gagner de magnifiques prix. Les billets que vous recevrez en cadeau pourraient vous apportez des gains. Il peut s'agir de billet gratuit, d'une petite somme d'argent, etc. Si vous connaissez une personne dont le signe du zodiaque est Poisson, Taureau, Bélier ou Capricorne, achetez un billet avec elle. Cela sera bénéfique !

Quelques-uns verront deux à trois rêves se concrétiser au cours de cette période. Plusieurs bonnes nouvelles agrémenteront vos journées. Une personne malade vous annoncera sa guérison. Il peut s'agir également de votre santé. Si vous avez eu des temps difficiles, vous recouvrerez la santé. Cela vous permettra de fêter Noël et de vous amuser follement ! Lors de cette période, plusieurs seront animés par des « coups de foudre » qui risquent d'être dispendieux ! Vous dépasserez votre budget. Vous gâterez vos proches et vous vous gâterez également. Certains feront l'achat de meubles. D'autres rénoveront certaines pièces. Vous vous préparerez à recevoir vos proches pour la fête de Noël. Des idées, vous en aurez pleinement ! Tel un enfant, vous serez impatient de recevoir vos proches et de leur remettre vos cadeaux ! Avant que l'année se termine, quelques-uns se verront offrir une belle opportunité. Vous serez chambardé par la proposition offerte. Vous aurez à prendre quelques jours pour y réfléchir. La peur vous envahira. Toutefois, lorsque vous prendrez votre décision, rien ni personne ne pourra vous faire changer d'idée ! Attendez-vous à une belle réussite.

Certains recevront un honneur, un prix honorifique ou un cadeau significatif suivi d'un dialogue enrichissant vous concernant. Cette attention particulière vous touchera énormément. Cela vous permettra de réaliser l'importance que vous occupez vis-à-vis ces personnes qui vous honoront !

***Conseil angélique des Anges Dominations :*** *Vous arrivez à un point culminant de votre existence. Vous faites face à vous-même ! Votre reflet dans le miroir vous montrera la vraie facette de vos faiblesses intérieures qui vous retiennent prisonnier. Ces fantômes qui hantent régulièrement votre esprit et qui vous empêche de voir la beauté de vos journées. Arrivé à ce point culminant, vous n'avez que deux options : laisser l'Ombre vous détruire ou permettre à notre Lumière de vous sauver ! À vous de décider ! Si vous optez pour notre Lumière, nous vous doterons de persévérance, de dynamisme et d'ardeur pour vaincre vos ennemis intérieurs. Nous vous guiderons vers le chemin de la quiétude et de la paix intérieure. Pour savourer cette béatitude, vous devez avoir confiance en notre Lumière et en la vôtre ! Sachez également, que les vrais amis sont les personnes qui, tel un bâton sur lequel vous pouvez vous appuyer, vous aident à continuer votre route. Tandis que les supposés amis sont les personnes qui, au lieu de vous venir en aide, vous mettent des bâtons dans les roues. Tendez la main à celui qui vous secourra. Tournez le dos à celui qui vous écrasera. Tout au long de l'année, notre Lumière vous permettra de reconnaître les bonnes personnes qui sauront vous épauler lors de difficultés et de dualité avec vos fantômes intérieurs. Ces personnes sauront bien réconforter votre âme en détresse. Cela vous encouragera à vaincre vos démons et à retrouver le chemin de la Lumière. Pour annoncer notre présence auprès de vous, nous ferons danser la flamme d'une chandelle et nous ferons clignoter une lumière sur votre passage. Ces signes seront importants pour nous. Lorsque vous verrez ces symboles, cela vous annoncera un événement heureux. De plus, cela vous indiquera que nous sommes fiers de vous et de votre nouvelle perception de la vie.*

## *Les événements prolifiques de l'année 2017*

* Vous ferez la signature de deux à cinq contrats importants. À la suite de ces signatures, attendez-vous à un revirement spectaculaire et prolifique dans votre vie.
* Vous faites un grand ménage dans votre vie. Vous vous prenez en main et vous réglerez tout ce qui empêche votre bonheur de s'épanouir. Vos décisions seront réfléchies et bien analysées. Vous ferez également la lumière sur plusieurs points de votre vie qui dérangent votre bien-être intérieur. À la suite de votre analyse, vous prendrez les mesures nécessaires pour retrouver le chemin de la quiétude. Ne soyez pas surpris, de mettre un terme à certaines relations problématiques.
* Plusieurs réaliseront qu'ils ont un problème quelconque qui affecte énormément leur qualité de vie. Vous ferez place aux solutions pour pouvoir régler ce problème diligemment. Certains iront consultés un thérapeute. D'autres en parleront avec des proches. Vous ne voulez plus que ce problème entrave votre bonheur. Vous y verrez et vous le réglerez. Il y aura des journées très ardues et difficiles. Toutefois, votre volonté de régler ce problème vous permettra de vous relever et d'atteindre votre objectif. Cela fait trop longtemps que vous avez besoin de faire la paix intérieurement !
* Certains devront orienter leur carrière dans un domaine complètement différent. Il vous faudra de cinq à neuf mois pour vous habituer à cette nouvelle perspective. Toutefois, lorsque votre décision sera prise, vous irez de l'avant avec ce projet d'envergure. Vous en tirerez un bon profit et une belle satisfaction par la suite.
* Certains verront un Ange ou l'un de leurs défunts. Cette rencontre vous déroutera pendant quelques jours ! Vous vous demanderez si vous avez bel et bien vécu cet événement. Toutefois, tout portera à croire que l'aurez vécu. À la suite de cet événement, votre vie changera favorablement. De plus, l'un de vos rêves se réalisera à votre grande satisfaction. Vous

comprendrez donc que ce que vous avez vécu n'était pas un rêve, mais bien la réalité !

* Pour plusieurs, leur vie tend à s'améliorer. Après la pluie, le beau temps refait surface ! Cela vous encouragera à continuer votre route et à persévérer. À la suite d'événements agréables, votre cœur sera heureux. Que ce soit dans votre vie amoureuse, professionnelle, médicale ou autre, un événement surviendra et remplira votre cœur de bonheur. Tels seront les bienfaits de vos efforts encourus.

## Les événements exigeant la prudence

* Ne laissez pas votre négativité prendre le dessus. Éloignez-vous de toute personne et situation qui pourraient déranger votre Lumière. Celles-ci cherchent tout simplement à entraver vos rêves et à vous mettre des bâtons dans les roues. Ne laissez pas ces personnes envenimées votre année. Éloignez-vous en rapidement. De toute façon, vous reconnaîtrez facilement ces personnes par leur attitude envers vos rêves et projets. Elles feront tout pour semer le doute dans votre esprit !
* Certaines personnes devraient surveiller leur dépendance. Cela dérange énormément leurs proches. Lorsque vous êtes sous l'effet de votre dépendance, votre attitude change. Elle vous rend plus agressif et inaccessible. Il est impossible de dialoguer avec vous. Lorsqu'un proche cherche à discuter avec vous, vous lui lancer des reproches parfois très blessants ! Voyez-y avant de perdre votre famille.
* Certains seront obligés de faire faillite et de repartir à zéro. Ça ne sera pas facile, néanmoins, ce sera la seule issue qui vous délivrera de vos problèmes.
* Ne négligez pas votre santé mentale. Lorsque les alarmes de votre corps vous réclameront du repos, reposez-vous ! Sinon, vous risquez de souffrir d'anxiété, d'angoisse et de surmenage qui requerront un repos obligatoire de plusieurs jours ! De plus, si votre médecin vous prescrit un médicament, prenez-le !

Toutefois, surveillez votre consommation d'alcool. N'abusez pas ! Sinon, vous ne réglerez rien et votre état empirera.

* Faites attention à qui vous confier vos confidences. Certains pourraient aller les ébruiter et vous causer des ennuis. Réfléchissez avant de parler. Évaluez les conséquences de vos paroles. Si une personne ébruiterait votre confidence, est-ce que cela vous dérangerait ? Si oui, ne parlez pas ! Assurez-vous également d'avoir confiance en la personne. Certains vivront une difficulté causée par une parole émise sous l'effet de la colère. Vous serez obligé de réparer les pots brisés par votre attitude ! Cela vous donnera une bonne leçon de vie ! Vous serez plus prudent par la suite !

# Chapitre XXV

# Informations supplémentaires propres à chacun des Anges Dominations

## *Les Dominations et la chance*

En 2017, la chance des Dominations sera **moyenne**. Votre chance se fera davantage sentir dans vos décisions et améliorations pour atteindre le bonheur. Vous vivrez de deux à cinq événements qui chambarderont favorablement votre vie. Ces événements déclencheront une vague favorable dans votre direction. Si vous désirez acheter des billets de loterie, faites-le ! Profitez-en lors de vos mois de chance ! Cela sera bénéfique ! Les enfants de **Nith-Haiah**, d'**Haaiah**, de **Yerathel** et de **Lecabel** seront les plus chanceux parmi leur Chœur. Participez à des concours. Vous pourriez faire des gains agréables.

Au cours de l'année 2017, plusieurs chiffres seront prédisposés à attirer la chance dans votre direction. Toutefois, les chiffres **05**, **09** et **10** seront les plus prolifiques durant l'année. Votre journée de chance sera le **mardi.** Les mois les plus propices à attirer la chance vers vous seront **janvier, mars, avril, novembre** et ***décembre***. Plusieurs situations bénéfiques surviendront lors de ces mois. Profitez-en donc pour acheter des loteries, pour prendre des décisions, pour signer des contrats, pour faire des changements, etc. Ces mois vous avantageront dans plusieurs aspects de votre vie. Lorsqu'une opportunité s'offrira à vous, saisissez votre chance ! Ne laissez pas passer ces occasions uniques d'améliorer votre vie ! Celles-ci sont souvent éphémères et de courte durée ! Voilà l'importance d'en profiter au moment opportun !

De plus, n'oubliez pas de prendre en considération le chiffre en **gras** relié à votre Ange de Lumière. Ce numéro représente également un chiffre chanceux pour vous. Plusieurs situations bénéfiques pourraient être marquées de ce nombre. Il serait important de l'ajouter à votre combinaison de chiffres. Toutefois, votre Ange peut également utiliser ce numéro pour vous annoncer sa présence auprès de vous. Lors d'une journée, si vous voyez continuellement ce chiffre, cela indique que votre Ange est avec vous. Profitez-en pour lui parler et lui demander de l'aide ! Cela peut également signifier de prier l'Ange gouverneur. Vous avez possiblement besoin de sa Lumière pour traverser l'une de vos épreuves, pour prendre une décision, pour régler une problématique, etc. Soyez toujours attentif aux signes que vous enverront les Anges au cours de l'année. Ceux-ci vous seront d'un grand secours !

---

***Conseil angélique :*** *Si vous voyez un signe de paix, si vous trouvez une pièce de cinq sous ou de dix sous, achetez un billet de loterie puisque ces symboles représentent votre chance.*

***Nith-Haiah :*** 06, 28 et 43. Le chiffre « **6** » est votre chiffre chanceux ! Cette année, vous serez favorisé par la chance. Profitez-en au maximum ! Ainsi, vous n'aurez aucun regret ! De plus, plusieurs situations se régleront par enchantement ! Vous serez donc très fier de tout ce qui se produira au cours de l'année.

Que vous jouiez seul ou en groupe, cela n'a pas d'importance. Lorsque la chance frappera dans votre direction, vous gagnerez ! Si vous désirez participer à des groupes, les groupes de quatre et de dix personnes vous seront bénéfiques. Lors d'une soirée agréable avec vos proches, suggérez-leur d'acheter un billet de groupe. Cela sera chanceux ! Si vous connaissez un homme barbu aux cheveux grisonnants, un éleveur de chevaux, un homme de chasse ou un apiculteur, achetez un billet avec lui. Ce sera chanceux !

Cette année, plusieurs amélioreront leur vie. Certains auront de belles promotions qui les aideront à remonter leur situation financière. D'autres auront des résultats satisfaisants dans l'élaboration de leurs tâches. Tout au long de l'année, vous serez régulièrement inondé par de belles opportunités. Toutes ces situations bénéfiques agrémenteront plusieurs de vos journées. Cela vous encouragera à amorcer vos changements pour retrouver un bel équilibre dans votre vie. Cela fait longtemps que vous attendiez cette période prolifique. Vous réaliserez que tous vos efforts ont porté fruits. Cela rehaussera votre confiance en votre potentiel ! Vous aurez également le privilège de trouver des solutions pour régler vos problèmes. Quelques familles reconstituées légaliseront leur union, soit par un mariage, la venue d'un enfant ou l'achat d'une propriété. Telle sera votre chance au cours de 2017 et vous saurez bien en tirer profit. Vous n'hésiterez donc pas à avancer lorsqu'une situation vous interpellera !

***Haaiah :*** 04, 12 et 30. Le chiffre « **4** » est votre chiffre chanceux. Vous aurez la chance de récolter tous les bienfaits de vos efforts. Attendez-vous à vivre quatre événements qui vous rendront très heureux. Lors de vos mois de chance, profitez-en pour amorcer des projets, prendre des décisions et régler vos problématiques. Tout vous réussira bien lors de cette période.

Que vous jouiez seul ou en groupe, vous serez chanceux au moment opportun ! Fiez-vous à votre instinct ! Si vous avez envie de jouer seul, faites-le ! Si vous préférez les groupes, participez avec eux ! Les groupes de quatre, de six et de dix personnes seront favorables. Si vous connaissez une personne dont le signe du zodiaque est Gémeaux, achetez un billet avec elle. Si vous connaissez un violoniste, un harpiste, un pompier, un capitaine de bateau ou un artiste, achetez également des billets avec eux. Ces personnes attireront la chance dans votre direction. Lors d'une sortie avec vos proches ou avec vos collègues de travail, suggérez-leur d'acheter un billet de groupe. Cela sera profitable. Certains pourraient faire des gains intéressants au cours de l'année!

Toutefois, votre chance se fera davantage sentir au niveau de vos actions. Vous bougerez beaucoup au cours de l'année. Vous irez aux endroits où se trouvent vos réponses, vos solutions, vos rêves, etc. Votre frénésie attirera vers vous des possibilités qui vous permettront de faire des changements dans plusieurs aspect de votre vie. Certains obtiendront une promotion ou un changement d'emploi qui leur sera favorable. D'autres réussiront un projet qui leur tenait à cœur. L'une de vos idées connaîtra un bon résultat et vous apportera une belle satisfaction personnelle. Certains signeront des papiers importants qui les soulageront et qui leur apporteront de la joie. Vous ferez également un voyage dans un endroit magnifique. Cela fait longtemps que vous rêviez de faire ce voyage. Vous aurez la possibilité de le faire au cours de l'année. Vous passerez beaucoup de temps avec votre famille. Cela vous rendra heureux! Bref, l'avenir ne vous fait plus peur. Vous regardez droit devant avec un œil prometteur et avec un sentiment de sécurité. De plus, il y aura toujours une bonne nouvelle qui arrivera au moment opportun. Cela vous apportera des moments d'agréments, de plénitude et de joie. Ces cadeaux seront précieux à vos yeux! Tels sont les effets de votre abondance pour 2017!

***Yerathel :*** 11, 21 et 44. Le chiffre « **11** » est votre chiffre chanceux. Lors de vos mois de chance, attendez-vous à passer des moments agréables avec vos proches. De plus vous aurez le privilège de voir l'un de vos rêves se réaliser, et ce, à votre grande joie. Il peut s'agir d'une nouvelle voiture, d'un changement professionnel, d'un nouvel amour, d'un changement de carrière, etc.

Jouez seul. Cela sera chanceux. Lors d'un déplacement dans une région étrangère, profitez-en pour acheter vos loteries préférées. Vous pourriez faire des gains. Si vous aimez les courses de chevaux, participez-y! Cela sera également chanceux! Ces petits gains vous permettront de gâter vos proches lors de sorties familiales. Si vous désirez joindre un groupe, les groupes de deux personnes vous seront bénéfiques. Jouez avec votre partenaire amoureux, un collègue de travail ou un proche masculin. Ces personnes attireront la chance dans votre direction. Si vous connaissez une personne dont le signe du zodiaque est Poissons, si vous connaissez un soldat, un sommelier, un paysagiste ou un pisciculteur, achetez des billets avec lui. Cela sera très chanceux !

Cette année, la chance favorisera plusieurs aspects de votre vie. Il vous sera permis de trouver des solutions pour régler vos problèmes, de régler des conflits personnels et professionnels. Vous serez souvent au bon endroit, au moment opportun. Cela vous avantagera régulièrement. Vos décisions amélioreront votre routine quotidienne. Les célibataires rencontreront leur amour idéal. Les couples rehausseront la flamme de leur amour. Ils intégreront plusieurs activités familiales à leur horaire. Certains obtiendront un emploi de rêve. D'autres signeront un contrat alléchant qui les sécurisera sur le plan financier. Bref, plusieurs bonnes nouvelles viendront agrémenter votre année. Avant que l'année se termine, certains auront fait l'acquisition d'un nouveau véhicule, d'un meuble, d'un immeuble, d'une motomarine ou autres équipements. Vous serez satisfait de votre achat !

***Seheiah :*** 20, 22 et 48. Le chiffre « **22** » est votre chiffre chanceux. La chance sera imprévisible sur le contenu des cadeaux qu'elle vous offrira. Toutefois, elle vous surprendra régulièrement. Celle-ci vous réservera de belles surprises qui vous feront plaisir. Plusieurs auront la chance de gagner plusieurs petits concours de circonstances, participez ! Vous pourriez gagner un arrangement floral, un ensemble de patio pour l'été, un montant forfaitaire, des billets de cinéma, des billets pour une activité quelconque, etc.

Cette année, priorisez les groupes. Vous serez davantage chanceux si vous achetez des loteries avec d'autres personnes. Les groupes de deux, de trois et de cinq personnes vous seront favorables. Si vous connaissez une personne dont le signe du zodiaque est Bélier ou Capricorne, achetez un billet avec elle. Si vous connaissez un pompier, un chauffeur de taxi ou d'autobus, un taxidermiste, un cavalier, un ambulancier, toutes ces personnes attireront la chance dans votre direction. De plus, lors d'une sortie hors de votre région, profitez-en pour acheter vos loteries préférées. Cela sera bénéfique.

En 2017, vous aurez également la chance d'améliorer votre vie. Vous ferez de grands efforts pour retrouver la paix, le calme et la quiétude dans votre quotidien. Vous vous prendrez en main et vous apporterez tous les changements nécessaires pour être heureux. Plusieurs retrouveront leur énergie d'autrefois, leur entrain, leur vivacité et leur joie de vivre dès leur premier changement effectué. Cela fait tellement longtemps que vous désirez faire du ménage dans votre vie. Vous l'entamerez cette année. À chaque problème, vous trouverez une bonne solution et vous le réglerez instantanément. Vous regardez droit devant avec la tête remplie d'idées ingénieuses pour votre futur. Rien ni personne ne viendra changer votre nouvelle vision de la vie ! Certains auront de belles promotions qui les aideront à remonter leur situation financière. D'autres recevront une bonne nouvelle qui agrémentera leur année. Quelques-uns changeront leur voiture pour un modèle plus récent. Cette année, vous vous dirigez vers les objectifs fixés. Vous n'irez plus à contrecourant. Vous avancerez droit vers un avenir rêvé et prolifique. Vous aurez de belles occasions qui vous permettront d'exaucer ce vœu qui vous est cher !

***Reiyiel :*** 08, 35 et 44. Le chiffre « **8** » sera votre chiffre chanceux. La chance vous permettra de passer des moments agréables avec votre famille. Profitez-en donc ! De plus, vous serez très intuitif cette année. Si l'envie d'acheter un billet de loterie titille à l'intérieur de vous, faites-le ! Vous serez surpris des montants que vous pourriez gagner !

Jouez seul ! Cela sera mieux pour vous ! Toutefois, si vous désirez joindre un groupe, les groupes de deux et de huit personnes vous seront favorables. Si vous connaissez une femme aux cheveux pâles dont le signe du zodiaque est Balance ou Scorpion, achetez un billet avec elle. Cela sera chanceux. Si vous connaissez une secrétaire juridique, une avocate, une policière, une gynécologue, une chirurgienne ou une amérindienne, achetez également un billet avec l'une d'entre elles. Ces personnes attireront la chance vers vous !

Cette année, plusieurs auront la chance de retrouver un bel équilibre dans plusieurs aspects de leur vie. L'avenir ne vous fera plus peur. Vous regarderez droit devant avec un œil plus prometteur et avec un sentiment de sécurité. Vous serez conscient que la réussite de votre avenir vous appartient. Vous ferez tout pour le réussir. Vous savez ce que vous voulez et vous irez dans la direction de vos besoins, de vos rêves et de vos buts. Vous relevez vos manches et vous réglerez un à un vos problèmes. Plus que jamais, vous avez besoin de vous sentir en harmonie, et ce, dans tous les aspects de votre vie. Fini les larmes causés par l'incertitude, l'inertie et la déception. Votre urgent besoin d'être heureux et en équilibre vous donnera l'essor dont vous avez besoin pour améliorer tout ce qui entrave votre quiétude. Il n'est jamais facile de faire des changements. Certaines journées seront compliquées. Toutefois, si vous tenez bon et que vous restez positif, vous verrez des miracles s'accomplir devant vous ! Vous connaîtrez ainsi la réussite, la satisfaction, l'équilibre et la joie de vivre !

***Omaël :*** 13, 17 et 28. Le chiffre « **13** » est votre chiffre chanceux. Jouez modérément. Toutefois, lorsque la chance frappera à votre porte, elle vous réservera de belles petites surprises ! Ce ne sera sans doute pas des gains extravagants. Il peut également s'agir de prix convoités lors d'un concours. Par contre, vous serez toujours heureux et vous l'accueillerez à bras ouverts !

Jouez seul. Priorisez vos loteries préférées. Cela sera bénéfique. Toutefois, si vous voulez joindre un groupe, les groupes de deux, de trois, de neuf et de treize personnes vous seront bénéfiques. Si vous connaissez un médecin, un spécialiste, un arpenteur, un dentiste, un fossoyeur, un thanatologue, achetez également des billets avec eux.

Cette année, vous renaissez à la vie. Vous réglerez plusieurs problèmes reliés à votre passé. Vous ferez le point dans certains événements qui dérangent votre quiétude. Vous analyserez profondément vos situations. Par la suite, vous passerez à l'action. Vous apporterez plusieurs améliorations qui chambarderont positivement votre vie. Tel un fin limier, à chaque problème, vous trouverez une solution. À chaque question, vous obtiendrez une réponse. Rien ne restera en suspens et tout se réglera. Vous serez souvent au bon endroit au moment opportun. Cela vous avantagera régulièrement. Il est évident que vous travaillerez ardemment. Néanmoins, vous serez fier des résultats. Au cours de l'année, attendez-vous à mieux voir les situations ambiguës qui dérangent votre bonheur.

Au lieu de les ignorer, vous les réglerez. Telle sera votre ardeur et votre énergie. Vous serez en pleine forme. Vous ne voulez plus être la proie des autres. Plus que jamais, vous avez besoin de penser à vous et être heureux. Cette nouvelle vision attirera des événements agréables. Cela rehaussera votre confiance. Cela vous permettra de persévérer pour atteindre vos objectifs !

***Lecabel :*** 07, 14 et 34. Le chiffre « 7 » est votre chiffre chanceux. La chance vous sourit et vous saurez bien en profiter. Vous pourriez même être surpris des montants que vous gagnerez ! Vous serez gâté par les événements qui se produiront. Vous pouvez gagner toutes sortes de prix ! Profitez-en donc pour participer à des concours organisés. Certains pourraient gagner un petit montant d'argent, un séjour dans une auberge, un café, une soirée agréable, des billets de cinéma, etc.

Jouez seul et priorisez les loteries instantanées. Si vous désirez vous joindre à un groupe, les groupes de deux, de trois et de sept personnes seront bénéfiques. Si vous connaissez un homme aux cheveux roux, un cavalier, un jockey, un éleveur de chevaux, un écuyer, un bijoutier, achetez un billet avec eux. Cela sera chanceux !

Cette année, vos actions changeront favorablement votre vie. Vous triompherez dans vos démarches que vous entreprendrez pour régler les problématiques, pour atteindre les objectifs fixés et pour réussir vos projets. Vous serez en contrôle avec les événements. Rien ni personne ne pourra vous faire changer d'idée. Vous ne laisserez rien en suspens et tout se réglera grâce à votre détermination et persévérance ! Vous miserez davantage sur la réussite que sur le désespoir ! Plus que jamais, vous savez exactement quelles sont les actions à entreprendre pour tout réussir à votre entière satisfaction. Vous n'avez pas besoin de l'avis des autres pour prendre des décisions. Cette année, vous prenez votre vie en main et vous l'améliorez tel que vous le souhaité ! Cela fera de vous un être gagnant et persévérant ! Cela dit, l'année 2017 annonce la fin de vos difficultés et l'arrivée d'une vie meilleure. Vous travaillerez donc en conséquence de vos désirs, de vos choix et de vos décisions. Telle sera votre fébrilité durant l'année !

***Vasariah :*** 19, 28 et 46. Le chiffre « **19** » est votre chiffre chanceux. Puisque la chance sera moyenne, jouez modérément. Écoutez la voix de votre intuition ! Si l'envie d'acheter une loterie vous interpelle, achetez-en une ! Priorisez vos loteries préférées. Cela sera chanceux !

Au lieu de jouer seul, priorisez les groupes ! Les groupes de deux, de trois, de cinq et de dix personnes seront bénéfiques. Si vous connaissez une éducatrice, une dentiste, une chirurgienne, une secrétaire médicale ou générale, achetez un billet avec elles. Cela sera chanceux !

Cette année, la chance se fera sentir dans les décisions que vous prendrez pour améliorer votre vie. De nombreuses possibilités viendront vers vous pour régler vos petits tracas. Saisissez donc les opportunités qui vous permettront de retrouver votre équilibre et votre joie de vivre. Plusieurs retrouveront une meilleure qualité de vie à la suite de changements qu'ils amorceront au cours de l'année. Fini les angoisses et les larmes causés par les problématiques des autres. Vous mettrez un terme aux relations qui enveniment votre vie. Cette année, vous ferez la rencontre d'un Ange. Cette personne vous aidera à régler tout ce qui entrave votre bonheur. Elle vous dictera la façon adéquate de vous éloigner des problématiques. Ses conseils seront précieux et judicieux. Vous lui en serez très reconnaissant par la suite. Certains auront un gain en ce qui concerne une situation gouvernementale ou juridique. Des papiers seront signés et vous enlèveront un poids sur les épaules. Tout au long de l'année, vous aurez la chance de vous trouver au bon endroit, au moment opportun. Cela vous avantagera dans plusieurs aspects de votre vie. La réussite de votre avenir vous appartient et vous en êtes conscient ! C'est la raison pour laquelle vous amorcerez plusieurs changements en même temps ! Néanmoins, vous serez satisfait de vos actions et décisions ! Plus que jamais, vous avez besoin de vivre votre vie et non en souffrir ! De plus, cela vous permettra de voir l'avenir sous un angle différent. Telle sera votre chance ! Cela sera mieux que de gagner à la loterie !

## Les Dominations et la santé

Si vous prenez soin de vous, si vous respectez votre corps, si vous ne surpassez pas la limite de vos capacités et si vous vous alimentez bien, vous passerez une année exempte des médecins ! Toutefois, si vous négligez vos alarmes et que vous surpassez régulièrement vos limites, vous serez malade ! Plus vous négligerez votre santé, plus vous serez enclin à la fatigue, à la dépression et à la maladie. Vous souffrirez de douleurs intenses qui nécessiteront un suivi médical. Certains seront obligés de subir un traitement ou une intervention chirurgicale pour recouvrer la santé. Cette année, si vous ne voulez pas visiter l'hôpital, prendre de médicaments, passer des examens, prendre un repos obligatoire, sombrer dans une dépression et être restreint dans certaines tâches, voyez-y avant qu'il soit trop tard !

Par contre, ceux qui réaliseront l'importance de conserver une bonne santé seront en pleine forme. Ils amélioreront leurs habitudes de vie. Certains prendront des produits naturels ou des vitamines pour rehausser leurs énergies. Ils auront de bonnes nuits de sommeil. Ils méditeront et relaxeront. Certains adopteront de nouvelles techniques de respiration. Cela aura un effet bénéfique sur eux. Bref, vous serez animé, cela vous permettra de bien entamer vos journées et réussir vos objectifs !

## *Sur une note préventive, voici les parties vulnérables à surveiller plus attentivement et les faiblesses du corps en ce qui concerne chacun des enfants Dominations.*

Lorsque la fatigue vous envahira, il faudra redoubler de prudence dans vos tâches quotidiennes. Vous manquerez de concentration. Cela peut occasionner des incidents fâcheux qui pourraient être évités. Soyez donc vigilant et attentif à votre environnement. Respectez continuellement les consignes de sécurité. Évitez d'entamer des tâches lorsque vous êtes fatigué, épuisé et dérangé émotionnellement. Cela sera à votre avantage et prudent de votre part.

Cette année, votre plus grande faiblesse sera la tête. Certains se blesseront à la tête. D'autre souffriront de migraines atroces et de sinusites. L'insomnie en dérangera plusieurs. Certaines journées, vous aurez de la difficulté à entamer vos tâches habituelles. Donc, l'anxiété sera à la hausse. Certains se plaindront également de maux de dents, de douleurs dorsales, de rougeurs sur la peau et d'ennuis gastriques. L'estomac sera également une partie vulnérable. Lorsqu'une douleur vous dérangera, n'attendez pas trop longtemps avant de consulter votre médecin. Votre vigilance est de mise ! Ainsi, vous éviterez de graves ennuis ! Mieux vaut prévenir que de guérir !

***Nith-Haiah :*** vous serez prudent et vous ferez attention à vous ! Cela vous sera bénéfique ! Plusieurs adopteront des activités qui leur apporteront un bienfait sur leur santé. Telle que la méditation, la relaxation, la natation, etc. Malgré tout, il y aura des exceptions et certains se plaindront de douleurs continuelles. Cela les obligera à prendre un médicament ou à faire un exercice de physiothérapie. Le cou, le coude et le genou apporteront parfois de la douleur. Certains souffriront de torticolis de façon récurrente. Vous serez très sensible au froid. Il faudra donc bien vous couvrir lors de températures plus froides. Certains hommes auront des ennuis avec leur prostate. Cela nécessitera l'intervention du médecin. Quelques-uns auront des ennuis avec les intestins. Ils devront suivre méticuleusement les conseils du spécialiste. Lors de la période des allergies, certains prendront des antihistaminiques pour parvenir à passer d'agréables journées !

***Haaiah :*** plusieurs se plaindront de douleurs récurrentes. Le bassin, les hanches, le dos, le cou et les épaules seront des parties vulnérables. Certains souffriront de douleurs lancinantes à ces endroits. Ils auront de la difficulté à se concentrer et à terminer leur journée. Il serait important de ne pas négliger vos douleurs. Consultez votre médecin. Évitez de prendre des médicaments en vente libre. Il y a sûrement une raison pour laquelle une partie de votre corps est en douleur. Seul votre médecin sera en mesure de vous aider et de vous soigner en conséquence. Il vous prescrira exactement les médicaments ou les exercices adéquats pour améliorer votre état de santé. Certains se plaindront d'indigestion. Ils souffriront d'acidité. Ils devront surveiller les aliments épicés. Quelques-uns seront obligés de prendre un médicament pour soulager le brûlement d'estomac. La peau sera fragile. Certains peuvent se plaindre de feux sauvages. Le nez sera également rouge. Il peut s'agir de rosacée. D'autres auront la peau sèche et les mains gercées. Vous n'aurez pas le choix d'utiliser une bonne crème pour atténuer la sècheresse et les gerçures sur votre peau. Surveillez aussi les rayons de soleil. Assurez-vous d'utiliser une crème solaire qui saura bien protéger votre peau. Soyez régulièrement vigilant avec les plats chauds. Certains pourraient se brûler. Assurez-vous d'avoir une trousse de premiers soins dans votre pharmacie.

***Yerathel :*** certains se plaindront de douleurs musculaires. Il y aura des faiblesses au niveau des hanches, des genoux, des jambes et chevilles. Elles seront la source de vos douleurs. Il peut s'agir de varices, d'une blessure du passé, d'embonpoint ou autre. Vous consulterez un médecin pour vérifier la cause exacte de vos douleurs et vous serez soigné en conséquence. Certains pourraient être obligés de porter un plâtre ou de subir une intervention chirurgicale pour régler leur problème. De plus, votre négligence vous vaudra des ecchymoses sur le corps ! Vous vous cognerez souvent les orteils et les chevilles sur des surfaces rigides. Cela causera des douleurs désagréables. Il faudra également surveiller le système digestif. Plusieurs se plaindront de douleurs à la poitrine et à l'estomac. Certains auront des intolérances à certains aliments et ils devront changer leurs habitudes alimentaires pour éviter les maux d'estomac. Les personnes alcooliques devront surveiller attentivement leur état de santé. Leur consommation leur causera plusieurs ennuis au cours de l'année.

***Seheiah :*** plusieurs ne respecteront pas la limite de leurs capacités et la santé mentale en prendra un vilain coup ! Il ne sert à rien de courir partout et de négliger votre santé. Cela vous sera nuisible. Prenez donc le temps nécessaire pour vous reposer lorsque vous êtes fatigué. Essayez de tout faire en même temps vous épuisera ! Il sera beaucoup plus difficile de remonter la pente par la suite. Les personnes qui sont actuellement malades devraient prendre en considération ce conseil. Si vous dépassez la limite de vos capacités, vous tomberez et il vous faudra plus de temps pour récupérer et vaquer à vos tâches habituelles. Pour éviter de graves ennuis, soyez à l'écoute de votre corps ! Cela sera favorable. De plus, certains auront de la difficulté à dormir. Vous souffrirez d'insomnie. Cela vous épuisera totalement. Plusieurs seront obligés de prendre un médicament pour régler leur problème. Également, la tête, les oreilles, la gorge et les sinus seront également des parties vulnérables. Certains se plaindront de migraines. D'autres perdront l'équilibre. Plusieurs examens approfondis décèleront la cause de vos malaises. La peau sera également fragile. Certains auront des rougeurs sur les joues et près des narines. Il peut s'agir de rosacée ou d'acné. Vous consulterez un dermatologue. Celui-ci vous prescrira un médicament ou une crème pour atténuer et éliminer les rougeurs. Surveillez également les plats chauds, certains pourrait se brûler. Assurez-vous d'avoir une trousse de premiers soins dans votre pharmacie !

***Reiyiel :*** certaines femmes auront des ennuis de santé et devront subir une intervention chirurgicale pour régler leur problème. Il leur faudra quelques jours pour récupérer de leur intervention. Il serait important que ces femmes se reposent et qu'elles écoutent sagement les recommandations de leur médecin. Plusieurs se plaindront de douleurs lancinantes. Quelques-uns miseront sur la natation. Cela relaxera leurs muscles et ils en ressentiront un bien-être. D'autres feront des exercices de physiothérapie pour soulager leur douleur. Vous ferez tout pour éviter de prendre un médicament. Vous vous dirigerez davantage vers la médecine alternative que traditionnelle. Soyez également vigilant lorsque vous entamez des tâches nécessitant des outils. Plusieurs se feront des blessures minimes mais désagréables ! Assurez-vous d'avoir à votre portée des diachylons ! Vous en utiliserez régulièrement !

***Omaël :*** vous visiterez régulièrement votre médecin pour mille et une raisons. Vous ne respecterez pas la limite de vos capacités et votre corps en prendra un vilain coup ! Il peut s'agir de douleurs physiques, d'anxiété, d'écorchures, de blessures, etc. Votre négligence sera votre faiblesse. Plus vous négligerez votre corps, plus vous serez victime de problèmes de toutes sortes ! Pour éviter de graves ennuis, soyez à l'écoute de votre corps. Soyez attentif à votre environnement pour éviter des blessures désagréables. Soyez également vigilant lorsque vous entamez des tâches inhabituelles. Ainsi, vous éviterez des ennuis. Certains souffriront d'insomnie, de migraines, de sinusites et d'otites. La glande thyroïde sera également une partie fragile. Quelques-uns auront des ennuis avec leur vision. Ils devront consulter un ophtalmologiste. Surveillez également les plats chauds, plusieurs se feront de petites brûlures. Plusieurs personnes négligentes devront subir une intervention chirurgicale. Toutefois, vous récupérerez rapidement de cette intervention grâce au spécialiste qui vous soignera !

***Lecabel :*** plusieurs se plaindront de douleurs physiques. L'arthrite, l'arthrose, la fibromyalgie, la tendinite et le tunnel carpien causeront de la douleur à certaines personnes. Ils n'auront pas le choix de prendre des médicaments pour soulager leur maux. D'autres se tourneront vers des médecines alternatives qui atténueront leurs douleurs. Le yoga, la méditation, la relaxation seront bénéfiques pour plusieurs. Cette année, soyez également vigilant et regardez droit devant vous. Plusieurs risquent de tomber et de se blesser. Certains auront des ecchymoses, des égratignures et des écorchures partout sur leur corps. Ils se cogneront régulièrement sur des surfaces rigides qui leur causeront de la douleur et des ecchymoses. Lors de rénovations, suivez méticuleusement les consignes de sécurité. Ainsi, vous éviterez des incidents fâcheux. Assurez-vous d'avoir une trousse de premiers soins. Vous l'utiliserez régulièrement ! La tête sera également une partie vulnérable. Les ouvriers devront toujours porter leur casque de sécurité sur le chantier. Plusieurs souffriront de migraines atroces, de sinusites et de problèmes d'ouïe. Vous consulterez un spécialiste pour déceler la cause de vos malaises.

***Vasariah :*** cette année, ceux qui ont négligé leur santé seront confrontés à un problème important qui les angoissera. Attendez-vous à subir une intervention chirurgicale pour régler votre problème. Tel que l'an passé, votre santé globale peut en souffrir si vous ne respectez pas la limite de vos capacités. Plus vous négligez votre corps, plus votre corps en prendra un vilain coup ! Vous avez brûlé la chandelle par les deux bouts ! Maintenant, votre santé en écope ! Toutefois, vous serez bien soigné. Le médecin qui prendra soin de vous sera en mesure de régler votre problème et vous pourrez vaquer à vos tâches habituelles. Néanmoins, vous devez écouter ses recommandations. Sinon, il prendra beaucoup plus de temps pour récupérer. Il faudra également surveiller la santé mentale. Cela sera votre faiblesse. Réglez vos fantômes du passé. Cela aura un effet bénéfique sur votre santé mentale. Vivre dans le passé ne vous aidera guère à reprendre le contrôle de votre vie actuelle. Consultez un psychologue, un thérapeute ou un ami. N'hésitez pas à leur parler. Vous avez besoin d'aide pour vous libérer de vos peurs, de vos angoisses et autres. Ces personnes sauront en mesure de vous écouter et de vous conseiller. Cette année, faites-vous un cadeau ! Prenez-soin de vous ! Vous ne le regretterez pas !

## *Les Dominations et l'amour*

Il y aura quelques turbulences au sein de votre foyer. Tout cela est causé par des personnes, des situations problématiques et quelques événements du passé. Pour retrouver votre harmonie, votre équilibre et votre bonheur, il sera indispensable de vous impliquer davantage dans votre relation, de dialoguer avec votre partenaire, de lui exprimer vos émotions et de mettre un terme aux fantômes du passé. Rien ne sert de remémorer des événements que vous avez déjà vécus. Tournez donc la page une fois pour toutes. Cela sera bénéfique pour la survie de votre couple. Commencez à vous prendre en main et abordez des sujets plus valorisants que celui du passé. Sinon, votre union en souffrira. Ceux qui prioriseront les dialogues avec leur partenaire vivront de bons moments. Ils reprendront goût à la vie et ils seront déterminés à régler tout ce qui entrave leur bonheur. Attendez-vous à vivre plusieurs activités qui rehausseront la flamme de l'amour. Toutefois, ceux qui négligeront leur relation et qui se lanceront des paroles blessantes seront obligés de prendre une décision. Une séparation pourrait s'ensuivre. Si vous voulez éviter ce scénario, voyez-y avant qu'il soit trop tard!

Au cours de l'année, il y aura plusieurs journées qui vous permettront de régler vos difficultés, de faire des activités plaisantes avec votre partenaire, d'avoir de bons dialogues. Ces journées surviendront au cours des mois suivants: ***janvier, mars, avril, juin, août, septembre, novembre*** et ***décembre***. Au cours de ces mois bénéfiques, plusieurs événements vous rapprocheront de votre partenaire.

Il y aura tout de même des périodes plus compliquées. Lors de ces moments tendus, si vous y voyez rapidement, vous réglerez facilement vos problématiques et le tout reviendra à la normale. Si vous négligez vos problèmes, vous vous compliquerez la vie inutilement. Vous et votre partenaire, vous enfermerez dans un mutisme qui ne vous aidera guère à régler vos ennuis.

**Voici quelques situations qui pourraient déranger l'harmonie conjugale:** les problèmes non résolus du passé, la situation financière et les problèmes de jeux. Les joueurs compulsifs vivront beaucoup de bataille au sein de leur union. Pour la survie de votre couple, vous devrez cesser le jeu. Sinon, attendez-vous à une séparation avant que l'année se termine. Prenez conscience que votre problème cause des ennuis financiers et que votre partenaire en souffre énormément, et avec raison. Vous devrez y voir avant de tout perdre ! De plus, les problèmes non résolus du passé causeront également des batailles de mots. Si vous ne parvenez pas à trouver un terrain d'entente. Tournez la page ! Plus vous chercherez à gagner votre point de vue, pire ce sera. Apprenez donc à vivre au présent. Si vous avez de la difficulté à pardonner un événement à votre partenaire, vous avez deux options : tournez la page ou quittez le partenaire. À vous de décider quelle option sera la meilleure pour votre bien-être !

### Les couples en difficulté

Comme l'an passé, les couples en difficulté auront plusieurs défis de taille à surmonter. Si vous voulez sauver votre union, vous devrez faire des sacrifices. Sinon, votre couple subira un échec et une séparation sera inévitable. Certains penseront à quitter le domicile familial. D'autres crieront leur désarroi. Les paroles seront blessantes. Cela provoquera une tempête émotionnelle. L'ambiance de leur demeure sera malsaine et invivable. Il est évident que cela affectera les enfants. Si vous tenez à votre couple, il serait important de trouver un terrain d'entente et de changer votre attitude vis-à-vis l'un et l'autre, sinon une séparation suivra et il sera trop tard pour réparer les pots brisés.

### Les Dominations submergées par la négativité

Vous ne serez pas souvent à la maison. Vous vivrez comme un vrai célibataire ! Lorsque vous serez à la maison, vous critiquerez sur tout et rien. Votre négativité se fera énormément sentir dans votre foyer. Cela affectera votre partenaire. Plusieurs proches l'encourageront à vous quitter avant que sa santé en prenne un vilain coup ! Si vous ne voulez pas subir une séparation, changez votre attitude ! Faites tous les efforts nécessaires pour reconquérir votre partenaire. Prouvez-lui que vous voulez améliorer la situation et que vous l'aimez toujours ! Sauvez votre union ! Toutefois, si vous n'éprouvez plus aucun sentiment envers votre partenaire, il serait important de lui avouer au lieu de le détruire émotionnellement et mentalement.

## Les Dominations célibataires

Vous ferez la rencontre de cinq personnes intéressantes au cours de l'année. L'une d'elles prendra des proportions plus sérieuses. Il ne tiendra qu'à vous d'ouvrir la porte de votre cœur! Plusieurs ont de la difficulté à oublier un amour du passé. Cela les empêche de se laisser aimer! Tant et aussi longtemps que vous n'y mettrez pas un terme, la porte de votre cœur restera fermé aux nouvelles connaissances. La journée où vous laisserez une place à l'amour, celui-ci sera à vos côtés! Un beau bonheur vous attend! Il suffit de laisser parler votre cœur. Lors d'une soirée agréable, vous ferez la rencontre d'une gentille personne qui cherchera à vous charmer. Votre dialogue sera intéressant et vous vous amuserez beaucoup en sa présence. Cette charmante personne vous invitera à passer une autre soirée divertissante en sa compagnie. Si vous acceptez, cela ne prendra pas de temps pour réaliser que cette nouvelle connaissance est idéale pour vous. À la suite de la cinquième rencontre, vous éprouverez un sentiment puissant en sa présence! Vous aurez la forte impression de la connaître depuis longtemps. Certains réaliseront qu'ils ont déjà rêvé à cette rencontre. Cela rehaussera davantage leurs sentiments! Toutefois, si vous refusez de la revoir, cela prendra un peu de temps avant de faire la rencontre d'un autre partenaire idéal.

Tout au long de l'année, plusieurs journées vous apporteront de l'agrément, des rires et de la joie! Vous ferez également de belles sorties avec vos proches. Lors de ces sorties, vous aurez la chance de rencontrer de bonnes personnes intéressées à vous connaître davantage. Toutefois, une seule retiendra votre attention. Ces magnifiques journées surviendront lors des mois suivants: ***mars, avril, août, septembre*** et ***décembre.*** La journée du mardi et du samedi seront également profitables pour cette nouvelle rencontre. C'est vers la cinquième rencontre que vous réaliserez que cette personne possède toutes les qualités que vous recherchez chez l'autre. C'est son regard qui vous chamboulera! Ce regard mystérieux éveillera votre cœur et le remplira de bonheur!

## Les célibataires submergés par la négativité

Plusieurs célibataires seront hantés par leur passé. Ils seront aux prises avec des émotions de frustration et de vengeance! Certaines blessures seront toujours aussi présentes en eux ! Ils ne chercheront aucune compagnie. Ils ne seront pas abordables. Ils seront évasifs et souvent de mauvaise humeur. Bref, ils ne seront pas accessibles. Avec cette attitude, personne n'osera les approcher ! Ils auront peur d'essuyer un refus. De plus, lorsqu'une gentille personne vaincra sa peur et entamera la conversation, vous aurez tendance à parler que de votre passé et de la peine insupportable à laquelle vous êtes confronté. Cela ne sera pas un sujet divertissant pour cette personne. Elle cherchera à vous réconforter, toutefois, vous serez inconsolable. Au lieu d'y laisser sa peau et son énergie, elle préféra s'éloigner de vous. Par contre, si vous changez d'idée et que vous laissez votre cœur s'épanouir à l'amour, cette personne possèdera toutes les qualités pour vous rendre heureux ! Laissez donc une chance à votre cœur de s'épanouir et de savourer cette nouvelle relation. Vous verrez que votre amertume se dissipera instantanément.

## Les Dominations et le travail

Plusieurs travailleurs vivront des changements importants au cours de l'année. Certains quitteront leur emploi pour s'aventurer vers de nouvelles avenues. Cette décision ne sera pas facile. Toutefois, vous réaliserez que vous avez besoin d'un changement. Cela fait trop longtemps que vous rêvez de ce moment. Vous vous lancerez donc corps et âme dans de nouvelles tâches totalement différentes de ce que vous étiez habitué d'accomplir. Au début, vous éprouverez quelques difficultés d'adaptation, par contre, au bout de quelques semaines, vous serez enjoué et rempli d'ardeur à ce nouvel emploi ! Vous ne regretterez plus votre choix ! D'autres décideront de prendre une retraite anticipée. Quelques-uns auront le privilège d'obtenir une augmentation de salaire ou une promotion. Un poste supérieur leur sera offert ! On reconnaît votre capacité de travail et vous serez récompensé à votre juste valeur ! D'autres amorceront un nouvel emploi beaucoup plus valorisant et rémunérateur. Plusieurs vivront des améliorations dans leurs conditions de travail. Vous serez satisfait de tout ce qui se produira. Certains auront le privilège de compléter entre une à cinq entrevues. L'une d'elles sera réussie. Si vous acceptez l'offre d'emploi, attendez-vous à vivre des changements bénéfiques qui allégeront vos inquiétudes monétaires.

Plusieurs changements pourraient se produire lors des mois suivants : ***janvier, mars, avril, juin, août, novembre*** et ***décembre***. Certains auront le privilège de signer un contrat important qui les rendront heureux. La journée du mardi sera favorable. Plusieurs bonnes nouvelles surviendront lors de cette journée. Les entrevues seront réussies. Les problèmes seront réglés. Ces mois bénéfiques vous permettront d'avoir de bons dialogues avec vos collègues ou vos supérieurs. Cela vous permettra de régler les conflits et autres.

**Voici quelques situations qui pourraient déranger l'harmonie au travail** : le surplus de travail. Cela vous épuisera énormément. Certains seront obligés d'accomplir leurs tâches et celles de leurs collègues de travail. Cela ne vous enchantera guère, mais vous n'aurez pas le choix. Vos collègues seront malades et incapables de travailler. Vous serez la personne attitrée pour les remplacer ; toutefois, vos compétences seront largement appréciées. Un poste supérieur vous sera offert ! Vous serez donc heureux de votre dévouement puisque vos efforts auront porté fruits.

## Les travailleurs Dominations submergés par la négativité

Votre arrogance vous attirera que des ennuis. Un changement auquel vous tenez tant n'aura pas lieu tel que promis. Cela vous dérangera énormément. Vous serez déçu et cela se reflétera sur votre humeur et rendement. La raison de ce refus sera votre attitude. Elle dérange vos collègues. Ceux-ci ne veulent plus travailler avec vous. De plus, ils refuseront de se soumettre à vos directives. Ils consulteront les autorités et ils feront part de leur désaveu envers vous. Il est évident que les autorités n'auront pas le choix de prendre une décision et d'y voir rapidement avant que le tout prenne des proportions plus dramatiques. Vous serez donc celui qui écopera de ces changements. Pour ce qui est de votre capacité de travail, les dirigeants n'ont aucun doute sur vos compétences. C'est votre attitude envers vos collègues qui laissent à désirer. Vous pourriez être la cause de conflits importants et ces personnes veulent éviter ce scénario. Ils préfèrent vous larguer avec un préavis de licenciement si vous n'améliorez pas votre attitude. Si vous désirez ardemment ce changement en votre faveur, modifiez votre attitude ! Si vous parvenez à prouver à votre équipe et dirigeant que vous êtes capable de travailler en équipe et d'être à l'écouter de vos collègues, vous gagnerez leur confiance. Il y a de fortes chances que ces personnes vous accordent une chance. Sinon, vous resterez au même endroit en train de faire les mêmes tâches avec aucune possibilité d'avancement. Si vous rêvez de changement et d'avancement, deux choix s'offrent à vous : changer votre attitude ou quitter votre emploi !

# Chapitre XXVI

# Événements à surveiller durant l'année 2017

Voici quelques événements qui pourraient survenir au cours de l'année 2017. Pour les situations négatives, lisez-les à titre d'information. Le but n'est pas de vous perturber ni de vous blesser. Il s'agit tout simplement de vous informer.

- Au cours de l'année, vous vivrez cinq événements qui chambarderont favorablement votre vie. Attendez-vous à signer un papier important. Ce papier mettra un terme à une difficulté financière ou professionnelle.
- Vous, ou un proche, recevrez une somme d'argent provenant d'un testament, d'une vente ou d'un gain à la loterie. Vous serez surpris de recevoir ce montant.
- La journée du mardi sera favorable pour plusieurs. Attendez-vous à recevoir de bonnes nouvelles lors de cette journée ! De plus, les personnes dont le signe du zodiaque est Bélier, Poissons et Taureau attireront la chance dans votre direction. Toutefois, les personnes de signe Balance vous apporteront quelques contrariétés, attendez-vous à régler quelques conflits avec eux. Par contre, lorsque le tout sera réglé, la satisfaction animera les deux parties !

- Plusieurs personnes se plaindront de maux physiques. Certains consulteront un spécialiste pour déceler l'origine de leur douleur. Attendez-vous à passer plusieurs examens approfondis. À la suite de certains examens, quelques-uns subiront une intervention chirurgicale. D'autres prendront des médicaments. Certains visiteront régulièrement l'hôpital pour mille et une raisons.
- Lors de la période hivernale, plusieurs personnes seront alitées. Vous souffrirez d'une grippe virale ou d'une douleur dorsale. Cela prendra quelques jours avant de vous rétablir et de vaquer à vos besognes habituelles.
- Plusieurs personnes se plaindront de migraines, de maux d'oreilles, de sinusites et de maux de dents. Vous serez obligé de prendre un médicament et du repos pour soulager votre douleur. D'autres souffriront d'insomnie. Cela déragera énormément leur vigilance. Voyez-y avant que cela devienne problématique !
- De plus, la tête sera une partie fragile. Les travailleurs de la construction devraient porter précieusement leur casque de sécurité. Ainsi, ils éviteront des blessures graves. Il faudra également surveiller les brûlures, les coupures et les égratignures. Certains se blesseront de multiples façons. N'entamez aucune tâche inhabituelle. Prenez également le temps de lire les directives d'installation pour éviter de fâcheux incidents.
- Lors des périodes hivernale et printanière, soyez vigilant avec votre santé mentale. Respectez la limite de vos capacités. Prenez également le temps nécessaire pour vous reposer. Si vous négligez cet aspect, vous vous retrouverez facilement en arrêt de travail à cause d'un surmenage, d'une dépression ou d'une fatigue chronique.
- Au cours de l'année, faites attention à votre alimentation. Votre estomac réclame de la bonne nourriture. Certains souffriront de reflux gastriques. Quelques-uns devront prendre un médicament. La digestion sera pénible.
- Certains se plaindront de maux d'oreilles. Cette douleur vous amènera à consulter un oto-rhino-laryngologiste pour déceler la cause de votre douleur. Quelques-uns devront porter un appareil auditif.

- Une personne malade recouvre la santé. Cela soulagera énormément ses proches.
- Vous réglerez un problème important. Cela aura un effet bénéfique dans votre relation amoureuse. Vous réaliserez que ce problème aurait dû se régler depuis longtemps!
- À la suite d'une tempête émotionnelle, plusieurs couples retrouveront leur harmonie grâce à des changements qu'ils apporteront dans leur relation. Ils réaliseront l'importance de leur union. Ils feront tout pour rallumer la flamme de leur désir et de leur amour. Cela sauvera leur union. Attendez-vous à vivre des moments agréables en compagnie de votre partenaire.
- Certains couples partiront en voyage. Cela faisait longtemps que vous en parliez. Votre rêve se réalisera au cours de l'année.
- Certains célibataires devront surveiller les beaux parleurs. Apprenez à connaître leurs intentions avant de vous engager dans la relation! Sinon, vous y laisserez votre peau et votre cœur!
- Un couple renaît à la vie. Après avoir vécu une séparation temporaire, ils se donneront la chance de rebâtir leur vie sur des bases plus solides. Le bonheur se lira de nouveau sur leur visage.
- Plusieurs célibataires auront le privilège de rencontrer entre une et cinq personnes sérieuses pour amorcer une relation amoureuse. L'une d'elles pourrait devenir votre amour idéal. Il suffit d'ouvrir la porte de votre cœur!
- Vous aurez de belles possibilités pour améliorer vos conditions de travail. Toutefois, rien ne vous sera acquis facilement. Vous devrez travailler ardemment pour prouver vos capacités, pour réussir vos entrevues, pour obtenir gain de cause, pour changer de travail et pour réaliser vos projets. Cela ne sera pas toujours évident. Toutefois, les résultats seront à la hauteur de vos attentes et elles vous apporteront satisfaction.
- Le travailleur démontrant une attitude négative et arrogante attirera vers lui plusieurs problèmes. On exigera de lui sa collaboration pour régler les problèmes. Cela ne sera pas évident et ça vous ralentira dans vos tâches. Ce n'est pas sans vous frustrer

et vous mettre en colère. Toutefois, vous n'aurez pas le choix de respecter les consignes de votre directeur. Sinon, vous subirez la perte de votre emploi, une rétrogradation, une diminution de salaire ou d'heures de travail.

- L'un de vos projets rapportera un beau profit. Vous serez heureux des résultats qu'engendrent vos actions. Cela vous encouragera à continuer dans la même direction et de mettre à profit vos idées, vos projets, etc.
- Au cours de l'année, de deux à trois papiers importants seront signés. L'un d'eux vous rapportera une somme d'argent intéressante. Le second résoudra l'un de vos problèmes, tandis que le troisième vous réserve une belle surprise !
- Lors de période hivernale, certains iront consulter un avocat ou une personne ressource pour les aider dans une épreuve. Vous avez besoin de conseils et de clarifier certaines situations. Cet entretien vous fera du bien ! Il vous apportera toutes les réponses à vos questions. À la suite de cet entretien, vous prendrez une décision importante.
- Lors de la période hivernale, chaussez-vous bien lorsque vous irez à l'extérieur. Certains pourraient glisser. De plus, ne courez pas dans les marches d'escalier. Ainsi, vous éviterez une chute !
- Vous, ou un proche, consulterez un psychologue ou un thérapeute. Vous appliquerez ses conseils. Cela vous aidera à retrouver un sens à votre vie. Vous retrouverez un bel équilibre au prix de grands efforts. Attendez-vous à faire des changements majeurs qui chambarderont favorablement votre vie.
- Lors de la période hivernale, quelques-uns partiront en vacances. Toutefois, lors des premières journées, vous vous sentirez très seul. Vos proches seront distants, évasifs et pas trop jasant. Vous serez découragé et vous regretterez d'avoir accepté leur invitation. Ne vous inquiétez pas, tout se replacera après quelques jours. Vos proches avaient besoin de faire le vide. Ils étaient tout simplement fatigués. Après quelques journées à se prélasser au soleil, leur énergie augmentera et vous aurez beaucoup de plaisir en leur compagnie.

- Les agents immobiliers et les commerçants feront de belles ventes. L'une d'elles sera très importante et elle rapportera une belle somme d'argent. Vous parlerez longtemps de cette transaction prolifique!
- Vous, ou un proche, vous blesserez à la main. Soyez vigilant avec les scies, les couteaux effilés et les objets tranchants. Assurez-vous d'avoir une trousse de premiers soins dans votre pharmacie.
- Certaines personnes auront le privilège de recevoir un signe de leur défunt. Celui-ci fera clignoter une lumière lors de votre passage. Si vous priez un défunt et qu'une lumière clignote, par ce signe, votre défunt vous annonce sa présence. Il peut s'agir également d'un signe de votre Ange!
- Lors de la période hivernale, quelques-uns auront des ennuis mécaniques. Vous devrez prendre une décision. Vous faites réparer la voiture ou vous la changez!
- Soyez vigilant avec la vitesse et les chaussés glissantes. Certains conducteurs endommageront leur voiture à cause d'étourderies. À vous d'y voir!
- Une solution arrivera au bon moment et elle soulagera vos nuits. Un problème se résoudra à votre grande joie. Vous serez heureux de la tournure des événements!
- Lors de vos mois prolifiques, profitez-en pour acheter vos loteries préférées. Certains gagneront de petites sommes agréables. Misez également sur les loteries instantanées. Cela sera favorable.
- Vous aurez besoin des services d'une couturière. À la suite d'une perte de poids, vous avez besoin de faire réparer certaines tenues vestimentaires. D'autres voudront embellir leurs fenêtres par de belles draperies ou leurs canapés par des coussins imprimés.
- Lors de la période estivale, quelques personnes feront installer une piscine creusée dans leur cour. Vous ferez un bel aménagement paysager pour mettre en évidence votre nouvelle acquisition.
- Lors de la période estivale, plusieurs iront visiter un endroit de villégiature. Cela sera une journée agréable. Vous passerez du

bon temps avec vos proches. Attendez-vous à des rires et des dépenses ! Vous gâterez vos proches !

- Certains réaliseront que la citation : « *Seul le temps arrange les choses* » s'appliquera bien dans plusieurs situations qu'ils vivront.
- Lors de la période printanière, certains commenceront à préparer leurs plates-bandes et leur jardin. Vous avez hâte de voir vos fleurs éclore. Vous dépasserez votre budget, mais la beauté de votre jardin atténuera tous les regrets !
- Une personne regrettera amèrement une parole ou un geste. Elle réalisera l'ampleur de son geste. Elle réclamera votre pardon. Elle sera sincère dans sa demande. Toutefois, la blessure sera vivante dans votre cœur. Vous aurez de la difficulté à oublier cet épisode.
- Vous passerez un 1er de l'An en compagnie de plusieurs personnes agréables. Vous aurez beaucoup de plaisir. Attendez-vous à vous faire taquiner au sujet d'un événement qui s'est produit dans votre vie !
- Plusieurs personnes seront déprimées lors de la St-Valentin ! Leur partenaire est absent. Soit à cause de son travail, soit à cause d'une séparation.
- Lors des périodes printanière et estivale, plusieurs reprendront goût aux activités extérieures et physiques. Certains s'inscriront à des cours d'aqua forme. D'autres à des cours de Zumba ou d'aérobie. Quelques-uns s'inscriront à des cours de danse, de chant ou de yoga. Ces activités auront un impact favorable sur votre mental.
- Lors de la période hivernale, vous vivrez deux événements qui vous apporteront de la joie. Vous serez heureux de recevoir ces bonnes nouvelles.
- Certains adopteront un animal de compagnie. Vous serez très heureux de votre choix. Votre animal s'adoptera très vite à votre routine hebdomadaire.
- Certains cavaliers en profiteront pour faire des randonnées équestres. Ceux qui participent à des concours se verront recevoir un prix honorifique.

- Certains vivront une période d'incertitude et de confusion qui durera quelques jours. Vous serez tourmenté par une situation ou par l'attitude d'un proche. À la suite d'une confrontation, vous parviendrez à régler votre problème.
- Certains auront la chance de remettre une personne négative à sa place. Celle-ci sera déboussolée par votre attitude. Par la suite, elle viendra vous voir et elle admettra que vous avez eu raison d'agir de la sorte.
- Certaines mamans seront oubliées à la fête des Mères. Vous serez peiné par l'attitude de vos enfants.
- Plusieurs contrats alléchants et de belles réussites viendront agrémenter la vie des artistes.
- Vous, ou un proche, consulterez un avocat et gagnerez votre cause.
- Vous, ou un proche, aurez des ennuis financiers causés par le jeu. Vous chercherez à emprunter de l'argent pour régler vos dettes. Toutefois, aucune banque ni personne ne voudront vous aider. Certains devront consulter un syndic de faillite.
- Vous, ou un proche, réglerez un conflit avec un adolescent. Celui-ci est en train de ruiner sa vie avec les drogues et les personnes malintentionnées. Vous aurez une conversation franche avec lui. Vous ne mâcherez pas vos mots. Cela sera pénible émotionnellement. Toutefois, pour le bien de cet adolescent, vous prendrez une décision importante. Cela l'affectera énormément et il vous boudera. Avec le temps, il réalisera que cette décision, vous l'avez prise pour son bien-être !
- Pour certains parents, la rentrée scolaire sera pénible. Tout peut arriver lors de ce mois. Vous serez partout en même temps ! Attendez-vous également à dépasser votre budget !
- Lors de la période estivale, plusieurs en profiteront pour inviter les gens à souper. Vous passerez du bon temps avec eux !
- Vous serez invité à prendre part à cinq événements agréables. L'un deux sera à l'extérieur de la ville et vous serez enchanté

d'y assister. Certains seront appelés à parler devant les invités! Cela vous stressera. Toutefois, vous épaterez les invités avec votre discours! Toute la soirée, on louangera votre belle prestance!

- Lors de la période printanière, certains achèteront une bicyclette et s'adonneront à ce sport. Vous retrouverez rapidement la forme physique!
- Certains recevront un appel qui les surprendra! Vous n'aviez pas eu de nouvelles de cette personne depuis longtemps.
- Certaines femmes mariées agiront sur un coup de tête ou d'émotions! Elles auront une aventure extra-conjugale. Vous regretterez votre geste. La peur vous envahira. Vous ne voulez pas abandonner votre partenaire. Vous vivrez toutes sortes d'émotions. Cela prendra quelques jours avant que vous retrouviez vos sens! Vous n'oublierez jamais cette aventure!
- Quelques-uns rénoveront leur salle de bains. Vous changerez vos accessoires. Malgré le fait que vous achèterez plusieurs articles à rabais, vous dépasserez royalement votre budget! Vous serez obligé de cesser les dépenses inutiles pendant un certain temps.
- Certaines femmes consulteront un spécialiste en chirurgie esthétique. Vous subirez une intervention chirurgicale. Vous serez satisfaite des résultats de votre chirurgie.
- Vous serez invité à assister à une dégustation de vins et fromages. Vous ferez de belles rencontres et aurez de belles discussions.
- Plusieurs surprises vous attendent lors de votre anniversaire de naissance. Vous serez heureux de l'attention de vos proches. Certains recevront une bouteille de vin, un billet de loterie, un bouquet de fleurs, une peinture à l'huile ou un bijou.
- Lors d'une soirée, un artiste se verra décerner un prix honorifique.
- Un adolescent se plaindra souvent de migraines atroces. Il sera suivi par un spécialiste. À la suite de plusieurs examens, le tout entrera dans l'ordre. Il peut s'agir d'un problème relié au nez.
- Lors de période estivale, certains travailleurs feront des heures supplémentaires pour obtenir un congé de deux à sept jours.

- Lors de la période hivernale, certains parents devront rencontrer le directeur, le psychologue ou le professeur de l'école. Vous serez surpris de cet entretien. Cela vous empêchera de dormir pendant quelques jours. Toutefois, une bonne solution sera appliquée et tout reviendra à la normale.
- On a besoin de vous. Vous vous porterez volontaire pour venir en aide à un proche ou un membre de votre entourage.
- Vous, ou un proche, souffrirez d'une maladie compulsive. Vous serez soigné et suivi méticuleusement par un psychiatre. Attendez-vous à prendre des médicaments pour atténuer vos angoisses.
- Vous, ou un proche, parlerez de la vente ou l'achat d'une propriété. Vous serez satisfaits de votre transaction.
- Vous passerez un Noël magique avec vos proches. Comme dans le temps de votre jeunesse. Vous vous remémorez longtemps cette magnifique journée!
- Lors de la période hivernale, attendez-vous à faire la lumière sur plusieurs points qui vous dérange. Vous vous prendrez en main et vous réglerez tout ce qui entrave votre bonheur de s'épanouir. Vous travaillerez ardemment. Néanmoins, les résultats seront encourageants. Cela vous permettra de persévérer pour améliorer votre vie. Vos décisions seront toujours bien réfléchies et analysées. Rien ne se fera à la légère. Cette attitude attirera du succès dans vos démarches!
- La Loi devra régler une séparation amoureuse. La garde des enfants, la pension alimentaire et le partage des biens seront des sujets explosifs pour ce couple. Ceux-ci ne parviendront pas à s'entendre. Cette situation sera pénible pour les enfants. Cette bataille juridique pourrait durer plusieurs années. Il serait important pour ces personnes d'axer leur priorité sur le bien-être de leurs enfants et non sur leur propre personne. De plus, les gagnants dans cette histoire seront les avocats qui vous représenteront!
- Vous, ou un proche, reconstruirez votre vie sur de nouvelles bases. Le bonheur se lira sur votre visage. Il y a annonce d'une période de sécurité, d'harmonie et de joie dans votre foyer.

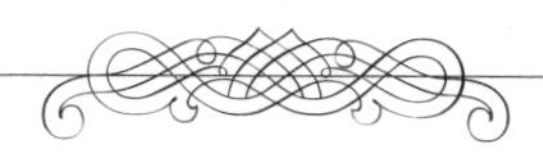

# PARTIE VII

# *Les Puissances*

*(3 septembre au 13 octobre)*

# Chapitre XXVII

# L'année 2017 des Puissances

## *Votre rôle de vainqueur attirera vers vous des résultats satisfaisants !*

Fini les larmes et les problèmes causés par les autres. Fini de croire aux promesses non tenues des proches. Fini d'attendre après les autres pour réaliser vos rêves. Cette année, au lieu de vous apitoyer sur votre sort et de critiquer que tout va mal dans votre vie à cause de telles ou telles situations, vous passerez à l'action ! Tel un avocat qui veut gagner ses causes, vous irez aux endroits stratégiques pour obtenir toutes les réponses et solutions pour régler les problématiques. Vous ne vivrez plus votre vie pour le bonheur des autres, vous vivrez votre vie pour votre propre bonheur. Cela ne veut pas dire que vous n'aiderez plus vos proches. Au contraire, vous serez toujours présent dans leur vie. Toutefois, au lieu de vous épuiser à les rendre heureux, vous respecterez vos limites. Vous serez moins découragé par l'ampleur des événements. Vous souffrirez moins de fatigue mentale et votre aide sera exceptionnelle au lieu d'être plafonnée !

De plus, l'année de la spiritualité vous permettra également d'entrer en contact avec votre âme et de mettre un terme à vos souffrances intérieures. Cela fait trop longtemps que vous les promenez avec vous et qu'elles dérangent votre bien-être. Vous viderez le tiroir intérieur de vos peines, vos incertitudes, vos blessures, vos peurs, etc. Cela vous permettra de voir la vie sous un angle différent. Finalement, vous ne laisserez plus le passé diriger votre vie ; vous laisserez place au présent, tout en gardant un œil prometteur sur le futur ! Telle sera votre nouvelle façon de voir la vie au cours de l'année 2017. Vous vous lancerez corps et âme dans vos objectifs et rien ne vous arrêtera. Au lieu de vivre dans le passé, vous avancerez plus déterminé que jamais vers un futur rêvé, tout en profitant du moment présent. Telle sera votre nouvelle philosophie de vie. Vous ne vous laisserez plus influencé par le passé ni par les personnes problématiques. Vous avez besoin de vous nourrir d'énergie positive. Cela fait trop longtemps que vous êtes accaparés par la négativité. L'année de la spiritualité vous fera comprendre qu'il est maintenant temps pour vous d'améliorer votre attitude face à certaines situations de la vie. Vous laisserez moins vos états d'âme vous emporter dans un tourbillon d'émotions qui ne vous aide guère à améliorer votre vie et à vivre sereinement.

Également, au lieu de vous impliquer dans la vie des autres pour essayer de les aider, vous prendrez davantage soin de votre propre vie. Au lieu de critiquer l'attitude de vos proches et leur agissement et au lieu de vous rendre malade pour eux, vous lâcherez prise ! Cela vous aidera énormément et aura un effet bénéfique sur votre mental. Vous voulez mettre un terme aux larmes et aux souffrances causées par les autres. Vous ne voulez plus être un souffre-douleur pour quiconque. Plus que jamais, vous voulez vivre une année exempte de problèmes. Pour réaliser ce désir, il est obligatoire et primordial de vous éloigner des situations et des personnes problématiques, et c'est exactement ce que vous mijoterez au cours de l'année. Même si cela concerne vos proches, vous leur ferez comprendre que vous avez besoin de prendre soin de vous. Que vous êtes fatigué d'être à la merci de tout le monde. Que cette année est importante pour vous. Vous avez besoin de trouver vos repères et de réussir vos objectifs. Cela ne veut pas dire que vous ne voulez plus les aider. Au contraire, vous leur apporterez toujours votre aide. Toutefois, ceux-ci doivent le vouloir et s'aider également. Vous ne laisserez plus votre peau ni votre santé globale écoper pour ceux qui ne veulent aucunement agir. Vous voulez apporter votre aide à ceux qui veulent améliorer leur vie et qui sont prêts à mettre tous les efforts pertinents pour réussir. Vous axerez donc vos énergies vers ces personnes et non vers les victimes qui ne veulent que demeurer victimes. Vous avez trop été longtemps dans cette énergie de victime. Aujourd'hui, vous avez un urgent besoin de changer de rôle et de devenir un vainqueur! Telle sera votre nouvelle vision de la vie. Être le champion de sa vie et la diriger selon son désir. De toute façon, ce rôle vous ira à merveille, et ce, grâce aux événements prolifiques qui surviendront au cours de l'année.

L'année 2017 sera une année bien remplie, mais agréable. Vous serez animé par la joie et la passion d'apporter de la nouveauté dans votre routine quotidienne. Vous y parviendrez grâce aux opportunités qui surviendront au cours de l'année. Attendez-vous à vivre de trois à six événements qui chambarderont favorablement votre vie. Certains travailleurs obtiendront une promotion, un changement professionnel, une augmentation de salaire, etc. Les personnes célibataires rencontreront leur perle rare. Une union naîtra suivi d'un mariage ou d'une cohabitation. Les personnes malades reprendront goût à la vie. Ils feront tout pour recouvrer la santé.

Tout au long de l'année, vous serez témoin de bonnes nouvelles et de changements positifs dans votre vie. Vous travaillerez ardemment, néanmoins, vous récolterez abondamment. Bref, tous vos efforts seront bien récompensés! Cela vous encouragera à persévérer, à tenir vos promesses et à améliorer votre vie. Vous serez très fier de vos choix, de vos décisions et de votre nouvelle conception de la vie. Tel un capitaine de bateau, vous serez en mesure de bien diriger le gouvernail dans la direction de la réussite de tous vos objectifs fixés.

Il est évident qu'il y aura des mois difficiles. Il n'est jamais facile de dire « non » aux gens que l'on aime. Vous ne voulez pas leur déplaire. Toutefois, vous êtes conscient que vous avez besoin également de prendre soin de vous, de réaliser vos objectifs, de vous reposer et de vous respecter. Certaines journées ne seront pas de tout repos. Vos émotions en prendront un vilain coup! Par contre, avec le temps, vous réaliserez que vous avez fait de bon choix. Vous avez su choisir les bonnes causes pour apporter votre aide. Cela calmera donc vos tempêtes intérieures. Lors de situations plus ardues et compliquées, n'hésitez pas à réclamer l'aide auprès de l'Ange gouverneur. Celui-ci vous donnera la force, le courage et la détermination pour relever vos défis, de respecter vos limites, de refuser les problématiques et de continuer à avancer pour atteindre vos objectifs fixés. Ces qualités constructives vous donneront l'essor nécessaire pour réaliser de grands rêves, réussir vos projets et régler vos problématiques instantanément. Telle sera votre efficacité lors des journées plus ardues et vous en profiterez judicieusement !

***Les personnes ayant une attitude négative*** resteront accrochées à leur passé. Au lieu de s'en sortir et d'améliorer leur vie, elles resteront victimes. Cela affectera leur santé globale et dérangera énormément leur entourage. Elles chercheront la pitié et la compassion des autres. Elles répéteront sans cesse les mêmes rengaines. Elles se lamenteront continuellement. Il est évident que cette attitude fera fuir les gens. Ceux-ci sont fatigués d'écouter ses jérémiades continuelles.

Il est évident que cela vous frustrera de voir votre entourage s'éloigner de vous et cesser leur visite. Avant de critiquer leur froideur envers votre situation et votre désarroi analysez-vous profondément. Devenez attentif à vos paroles et à votre attitude face à la vie. Soyez franc avec vous-même ! Est-ce que vous serez en mesure d'endurer ces sérénades longtemps, si vous deviez les écouter ? Il y a de fortes chances que la réponse soit négative. Donc, si vous cherchez vraiment de l'aide et voulez vraiment améliorer votre vie, si vous avez besoin de nouveaux défis et d'une vie agréable, faites le premier pas et améliorer votre attitude. Personne ne peut le faire à part vous-même ! Si vous le faites, vous verrez des solutions venir à vous rapidement. Il y aura également des opportunités qui s'offriront à vous pour améliorer votre vie. Tout arrivera comme par enchantement. Vous verrez vos efforts porter fruits. Cela vous encouragera à persévérer pour obtenir un avenir tel que vous le souhaitez et rêvez. Vous méritez le bonheur. Donc, bâtissez-le ! Pour ce faire, vous devez emprunter une route différente et faire un premier pas dans la bonne direction : faites donc rayonner votre lumière intérieure au lieu de sombrer dans la négativité !

## Aperçu des mois de l'année des Puissances

Au cours de l'année 2017, **vos mois favorables** seront ***janvier, avril, juin, août, septembre, novembre*** et ***décembre***. Lors de ces mois, vous vivrez plusieurs événements qui agrémenteront vos journées. Vous serez également en pleine forme pour accomplir toutes les idées qui vous passent par la tête. Attendez-vous également à faire des rencontres intéressantes, à recevoir de bonnes nouvelles et à trouver des solutions valables pour régler vos problèmes. Tels sont les effets bénéfiques qui se produiront au cours de ces mois. Il y aura également des mois où la Providence sera à vos côtés. Lors de ces mois de chance, profitez-en pour acheter vos loteries préférées, pour amorcer vos projets, pour prendre une décision, etc. Tout viendra à vous comme par enchantement ! Au cours de l'année 2017, ces **mois chanceux** seront ***janvier, juin, août, septembre*** et ***décembre.***

Les **mois non favorables** seront ***février, mars*** et ***octobre***. Lors de ces mois, vivez une journée à la fois. Réglez les problèmes un à un. Cela sera profitable pour votre santé globale ! De plus, n'hésitez pas à réclamer l'aide des Anges gouverneurs. Leurs énergies vous aideront à passer à travers vos journées les plus ardues. Vous aurez moins tendance à vous laisser influencer par les situations et les personnes problématiques. Grâce à leur aide, vous ne resterez pas longtemps inerte et vous reprendrez pleine possession de vos capacités. Cela vous encouragera à persévérer pour obtenir les résultats désirés.

Les **mois ambivalents** seront ***mai*** et ***juillet***. Au cours de ces mois, il y aura de belles journées et parfois de moins bonnes. Vous serez envahi par toutes sortes d'émotions autant positives que négatives. Certaines journées, tout ira bien, et à d'autres, tout ira de travers. Si vous le pouvez, prenez le temps de vous reposer et de méditer. Cela vous sera salutaire lors de vos journées compliquées !

## Voici un bref aperçu des événements qui surviendront au cours des mois de l'année pour les Puissances

Trois bonnes nouvelles viendront agrémenter ***janvier***. L'une de ces nouvelles concerne votre situation professionnelle ou financière. À la suite de cette nouvelle, vous serez moins anxieux. Profitez-en également pour acheter vos loteries préférées. Certains auront la chance de gagner de petits gains. Achetez des loteries avec vos collègues de travail. Cela pourrait être chanceux. Les loteries instantanées attireront la chance dans votre direction. Vous avez la main chanceuse. Choisissez vous-même vos billets de loteries ! Par contre, assurez-vous que le chiffre « 3 » apparaît sur vos billets. Il sera votre chiffre chanceux du mois ! De plus, si vous voyez régulièrement ce chiffre, ne vous inquiétez pas, c'est un signe des Anges. Ceux-ci vous annoncent une bonne nouvelle qui arrivera sous peu ! Ne soyez donc pas surpris de vous réveiller et de voir 3h33.

De plus, lors de cette période, vous vivrez des moments agréables et riches en événements de toutes sortes. Vous serez également invité à prendre part à deux soirées agréables. Vous pourriez également recevoir vos proches pour le 1er de l'An. Vous passerez une magnifique journée avec eux. Plusieurs recevront un cadeau inattendu qui leur fera énormément plaisir. Ce cadeau est un signe de reconnaissance de la part de la personne qui vous le remet. Ce geste vous touchera beaucoup.

Certains travailleurs recevront une bonne nouvelle. Des changements auront lieu. Ils seront en votre faveur. D'autres seront obligés d'assister à deux réunions importantes. Quelques-uns devront faire des heures supplémentaires pour respecter les échéanciers. Certains devront effectuer les tâches de leurs collègues. Cela ne les enchantera guère ! Au niveau de la santé, certains se blesseront à la main. Surveillez les objets tranchants ou brûlants. Assurez-vous d'avoir des pansements ou diachylons dans votre pharmacie. Quelques-uns pourraient prendre un médicament pour soulager une douleur quelconque. Évitez également les endroits contaminés par les virus et lavez vos mains régulièrement ! Cela sera à votre avantage ! Finalement, certains célibataires pourraient faire une rencontre intéressante. Acceptez les offres de sorties qui s'offriront à vous au cours de ce mois !

Plusieurs seront épuisés lorsque ***février*** arrivera. À partir du ***8 février***, et ce, jusqu'à la ***fin mars***, attendez-vous à vivre toutes sortes d'émotions. Vous serez troublé par les problématiques. Vos angoisses seront à la hausse. Il est évident que cela vous épuisera énormément. Certains seront obligés de prendre un médicament pour atténuer leurs angoisses. D'autres devront prendre quelques jours de congé. Bref, tout ira de travers lors de cette période. Il y aura de bonnes journées et des journées plus tendues. Il serait important de vivre une journée à la fois et de prendre le temps nécessaire pour récupérer. Si vous cherchez à régler tout en même temps, vous vous épuiserez et rien ne fonctionnera tel que vous le souhaitez. Prenez donc le temps nécessaire pour régler vos problématiques ! Réfléchissez profondément et amorcez vos changements lorsque vous serez en pleine forme. Certains jours, c'est à peine si vous serez en mesure d'accomplir vos tâches tellement vous serez épuisé et découragé par certaines situations. Tout peut y passer ! Quelques-uns éprouveront de la difficulté avec un collègue de travail. D'autres seront tracassés par un changement annoncé. Quelques-uns seront obligés de faire des heures supplémentaires. Cela les affectera énormément. Attendez-vous à vivre des moments difficiles à votre emploi.

Cela dit, plusieurs seront angoissés et épuisés. Ils souffriront d'insomnie. D'autres souffriront de migraines ou d'une grippe virale qui les obligera à rester au lieu pendant sept jours. Vous ne serez pas trop en forme ni en force pour entreprendre quoi que ce soit. Il serait important de respecter la limite de vos capacités. Ce sera également une période émotionnelle pour les couples qui éprouvent de la difficulté. Certains penseront à quitter le domicile familial. D'autres se chicaneront pour la garde des enfants. De plus, lors de cette période, quelques couples vivront une période difficile à cause d'un enfant ou d'un problème financier. La tension se fera sentir dans leur foyer. D'autres personnes seront hantées par certains événements du passé. Des larmes seront versées. La peur de l'avenir envahira plusieurs. Avant de faire des erreurs monumentales, il serait important de réclamer l'aide de l'Ange gouverneur. Sa Lumière vous sera d'un très grand secours. Au lieu de sombrer dans une dépression, l'Ange gouverneur vous montrera les issues importantes pour améliorer vos conditions de vie. Il suffit de le prier !

Après avoir vécu une période difficile, vous serez donc heureux de voir venir le mois d'***avril***. Dès le ***1^er^ avril***, la vie prendra un tournant favorable. Plusieurs tracas se dissiperont grâce à vos décisions. Toutes vos actions rétabliront l'harmonie dans votre demeure. Vous serez satisfait des résultats obtenus lors de vos démarches. Vous serez en pleine forme pour vous attaquer aux situations que vous avez négligées lors des derniers mois. Vous prendrez les problèmes un à un et vous y appliquerez de bonnes solutions. Attendez-vous à régler une situation délicate avec efficacité. Lorsque le tout sera terminé, vous serez très fier de vous !

Lors de cette période, les célibataires feront de belles rencontres. L'une d'elles fera palpiter votre cœur! À la suite de quelques sorties, une relation naîtra! Les professionnels prendront une décision importante qui aura un impact favorable dans leur routine quotidienne. Vous serez très fier des résultats obtenus. Certains couples en difficulté se donneront la chance de repartir à zéro pour éviter une séparation. Cela sera également une période fertile pour celles qui désirent enfanter. Quelques couples partiront en voyage. Ce voyage les aidera à se retrouver. Pour plusieurs, la santé sera excellente. Mais quelques-uns se plaindront de rougeurs sur le corps. Il peut s'agir d'une allergie alimentaire ou d'eczéma. Les personnes cardiaques devront redoubler de prudence et écouter sagement les conseils de leur médecin. Certains seront hospitalisés et subiront une intervention chirurgicale. Néanmoins, ils recouvreront rapidement la santé. L'équipe médicale leur prodiguera de bons soins.

En ***mai***, les personnes qui dépasseront leurs limites seront plus sujettes à être malades et dépressives. Vous verserez des larmes sans aucune raison. Votre corps réclamera du repos. Il faudra donc le respecter. Sinon, vous sombrerez dans une dépression et vous aurez beaucoup de difficulté à vous relever. Tout peut être évité, si vous respectez vos limites! Lors de ce mois, plusieurs manqueront de patience. Cela aura un impact sur leurs humeurs. Il serait important de réfléchir avant d'agir. Vous éviterez ainsi des ennuis de toutes sortes! Certains blesseront un proche avec leur attitude. Il est évident que cela vous fera de la peine. Toutefois, vos excuses calmeront la tempête émotionnelle dont souffrira votre proche. Vos explications suffiront pour régler adéquatement ce léger conflit. À la suite de cet événement, vous ferez davantage attention à votre attitude face à certaines personnes qui vous sont chères. Cela sera bénéfique et vous en serez très conscient!

Sur une note plus réfléchie, surveillez les objets tranchants. Certains pourraient se blesser. Assurez-vous d'avoir des diachylons à votre portée! Vous en aurez besoin! Faites également attention lors de tâches ardues ou d'un sport quelconque. Vous pourriez vous blesser au poignet. Quelques-uns devront également consulter un optométriste. Vous avez besoin de nouvelles lunettes! Cela dit, plusieurs prendront une décision importante. Rien ne pourra les faire changer d'idée. Cette décision bonifiera leur vie. Cela les amènera à faire des changements importants dans leur routine quotidienne. Toutefois, vous serez heureux de chacune de vos actions. Les résultats seront meilleurs que ce que vous aviez souhaité ! Cela vous encouragera donc à continuer à améliorer votre vie.

Vous adorerez votre période estivale ! Vous bougerez beaucoup lors de cette période. Vous aurez un plaisir fou avec vos proches. Vous planifierez plusieurs activités agréables en leur compagnie. Vous réaliserez l'importance d'être entourée de bonnes personnes. Cela agit favorablement sur vous ! Cela ravigote votre âme ! Vous souffrirez moins de lassitude et de découragement. Dès le ***10 juin***, et ce, ***jusqu'au 24 septembre***, vous entrez dans une période active et productive. Vous travaillerez ardemment, néanmoins, vous serez satisfait de vos actions. Attendez-vous à vivre plusieurs événements favorables qui viendront agrémenter vos journées ! Profitez-en également pour jouer à la loterie. Vous serez dans une période de chance sauf en ***juillet***. Lors de ce mois, jouez modérément. Certains pourraient gagner de petits montants d'argent grâce aux loteries. Optez pour vos loteries préférées ! En ***juin*** et ***septembre***, joignez-vous à un groupe. Les groupes de trois, de quatre et de sept personnes attireront la chance dans votre direction. Toutefois, en ***août***, jouez seul ! Cela sera bénéfique ! Lors de votre période estivale, plusieurs gagneront un prix quelconque lors d'une soirée organisée. Il peut s'agir d'un tournoi de golf, de bowling, de cartes, etc. Vous reviendrez à la maison avec un cadeau sous le bras ! Vous serez très heureux de ce gain !

Plusieurs professionnels vivront une situation qui améliorera leurs conditions de travail. Certains amorceront un nouveau travail. Cela les angoissera au début. Toutefois, il faudra peu de temps pour que vous vous habituiez à vos nouvelles tâches. Vos nouveaux collègues se feront un plaisir de vous prêter main-forte et de vous enseigner adéquatement les procédures à suivre pour entamer correctement vos tâches. Cela vous sécurisera énormément. D'autres obtiendront de l'aide pour mieux respecter les échéanciers. Bref, plusieurs possibilités arriveront vers vous. Cela vous permettra d'améliorer votre travail. Il ne tiendra qu'à vous de saisir ces opportunités !

Les personnes célibataires feront de merveilleuses rencontres lors de la période estivale. L'une d'elles deviendra sérieuse. Il suffit de faire confiance en l'amour. Vous ne serez pas déçu ! Les couples miseront sur leurs vacances pour planifier des sorties agréables. Cela rehaussera leur union. Certains couples iront visiter un lieu pittoresque. Vous adorerez cette sortie. Cela vous remémorera vos premières rencontres. Quelques-uns loueront un chalet. D'autres iront à la pêche, feront du camping, de la motomarine... Bref, vous passerez du bon temps avec votre famille. Cela se reflétera sur vos énergies. Vous serez en pleine forme et heureux !

Toutefois, en ***juillet***, quelques-uns se plaindront de fièvre, de migraines, de maux de dents ou d'oreilles. Vous serez obligé de consulter un spécialiste. Celui-ci vous soignera adéquatement et il vous prescrira le médicament pour vous soulager. De plus, par prudence, surveillez les plats chauds, les barbecues et les feux à l'extérieur. Certains se brûleront. Assurez-vous d'avoir des pansements et une trousse de premiers soins dans votre pharmacie. Cela vous sera utilitaire. Surveillez également les rayons du soleil. Assurez-vous d'appliquer une crème solaire. Vous éviterez ainsi de vous brûler la peau !

En revanche, certains rencontreront une difficulté qui les obligera à y voir rapidement. Cela n'est pas sans vous affecter. Toutefois, vous serez en force pour le régler, malgré le fait que vous serez désemparé par la situation ! De plus, quelques-uns devront faire réparer leur véhicule. La facture sera très élevée. Cela dérangera votre budget. Certains seront obligés de repousser ou de laisser tomber leurs vacances. Cette dépense imprévue affectera vos plans. Donc, en ***juillet***, vous vivrez parfois des moments tendus et d'autres agréables. Bref, qu'importe ce que vous vivrez, vous trouverez toujours une bonne solution pour vous libérer rapidement de votre problématique.

Plusieurs situations bénéfiques agrémenteront les mois d'***août*** et de ***septembre***. Certaines personnes seront fêtées par leurs proches. Ceux-ci souligneront votre anniversaire de naissance. Lors de cette journée mémorable, vous recevrez plusieurs invitations de leur part. Attendez-vous à faire des sorties durant toute la semaine ! Vous serez invité à prendre part à des événements agréables. Toutes ces sorties vous apporteront de la joie et rehausseront votre moral !

La Providence sera au rendez-vous lors de ces deux mois. Attendez-vous à vivre quatre événements agréables qui vous rendront heureux. Profitez-en pour acheter des loteries, compléter des transactions, amorcer des changements, etc. Vous serez entouré par de bonnes personnes. Leurs conseils seront judicieux et efficaces. Cela vous permettra d'éviter les dangers qui se présenteront sur votre route. De plus, lors de cette période, plusieurs professionnels vivront un changement bénéfique au sein de leur emploi. Quelques-uns feront des entrevues intéressantes. Vous serez satisfait de votre dynamisme ! Vous répondrez adéquatement aux questions des employeurs. Vous les impressionnerez par votre tact et votre vivacité. Pour d'autres, leurs compétences seront soulignées et ils obtiendront une augmentation de salaire.

Plusieurs couples feront des sorties agréables. Vous aurez un plaisir fou ensemble ! Attendez-vous à soutenir votre partenaire dans l'une de ses tâches quotidiennes. Vous l'aiderez et celui-ci appréciera votre aide. Quelques couples en profiteront pour faire un petit voyage d'agrément. D'autres iront se prélasser sur une terrasse en sirotant leur boisson préférée. Certains planifieront la rentrée des classes. Bref, vous passerez du temps ensemble et vous en profiterez au maximum. Une aide viendra atténuer les angoisses des couples en difficulté. Les paroles de cette personne vous feront réfléchir profondément sur votre situation. Cela vous permettra de prendre une bonne décision.

Sur une note prudente, ne soulevez aucun objet au bout de vos bras. Certains pourraient se blesser. Le cou, le dos, les épaules et les hanches seront des parties vulnérables lors de cette période. Faites donc attention à vous ! Réclamez de l'aide si vous devez déménager ou déplacer certains meubles lourds. Cela sera à votre avantage ! Cela dit, si vous vous négligez, vous trouverez votre mois d'***octobre*** pénible. Vous serez obligé de garder le lit ou de faire de la physiothérapie. Cela ne vous enchantera guère ! Vous serez en douleur ! Quelques-uns devront prendre un médicament pour les soulager ! Ce ne sera pas agréable. Néanmoins, après quelques jours de repos, vous reprendrez vos forces !

Au cours d'***octobre***, certaines personnes malades subiront une intervention chirurgicale. Vous serez bien soigné par votre médecin. Toutefois, il faudra prendre le temps nécessaire pour recouvrer la santé. Si vous surpassez vos limites, vous tomberez et cela prendra plus de temps à remonter la pente ! Il est évident que vous serez découragé. Il serait donc important de prendre une journée à la fois et de suivre adéquatement les consignes de votre médecin traitant. Cela sera à votre avantage ! Surtout si vous voulez récupérer plus rapidement !

En ***octobre***, plusieurs vivront deux problématiques et ils devront y voir rapidement. Vous devez faire preuve d'efficacité pour régler minutieusement ces problèmes. Vous y parviendrez grâce à votre détermination à retrouver la quiétude dans votre vie! Lors de cette période, vous confronterez une personne mensongère. Vous lui ferez comprendre rapidement votre déception à son égard. Vous lui avez fait confiance. Maintenant, vous doutez de sa parole. Vous lui avouerez vos états d'âme la concernant. Il est évident que vous ébranlerez énormément cette personne avec cette confidence. Toutefois, vous serez honnête dans vos propos.

Certains devront faire réparer leur véhicule. D'autres décideront d'acheter une nouvelle voiture. Ils iront donc en marchander une chez leur concessionnaire. Vous serez satisfait de votre transaction. Sur une note préventive, les travailleurs de la construction devront suivre les consignes de sécurité en tout temps. Certains pourraient se blesser. Portez régulièrement votre casque de sécurité. Vous éviterez ainsi des incidents fâcheux et des points de suture!

Vous finirez l'année en beauté. À partir du ***10 novembre,*** et ce, ***jusqu'au 26 décembre***, vous bougerez beaucoup. Plusieurs se prépareront pour la période des fêtes! Votre vie amoureuse sera à la hausse. Attendez-vous à faire un déplacement agréable avec votre partenaire. D'autres feront des activités familiales qui les rapprocheront. Certains iront visiter de la famille éloignée. Vous passerez du bon temps avec vos proches. Cela rehaussera votre énergie. Vous serez heureux et cela se reflétera dans vos agissements! Avant que l'année se termine, plusieurs recevront une bonne nouvelle qui terminera bien leur année et qui leur permettra d'amorcer la nouvelle année du bon pied, confiants et satisfaits! Vous serez pétillant de bonheur!

---

***Conseil angélique des Anges Puissances :*** *Chers enfants, ne regardez plus en arrière. Cela ne vous aide guère à construire un avenir prometteur! Le vécu représente l'expérience acquise au long de la vie. Conservez cette expérience pour solidifier vos* *bases. Aujourd'hui, bâtissez votre avenir au fur et à mesure que vous avancez. Marchez au lieu de courir! Vivez au lieu de souffrir! Acceptez au lieu de regretter! Chantez au lieu de pleurer! Dansez au lieu de rester immobiles. Bougez au lieu de stagner. En agissant ainsi, vous réaliserez que votre avenir s'est construit solidement et aucun regret ne viendra hanter votre esprit. Vous serez animés par la joie d'avoir vécu pleinement votre vie et d'avoir profité des moments précieux que la vie vous a offerts. Conservez toujours une attitude courageuse et bienveillante. Celle-ci bonifiera votre vie et y attirera des événements profitables. Cette année, nous serons présents dans votre vie. Pour annoncer notre présence, nous vous montrerons régulièrement le chiffre « 5 ». Attendez-vous également à ramasser une pièce de monnaie de cinq sous. Ce signe vous invite à faire un vœu dans l'immédiat. Toutefois, si vous regardez l'heure et qu'il est 5:55, c'est que nous sommes à vos côtés et nous vous aiderons à accomplir l'une de vos tâches, à régler une problématique, etc. Bref, nous vous infuserons notre Lumière de courage et de détermination pour que vous puissiez bien accomplir vos journées!*

## Les événements prolifiques de l'année 2017

* Plusieurs mettront un terme à des problèmes de longue date reliés au passé ainsi qu'à leur souffrance intérieure. L'année de la spiritualité éveillera à l'intérieur de vous l'ambition de trouver un sens à votre vie et un bel équilibre. Vous ferez donc un grand ménage de vos émotions, de vos fantômes et de vos souvenirs désagréables. Au lieu de les conserver à l'intérieur de vous, vous viderez votre mémoire de ces émotions ; vous les jetterez aux oubliettes et vous ferez une croix sur elles! Bref, vous les enterrerez à tout jamais! Cela aura des conséquences heureuses et bénéfiques pour vous! Finalement, vous vous libérez de ces fantômes qui vous empêchent de savourer votre vie à son maximum!

* Vous ferez également la lumière sur plusieurs points en suspens dans votre vie. Vous serez à la recherche de réponses. Lorsque vous obtiendrez ce que vous recherchez, vous prendrez des décisions importantes. Vous mettrez de l'ordre dans votre vie. Certaines décisions affecteront quelques proches. Toutefois, vous agirez pour votre bien-être et non pour nuire aux autres.

* Certains auront le privilège de faire un changement important dans leur vie professionnelle. Une offre alléchante vous sera envoyée ! Il ne tient qu'à vous d'accepter ! Quelques-uns recevront une promotion inattendue. Vous l'accueillerez agréablement ! Au cours de l'année, plusieurs possibilités viendront à vous pour améliorer vos conditions de travail. Il suffit de saisir celles qui vous interpellent le plus !

* Plusieurs célibataires auront le privilège de rencontrer leur flamme jumelle ! La relation deviendra sérieuse. Quelques-uns parleront de mariage, de cohabitation et d'achat d'une propriété. Après la troisième rencontre, vous réaliserez que cette nouvelle rencontre est la personne idéale que vous recherchez depuis si longtemps ! Vous ne la laisserez pas partir ! Vous saisirez cette opportunité ! Votre cœur sera ouvert et prêt à cet amour !

* Plusieurs couples amélioreront leur union en y intégrant des activités familiales, des dialogues, des moments intimes et des soupers romantiques. Vous passerez beaucoup de temps de qualité avec votre partenaire et votre famille. Lorsqu'une problématique arrivera, vous chercherez à la régler instantanément. Vous ne laisserez plus les situations s'envenimées. Vous les réglerez rapidement. De plus, vos dialogues seront profonds et enrichissants. Vous prendrez le temps d'écouter les états d'âme de votre partenaire, ses rêves, ses objectifs, etc. Vous miserez sur la réussite de votre union et vous ferez tout le nécessaire pour atteindre ce désir. Vous y parviendrez au cours de l'année. Vous serez bien dans les bras de l'un comme de l'autre. Cela rehaussera la flamme de l'amour et l'harmonie animera votre foyer !

* Cette année, gare à ceux qui chercheront à vous déstabiliser et à vous nuire. Vous défendrez vos droits et vous vaincrez les

obstacles sur votre route. Vous ne voulez plus vivre dans la négativité. Vous ferez tout pour vous en éloigner. Les personnes négatives et mensongères n'ont qu'à se tenir tranquilles. Sinon, elles le regretteront ! Vous serez en mesure de les confronter et de les remettre à leur place ! De plus, elles perdront votre amitié ! Cette année, vous tournez le dos aux personnes et situations qui enveniment votre routine quotidienne. Plus que jamais, vous voulez vivre dans l'harmonie et la quiétude. Donc, vous vous en éloignerez de tout ce qui dérange cette quiétude !

## Les événements exigeant la prudence

* Sur une note préventive, ne soulevez rien au bout de vos bras. Plusieurs se blesseront. Le dos, les épaules et le cou seront des parties vulnérables. Ne négligez pas cet aspect de votre corps. Sinon, vous souffrirez de douleurs. Certains souffriront de torticolis. D'autres seront obligés de garder le lit pendant quelques jours pour se remettre de leur incident. Lorsque vous entamez des tâches ardues, n'hésitez pas à réclamer l'aide de vos proches. Ainsi, vous éviterez des incidents fâcheux.
* La tête sera également une partie vulnérable. Certains pourraient se blesser. Si vous faites de la bicyclette ou de la moto, assurez-vous de porter un casque de sécurité. Il en est de même pour les ouvriers. Respectez les consignes de sécurité sur votre chantier de travail, et ce, en tout temps ! Ainsi vous éviterez de graves blessures.
* Plusieurs seront victimes de fatigue et d'épuisement reliés au stress du travail ou à un problème familial. Cela les empêchera d'avoir de bonnes nuits de sommeil. Ils feront de l'insomnie. Il est évident que cela affectera également leur concentration et nuira dans leurs tâches. Des erreurs pourraient survenir. Il serait donc important de prendre quelques jours de congé pour faire le vide et rehausser vos énergies. Ainsi, vous éviterez toutes sortes d'ennuis. De plus, lorsque vous êtes fatigué, vous êtes sujet à attraper tous les virus qui circulent. La fatigue et l'épuisement attaquent votre système immunitaire. Cette année, ne négligez pas cet aspect. Profitez de

vos journées de congé pour relaxer, faire de la lecture et des activités qui vous plaisent ! Ainsi, vous recouvrerez rapidement la santé et vous pourrez vaquer de nouveau à vos tâches quotidiennes. Cela vous permettra également de prendre de bonnes décisions pour régler les problématiques familiales.

* Surveillez vos paroles. Il est vrai que certaines situations vous feront exploser de rage. La fatigue ne vous aidera guère non plus ! Toutefois, vous pourriez blesser de bonnes gens qui ne cherchent qu'à vous aider. Réfléchissez avant de dire des choses blessantes. Ce sera profitable. Vous éviterez ainsi de peiner des gens que vous aimez.
* Écoutez toujours les sages conseils de votre médecin. Si celui-ci vous prescrit un médicament, c'est que vous en avez besoin ; prenez-le ! Plus vous lutterez et critiquerez, moins vite vous recouvrerez la santé !

# Chapitre XXVIII

# Informations supplémentaires propres à chacun des Anges Puissances

## *Les Puissances et la chance*

En 2017, la chance des Puissances sera élevée. Favorisez les groupes. Vous pourriez faire des gains considérables avec d'autres personnes. Les groupes de trois, de six et de treize personnes attireront la chance dans votre direction. Cela dit, cette année, vous aurez le privilège de voir de trois à six événements embellir votre vie. Deux de ces situations vous donneront l'envie de fêter ! Vous serez très heureux de tout ce qui se produira au cours de cette année. La Providence vous réserve de belles surprises et vous l'accueillerez toujours à bras ouverts ! Certains obtiendront une belle promotion, un changement dans leurs conditions de travail, un nouvel emploi, etc. D'autres réaliseront l'un de leurs rêves au sujet de leur vie amoureuse ou personnelle. Il y aura toujours une bonne nouvelle qui arrivera au moment opportun. Cela vous remplira de bonheur et cela vous permettra d'oublier plus rapidement les moments difficiles.

Au cours de l'année 2017, plusieurs chiffres seront prédisposés à attirer la chance dans votre direction. Toutefois, les chiffres suivants : **03**, **06** et **13** seront les plus prolifiques durant l'année. Votre journée de chance sera le **mercredi.** Les mois les plus propices a attiré la chance vers vous seront **janvier, juin, août, septembre** et **décembre**. Plusieurs situations bénéfiques surviendront lors de ces mois. Profitez-en pour acheter des loteries, pour prendre des décisions, pour signer des contrats, pour faire des changements, etc. Ces mois vous avantageront dans plusieurs aspects de votre vie. Lorsqu'une opportunité s'offrira à vous, saisissez votre chance ! Ne laissez pas passer ces occasions uniques d'améliorer votre vie ! Celles-ci sont souvent éphémères et de courte durée ! Voilà l'importance d'en profiter au moment opportun !

De plus, n'oubliez pas de prendre en considération le chiffre en **gras** relié à votre Ange de Lumière. Ce numéro représente également un chiffre chanceux pour vous. Plusieurs situations bénéfiques pourraient être marquées de ce nombre. Il serait important de l'ajouter à votre combinaison de chiffres. Toutefois, votre Ange peut également utiliser ce numéro pour vous annoncer sa présence auprès de vous. Lors d'une journée, si vous voyez continuellement ce chiffre, cela indique que votre Ange est avec vous. Profitez-en pour lui parler et lui demander de l'aide ! Cela peut également signifier de prier l'Ange gouverneur. Vous avez possiblement besoin de sa Lumière pour traverser l'une de vos épreuves, pour prendre une décision, pour régler une problématique, etc. Soyez toujours attentif aux signes que vous enverront les Anges au cours de l'année. Ceux-ci vous seront d'un grand secours !

---

***Conseil angélique :*** *Si vous voyez ou recevez un lys blanc, si une personne vous remet un bouquet de fleurs sauvages ou si vous trouvez une pièce d'un dollar, achetez un billet de loterie ! Ces trois symboles représentent votre signe de chance.*

---

***Yehuiah :*** 09, 15 et 45. Le chiffre « **9** » est votre chiffre chanceux. Vous serez gâté par plusieurs événements qui surviendront au cours de l'année. Cela vous donnera l'envie de fêter ! Ces moments agréables vous rendront heureux et agrémenteront vos journées ! Il y a longtemps que vous n'aviez pas eu la chance de vivre cette béatitude !

Jouez en groupe. Cela sera davantage profitable. Achetez également un billet avec votre partenaire amoureux ou un bon ami. Cela sera chanceux. Si une dame portant un foulard rose vous offre un billet, acceptez-le ! Vous pourriez gagner un petit montant agréable. Participez également à des concours assortis d'un prix. Vous pourriez faire partie des gagnants ! Toutefois, si vous connaissez un sommelier, un podiatre, une couturière ou une personne qui travaille avec des tissus, achetez des billets avec eux ! Cela sera chanceux !

Cette année, vous profiterez des situations qui se présenteront sur votre route pour faire des changements importants dans votre routine quotidienne. Vous chercherez à régler tout ce qui entrave votre bonheur. Votre urgent désir d'être heureux et serein vous amènera à trouver un sens à votre vie et vivre joyeusement sans être préoccupé par les problèmes de toutes sortes ! Également, au lieu d'essayer d'aider tout le monde avec leurs problèmes, vous orienterez davantage vos énergies vers vos objectifs. Donc, fini les larmes et les problématiques causées par les autres. Cette année, vous vous éloignerez de tout ce qui dérange votre harmonie. Vous côtoierez des gens agréables et coopératifs. Il sera plaisant et intéressant de leur prêter main forte au besoin. Cela dit, certains auront le privilège de se réconcilier avec un proche. D'autres fêteront un événement mémorable. Vous mettrez beaucoup d'efforts pour retrouver votre équilibre, et vous y parviendrez avec succès. Attendez-vous également à recevoir des commentaires agréables. Vous êtes aimés de plusieurs personnes et vous le saurez ! Vous serez gâté par elles. Vous passerez toujours du bon temps en leur compagnie. Les discussions seront agréables et enrichissantes !

***Lehahiah :*** 01, 33 et 37. Le chiffre « **1** » est votre chiffre de chance. Vous serez favorisé par la Providence. Attendez-vous à vivre des événements qui vous rendront heureux. De plus, vous aurez le privilège de mettre sur pieds trois de vos projets et les réussir avec satisfaction. Cela vous donnera l'envie de continuer dans la même direction.

Tous les billets que vous recevrez en cadeau seront profitables. Ils pourraient vous réserver de petits gains agréables. Vous serez autant chanceux seul qu'en groupe. Priorisez vos loteries préférées et joignez-vous à un groupe. Les groupes de trois et quatre personnes vous seront favorables. Si vous connaissez un banquier, un comptable, un ouvrier, un charpentier, un restaurateur ou un vendeur, achetez un billet avec ces gens. Cela sera chanceux !

Cette année, plusieurs cadeaux viendront embellir votre année ! Tous vos efforts seront bien récompensés. Vous ferez également de bonnes rencontres qui vous apporteront des bienfaits dans votre vie. Ces personnes seront de bons conseillers et ils vous dirigeront régulièrement aux endroits prolifiques pour obtenir du succès dans vos actions. Vous serez également récompensé pour votre grande générosité envers autrui. Vous réaliserez l'importance que vous occupez dans la vie des gens et eux dans la vôtre ! Tout vous réussira. Lorsqu'une problématique arrivera, vous serez en mesure de la régler et vous en libérer rapidement. Rien ne restera en suspens et tout se réglera. Telle sera votre force et chance pour 2017 ! Vos récoltes seront abondantes et bien appréciées. Vous pourriez même recevoir des sommes de personnes qui vous avaient emprunté de l'argent que vous n'espériez plus recevoir. Le vent tournera favorablement en votre faveur. Au lieu de tout donner, vous recevrez ! Ne refusez rien et acceptez tout, vous le méritez tellement ! Pour résumer, vous serez agréablement surpris par plusieurs situations qui surviendront au cours de l'année. Tout ce que vous pensiez impossible se concrétisera ! Votre persévérance et votre envie d'améliorer votre vie feront de vous un être heureux et satisfait. Vous serez en contrôle avec votre vie et vous en serez fier. L'équilibre, la joie et la confiance régnera en maître dans votre demeure ! Cela rehaussera votre moral. Vous serez donc encouragé à amorcer tout changement pour améliorer votre routine et atteindre vos objectifs. Cette frénésie provoquera des résultats encourageants et parfois surprenants !

***Chavakhiah:*** 02, 07 et 35. Le chiffre « 7 » est votre chiffre de chance. Vous serez favorisé par la Providence. Tout ce que vous toucherez se transformera favorablement ! Vous serez souvent au bon endroit, au moment opportun, et cela vous favorisera dans plusieurs aspects de votre vie ! De plus, n'hésitez pas à participer à des concours organisés. Vous pourriez faire des gains agréables. Certains pourraient gagner des billets pour aller voir un concert. D'autres pour assister à un festival western, à un rodéo, à une soirée dansante, etc.

Jouez seul et choisissez vous-même vos loteries! Si l'envie d'acheter une loterie titille à l'intérieur de vous, faites-le! Vous avez la main chanceuse! Si vous désirez joindre un groupe; les groupes de deux et de quatre personnes vous seront favorables. Si vous connaissez un apiculteur, un agriculteur ou un fermier achetez des billets avec lui. Celui-ci attirera la chance dans votre direction. Les courses de chevaux peuvent également vous apporter quelques gains.

Cette année, vos actions seront prolifiques. Vous travaillerez ardemment pour réussir vos projets et atteindre vos objectifs fixés. Vous bougerez beaucoup, toutefois, les résultats de vos actions seront satisfaisants. Cela vous encouragera régulièrement! Vous serez en meilleur contrôle avec les événements de la vie. Vous prenez votre vie en main et vous agirez exactement tel que vous le souhaitez pour réussir vos objectifs. Attendez-vous à faire la signature d'un contrat important. Vous sauterez de joie à la suite de cette signature. Il y aura plusieurs opportunités qui arriveront vers vous pour améliorer votre vie. Il ne tiendra qu'à vous de saisir celles qui vous interpellera le plus! Quelques-uns se verront offrir un emploi de rêve. D'autres rehausseront leur situation financière soit par un gain à la loterie, par un meilleur emploi ou par une augmentation de salaire. Tout au long de l'année, vous surmonterez vos obstacles avec tact et dynamisme. Cela fera de vous un être gagnant. Cette année, votre persévérance sera largement récompensée!

***Menadel :*** 09, 18 et 45. Le chiffre « **18** » est votre chiffre de chance. Jouez modérément. Au lieu d'acheter des loteries, gâtez-vous! Sortez avec vos amis, achetez des tenues vestimentaires, faites de petits voyages agréables, etc. Cela vous fera du bien! La chance frappera à votre porte. Vous serez toujours content de ce qu'elle vous apportera. Toutefois, ce ne sera pas nécessairement des montants élevés.

Participez à des groupes. Cela sera plus chanceux! Les groupes de deux, de trois et de six personnes vous seront favorables. Si vous connaissez une personne dont le signe du zodiaque est Cancer ou Poissons, achetez un billet avec elle. Elle pourrait attirer la chance dans votre direction! Si vous connaissez une personne possédant un danois, un épagneul ou un lévrier, achetez également un billet avec elle. Cela sera chanceux! Également, les journées de pleine lune seront favorables. Achetez vos billets préférés lors de ces périodes.

Cette année, vous prioriserez votre santé mentale et globale. Vous ne voulez plus vivre dans la négativité, l'incertitude, la peur et le chagrin. Plus que jamais, vous avez besoin d'être en contrôle sur les événements de votre vie. Vous êtes conscient que ces émotions attaquent votre santé mentale. Vous chercherez donc à améliorer toutes les situations qui dérangent votre harmonie et votre mental. En 2017, vous aurez la chance de régler des problèmes de longue date qui vous accaparent depuis trop longtemps. Lorsque ces situations seront réglées, vous serez allégé! Vous amorcerez plusieurs changements au cours de l'année. Toutefois, ces changements amélioreront votre vie quotidienne et vous en serez heureux! Grâce à ces améliorations, vous reprendrez goût à la vie. Fini les problèmes et les larmes causés par les autres. Cette année, vous vous éloignerez de tout ce qui est problématique. Vous axerez vos énergies vers des situations divertissantes et constructives. Vous avez envie de savourer les événements agréables que vous offre la vie. Vous ne voulez plus être le bouc émissaire des personnes malintentionnées. Vous voulez vivre une vie exempte de problèmes. C'est la raison pour laquelle plusieurs mettront un terme aux relations problématiques. Qu'il s'agisse d'un membre de la famille, d'un collègue de travail ou d'une amitié de longue date, vous vous en éloignerez! Vous avez besoin de paix, d'harmonie et d'équilibre dans votre vie. Vous ferez tout votre possible pour l'obtenir!

***Aniel :*** 01, 15 et 30. Le chiffre « **1** » est votre chiffre de chance. Tout au long de l'année, votre grande bonté et votre générosité seront récompensées! Vous récolterez tous les bienfaits de votre serviabilité et de vos efforts déployés pour régler vos problématiques, réaliser vos projets et amorcer vos changements. Vous mériterez chaque événement agréable qui surviendra dans votre vie. Cela fait plusieurs années que vous travaillez ardemment. Vous êtes maintenant prêt à recevoir vos récoltes! Vous serez souvent au bon endroit au moment opportun. Il est évident que cela vous favorisera dans plusieurs aspects de votre vie.

Jouez seul. Ce sera bénéfique! Optez pour vos loteries préférées. Certains seront prédisposés à gagner une somme de plus de dix mille dollars. Si vous désirez vous joindre à un groupe, priorisez les groupes de deux et de trois personnes. Si vous connaissez une personne dont le signe du zodiaque est Bélier, achetez un billet avec elle! Si vous connaissez un géologue, un homme d'histoire, un cartésien, un pompier et un architecte, achetez également un billet avec lui. Vous pourriez faire une équipe gagnante!

Cette année, la chance favorisera vos actions. Elles seront bénéfiques et elles amélioreront votre routine quotidienne. Les résultats seront mieux que ce que vous aviez espéré! Cela vous encouragera à continuer à établir des plans et amorcer les changements nécessaires pour réussir les objectifs fixés. Vous ferez de bonnes rencontres. Vous obtiendrez d'excellents conseils. Plusieurs personnes vous appuieront dans vos démarches. Vous serez souvent dirigé aux endroits constructifs. À chaque question, vous trouverez une réponse. À chaque action, vous aurez de bons résultats. À chaque problème, une solution s'appliquera! Un vent favorable touchera votre vie. Vous saisirez les opportunités qui vous interpellent. Il y aura toujours une bonne nouvelle au moment opportun et cela rendra votre année agréable. Avec cette belle frénésie qui vous entoure, vous réaliserez que les Anges sont présents dans votre vie et qu'ils répondent continuellement à vos demandes. Tout ce qui ne fonctionne pas bien, vous aurez le privilège de le régler. Tout tournera en votre faveur. Certains obtiendront une promotion. D'autres réussiront un examen important. Quelques-uns obtiendront un emploi de rêve. Certains signeront des papiers importants. Vous serez heureux lors de la signature de ces papiers! Lorsqu'arrivera un problème, un échec ou une déception, au lieu de vous décourager, vous relèverez vos manches et vous trouverez rapidement la meilleure solution. Vous réglerez toujours le tout à votre entière satisfaction. Cette année, vous avez donc la chance de mener à terme vos projets, vos idées, vos buts et vous en profiterez incessamment. Cela fera de vous un être fier et satisfait de son attitude face à la vie!

***Haamiah :*** 08, 16 et 20. Le chiffre « **16** » est votre chiffre de chance. La Providence vous réserve de belles récompenses. Vous récolterez tous les bienfaits de vos efforts déployés. Cela vous encouragera à continuer d'améliorer votre vie. Participez également à des concours organisés. Plusieurs recevront des prix quelconques. Attendez-vous à recevoir de trois à six surprises qui vous surprendront et vous rendront heureux !

Que vous jouiez seul ou en groupe, vous serez chanceux ! Priorisez les groupes de deux et de six personnes. Plusieurs pourraient gagner des montants agréables grâce à un groupe. Jouez également avec vos collègues de travail. Certains seront plus chanceux que vous ! Ne négligez donc pas cet aspect ! Si vous connaissez une personne dont le signe du zodiaque est Capricorne, Bélier ou Sagittaire, achetez un billet avec elle. Si vous connaissez un pompier, un ramoneur, un haltérophile ou un physiothérapeute en médecine sportive, procurez-vous également un billet avec eux. Ces personnes attireront la chance dans votre direction.

Cette année, vous serez en mesure de fêter plusieurs événements. Tous vos efforts porteront fruits. Vous serez régulièrement satisfait de tout ce qui se produira au cours de l'année. Il y aura toujours une bonne nouvelle au moment opportun. Cela rendra votre année agréable et charmante. Vous serez souvent épaté par les résultats de vos actions. Il est évident que cela vous encouragera à amorcer des changements significatifs pour améliorer votre routine quotidienne. Vous ne voulez plus vivre dans l'inertie ni dans le découragement. Plus que jamais, vous voulez savourer les événements agréables que vous offre la vie. Donc, vous participerez aux rencontres familiales. Vous prendrez le temps de vous amuser avec vos proches. Cela sera précieux et vous ne le négligerez point. De plus, plusieurs recevront des mots encourageants lors de leurs actions. Cela rehaussera davantage leur confiance. Attendez-vous également à vivre un changement bénéfique au niveau de votre vie professionnelle. Certains obtiendront une promotion. D'autres réussiront un examen indispensable. Quelques-uns remporteront un prix honorifique. Certains obtiendront un emploi rêvé. Plusieurs signeront des papiers importants au cours de l'année. Ces papiers allégeront vos tracas. Lorsqu'arrivera une problématique, au lieu de sombrer dans la négativité et dans l'inertie, vous relèverez vos manches et vous appliquerez rapidement la meilleure solution. Votre efficacité attirera que des bienfaits dans votre direction. Telle sera votre chance en 2017 !

***Rehaël :*** 04, 16 et 30. Le chiffre « **16** » est votre chiffre chanceux. La Providence arrivera souvent à l'improviste. Vous ne saurez jamais quand elle viendra vous surprendre. Toutefois, vous serez heureux à chaque fois ! Si l'envie d'acheter une loterie titille à l'intérieur de vous, allez-y ! Vous pourriez faire de petits gains qui vous permettront de vous gâter !

Misez sur vos loteries préférées et joignez-vous à des groupes. Cela sera plus chanceux ! Les groupes de deux, de quatre et de dix personnes vous seront favorables. Plusieurs pourraient gagner des sommes agréables grâce à un groupe. Si vous connaissez une personne dont le signe du zodiaque est Poissons ou Scorpion, achetez un billet avec elle. Si vous connaissez un gaucher, un ramoneur ou un cuisinier, achetez également des billets avec eux. Ces personnes attireront la chance vers vous. De plus, achetez un billet lors de pluies torrentielles. Cela sera favorable !

Cette année, la chance se fera également sentir dans la prise de décisions pour rebâtir votre vie sur des bases plus solides. À la suite d'une analyse profonde, vous réaliserez qu'il y a certains aspects de votre vie en déséquilibre. Vous chercherez donc à les rétablir ! Plus que jamais, vous chercherez à être en harmonie avec la vie. Vous ne voulez plus être la proie de la négativité. Vous ferez donc plusieurs changements pour parvenir à atteindre cette félicité. Il est évident que vous travaillerez ardemment. Néanmoins, vous serez satisfait de chaque situation que vous parviendrez à régler. Les résultats seront à la hauteur de vos attentes et vous en serez très fier ! Attendez-vous à recevoir de l'aide pour vous conseiller lors de décisions importantes. Cette aide sera également d'un très grand secours lors de vos moments plus difficiles. Cela vous permettra de finaliser plusieurs situations qui étaient demeurées en suspens. Certaines journées seront parfois compliquées et difficiles. Malgré tout, vous serez très encouragé par les résultats obtenus. Vous continuerez donc à améliorer votre vie. Après la pluie, le beau temps refera surface dans votre vie. Vos changements seront bénéfiques. Cela apaisera vos angoisses. Vous serez moins envahis par des états d'âme et la nostalgie du passé. Vous reprenez courage et vous avancerez vers un avenir plus prometteur. Votre vision de la vie s'améliore. Cela aura un impact favorable sur vos actions. Vous trouverez un sens à votre vie. Cela vous donnera l'envie de continuer à créer, à bâtir, à réaliser et à réussir vos projets. Bref, plusieurs retrouveront la paix, l'harmonie et la joie de vivre dans leur foyer !

***Ieiazel:*** 04, 21 et 33. Le chiffre «**33**» est votre chiffre de chance. Vous êtes dans une période de réussite. Vos idées seront constructives et vos actions bénéfiques. Vous serez souvent au bon endroit, au moment opportun. Vous saurez en profiter! Attendez-vous donc à vivre plusieurs situations agréables et exceptionnelles. Cela vous rendra heureux. Vos énergies seront à la hausse. Vous serez donc en forme pour amorcer plusieurs projets en tête! Telle sera votre chance pour 2017!

Cela dit, optez pour vos loteries préférées et joignez-vous à des groupes. Cela sera chanceux! Les groupes de deux, de cinq ou de six personnes vous seront bénéfiques. Achetez un billet de loterie avec un collègue de travail, une femme aux cheveux foncés ou avec votre meilleur ami. De plus, si vous connaissez une styliste, une fleuriste, une paysagiste ou une couturière, achetez également un billet avec elles. Celles-ci attireront la chance vers vous.

Cette année, vous aurez la chance de mettre un terme aux fantômes du passé. Vous fermerez un chapitre de votre vie pour amorcer un chapitre plus heureux et serein. Telle sera votre vraie chance au cours de 2017! Vous parviendrez à trouver de bonnes solutions pour régler vos problématiques. Vous lâcherez prise sur des situations insolubles. Vous retrouverez votre équilibre, votre joie de vivre et votre efficacité d'autrefois. Grâce à vos décisions et changements apportés dans votre routine quotidienne, vos angoisses, vos peurs et votre négativité s'apaiseront. Vous serez donc encouragé à continuer d'avancer et d'améliorer votre vie. Vous vous laisserez moins emporter par la morosité. Au lieu d'être une victime, vous relèverez vos manches pour devenir un gagnant. Telle sera votre force et détermination pour 2017! Il est évident que vous travaillerez ardemment pour atteindre cette béatitude. Néanmoins, les résultats seront encourageants. Vous serez régulièrement satisfait de vos choix et décisions. Vous continuerez à établir vos priorités et vous ferez votre possible pour les respecter et les réussir!

## Les Puissances et la santé

Vous voulez éviter la maladie, les hôpitaux et les médicaments? Prenez soin de vous! Respectez la limite de vos capacités et ne négligez pas vos alarmes! Lorsque vous êtes fatigués, reposez-vous! Prenez le temps de relaxer et de savourer les moments agréables que vous offre la vie. Cette année, priorisez votre santé au lieu de votre travail ! Cela sera avantageux pour vous ! Ainsi, vous éviterez des ennuis de toutes sortes. Bref, ceux qui prendront soin d'eux seront moins enclins à la maladie et aux tourments de l'esprit. Vous serez en pleine forme et tout ira bien pour vous ! Cela vous permettra d'amorcer tous les projets que vous avez en tête ! Vous serez également en mesure de surmonter les défis de la vie. Vos états d'âmes seront moins dévastateurs et vous en souffrirez peu ! Vous éviterez donc la dépression !

Toutefois, les personnes négligentes vivront des difficultés de toutes sortes. Vous visiterez régulièrement les hôpitaux, les cliniques médicales et les spécialistes de la santé. Vous serez également obligé de passer plusieurs examens pour déceler les causes de vos malaises. Vous serez invité à prendre des médicaments et à entreprendre des changements importants dans votre style de vie. Cela dit, quelques-uns subiront de une à deux interventions chirurgicales au cours de l'année. Après la chirurgie, il serait important de respecter les recommandations de votre médecin. Ainsi, vous éviterez des rechutes et des douleurs lancinantes. Si vous prenez soin de votre corps, vous éviterez des problèmes graves. Si vous le négligez, vous souffrirez lamentablement ! Tout votre corps sera en douleur !

## *Sur une note préventive, voici les parties vulnérables à surveiller plus attentivement et les faiblesses du corps en ce qui concerne chacun des enfants Puissances.*

Au cours de l'année 2017, les parties vulnérables du corps seront les muscles. Certains se plaindront de fibromyalgie. D'autres personnes souffriront de muscles endoloris. Il faudra surveiller les courbatures, les entorses et les déchirures. Assurez-vous d'être toujours bien chaussé lors de vos randonnées pédestres ou sportives. Ne faites aucun effort physique lorsque votre corps est en douleur. Sinon, vous détériorerez votre état. Avant chaque activité physique, entreprenez des exercices de réchauffement. Soyez toujours vigilant lorsque vous amorcez des tâches ardues. Plusieurs se blesseront à la suite d'incidents banals. Tout cela pourrait être évité. Soyez donc méticuleux et vigilant ! Cela sera bénéfique !

Ceux qui ne respectent pas la limite de leurs capacités seront fatigués et vulnérables. D'autres souffriront d'insomnie. Cela nuira à votre santé et au bon fonctionnement de vos journées de travail. Vous manquerez de concentration. Cela provoquera également des incidents banals. Quelques-uns se plaindront de migraines. D'autres se blesseront à une épaule, au dos ou à la main. Il faudra surveiller les chutes. Certains s'écorcheront la peau, les genoux et les jambes. Les travailleurs de la construction devront redoubler de prudence et porter leur casque de sécurité. Respectez continuellement les consignes de sécurité. Ainsi, vous éviterez des blessures graves.

Certains souffriront lors de la période des allergies. Quelques-uns seront obligés de prendre des antihistaminiques pour bien entreprendre leur journée ! Bref, des mises-en-garde vous seront lancées régulièrement. Il serait donc important de les écouter, sinon, attendez-vous au pire ! Voilà l'importance de prendre soin de vous et d'écouter les alarmes de votre corps !

***Yehuiah :*** lors de la période des allergies, plusieurs seront obligés de prendre un médicament pour parvenir à passer d'agréables journées et de meilleures nuits. La peau sera également fragile, assurez-vous d'appliquer une crème solaire lors de journées ensoleillées ! Certains consulteront un dermatologue. Ils peuvent souffrir d'acné, de psoriasis, de zona, d'eczéma ou d'urticaire. Vous serez soigné méticuleusement et votre problème se réglera rapidement. De plus, certains souffriront d'une douleur au coude ou à l'épaule. Il peut s'agir d'une tendinite causée par un mouvement répétitif. Vous serez obligé de consulter votre médecin. Certaines femmes auront des ennuis avec leurs organes génitaux. Certains hommes auront des ennuis avec la prostate. La vessie et l'urètre seront également des parties fragiles et vulnérables.

***Lehahiah :*** plusieurs se plaindront de douleurs physiques qui les obligeront à prendre un médicament, à se reposer et à respecter la limite de leur capacité. Si vous négligez les signaux de votre corps, vous serez victime d'épuisement et il vous faudra plus de temps pour remonter la pente ! De plus, soyez vigilant lors de tâches inhabituelles. Certains risquent de se blesser ou s'égratigner partout sur le corps. Assurez-vous d'avoir des diachylons dans votre pharmacie ! Certains se blesseront à la main ou au coude ! Quelques-uns se plaindront de douleurs lancinantes causées par un mouvement répétitif ou par un sport vigoureux. Certains seront obligés de consulter un physiothérapeute en médecine sportive. Pour d'autres, le canal carpien sera source de douleurs. Ils seront obligés de subir une intervention chirurgicale.

Sur une note préventive, il serait important de ne pas prendre des médicaments sans consulter votre médecin. Ce qui est bon pour les autres n'est pas nécessairement bon pour vous ! Soyez vigilant et consultez votre médecin si vous êtes inquiet au sujet d'une douleur ou d'un malaise. Lui seul saura bien vous soigner ! Certains pourraient prendre entre un et trois médicaments pour soulager un problème. D'autres devront changer la dose de leur médicamentation. À la suite d'étourdissements, vous consulterez votre médecin. Celui-ci réalisera que l'un de vos médicaments n'a plus le même effet sur vous. Il vous en prescrira un nouveau ou il vous invitera à cesser la prise de ce médicament.

***Chavakhiah :*** plusieurs se plaindront de maux physiques, de migraines et de sinusites. La tête, le nez, les oreilles, les coudes, les poignets, les genoux et les chevilles seront des parties fragiles et vulnérables. Quelques-uns se plaindront de douleurs lancinantes causées par un mouvement répétitif ou par un sport vigoureux. Certains seront obligés de consulter un physiothérapeute en médecine sportive. Pour d'autres, le canal carpien sera source de douleurs. Ils seront obligés de subir une intervention chirurgicale.

Lors de la période des allergies, certains seront obligés d'utiliser des antihistaminiques pour pouvoir passer de bonnes nuits et de meilleures journées. Quelques-uns utiliseront leur inhalateur. Surveillez aussi les piqûres d'insectes ; certains réagiront vivement. Assurez-vous d'avoir des antihistaminiques à portée de main ! Cela sera important.

Si vous faites de la bicyclette, assurez-vous de porter un casque pour éviter des blessures à la tête. Les travailleurs de la construction devraient également porter leur casque de sécurité en tout temps. À la suite d'une mauvaise chute, quelques-uns seront obligés de porter un plâtre, d'autres auront des points de suture. Cette année, soyez donc vigilant et attentif à votre environnement. Ainsi, vous éviterez des blessures graves !

***Menadel :*** plusieurs se plaindront de maux physiques. D'autres souffriront de souffrances morales. Tous ceux qui ont négligé leur santé seront confrontés à un problème important qui les angoissera.

Vous souffrirez de dépression et de fatigue chronique qui nécessiteront un traitement médical. Cela dit, la nuque, le cou, la gorge et les poumons seront des parties fragiles et vulnérables. Certains souffriront de torticolis. La glande thyroïde dérangera quelques personnes. Vous serez obligé d'être suivi périodiquement par votre médecin. D'autres prendront de l'acétaminophène pour calmer leur migraine. Les fumeurs seront obligés de diminuer ou cesser leur consommation de cigarettes quotidienne. L'un de leurs poumons exigera un traitement. Quelques-uns se plaindront de douleurs lancinantes causées par un mouvement répétitif ou par un sport vigoureux. Il peut s'agir du tunnel carpien ou autre. Certains seront obligés de consulter un physiothérapeute en médecine sportive. D'autres subiront une intervention chirurgicale. Plusieurs seront lunatiques et sujets à se blesser inutilement ! Soyez donc vigilant lorsque vous entamez des tâches inhabituelles ! Cette année, reposez-vous lorsque votre corps réclame du repos ! Sinon, votre santé physique se détériorera et votre santé mentale en souffrira ! Certains seront obligés de prendre des médicaments pour soulager leur anxiété. D'autres iront passer des examens approfondis pour déceler l'origine d'une douleur. Votre médecin vous traitera adéquatement et vous récupérerez rapidement de votre problème de santé. Ne négligez donc pas les alarmes de votre corps. Cela sera salutaire !

***Aniel :*** l'une de vos épaules sera la source de vos douleurs ! Certains seront obligés de recevoir un traitement de cortisone pour parvenir à soulever leur épaule. Donc, ne soulevez aucun objet lourd sans aide. Sinon, vous pourriez faire un faux mouvement qui vous occasionnera une blessure douloureuse. Ne manipulez aucun objet dont vous ignorez le fonctionnement puisque vous pourriez subir de fâcheux accidents. Plusieurs seront lunatiques et sujets à se blesser inutilement ! Votre vigilance est de mise ! Bref, ne négligez jamais les consignes de sécurité ! Cela vaut également pour les travailleurs de la construction. Portez régulièrement votre casque de sécurité. Ainsi, vous éviterez de graves blessures. Certains risquent de s'occasionner des brûlures, des écorchures, des égratignures, etc. Il serait donc important d'avoir une trousse de premiers soins dans votre pharmacie ! Vous en aurez régulièrement besoin pour nettoyer et couvrir les plaies causées par votre négligence ! La peau sera également fragile. Certains iront consulter un dermatologue. Quelques-uns se plaindront d'herpès labial[2] qui nécessitera un soin particulier. Surveillez également les rayons du soleil. Assurez-vous d'utiliser une crème solaire avant chaque sortie. De plus, la mauvaise alimentation causera quelques brûlures à votre estomac. Vous serez obligé de prendre un médicament ou de changer votre alimentation !

***Haamiah :*** plusieurs s'occasionneront des blessures causées par leur négligence. Votre vigilance est constamment de mise ! Il serait important d'avoir une trousse de premiers soins dans votre pharmacie ! Vous en aurez régulièrement besoin pour nettoyer et couvrir vos plaies ! Lors de randonnées pédestres, assurez-vous de porter de bonnes chaussures, vous éviterez ainsi des foulures.. Ceux qui se promèneront sans chaussures se blesseront sous le pied ! Il serait également important de ne pas soulever d'objet du bout de vos bras. Vous risquez de vous blesser inutilement ! De plus, cela occasionnera un arrêt de travail obligatoire qui durerait plusieurs semaines. Il est évident que votre moral en serait affecté. Soyez donc vigilant avec les objets lourds ! Réclamez de l'aide auprès de vos proches ! Ceux-ci seront heureux de vous aider ! Cela vous évitera des blessures majeures. Il faudra également surveiller le feu. Certains se feront des petites brûlures par manque d'attention. Quelques-uns souffriront de reflux gastrique. Votre estomac sera une partie très fragile. Surveillez de près votre alimentation. Cela sera bénéfique pour votre estomac et digestion.

***Rehaël :*** il serait important de respecter la limite de vos capacités pour le bien de votre santé physique et mentale. Arrêtez de brûler la chandelle par les deux bouts, sinon vous en souffrirez péniblement. Vous vous retrouverez rapidement sans aucune énergie vitale pour accomplir vos tâches quotidiennes. Cela vous entrainera vers une dépression majeure. Vous serez donc obligé de prendre des médicaments, de suivre une thérapie et de vous mettre au repos pour une période indéterminée. Cela sera primordial pour pouvoir retrouver vos sens et votre équilibre. Par contre, tout cela peut être évité si vous faites attention à vous ! Prenez le temps d'écouter les signaux d'alarme de votre corps ! Reposez-vous lorsque vous êtes épuisé et prenez également le temps de relaxer. En agissant ainsi, vous éviterez des ennuis majeurs. Toutefois, si vous ne le faites pas, vous sombrerez dans un état lamentable ! De plus, une

2. Nom médical désignant les feux sauvages

épaule et le dos seront sources de douleurs. Certains seront obligés de subir une intervention chirurgicale. D'autres recevront une piqûre de cortisone pour atténuer leur douleur. Quelques-uns feront des exercices de physiothérapie pour retrouver la flexibilité de leur muscle. Soyez très prudent si vous devez monter dans une échelle et réparer le toit de la maison. Vous pourriez vous blesser. D'autres devront être vigilant avec les objets tranchants, certains pourraient se blesser. Tout au long de l'année, plusieurs se feront des égratignures banales ou sérieuses. Assurez-vous d'avoir une pharmacie bien garnie de diachylons et de pansements !

***Ieiazel :*** plusieurs ne respecteront pas la limite de leurs capacités et la santé mentale et physique en prendra un vilain coup ! Il ne sert à rien de courir partout et de négliger votre santé. Pour éviter de graves ennuis, soyez donc à l'écoute de votre corps ! Cette année, priorisez votre santé au lieu de votre travail. Lorsque vous êtes fatigué, reposez-vous ! Ainsi, vous pourriez vaquer à vos tâches habituelles plus rapidement. De plus, vous serez moins submergé par l'apathie et le manque de concentration. Cela vous évitera donc des blessures majeures et douloureuses. Ne négligez pas cet avertissement ! Sinon, vous visiterez régulièrement votre médecin pour toutes sortes de problèmes. Vous souffrirez d'anxiété, d'insomnie, de migraines, d'allergies et de douleurs musculaires. Le repos vous sera recommandé et vous serez obligé de prendre un médicament. Quelques personnes réaliseront que certains produits naturels leur causent des effets indésirables. Vous serez obligé de cesser la prise de certains produits. Les personnes alcooliques devront cesser leur consommation d'alcool. Ils vivront des ennuis avec le pancréas. Cela inquiètera énormément leur médecin. Des examens approfondis viendront confirmer les inquiétudes du médecin. Une intervention chirurgicale sera obligatoire ainsi qu'un traitement particulier.

## Les Puissances et l'amour

Cette année, vous prioriserez votre vie conjugale. Vous passerez du temps avec votre partenaire. Vous vivrez plusieurs événements divertissants en sa compagnie. Cela rehaussera votre union. Vos conversations seront rafraîchissantes et agréables ! Vous planifierez des activités, des soupers avec vos proches, des sorties et deux voyages intéressants.

Vous ne voulez plus négliger votre relation. Cela sera important pour vous. Plus que jamais, vous avez besoin de passer du temps avec vos proches et vous amuser en leur compagnie. Cette année, vous respecterez votre engagement envers votre famille ! De plus, vous réaliserez l'importance qu'occupe votre famille dans votre cœur. Les voir heureux et rire à vos côtés vous plaît intensément ! Leur amour est votre nourriture stimulante. Cela vous permet d'atteindre vos objectifs et de les réussir ! Cette nouvelle attitude sera grandement appréciée de votre partenaire. Celui-ci appréciera vos retrouvailles et le temps que vous passerez ensemble. Vous vivrez plusieurs moments intimes qui vous rapprocheront et qui rallumeront la flamme de votre amour. Ces temps seront précieux et importants pour cimenter votre union. Vous trouverez rapidement votre joie de vivre, votre équilibre et votre sécurité au sein de votre union. Cela remplira votre cœur d'allégresse. Vous serez pétillant de bonheur !

Au cours de l'année, vous vivrez plusieurs journées agréables qui rehausseront votre amour conjugal. Attendez-vous à faire des activités divertissantes avec votre partenaire qui rempliront mutuellement votre cœur de bonheur. Ces journées surviendront au cours des mois suivants : ***janvier, avril, juin, août, septembre, novembre*** et ***décembre***. Au cours de ces mois bénéfiques, plusieurs événements vous rapprocheront de votre partenaire. Attendez-vous également à faire un voyage magnifique avec lui. Vous rapporterez des souvenirs mémorables de ce voyage ! Il peut s'agir d'un endroit longtemps rêvé ! À la suite de ce déplacement, vous serez heureux, comblé et amoureux !

Malgré cette vague de bonheur, il y aura parfois des périodes compliquées. Lors de périodes critiques, au lieu de bouder et refuser de dialoguer avec votre partenaire, essayez d'êtres moins frustré et bougonneur ! De toute façon, cette attitude ne vous aidera guère à trouver un terrain d'entente. Ne négligez pas vos problèmes ! Sinon, vous vous compliquerez davantage la vie ! Voyez-y rapidement et vous verrez que dans l'espace de peu de temps, tout rentrera dans l'ordre ! Il y aura des situations qui vous amèneront à vous lancer mutuellement la balle. Qui a raison ? Qui a tort ? Chacun émettra son point de vue et aucun ne voudra entendre raison. Prenez le temps d'analyser vos problématiques, vous verrez que vous avez raison tous les deux dans votre façon de penser. Il suffit tout simplement de trouver un accord mutuel. Lorsque la tempête sera passée, vous vaquerez à vos tâches habituelles et l'harmonie reviendra dans votre foyer ainsi que le sourire !

**Voici quelques situations qui pourraient déranger l'harmonie conjugale :** vous aurez plusieurs arguments reliés à l'argent et les dépenses excessives de l'un des partenaires. Plusieurs auront des discussions animées sur ces sujets délicats. Au cours de l'année, vous aurez des rêves. Il peut s'agir de rénover une pièce de la maison, de faire un voyage ou d'acheter un nouveau véhicule. Vous êtes conscient que pour réaliser ce rêve, vous devrez faire quelques sacrifices financiers. Toutefois, l'un des partenaires ne se préoccupera guère de ces sacrifices. Il est évident que cela frustrera le partenaire qui se serrera la ceinture pour pouvoir réaliser ce rêve conjugal ! Il n'aura pas tout à fait tort ! Si vous planifiez de réaliser l'un de vos rêves, il serait important de faire les sacrifices nécessaires pour l'atteindre. Toutefois, si vous ne voulez pas faire des sacrifices, soyez donc franc et avouez-le à votre partenaire ! Ainsi, vous éviterez des batailles de mots qui dérangeront l'harmonie dans votre couple.

De plus, les familles reconstituées vivront quelques désagréments reliés à un enfant. Vous n'élevez pas votre enfant de la même manière. Cela causera régulièrement des discussions avec votre partenaire. Il serait donc important d'y trouver une solution avant que cela affecte votre union. Bref, la meilleure solution serait de ne pas trop vous en mêler. Laissez votre partenaire s'occuper de son enfant tel qu'il le désire. Vous pouvez lui donner votre point de vue. Toutefois, évitez d'exiger de votre partenaire qu'il agisse de telle ou telle façon. Vous éviterez ainsi des ennuis de toutes sortes ! Il est évident que cela sera très difficile puisque vous serez témoin de certains événements. Par contre, votre partenaire n'est pas prêt à le voir ou l'admettre. Attendez qu'il vous réclame de l'aide. À ce moment-là, votre partenaire sera davantage à l'écoute de vos conseils et il les appliquera plus aisément ! En agissant ainsi, vous sauverez votre union et la paix reviendra rapidement dans votre foyer !

## Les couples en difficulté

Si vous parvenez à régler votre passé, vous sauverez votre union. Réglez les événements un à un. Par la suite, tournez la page et continuez votre route. Cela sera important pour la survie de votre couple. Changez votre perception de la vie ! Vivez au présent et profitez régulièrement des moments agréables que vous offre la vie. Vous cherchez le bonheur ? Rien de plus simple ! Construisez-le sur chaque événement divertissant et plaisant que vous vivrez ensemble ! Changez également votre attitude ! Vous verrez qu'il y a encore de l'amour et de l'espoir dans votre union. Le problème majeur de votre couple est de vous remémorer certains évènements et de crier votre insatisfaction à votre partenaire. Les fantômes du passé devraient rester dans leur placard ! Rien ne sert de les ressortir. De toute façon, ils nuisent à votre relation. De plus, il n'y a rien d'agréable à en tirer sauf des problèmes et de la déception ! Au lieu de vous apitoyer sur ces événements, cherchez donc à vivre plus joyeusement votre vie. Planifiez des aventures divertissantes avec votre partenaire ! Cela rehaussera votre amour et votre union ! Cela dit, la réussite de votre union dépend de votre attitude. Si vous restez dans la négativité et dans le passé, vous subirez une séparation avant que l'année se termine. Si vous améliorez votre attitude et que vous planifiez un meilleur avenir, vous sauverez votre union !

### Les Puissances submergées par la négativité

Votre attitude déplaira énormément à votre partenaire. Cela le découragera et affectera sa santé globale. Il consultera un médecin, un psychologue ou un proche pour l'aider à surmonter cette situation délicate. Il est évident que la plupart des gens lui conseilleront de vous quitter avant que sa santé se détériore ! Il pourra suivre une thérapie pour se libérer du sentiment qu'il ressent devant vos cris et votre attitude déplaisante. Il pourra aussi prendre quelques jours, loin de vous, pour réfléchir à la situation. Il est évident que votre partenaire reviendra avec un ultimatum clair et précis. Si vous ne changez pas, il vous quittera sur-le-champ ! Si vous lui faites des menaces, il fera une plainte aux autorités ! Prenez en considération ce que votre partenaire vous dira, car, effectivement, il agira en conséquence et il vous quittera si vous n'améliorez pas votre attitude à son égard, et avec raison !

Si vous ne voulez pas perdre votre partenaire, si vous l'aimez, améliorez certains aspects de votre personnalité. Cela sauvera votre union ! Apprenez à dialoguer avec votre partenaire au lieu de crier votre désarroi ! Arrêtez de critiquer pour des banalités. Si vous êtes victime d'une souffrance intérieure, consultez un thérapeute. Cela sera salutaire pour votre bien-être personnel et pour votre relation. Plusieurs possibilités se trouveront sur votre route pour améliorer votre vie. Saisissez donc ces opportunités! Celles-ci vous permettront de trouver votre équilibre, votre joie de vivre et votre bonheur! Toutefois, si vous demeurez dans votre négativité, vous perdrez un bon compagnon de vie! Bref, votre bonheur s'envolera et rien ne le ramènera sur votre chemin!

## Les Puissances célibataires

Vous voulez rencontrer l'amour? Vous êtes tanné de votre statut de célibataire? C'est le temps de sortir et d'ouvrir la porte de votre cœur! Vous ferez la rencontre de trois à six personnes intéressantes au cours de l'année. L'une d'elle possède les qualités rêvées du partenaire idéal. À la première rencontre, vous serez animé d'un coup de foudre! Vous tomberez en amour! Vous serez envoûté par son regard et sa personnalité. Vous serez charmé par sa façon de rire, de dialoguer et de raconter les péripéties de sa vie! Sa bonne humeur vous rendra joyeux et vous chercherez à le connaître davantage. Sa présence à vos côtés vous déroutera et elle vous fera tout un effet! Vos émotions seront fortes et votre cœur palpitera à ses moindres gestes et paroles! Vos proches vous taquineront. Ils seront heureux de vous voir agir ainsi! Vous agirez comme un adolescent! Vous serez heureux et débordant d'énergie!

Tout au long de l'année, vous vivrez des journées plaisantes qui vous apporteront des rires, de la joie et des moments inoubliables. Lors de vos sorties, vous aurez le privilège de faire la rencontre de gentilles personnes. Toutefois, une seule retiendra votre attention. Ces magnifiques journées surviendront lors des mois suivants: ***janvier, avril, juin, août, septembre, novembre*** et ***décembre.*** La journée du mercredi et du samedi seront également profitables pour cette nouvelle rencontre. Cette charmante personne fera un geste gratifiant qui captera l'attention de votre cœur! Vous échangerez vos numéros et vous chercherez à passer du temps ensemble. Vous planifierez une activité. Vous vous amuserez comme des fous. À la suite de cette activité, vous ne vous quitterez plus! Certains feront cette rencontre grâce à un site de rencontres. D'autres, lors d'un mariage, d'un décès, d'une activité ou par l'entremise d'une connaissance. Un signe particulier pour mieux reconnaître cet amour idéal : il se frottera régulièrement les mains ou une partie de son corps sera cicatrisée à la suite d'une blessure. Il peut s'agir de la main, d'un genou ou de la jambe.

### Les célibataires submergés par la négativité

Vous serez tellement évasif lors de conversations que tous ceux qui vous côtoieront penseront que vous n'êtes pas intéressé à engager la conversation avec eux. Il est évident que cette attitude les éloignera de vous. Vous ne serez aucunement intéressant ! Si vous désirez rester célibataire, continuez d'agir de la sorte ! Toutefois, si vous désirez rencontrer votre partenaire idéal, améliorez votre attitude et engager des conversations divertissantes. Si une personne vous plaît ; sortez votre humour ! Vous capterez instantanément son attention ! Vous passerez une agréable soirée ! Les rires fuseront. Cela atténuera vos sentiments négatifs ! Bref, cela vous fera du bien ! L'amour vous transformera et aura un impact favorable sur votre attitude. Laissez parler votre cœur et souriez à la vie ! Donnez-vous cette chance d'être heureux ! Vous le méritez tellement !

## *Les Puissances et le travail*

L'année 2017 sera importante pour plusieurs travailleurs. Vous serez dans une période active, productive et enrichissante. Tous vos efforts seront largement récompensés. Cela vous encouragera donc à amorcer des projets, à améliorer vos conditions de travail et à avancer vers les objectifs fixés pour atteindre la satisfaction. Il y aura plusieurs possibilités qui surviendront pour améliorer votre vie professionnelle. Certains obtiendront une à deux promotions dans la même année ! D'autres réussiront leurs entrevues. Quelques-uns changeront d'emploi. Votre grande détermination à améliorer vos conditions de travail vous apportera de la satisfaction. Vous vous fixerez des buts et vous chercherez à les atteindre. Si votre travail actuel ne correspond plus à vos attentes, vous le quitterez pour mieux. Si vous devez améliorer votre relation avec un collègue de travail, vous agirez promptement et ferez en sorte que l'harmonie revienne au sein de votre équipe. Si vous souhaitez améliorer vos conditions de travail, vous engagerez la conversation avec vos employeurs. Vous émettrez vos points de vue de manière convaincante. Cette année, vous axerez votre énergie vers des situations prolifiques et vers votre bien-être. Vous ne voulez plus travailler dans une ambiance malsaine. Vous ferez tous les efforts pertinents pour travailler dans une ambiance équilibrée, agréable et divertissante ! Vous êtes prêt à tout pour retrouver votre harmonie. Si vous devez quitter un emploi de longue date et vous aventurer vers un nouveau travail, vous le ferez !

Plusieurs travailleurs vivront trois événements gratifiants au niveau de leur emploi. Vous serez récompensé de votre assiduité et de vos compétences. Vous mériterez grandement ces événements. Attendez-vous à les fêter royalement ! De plus, attendez-vous à recevoir plusieurs possibilités pour améliorer vos conditions de travail. Lors de certains mois, vous serez favorisé par la Providence. Cela vous aidera lors d'entrevue, de discussions, de réunions, etc. Ces mois prolifiques sont ***janvier, avril, juin, août, septembre*** et ***décembre***. Si vous devez prendre une décision, la réussite se fera davantage sentir lors de ces mois.

**Voici quelques situations qui pourraient déranger l'harmonie au travail** : la maladie ou le départ précipité d'un directeur causera d'accablants ennuis au sein de votre équipe. Cela ne sera pas facile de vous adapter à de nouveaux règlements. Lorsque vous êtes habitué à travailler d'une telle manière et qu'une personne exige un rendement ou des tâches différentes, il est évident que c'est frustrant ! De plus, ne sachant pas trop la tournure que prendra cette situation, il est évident que l'atmosphère sera invivable. L'insécurité se fera vivement ressentir chez les employés, et avec raison ! Cela déclenchera une tempête de protestations et d'insatisfaction ! Il y aura donc des réunions qui se tiendront pour essayer de calmer les tensions au travail. Par la suite, l'accalmie se fera sentir, au grand soulagement des employés ! Cela leur permettra de vaquer plus sereinement à leurs tâches habituelles ! Toutefois, cette situation peut durer quelques mois avant que tout rentre dans l'ordre !

## Les travailleurs Puissances submergés par la négativité

Votre attitude de guerrier fera fuir toute aide réclamée pour accomplir vos tâches et respecter les échéanciers. Aucun de vos collègues ne veut travailler avec vous. Votre attitude les dérange et ils s'en plaindront aux autorités. Il est évident que cela entachera votre réputation. Également, cela vous nuira grandement dans l'accomplissement de vos tâches. Vous aurez de la difficulté à respecter vos échéanciers. De plus, les autorités vous avertiront qu'ils ne toléreront aucun retard de votre part. Vous n'aurez donc pas le choix de faire des heures supplémentaires pour terminer à temps le travail exigé. Il est évident que cela vous épuisera ! Vous trouverez vos journées longues et pénibles. Cela ne vous aidera pas à conserver un bon moral ! Votre négativité sera à la hausse ! Vous exploserez au moindre problème ! Les autorités vous surveilleront, et au moindre geste déplacé, vous serez averti ! Bref, votre santé globale en prendra un vilain coup ! À moins que vous changiez votre attitude ou complètement de travail. Si vous améliorez votre attitude, vos collègues vous aideront dans vos tâches, ainsi vous parviendrez à respecter vos échéanciers. De plus, les autorités arrêteront leur surveillance ! Cela vous permettra de mieux respirer et de compléter adéquatement votre travail. À vous de choisir ce que vous préférez vivre à votre travail ! La dualité ou l'entraide !

# Chapitre XXIX

# Événements à surveiller durant l'année 2017

Voici quelques événements qui pourraient survenir au cours de l'année 2017. Pour les situations négatives, lisez-les à titre d'information. Le but n'est pas de vous perturber ni de vous blesser. Il s'agit tout simplement de vous informer.

- Plusieurs recevront des offres alléchantes. Trois d'elles vous sont offertes sur un plateau d'argent ! Impossible de les refuser ! Cela sera un cadeau du ciel ! Les Anges ont entendu vos prières et ils vous répondent !
- Plusieurs trouveront des pièces de monnaie. Conservez ces pièces et échangez-les contre des vœux. Il suffit de lancer la pièce et de faire un vœu ! Ainsi, les Anges se mettront à l'œuvre pour réaliser vos vœux ! Toutefois, vos vœux doivent être réalistes. Sinon, vous serez déçu. Malgré tout, les Anges enverront un substitut qui vous fera autant plaisir !
- Tout au long de l'année, plusieurs personnes se trouveront au bon endroit au moment opportun. Cela leur permettra de vivre des événements riches en émotions et d'amorcer des actions bénéfiques qui amélioreront plusieurs aspects de leur vie.

- Un contrat sera renouvelé à la grande surprise de quelques-uns. Ce contrat mettra un terme à leur inquiétude.
- Vous, ou un proche, vous blesserez à la main. Soyez vigilant lors d'utilisation d'outils. Assurez-vous d'avoir une pharmacie bien remplie de produits de premiers soins. Vous utiliserez régulièrement des pansements et des diachylons. Votre corps sera souvent marqué par des égratignures, des écorchures et des coupures.
- Tel que l'an passé, par mesure de précaution, ne soulevez aucun objet lourd au bout de vos bras. Ainsi, vous éviterez des blessures à l'épaule, au cou et au dos. Certains seront obligés de garder le lit à la suite d'une entorse.
- Une personne cardiaque devra subir une intervention chirurgicale. Elle sera aux soins intensifs pendant quelques jours. Cela affolera ses proches.
- Certaines personnes prendront de deux à six semaines pour se rétablir d'un mauvais rhume ! Sortez vos mouchoir, vos meilleurs films et jeux puisque vous serez obligé de rester à la maison et de prendre soin de vous !
- Certaines femmes auront des ennuis avec leurs organes génitaux. Quelques-unes devront subir une hystérectomie. D'autres auront un suivi médical jusqu'à ce que leurs problèmes soient réglés. Vous vivrez une période d'inquiétude. Toutefois, votre médecin vous soignera en conséquence et vous recouvrerez rapidement la santé !
- Votre intuition sera remarquable au cours de l'année. Celle-ci vous évitera plusieurs ennuis. Si vous sentez un danger, n'hésitez pas à vous en éloigner rapidement !
- D'ici la fin de l'année, plusieurs seront satisfaits de leur vie professionnelle. Attendez-vous à vivre des changements majeurs qui auront un impact favorable sur votre vie quotidienne. Certains auront une augmentation de salaire. D'autres signeront un contrat qui les soulagera et qui leur apportera un bel équilibre. Quelques-

uns recevront une belle promotion. Votre ardeur au travail sera bien récompensée.

- Cette année, vous améliorerez votre vie en y apportant de petits changements bénéfiques. Retrouver votre équilibre sera votre priorité et vous y parviendrez !
- Une personne diabétique devra surveiller son alimentation. Sinon, elle aura de graves problèmes qui nécessiteront l'intervention d'un médecin. Certains pourraient être hospitalisés d'urgence.
- La période printanière sera importante pour certains agriculteurs. Ceux-ci développeront une nouvelle méthode qui leur sera bénéfique. Certains parleront de faire l'achat d'une machinerie. Vous ne serez pas déçu de votre transaction puisque cette machinerie donnera les résultats escomptés. Quelques-uns signeront un contrat valorisant. Cela les encouragera à continuer leur dur labeur !
- Cette année, vous prioriserez votre vie amoureuse. Vous prendrez tout le temps nécessaire pour régler les petits problèmes et pour vous retrouverez mutuellement. Cette décision vous sera d'un très grand secours et permettra à votre couple de continuer dans la bonne direction. Plusieurs réaliseront l'importance de leur vie à deux et chercheront à l'améliorer. Attendez-vous à vivre trois événements agréables qui rehausseront la flamme de votre amour !
- Certains feront l'achat d'un parfum ou en recevront un en cadeau. Vous aimeriez l'odeur que dégage ce parfum !
- Plusieurs travailleurs auront la possibilité de faire un changement au niveau de leur vie professionnelle. Il peut s'agir d'un travail totalement différent mais très enrichissant. Certains n'auront pas le choix d'étudier une nouvelle technique. Si c'est le cas, vous apprendrez rapidement. Cela vous vaudra les éloges de vos nouveaux patrons.
- Lors de la période hivernale, vous, ou un proche, parlerez de faillite. Ce sera la meilleure solution qui vous sera suggérée. Recommencer à zéro ne sera pas facile. Néanmoins, vous serez

libéré de certaines dettes, vos nuits seront moins perturbées et votre santé mentale reprendra du mieux !

- Une femme donnera naissance par césarienne. Il peut s'agir d'un gros bébé ou d'une naissance gémellaire. Toutefois, l'accouchement se déroulera à merveille !
- Certains seront fatigués d'entendre les gens se plaindre. Ne soyez pas surpris de vous éloigner des gens négatifs. Cela sera bénéfique pour votre moral. Votre attitude frustrera énormément l'une de ces personnes. Celle-ci vous avait pris pour son bouc émissaire et voyant votre refus de lui parler ou de l'écouter se plaindre, elle en fera tout un plat ! Vous réaliserez rapidement que vous avez fait un bon choix en vous éloignant d'elle.
- Vous irez souvent au cinéma, au théâtre ou à des spectacles. Ces sorties vous procureront de la joie et vous permettront de passer du bon temps avec votre partenaire amoureux et vos proches.
- Vous aurez souvent des dialogues profonds et divertissants avec votre partenaire. Cela vous rapprochera. Lorsqu'une problématique arrivera, vous trouverez rapidement une bonne solution pour la régler ! Vous ne laisserez rien en suspens. Cela vous sera salutaire et aidera énormément la réussite de votre union.
- Certains couples en difficulté vivront des périodes difficiles. Certains quitteront leur partenaire sans préavis !
- Lors de la période hivernale, un enfant fera une gaffe et cela fera exploser l'un de ses parents. Cet enfant n'aura pas le choix de réparer sa gaffe avant que celle-ci prenne des tournures dramatiques. Cette situation lui donnera une bonne leçon qu'il n'est pas prêt d'oublier.
- Vous adorerez votre mois de ***janvier***. Vous vivrez trois événements qui vous apporteront de la joie. De plus, tous les billets que vous recevrez en cadeau seront profitables.
- Vous vous fixerez trois ou quatre buts importants. Vous travaillerez ardemment pour les atteindre. Vous parviendrez à en réussir trois ! Votre détermination sera la cause de votre réussite.

- Certains seront invités à trois mariages. L'un deux est un renouvellement de vœux ! Vous pourriez faire partie des invités d'honneur.
- La période automnale sera fertile pour celles qui désirent enfanter. Celles qui craignent une grossesse devront prendre de bonnes précautions, sinon, elles risquent d'avoir une surprise inattendue !
- La période des allergies en fera souffrir quelques-uns. Vous serez obligé de prendre des antihistaminiques pour passer de bonnes journées !
- Vous, ou un proche, tomberez en amour ! À la suite d'une séparation ou d'une déception amoureuse, vous ferez la rencontre d'une bonne personne. Votre cœur sera prêt à aimer de nouveau et rapidement, une belle relation s'amorcera !
- Une personne alcoolique décevra énormément ses proches. Son comportement et son attitude laisse à désirer. Elle est en train d'éloigner tous ses proches à cause de son problème de boisson. Voyez-y avant de perdre tous ceux que vous aimez.
- Plusieurs recevront de belles récompenses. Elles seront toutes bien méritées ! Vous récolterez les bienfaits de vos efforts et vous en serez très heureux.
- Surveillez les commérages et les personnes jalouses. Celles-ci chercheront à nuire à votre relation. Elles tiendront des propos diffamatoires sur votre partenaire. Elles inventeront toutes sortes d'histoires sans fondement. Elles chercheront à vous blesser ! Avant de détruire votre union ou de lancer des paroles blessantes à votre partenaire, ayez une conversation franche avec lui. Dites-lui les raisons de vos craintes et des propos qui sont venus à vous à son sujet. Cela vous permettra de voir la situation sur tous les angles. Ainsi, vous éviterez de commettre une grave erreur ! De plus, laissez votre partenaire confronter ces personnes malintentionnées. Celui-ci saura faire taire leurs mauvaises langues !
- Une jeune femme parlera d'avortement. Vous serez surpris de sa décision ! Vous pouvez donner votre point de vue. Toutefois,

ne jugez pas sa décision ! Sinon, vous lui ferez énormément de la peine. Elle s'est confiée à vous pour que vous l'aidiez dans sa démarche et non pour la juger.

- Vous, ou un proche, révélerez votre orientation sexuelle. Cela allégera un fardeau sur vos épaules.
- Certaines personnes chercheront à rénover ou à vendre un meuble appartenant à leur ancêtre. Si votre meuble est considéré comme antique, consultez un spécialiste avant de le rénover. Sinon, vous gâcherez votre meuble et celui-ci perdra sa valeur marchande.
- Cet été, plusieurs feront du camping et des activités de plein air. D'autres visiteront des villes étrangères. Vous serez dans l'esprit des vacances et vous en profiterez au maximum !
- Vous, ou un proche, chercherez à connaître la vérité dans une situation ambiguë. Plusieurs révélations seront faites. Elles vous permettront de mieux réfléchir à l'action que vous devez poser pour retrouver l'harmonie sous votre toit.
- Assurez-vous de payer vos polices d'assurances et de les mettre à jour. Certains pourraient vivre un cambriolage, un dégât d'eau ou un incident quelconque. Si vos polices sont impayées, vous ne serez pas dédommagé. Cela vous causera des ennuis et des inquiétudes financières.
- Certaines personnes devront mettre un terme aux fantômes du passé. Cela épuise leur santé mentale et dérange leur journée. Consultez un médecin, un psychologue ou un thérapeute. Toutefois, agissez avant que cela vous détruise complètement ! La période hivernale sera difficile pour plusieurs personnes angoissées par le passé.
- Certaines femmes se feront raser la tête pour une cause humanitaire. Vous serez heureuse de participer à ce défi et d'y amasser des fonds.
- Lors de la période automnale, plusieurs personnes s'inscriront à des cours quelconques, soit pour chasser leur ennui, pour reprendre la forme physique ou pour parfaire leur connaissance ou améliorer leur talent.

- Lors de la période estivale, plusieurs couples chercheront à dialoguer. Vous avez besoin de renseignements et de vérités concernant une situation problématique. Ces dialogues apporteront toujours un bienfait à votre union puisque vous parviendrez à régler mutuellement les situations dérangeantes. Cela sera également bénéfique pour vos états d'âme et votre santé globale.

- Les personnes célibataires rencontreront leur perle rare. Jamais une personne ne vous aura autant fait d'effet que cette nouvelle connaissance. Vous serez chamboulé par sa présence dans votre vie ! C'est votre rêve qui devient réalité !

- Votre grande détermination ne vous apportera que du succès et des mérites dans tout ce que vous entreprendrez au cours de l'année. Continuez de persévérer et vous ne le regretterez pas puisque vos efforts seront doublement récompensés ! Attendez-vous à vivre de trois à dix événements agréables.

- Vous mettrez un terme à une relation avec une femme négative. Celle-ci dérange énormément vos émotions. Cela ne sera pas facile. Il peut s'agir d'un proche ou d'une relation de longue date. Toutefois, vous n'êtes plus capable de l'écouter se plaindre de tout et de rien. Vos limites sont atteintes ! Vous le lui direz ! Toutefois, cette personne fera la sourde oreille. Après plusieurs tentatives pour vous contacter, elle réalisera que votre décision est finale et que vous ne reviendrez plus sur celle-ci. À moins qu'elle améliore son caractère. Mais ce sera impossible !

- Plusieurs profiteront de la saison hivernale pour s'adonner à des activités extérieures. Vous avez besoin de l'air frais et froid ! Certains feront de la raquette, du ski, du patin, de la traîne sauvage et de la motoneige. D'autres iront à la pêche sur glace. Vous aurez un plaisir fou avec vos proches. Des rires, de la joie, de l'entrain et de la bonne humeur seront au rendez-vous !

- Plusieurs feront la rencontre d'un homme important qui les aidera à réussir un projet, à régler un problème ou à trouver du travail. L'aide de cet homme vous sera d'un très grand secours. Vous l'apprécierez énormément.

- Vous, ou un proche, devrez subir une intervention au genou ou au dos. Vous serez en convalescence quelques mois avant que vous puissiez entamer vos tâches habituelles.
- Vous, ou un proche, devrez consulter un médecin pour faire le point sur un malaise quelconque. Attendez-vous à passer des radiographies et des tests sanguins pour mieux connaître l'origine de vos malaises. Un diagnostic viendra confirmer les observations du médecin. Celui-ci vous traitera en conséquence et vous retrouverez rapidement le chemin de la santé !
- Certains planifieront de faire du bénévolat. Vous serez satisfait de l'aide que vous apporterez aux autres. De plus, on louangera vos capacités et on appréciera votre aide précieuse. Il est évident que cela rehaussera votre estime de soi.
- Certaines personnes verseront des larmes à la suite d'un bris d'un objet important. Il peut s'agir d'un vase, d'une tasse et autres. Cet objet avait une grande valeur sentimentale ou monétaire pour vous. Vous aurez tellement de peine ! Toutefois, un proche vous réconfortera. Il ne pourra pas remplacer votre objet. Néanmoins, il vous changera les idées en vous invitant à passer une soirée à l'extérieur de la maison.
- Lors de votre anniversaire de naissance, certains recevront des billets pour aller voir un spectacle divertissant. Vous serez très heureux de ce cadeau ! Attendez-vous également à faire trois sorties au restaurant. Vous serez invité par vos proches. Vous passerez une soirée agréable dans un restaurant italien.
- Certaines personnes malades subiront deux interventions chirurgicales dans la même année. Cela prendra quelques mois avant de recouvrer la santé. Il serait donc important de vous reposer et d'écouter les recommandations de votre médecin. Si vous le faites, tout ira mieux par la suite. Si vous les négligez, vous tomberez et cela sera très difficile de vous relever !
- Avant que l'année se termine, on vous révèlera un secret qui vous surprendra ! Ne l'ébruitez pas et conservez-le pour vous. Sinon, vous pourriez provoquer une tempête désagréable. De plus, vous peinerez énormément la personne qui vous avait fait confiance en vous révélant ce secret.

- Ceux qui fêteront la St-Jean Baptiste ou le 1er juillet à l'extérieur de leur ville auront énormément de plaisir. Toutefois, faites attention à l'alcool. Le lendemain sera pénible pour plusieurs !
- Certains iront voir des feux d'artifices ou un spectacle animé qui se produira à l'extérieur. Ce sera une sortie familiale. Vous aimerez cette soirée ! Attendez-vous à revenir avec un objet acheté sur le terrain !
- Vous, ou un proche, vivrez une séparation temporaire qui peut durer quelques jours. Cela ne sera pas facile. Toutefois, cette période permettra aux partenaires de réaliser qu'ils s'aiment toujours et qu'ils ont besoin de reprendre vie commune. À la suite de cet événement, ceux-ci parleront de déménagement dans une nouvelle demeure. Ils recommenceront à zéro sur des bases plus solides.
- Certains régleront un problème judiciaire. Ce ne sera pas facile. Toutefois, vous parviendrez à une entente. Des papiers seront signés.
- Au cours de l'année, plusieurs réussiront trois projets qui leur tenaient à cœur. Vos proches fêteront l'événement avec vous.
- Surveillez le sentiment de jalousie qui apportera de la contrariété dans votre demeure. Avant de blesser votre partenaire avec des paroles méchantes, suivez une thérapie pour vous guérir de ce sentiment qui vous trouble psychologiquement et qui vous empêche d'être heureux.
- Vous, ou un proche, recevrez un montant d'argent provenant d'un proche. Cela vous surprendra, néanmoins, vous l'accueillerez avec joie !
- Plusieurs fêteront Noël avec leur famille. Tous voudront participer à votre soirée ! Ceux-ci savent que vous êtes un expert dans les préparatifs de fête ! Attendez-vous à recevoir plus de gens que prévu ! Toutefois, chacun apportera des plats délicieux et raffinés pour l'occasion. Vous vous sucrerez le bec !
- Au cours de l'année, plusieurs feront des sorties agréables. Vous irez au cinéma. Cela vous remémorera votre jeunesse ! Vous irez

visiter des amis, de la famille. Vous passerez du bon temps avec vos proches. Vous recevrez à souper. Quelques-uns feront la pendaison de leur crémaillère. Vous irez magasiner à quelques reprises pour une tenue de soirée. Certains iront faire leur magasinage avec un proche. Vous passerez des heures de plaisir à vous choisir de belles tenues vestimentaires et de soirée. Vous dépasserez votre budget ! Toutefois, vous n'aurez aucun regret ! Vous adorerez vos achats de la journée ! Vous aurez beaucoup de plaisir lors de vos sorties. Cela se reflétera sur votre humeur !

- Vous serez très productif et attentif à votre environnement. Cela vous permettra de prendre de bonnes décisions et de faire de bons changements pour améliorer votre quotidien. Vous serez également un fin limier. Tout ce que vous chercherez à savoir, vous l'obtiendrez ! Rien ne vous passera sous le nez ! Vous serez rapide et diligent ! Cela vous apportera du succès et des louanges de la part de vos proches !

- La rencontre d'une personne piquera votre curiosité. Vous chercherez à savoir ce que cette personne vous veut et ce qu'elle est venue faire dans votre vie. À la suite d'un événement, vous trouverez votre réponse.

- Vous vous déplacerez souvent. Votre facture d'essence risque d'être plus élevée que d'habitude. Certains opteront pour du covoiturage.

- Certains célibataires reverront un être du passé. Celui-ci cherchera à entamer de nouveau une relation. Libre à vous d'accepter ou non. Il sera sincère dans ses paroles. Vous lui manquez et il vous l'avouera.

- Cette année, assurez-vous de toujours sauvegardé vos fichiers dans un lieu sécuritaire. Vous pourriez perdre votre clé USB, vous faire voler votre portable ou contracter un virus qui détruira vos fichiers.

- Certaines couturières ou décoratrices intérieures signeront un contrat avantageux. Vous travaillerez ardemment. Toutefois, votre travail sera reconnu par plusieurs. Cela rehaussera votre chiffre d'affaires !

- Certains achèteront un rouet ou un métier à filer. Vous serez fier de votre acquisition.
- Un proche vous suppliera de lui prêter une somme d'argent. Si vous le faites, ne vous attendez pas à être remboursé !
- Quelques-uns parleront de mariage. Votre journée sera merveilleuse. Vous serez gâté par vos hôtes.
- Lors de la période estivale, quelques-uns seront invités à prendre part à un méchoui. Si vous êtes de nature dédaigneuse, refusez l'invitation !
- Vous, ou un proche haltérophile, vous blesserez à l'épaule ou au dos. Certains seront obligés de subir une intervention chirurgicale. D'autres recevront une dose de cortisone. Pour retrouver votre flexibilité, vous serez obligé d'entreprendre des exercices de physiothérapie.
- Si vous devez grimper dans un arbre pour y couper des branches, soyez vigilant et assurez-vous qu'une aide est à vos côtés. De plus, n'entamez pas une tâche que vous n'êtes pas habitué de faire ! Ainsi, vous éviterez des incidents graves.
- Quelques-uns auront des ennuis avec leur facture de cellulaire ou leur ligne téléphonique. Vous aurez à débattre votre point de vue ! Un proche vous portera secours et il réglera la situation pour vous !
- Les personnes à faible revenu obtiendront un logement à rabais. Vous serez très heureux de cette nouvelle !

# Partie VIII

# Les Vertus

*(14 octobre au 22 novembre)*

# Chapitre XXX

# L'année 2017 des Vertus

## *Vous fermez finalement un chapitre de votre vie pour voguer vers un meilleur avenir !*

L'année de la spiritualité aidera plusieurs Vertus à trouver un sens à leur vie. Plusieurs questions existentielles seront élaborées. Plusieurs analyses seront évaluées. Vous irez à la profondeur de votre âme. Cela vous permettra de vous découvrir et de faire facc à vos fantômes. Vous serez étonné de voir les lacunes qui dérangent vos états d'âme. Vous parviendrez donc à faire la paix avec votre intérieur, avec l'enfant blessé, l'adolescent incompris et l'adulte détruit. Vous chercherez davantage à exposer votre potentiel au lieu de le laisser dans un état latent. Ce réveil brutal vous permettra de réaliser que vous avez négligé votre bonheur au dépend des autres. Vous avez fui le moment présent pour mieux vivre dans le gouffre du passé. Vous avez préféré être le bouc-émissaire de vos proches que d'être leur allié. Vous avez préféré vivre dans la négativité, dans l'inertie, plutôt que dans la productivité et le bonheur. Toute cette souffrance intérieure qui vous habite et qui dérange votre santé globale, vous voulez y mettre un terme définitif. Il est évident que cela ne sera pas facile. Toutefois, vous êtes conscient que si vous n'agissez pas maintenant, c'est votre santé qui en écopera.

Plusieurs ont vécus une période difficile l'an passé qui a dérangé leur santé. Que ce soit par le décès d'un proche, une séparation, la perte d'une amitié, un revers de fortune, vous avez versées des larmes, vous avez eu de la peine, vous avez éprouvé du découragement ainsi que de la déception. C'est la raison pour laquelle, cette année, vous avez un urgent besoin de diriger votre vie, tel que vous le souhaitez et non pour le plaisir des autres. Vous avez besoin de retrouver votre vivacité d'autrefois. Il est évident que vous devez faire tous les efforts pour atteindre cette félicité. Néanmoins, votre détermination à savourer le bonheur vous donnera le courage nécessaire pour vous prendre en main et pour améliorer votre vie. Vous avez besoin de vous affirmer, de prendre des décisions importantes pour atteindre un bel équilibre et être heureux. Vous en avez assez de tourner en rond, d'essayer de plaire à tout le monde, et de ne rien accomplir d'intéressant pour votre propre bonheur.

Cette année, vous avez besoin de bouger, de créer, de planifier, de réaliser et d'agir ! Il y aura des journées où vous serez étourdi de votre nouvelle perception de la vie. Vous accomplirez des gestes qui vous épateront et surprendront ! Vous réaliserez également que cette attitude positive est gagnante et elle vous permettra de réaliser plusieurs de vos objectifs fixés et de les réussir. Vos actions vous apporteront une satisfaction personnelle. Pour une fois, vous vous sentirez bien dans votre peau et vous serez très fier de vous ! Vous prendrez finalement votre courage à deux mains et amorcerez des pas constructifs pour votre bien-être ! Vous agirez selon vos besoins au lieu de celui des autres !

Il est évident que cela ne sera pas facile de se prendre en main, de tourner la page et de s'aventurer vers des avenues inconnues pour amorcer un nouveau chapitre, meilleur que le précédent ! Toutefois, vous y parviendrez en 2017 ! Vous serez motivé par de belles qualités trop longtemps enfouies à l'intérieur de vous. Vous exposerez votre potentiel et vous en serez heureux ! Vous surprendrez même vos proches avec votre nouvelle attitude. Ceux-ci seront fiers de vos actions, de votre dynamisme et de votre attitude face à la vie. Ils vous appuieront dans vos démarches et ils vous encourageront à aller de l'avant. Par contre, les personnes problématiques auront de la difficulté à vous voir agir ainsi. Ils savent pertinemment bien qu'ils n'auront plus le même contrôle sur vous et qu'ils ne pourront plus obtenir autant de vous qu'auparavant !

En 2017, vous vous éloignerez des problématiques. Vous chercherez le calme et la quiétude. Cela sera important de respecter cet engagement de votre part. Vous vous mêlerez de vos affaires. Cela ne veut pas dire que vous n'aiderez plus vos proches. Toutefois, vous choisirez vos candidats ! Vous aiderez ceux qui veulent s'aider. Vous ignorerez les demandes des perdants et des personnes à problème. Vous ne voulez plus épuiser vos énergies dans des situations insolubles. Vous voulez vous nourrir que de situations agréables et constructives.

Vous serez également moins dérangé par la solitude. Au contraire, c'est dans la solitude que vous parviendrez à trouver de bonnes solutions pour régler vos problèmes, rehausser votre énergie pour bien entamer vos journées, réfléchir aux actions à entreprendre pour améliorer votre vie, etc. Le proverbe suivant : « *On n'est jamais si bien servi que par soi-même* » reflétera bien votre personnalité. Vous travaillerez donc ardemment pour obtenir du succès dans vos actions. Toutefois, les résultats seront bien meilleurs de ce que vous aviez imaginé ! Cela vous encouragera donc à continuer votre route dans la même direction et d'amorcer tous les changements nécessaires pour améliorer votre routine quotidienne.

Attendez-vous à vivre de trois à six événements favorables. Ces événements enlèveront un fardeau sur vos épaules. Il y aura également de belles récompenses qui viendront vers vous. Il peut s'agir d'un gain à la loterie, de l'achat ou de la vente d'une maison, d'un changement au travail, de la signature d'un contrat, etc. Ces récompenses vous apporteront toujours de belles joies. Vous serez souvent au bon endroit, au moment opportun. Cela vous favorisera dans plusieurs domaines. De plus, vous aurez le privilège de rencontrer un Ange terrestre. Cette personne saura vous épauler, vous aider et vous conseiller dans l'élaboration de vos tâches. Grâce à cette aide précieuse, vous améliorerez votre vie. Vous chasserez vos fantômes. Vous amorcerez de grands projets. Vous accomplirez de bonnes actions. Cela vous vaudra de beaux éloges de la part des gens concernés. Vous serez donc en mesure de savourer les événements agréables que vous offrira la vie au cours de l'année.

C'est certain qu'il y aura des mois difficiles, il n'est jamais facile de faire face aux problématiques et de les régler. Vous serez également hanté par la peur de faire de mauvais choix et de ne pas prendre les décisions adéquates pour que l'harmonie revienne dans votre foyer. De plus, certaines personnes chercheront à vous influencer. Ils réaliseront qu'ils n'ont plus le même pouvoir sur vous. Cela les dérangera énormément et ils feront tout pour vous induire en erreur. Lors de ces moments d'incertitude, il serait important de prier l'Ange gouverneur ou votre Ange personnel. Leur Lumière vous secourra et vous évitera de tomber dans le piège des personnes malintentionnées à votre égard. De plus, ces Anges rehausseront votre potentiel, votre courage et votre détermination. Cela vous encouragera à continuer à persévérer pour atteindre le succès dans tout ce que vous entreprendrez et déciderez.

***Les personnes ayant une attitude négative*** éloigneront d'elles les possibilités d'améliorer leur vie. Elles emprunteront des routes ardues, compliquées et sans issue. Cela rehaussera davantage leur négativité. Elles préféreront rester victimes de leur malheur que d'essayer d'améliorer leur vie. Vous vivrez continuellement dans l'inquiétude, la peine, le désarroi, etc. Vous verserez régulièrement des larmes de frustration, de découragement et de lassitude. Toutefois, vous ne ferez rien pour améliorer votre sort. Au lieu de voir les possibilités venir vers vous, vous les fuirez ! Au lieu d'appliquer une solution à une problématique, vous les ignorerez ! Au lieu de faire un pas dans la bonne direction, vous irez dans le sens contraire ! Comment voulez-vous améliorer votre vie si vous générez toutes sortes de situations pour nourrir vos problématiques ? Cela ne vous aidera guère à retrouver le chemin de l'équilibre et de la paix intérieure.

Toutefois, si vous changez d'avis et que vous souhaiterez vivre des événements prolifiques et plus positifs, amorcez un premier pas ! Affichez un sourire sur vos lèvres au lieu d'une critique. Arrêtez de vous morfondre et de vous apitoyer sur votre sort. Agissez au lieu de jouer à la victime. N'oubliez pas que personne ne peut vous aider qu'à part vous-même ! Concentrez-vous sur des situations positives. Éloignez-vous des dialogues compromettants et problématiques. Amorcez des activités qui vous plaisent. Reprenez confiance en votre potentiel. Respectez vos limites et soyez franc avec vous-même. Vous verrez qu'en peu de temps, tout viendra à vous, comme par enchantement.

De plus, il vous sera permis de laisser une chance à cet Ange terrestre de venir à votre rencontre et de vous secourir de votre détresse. Celui-ci ne cherche qu'à vous aider et à vous libérer de vos tracas. Laissez-lui donc le privilège de vous gâter, de vous soigner et de vous libérer de cette négativité qui est en train de vous détruire. Suivez également ses conseils et savourez votre vie à sa pleine capacité. D'ailleurs, si vous parvenez à faire tous les changements nécessaires pour votre bien-être, vous irez mieux et vous pourriez profiter des cadeaux agréables que vous offre la vie ! Cette année, améliorez votre vie, améliorez votre attitude ! Chassez la négativité et empreignez-vous de positivisme ! Vous en soutirez d'excellents bienfaits !

## Aperçu des mois de l'année des Vertus

Au cours de l'année 2017, plusieurs situations agréables surviendront et embelliront certaines de vos journées. Ces événements favorables se produiront continuellement lors des mois suivants : ***janvier, février, mars, mai, juin, juillet, août, novembre*** et ***décembre***. Lors de ces périodes, vous serez toujours en pleine forme pour accomplir toutes les idées qui vous passe par la tête. Attendez-vous également à faire des rencontres intéressantes, à recevoir de bonnes nouvelles et à trouver des solutions pour régler vos problèmes. Vous soutirerez plusieurs bienfaits de ces mois favorables. Cela vous permettra de surmonter les périodes plus difficiles. Il y aura également des mois où la Providence sera à vos côtés. Lors de ces mois de chance, profitez-en pour acheter vos loteries préférées, pour amorcer vos projets, pour prendre une décision, etc. Tout viendra à vous comme par enchantement ! Au cours de l'année 2017, ces **mois chanceux** seront ***janvier, mars, mai, août, novembre*** et ***décembre.***

Il y aura qu'un seul mois où certains événements vous dérangeront. **Ce mois non favorable** sera ***septembre***. Lors de ce mois, vivez une journée à la fois. Réglez les problèmes un à un. Cela sera profitable pour votre santé globale ! De plus, n'hésitez pas à réclamer l'aide des Anges gouverneurs. Leurs énergies vous aideront à passer à travers vos journées les plus ardues. Vous aurez moins tendance à vous laisser influencer par les situations et les personnes problématiques. Grâce à leur aide, vous ne resterez pas longtemps inerte et vous reprendrez pleine possession de vos capacités. Cela vous encouragera à persévérer pour obtenir les résultats désirés. De plus, lors de ce mois, quelques-uns seront malades. Le repos sera recommandé. Il faudra donc respecter les consignes de votre médecin et de vos proches. Ainsi, vous remonterez la pente plus rapidement.

Les **mois ambivalents** seront ***avril*** et ***octobre***. Au cours de ces mois, il y aura de belles journées et parfois de moins bonnes. Vous serez envahis par toutes sortes d'émotions autant positives que négatives. Certaines journées, tout ira bien, mais à d'autres, tout ira de travers. Si vous le pouvez, prenez le temps de vous reposer et de méditer. Cela vous sera salutaire lors de vos journées compliquées !

## Voici un bref aperçu des événements qui surviendront au cours des mois de l'année pour les Vertus

Vous amorcerez votre nouvelle année avec plein de projets en tête ! Vous savez exactement ce que vous voulez et vous vous dirigez aux bons endroits pour mettre sur pieds vos idées ! Plusieurs personnes se fixeront des buts et chercheront à les atteindre. Vous planifierez votre année. Vous ferez un bilan de tout ce que vous aimeriez accomplir, régler et réaliser. Tout ce que vous ne voulez plus, vous vous en départirez ! Cette attitude positive vous donnera l'élan nécessaire pour avancer vers vos buts et les réaliser. ***Dès le 7 janvier***, votre philosophie de vie changera. Il est évident que vous apeurerez certains proches. Ils ne sont pas habitués de vous voir agir ainsi. Néanmoins, vous les rassurerez et vous leur ferez comprendre que vous avez besoin de nouveautés dans votre routine quotidienne et que vous êtes le seul qui peut déclencher ce besoin fondamental et important pour vous ! Vous aurez l'allure d'un gagnant. Cela attirera de bons résultats lors de vos actions.

Cela dit, plusieurs bonnes nouvelles viendront agrémenter votre mois de janvier. La journée du jeudi sera également favorable pour les transactions, les entrevues, les discussions, etc. La Providence sera à vos côtés, profitez-en pour acheter vos loteries préférées ! Certains pourraient gagner une belle somme d'argent. Si vous connaissez une personne dont le signe du zodiaque est Bélier, joignez-vous à elle et achetez une loterie. Cette personne attirera la chance dans votre direction. Cela sera également une période favorable pour les travailleurs. Certains obtiendront un poste rêvé. D'autres réussiront une entrevue. Quelques-uns auront de l'avancement. Vous serez en contrôle de tous les événements qui se produiront au cours de ce mois. Pour terminer, certaines personnes marchanderont un nouveau véhicule. Vous serez très fier de votre nouvelle acquisition. D'autres planifieront un voyage. Vous ne serez pas déçu de votre itinéraire.

Cette frénésie agréable se poursuivra ***jusqu'à la fin mars***. Vous réglerez astucieusement vos problématiques. Tous ceux qui cherchent à vous nuire, vous les écarterez de votre route. Vous travaillerez ardemment pour que l'équilibre, l'harmonie et la quiétude vous entourent. Donc, toute situation et toute personne qui pourraient nuire à ce désir, vous les écarterez immédiatement. Votre recherche de l'harmonie et de l'équilibre vous amènera à être sévère avec votre entourage. Vous tiendrez vos promesses. Vous améliorerez certains aspects de votre vie. Tel un détective, tout ce que vous chercherez à savoir, vous l'apprendrez. Cela vous aidera lors de la prise de décisions. Vous mettrez également de l'eau dans votre vin avec certains proches. Au lieu de vous batailler, vous parviendrez à trouver un terrain d'entente. Attendez-vous à vivre de trois à huit situations agréables. Vous fêterez également un événement. Les associations seront fructueuses. Certains célibataires feront des rencontres importantes. Il s'agit de votre flamme jumelle. Si vous lui laissez une place dans votre cœur ! Vous finirez par sceller votre union, soit par le mariage, par l'achat d'une demeure ou par la venue d'un enfant ! D'autres auront le privilège de rencontrer un Ange. Cette personne vous soutiendra énormément lors de problématiques et elle vous encouragera lors d'actions. Vous lui serez très reconnaissant. Certaines personnes alcooliques et toxicomanes chercheront des issues pour se libérer de leur dépendance. Parlez-en autour de vous, une aide précieuse offrira ses services et vous pourriez réussir votre promesse. La seule ombre au tableau : surveillez les routes enneigées ou pluvieuses. Ne prenez pas le volant si vous avez consommé de l'alcool. Vous pourriez être impliqué dans un accrochage. Cela vous coûtera très cher au niveau de la loi ! Soyez donc vigilant !

En ***avril***, plusieurs personnes seront malades. Une grippe virale vous obligera à garder le lit pendant quelques jours. D'autres souffriront de nostalgie. Vous serez songeur et découragé par certaines situations.

Vous vivrez aussi des remises en question. Certains événements du passé vous hanteront également. Il peut s'agir de la perte d'un être cher, d'une séparation, d'un mauvais choix, etc. Vous serez maussade et verserez parfois des larmes de souffrance intérieure. Bref, cette période durera de trois à six jours environ. Par la suite, vous reprendrez la forme !

Vous serez mieux servi par les événements qui surviendront lors des prochains mois. Dès ***le 3 mai***, le soleil entrera dans votre demeure et il y restera jusqu'à la ***fin août*** ! Vous vivrez trois événements fortuits. Vous serez récompensé de votre générosité envers les autres. De plus, certains toucheront une somme d'argent qu'ils n'espéraient plus recevoir, alors que pour d'autres, une demande sera concernée. On vous l'avait refusée, maintenant, elle vous sera accordée ! Plusieurs opportunités arriveront vers vous et vous permettront de mettre sur pied l'un de vos projets, de régler une problématique et de faire un changement bénéfique dans votre vie professionnelle ou personnelle. Vous serez choyé par les événements qui se produiront au cours de la période estivale. Plusieurs cadeaux et bonnes nouvelles viendront embellir plusieurs de vos journées !

Profitez-en également pour acheter vos loteries préférées. La Providence sera à vos côtés durant la période estivale. Les billets que vous recevrez en cadeau attireront la chance dans votre direction ! Lors de la fête des mères, les mamans seront choyées par leurs enfants. Attendez-vous à passer des moments agréables en leur compagnie. Au cours de ***mai***, certains travailleurs signeront un papier qui améliorera leur condition de travail. Une offre alléchante viendra agrémenter leur mois. Si vous avez perdu un objet, vous risquez de le retrouver au cours de ce mois ! La réussite et le succès animera énormément votre mai ! Il en sera de même pour ***juin***. Attendez-vous à faire plusieurs sorties agréables avec vos proches. Certaines personnes feront la rencontre d'une aide précieuse. Cette aide vous permettra de résoudre l'un de vos problèmes les plus ardus. Ce sera également une période bénéfique pour ceux qui ont des démêlés avec la justice. Vous pourriez gagner une cause ou prendre une entente qui vous sortira de vos ennuis.

Lors de ***juillet***, tout ce que vous chercherez à connaître, vous l'apprendrez ! Vous ferez la lumière sur plusieurs points en suspens ! Vous amorcerez des dialogues importants avec certaines personnes. Vous réglerez les conflits. Vous trouverez des solutions. Vous respecterez les échéanciers. Vous serez en feu ! Vous serez productif, créatif, dynamique et laborieux ! Vos proches auront de la difficulté à vous suivre. Vous bougerez beaucoup, toutefois, vos actions seront prolifiques et elles apporteront les effets escomptés et souhaités ! Cela vous encouragera à améliorer votre vie !

Certaines personnes malades iront visiter leur médecin. Attendez-vous à passer plusieurs examens pour déceler l'origine d'un malaise. Quelques-uns devront subir une intervention chirurgicale. Toutefois, vous recouvrerez rapidement la santé. Vous serez soigné méticuleusement. De plus, certaines personnes devraient être vigilantes avec les objets coupants. Une blessure nécessitera un pansement ou des points de suture ! L'amour, la joie et des rires animeront votre mois d'***août*** ! Vous vivrez plusieurs événements bénéfiques. Vous serez au diapason de ces événements ! Vous saurez également en profiter !

En ***septembre***, certains couples auront des discussions animées au sujet de l'argent et de la rentrée scolaire. Lors de vos discussions, vous vous bouderez pendant quelques jours. Par la suite, tout reviendra à la normale et vous continuerez à vaquer à vos activités habituelles. D'autres discuteront au sujet du travail. Vous vivrez un conflit avec l'horaire du partenaire. Ce sera également une période difficile pour les couples qui vivent de la difficulté. Certains décideront de quitter le domicile familial au détriment de leur partenaire. Il y aura beaucoup de turbulences qui surviendront au cours de ce mois dans le foyer des gens. Attendez-vous à surmonter deux situations de taille. Cela prendra toute votre énergie pour y faire face et le régler rapidement. Également, certaines personnes malades feront une rechute à la suite d'un traitement ou d'une intervention chirurgicale. Ils ont omis d'écouter les recommandations de leur médecin. Cela leur occasionnera un ennui de santé. Quelques-uns seront obligés de retourner à l'hôpital pour y subir un traitement.

Au cours d'***octobre***, la fatigue, l'épuisement et le stress envahiront plusieurs personnes. De plus, certains souffriront de douleurs physiques, d'un mal à la jambe, d'un torticolis ou de migraines. Le repos sera recommandé. Évitez également de soulever des objets lourds, vous pourriez subir une blessure au dos. Certains devront prendre un médicament pour soulager leurs douleurs. Vous serez souvent dans la lune au cours de votre période automnale. Plusieurs se feront des égratignures et des petites coupures qui exigeront des pansements. Assurez-vous d'avoir des diachylons dans votre pharmacie.

Quelques-uns seront obligés de déménager en toute vitesse. Il peut s'agir d'un déménagement pour travailler dans une autre ville. Si votre propriété est sur le marché de la vente, vous la vendrez avant que l'année se termine. Le mois d'octobre sera bénéfique aux transactions immobilières. D'autres amorceront un pas important. Cela leur permettra de réaliser l'un de leurs objectifs fixés. Vous prendrez une décision définitive et éclairée. Rien ne vous fera changer d'avis par la suite. Lorsque votre décision sera prise, vous axerez vos énergies vers la réussite de celle-ci! À la suite d'événements, vous réaliserez que vous avez pris une bonne décision. Aucun regret ne vous hantera!

Vous finirez l'année en beauté. Vous serez pétillant de bonheur! Certains célibataires auront trouvé leur flamme jumelle. Quelques couples rehausseront leur union par des mots tendres et par des activités familiales. La réussite de votre avenir vous appartient et vous en êtes conscient! Dès le ***1er novembre et jusqu'à la fin décembre***, vous vivrez dans la frénésie de Noël! Plusieurs événements agréables viendront agrémenter plusieurs de vos journées! Vous vivrez des moments extraordinaires et cela vous fera du bien! Des projets fourmilleront dans votre tête! Vous miserez énormément sur la nouvelle année qui arrivera à grands pas. Vous travaillerez très fort pour obtenir des résultats satisfaisants. Vous établirez vos priorités et vous vous fixerez des buts. Tel qu'au début de cette année, vous établirez un nouvel agenda en inscrivant toutes les situations qui doivent être réglées au cours de la prochaine année. Vous prendrez également soin de noter vos rêves, vos projets à amorcer, les discussions à entamer avec certaines personnes, etc. Bref, lorsque la nouvelle année arrivera, vous serez prêt à l'amorcer et à entreprendre tout ce que vous avez planifié!

Lors de la période hivernale, attendez-vous à vivre de deux à huit événements agréables. Certains recevront un cadeau inestimable. Vous verserez des larmes! Vous réaliserez le bien que vous faites autour de vous. Il y aura également des réunions familiales. Vous passerez du bon temps avec vos proches. Des rires fuseront et des cris de joie animeront plusieurs de vos soirées! Quelques-uns s'adonneront à un sport d'hiver. Attendez-vous à retrouver la joie de votre enfance avec ce sport! De plus, n'oubliez pas d'acheter des loteries. Vous serez très chanceux lors de la période hivernale. Lors d'une sortie familiale, profitez-en pour vous procurer une loterie de groupe ! Qui sait, vous pourriez être les prochains millionnaires ! Un seul billet suffit pour vous faire gagner ! Soyez tout de même raisonnable dans l'achat de vos billets de loterie !

***Conseil angélique des Anges Vertus :*** *Le conseil suivant vous a déjà été cité ultérieurement. Nous ne le répéterons jamais assez ! Le voici : « Lorsqu'on prend le temps de réparer ses erreurs, on améliore sa vie. Lorsqu'on prend le temps de rêver à ses projets, on se nourrit. Lorsqu'on est conscient qu'un jour nouveau se lève à tous les matins, on est vivant. Lorsqu'on prend le temps de regarder la vie avec un œil pétillant, on est productif. Lorsque vous atteignez cette plénitude, vous êtes apte à surmonter tous les défis qui se présenteront sur votre route. Vous serez également conscient que vous possédez l'énergie pour aller de l'avant et la détermination de ne jamais abandonner. Donc, vous vivez et bâtissez votre avenir ! Vous accomplissez votre plan de vie ! Vous êtes maintenant maître de votre destin ! » Cela dit, si vous rêvez d'un destin merveilleux, vous devez y mettre tous les efforts pertinents pour l'obtenir. Si vous tombez, relevez-vous ! Si vous commettez une erreur, réparez-la ! Ce sont les ingrédients d'une vie bien réussie. Au cours de l'année, nous vous enverrons des signes particuliers. Nous clignoterons la lumière d'un lampadaire sur votre passage. Ce symbole vous annonce une bonne nouvelle qui arrivera sous peu et qui chambardera favorablement votre vie ! De plus, nous vous montreront l'image d'un papillon coloré. Ce symbole vous annonce un changement favorable dans votre vie. Nous colorerons votre vie d'événements fortuits !*

## *Les événements prolifiques de l'année 2017*

* Vous prenez votre vie en main et vous vous dirigez exactement aux endroits prolifiques pour réaliser vos rêves. Vous êtes conscient que l'avenir vous appartient. Plus que jamais, vous désirez vivre de façon équilibrée, sereine et en harmonie avec votre vie. Vous améliorez donc votre ligne de conduite ainsi que votre approche face à votre avenir. Vous mettrez tous les efforts pertinents pour réussir votre vie. Cela vous permettra de vous épanouir à travers les événements agréables que vous offre la vie. Fini les moments d'attentes inutiles. Cette année, vous provoquerez vos événements. Vous irez de l'avant avec vos projets. Au lieu de rester inerte, vous bougerez. Cela fait trop longtemps que vous rêvez de ce moment. De plus, plusieurs opportunités surviendront pour réussir vos actions telles que vous le souhaitez ! Vous saisirez ces chances uniques d'améliorer votre routine quotidienne. En 2017, il y aura de trois à sept événements qui chamborderont favorablement votre vie ! Vous serez en extase devant ces événements. Vous réaliserez que la vie vous sied bien lorsque vos pensées demeurent positives et créatives.

* Cette année, tout le bien que vous apporterez à votre prochain sera doublement récompensé ! Attendez-vous à recevoir des mots d'encouragements, des cadeaux significatifs, des sommes oubliées et d'autres situations agréables venir emballer certaines de vos journées ! Quelques-unes vous surprendront ! Vous réaliserez que les Anges ont entendu vos prières et qu'ils vous accordent ce que vous avez demandé !

* Plusieurs travailleurs auront le privilège d'améliorer leurs conditions de travail. Certains obtiendront une belle promotion. D'autres réussiront une entrevue importante. Quelques-uns changeront d'endroit ou amélioreront leurs tâches. Cette année, vous axerez vos énergies vers des situations positives et bénéfiques pour votre bien-être. Si vous n'êtes plus heureux au travail, vous ferez tout pour améliorer la situation. Vous vous éloignerez des personnes et des situations problématiques. De plus, au lieu de rester inactif devant une problématique, vous interviendrez

rapidement pour trouver une bonne solution ! Rien ne restera en suspens et tout se réglera à votre entière satisfaction !

* Cette année, au lieu de vous plaindre continuellement, vous agirez pour que votre vie s'améliore. Votre équilibre et joie de vivre seront importants pour vous. Au lieu de jouer à la victime, vous prendrez les commandes de votre vie et vous foncerez vers vos objectifs fixés. Cette nouvelle vision de la vie apportera du succès sur toute la ligne. Vous vivrez plusieurs événements qui vous rendront fier et satisfait de vos actions. Cela vous encouragera à continuer votre route efficacement puisque les résultats obtenus seront au-delà de vos rêves !

* Soyez toujours à l'écoute de votre environnement. Il y aura toujours une bonne solution au moment opportun. De plus, plusieurs auront le privilège de recevoir des messages provenant de personnes importantes. Par leur attitude, ces personnes pourraient déclencher des actions très prolifiques dans votre direction. Vous pourriez voir plusieurs de vos projets prendre vie !

* Quelques personnes auront le privilège de faire un voyage longtemps rêvé ! Vous planifierez astucieusement ce voyage. Aucun détail ne sera oublié ! Ce voyage fait partie de votre liste de souhaits ! Vous serez très fier de le biffer à votre retour ! Ce voyage sera mémorable et vous conserverez de bons souvenirs.

## Les événements exigeant la prudence

* Cette année, surveillez vos paroles. Certains auront tendance à parler sans vraiment réfléchir. Cela les impliquera régulièrement dans des situations désagréables et parfois pénibles. Vous pourriez également blesser des personnes et vous les mettre à dos. Cela n'est pas particulièrement ce que vous souhaitez. Donc, avant de dire des banalités qui pourraient blesser vos proches, réfléchissez aux conséquences de vos paroles. Ainsi, vous éviterez toutes sortes d'ennuis.

* Surveillez également votre négativité. Si vous vous laissez envahir par ce sentiment néfaste, vous éloignerez de bonnes personnes qui

pourraient vous secourir lors de problématiques. De plus, arrêtez de vous plaindre pour des banalités. Vous n'êtes pas de tout repos pour les autres! Enregistrez-vous pendant une journée; vous serez surpris de vos commentaires désobligeants que vous prononcez régulièrement. Cette année, si vous voulez conservez vos amis et recevoir leur appui dans vos démarches, assurez-vous d'améliorer votre attitude. Si vous le faites, vos proches seront fiers de vous. Au lieu de s'éloigner, ils apprécieront votre compagnie. Vous êtes tellement adorable et gentil lorsque vous êtes de bonne humeur!

* Surveillez la vitesse. Il y a risque d'accrochage, d'incidents fâcheux et de contraventions. Soyez donc vigilant sur la route. Ne dépassez pas les limites suggérées. Sinon, vous serez victime d'une contravention. De plus, assurez-vous que vos plaques d'immatriculation, votre permis de conduire et vos assurances sont payés. Sinon, votre voiture pourrait être remorquée. Cela vous coûtera une somme exorbitante pour vous libérer de cette contravention. Ne négligez pas vos factures!

* Sur une note préventive, écoutez toujours les sages conseils de votre médecin. Si celui-ci vous prescrit un médicament ou un repos obligatoire, c'est que vous en avez besoin; prenez-le! Plus vous lutterez, moins vite vous recouvrerez la santé et plus difficile ce sera pour vous de reprendre vos besognes habituelles.

* Certaines personnes devront surveiller leurs habitudes alimentaires. Vous risquez de vous retrouver avec des reflux gastriques et des maux de ventre atroces. Votre nourriture n'est pas bien équilibrée. À la suite d'un malaise, vous serez obligé de cesser la friture, les croustilles, le chocolat et les boissons alcoolisées pendant un certain temps. Votre corps réagira vivement à ces aliments. Votre médecin suggérera la rencontre d'une nutritionniste. Celle-ci vous aidera à bien équilibrer vos repas. Ainsi, vos problèmes gastriques cesseront sans la prise de médicaments. Toutefois, les personnes qui négligeront les conseils de leur nutritionniste ou du médecin seront obligées de prendre des médicaments pour soulager leurs problèmes.

# Chapitre XXXI

# Informations supplémentaires propres à chacun des Anges Vertus

## *Les Vertus et la chance*

En 2017, la chance des Vertus sera **moyennement élevée**! Plusieurs seront choyés par la Providence. De belles surprises inattendues bonifieront leur vie et ils seront heureux! Cela n'est pas nécessairement des sommes d'argent. Il peut s'agir de bonnes nouvelles au moment opportun, d'un changement professionnel, d'une guérison, d'un rêve qui se réalise, etc. Toutefois, lorsque vous recevrez un billet en cadeau, il sera chanceux! De plus, écoutez la voix de votre intuition. Lorsque l'envie d'acheter une loterie titille à l'intérieur de vous, faites-le! Bref, qu'importe ce que vous gagnerez et obtiendrez, vous l'accueillez toujours à bras ouverts et le cœur remplie de joie!

Au cours de l'année, ce seront les enfants d'**Hahahel**, de **Veuliah**, d'**Asaliah** et de **Mihaël** qui seront les plus chanceux parmi les autres enfants des Vertus. Il serait important pour eux d'acheter leurs loteries préférées et de choisir leur combinaison de chiffres. De plus, lors d'un déplacement hors de votre région, profitez-en pour vous procurer des billets de loterie. Cela sera bénéfique !

Au cours de l'année 2017, plusieurs chiffres seront prédisposés à attirer la chance vers les Vertus. Toutefois, les chiffres **07**, **14** et **36** seront les plus prolifiques pour eux. Votre journée de chance sera le **jeudi.** Les mois les plus propices pour la chance seront **janvier, mars, mai, août, novembre** et **décembre**. Plusieurs situations bénéfiques surviendront lors de ces mois. Profitez-en donc pour acheter des loteries, pour prendre des décisions, pour signer des contrats, pour faire des changements et autres. Ces mois vous avantageront dans plusieurs aspects de votre vie. Lorsqu'une opportunité s'offrira à vous, saisissez votre chance ! Ne laissez pas passer ces occasions uniques d'améliorer votre vie ! Celles-ci sont souvent éphémères et de courte durée ! Voilà l'importance d'en profiter au moment opportun !

De plus, n'oubliez pas de prendre en considération le chiffre en **gras** relié à votre Ange de Lumière. Ce numéro représente également un chiffre chanceux pour vous. Plusieurs situations bénéfiques pourraient être marquées de ce nombre. Il serait important de l'ajouter à votre combinaison de chiffres. Toutefois, votre Ange peut également utiliser ce numéro pour vous annoncer sa présence auprès de vous. Lors d'une journée, si vous voyez continuellement ce chiffre, cela indique que votre Ange est avec vous. Profitez-en pour lui parler et lui demander de l'aide ! Cela peut également signifier de prier l'Ange gouverneur. Vous avez possiblement besoin de sa Lumière pour traverser l'une de vos épreuves, pour prendre une décision, pour régler une problématique, etc. Soyez toujours attentif aux signes que vous enverront les Anges au cours de l'année. Ceux-ci vous seront d'un grand secours !

---

*Conseil angélique : Si vous voyez un arc-en-ciel ou si vous voyez un fer à cheval, achetez un billet de loterie puisque ces deux symboles représentent votre signe de chance !*

---

***Hahabel :*** 01, 16 et 25. Le chiffre « **25** » est votre chiffre chanceux. Vous serez gâtés par la Providence. Certains recevront de un à sept cadeaux inattendus qui agrémenteront leur année ! Les billets que vous recevrez en cadeau seront profitables. Ils pourraient vous réserver de petits gains agréables. Si un proche féminin vous remet un billet ou vous réclame de l'argent pour acheter un billet avec elle, donnez-lui !

Vous serez autant chanceux seul qu'en groupe. Priorisez vos loteries préférées et joignez-vous à un groupe. Seulement les groupes de deux ou de trois personnes seront prédisposés à attirer la chance dans votre direction. Si vous connaissez une personne dont le signe du zodiaque est Taureau ou Bélier, achetez un billet avec elle. Cela sera chanceux ! Achetez également des billets avec vos collègues de travail. Vous pourriez former une équipe gagnante ! Si vous connaissez une dame qui travaille dans une boutique féminine ou dans une banque, achetez un billet avec elle. Cela sera également bénéfique !

Cette année, vous aurez l'embarras du choix ! Plusieurs situations bénéfiques et offres alléchantes arriveront vers vous. Il suffit de choisir celle qui vous interpelle le plus ! Bref, vous n'avez qu'à claquer du doigt pour qu'une situation bénéfique arrive vers vous ! À chaque problème, une solution arrivera. À chaque question, une réponse suivra ! Telle sera votre chance en 2017 ! Vous serez souvent au bon endroit, au moment opportun. Cela vous avantagera dans plusieurs aspects de votre vie. Attendez-vous à recevoir plusieurs bonnes nouvelles qui bonifieront votre année ! Vous ferez des choix judicieux. Vos actions seront prolifiques et vos décisions fructueuses. Vous vous sentirez bien dans votre peau. Cela fait longtemps que vous n'avez pas eu cette sensation d'accomplissement et de bien-être à l'intérieur de vous. Il est évident que vous travaillerez ardemment pour réaliser vos objectifs, néanmoins, les résultats seront mieux que ce que vous aviez souhaité ! Cela vous encouragera donc à fournir les efforts pour améliorer votre vie. Plusieurs travailleurs auront la possibilité d'améliorer leurs conditions de travail. Certaines personnes malades recouvreront la santé grâce à un médicament ou un traitement. De plus, plusieurs couples retrouveront la paix et l'équilibre dans leur foyer ! Telle sera votre chance en 2017 ! Profitez-en au maximum ! Vous le méritez gracieusement !

***Mikhaël :*** 09, 18 et 30. Le chiffre « **9** » est votre chiffre chanceux. Jouez modérément. Achetez vos billets tout simplement lors de vos mois de chance. Cela sera bénéfique ! Plusieurs personnes auront des dépenses imprévues qui dérangeront leur situation financière. Conservez donc votre argent pour vous gâter et acheter des objets utilitaires. Ce sera mieux pour votre moral ! De toute façon, un seul billet suffit pour gagner !

Priorisez davantage les groupes que jouer seul ! Les groupes de deux, de trois, de quatre et neuf personnes sont conseillés. Si vous connaissez un capitaine de bateau, un conseiller de voyage, un pompier, un ramoneur ou un mécanicien, achetez un billet avec eux. Ces personnes attireront la chance dans votre direction !

Cette année, vous mettrez un terme à vos souffrances intérieures, aux situations et personnes problématiques. Votre santé globale en a écopé depuis quelques années causées par ces situations désastreuses. Certains ont sombré dans une dépression majeure. D'autres ont perdu l'envie de vivre ! Bref, vous avez vécu l'enfer dans plusieurs aspects de votre vie. Cela vous a permis de réaliser que vous vous êtes négligé aux dépens des autres. En 2017, vous voulez changer de voie. Vous améliorerez donc votre perception de la vie. Vous chasserez la négativité, la tristesse, la nostalgie, etc. Vous serez plus déterminé que jamais à prendre votre vie en main et à avancer vers de nouveaux horizons pour réussir. Vous ferez donc un grand ménage dans votre routine quotidienne. Vos décisions seront importantes et vous les appliquerez instantanément. Rien ne restera en suspens ! Tout se réglera astucieusement ! Vous serez très fier de vous et de votre cran ! Cette nouvelle attitude vous sierra bien et elle vous permettra d'accomplir des tâches ardues pour retrouver votre bien-être ! Vous remontez en douceur la pente. Certaines journées ne seront pas faciles, toutefois, votre ardeur vous permettra de continuer votre route et d'y mettre autant d'efforts pour que l'harmonie et l'équilibre règnent dans votre vie. Vos actions vous réservent de belles surprises qui sauront agrémenter votre année 2017 !

***Veuliah :*** 01, 06 et 22. Le chiffre « **22** » est votre chiffre chanceux. La chance vous suivra tout au long de l'année ! Celle-ci est collée à vous ! Attendez-vous à recevoir plusieurs surprises et à vivre des situations qui vous seront bénéfiques. Tout viendra à vous comme par enchantement !

Vous avez la main chanceuse. Choisissez donc votre propre combinaison de chiffres et les billets de loteries instantanées. Il serait préférable de jouer seul. Toutefois, si vous désirez joindre un groupe, les groupes de deux, de trois et de six personnes seront favorables. Si vous connaissez un fermier, un paysagiste, un banquier, un notaire ou un bijoutier, achetez des billets avec eux. Ce sera chanceux !

Cette année, la chance est à vos pieds, alors profitez-en au maximum ! Tout ce que vous entreprendrez sera empreint de succès. Plusieurs bonnes nouvelles arriveront vers vous. Vous réaliserez rapidement que tous vos efforts déployés au cours des derniers mois en valaient la peine puisque les résultats sont satisfaisants ! Cela vous encouragera donc à continuer à suivre votre instinct et à amorcer des changements pour améliorer votre vie. Cela dit, vous vous prenez en main et vous axez vos énergies vers des buts réalistes et faciles à atteindre. Vous ne voulez plus compliquer votre vie par des buts trop difficiles à obtenir. En 2017, plus que jamais, vous voulez vivre une vie simple et empreinte de sagesse. Vous orienterez donc votre vie vers des situations bénéfiques qui rehausseront la joie, la paix, l'équilibre et l'amour dans votre foyer ! De plus, attendez-vous à signer un contrat alléchant au cours de l'année. Il peut s'agir d'un nouvel emploi, d'une augmentation de salaire, d'un gain quelconque ou autre. Vous serez très heureux lors de la signature de ce papier. Avant que l'année se termine, plusieurs verront l'un de leurs rêves se réaliser à leur grand étonnement !

***Yelahiah :*** 02, 03 et 15. Le chiffre « **2** » est votre chiffre chanceux. Cette année, vous serez doublement chanceux. Vous ne gagnerez pas nécessairement de gros montants d'argent. Toutefois, lorsque vous ferez un gain, un deuxième suivra ! Lorsqu'une bonne nouvelle arrivera vers vous, une deuxième suivra également ! Telle sera votre chance en 2017 ! Profitez donc des opportunités qui s'offriront à vous. De plus, entreprenez tout ce qui vous trotte dans la tête ! Les résultats vous surprendront agréablement !

Jouez seul ou avec une autre personne. Cela sera favorable ! Si vous connaissez une personne dont le signe du zodiaque est Gémeau, achetez un billet avec elle. Cela sera extrêmement chanceux ! Si vous connaissez un policier, un médecin, un cavalier ou un joueur d'hockey, achetez un billet avec l'un d'eux. Cela sera bénéfique. Lors d'un déplacement pour aller voir un spectacle, profitez-en pour acheter une loterie. Vous pourriez faire un petit gain !

Cette année, la chance se fera davantage sentir dans vos actions pour améliorer certains aspects de votre vie. Vous réglerez astucieusement plusieurs problèmes qui vous retiennent prisonniers et qui vous empêchent d'être heureux. À chaque problème, vous trouverez une solution et vous l'appliquerez instantanément. À chaque question, vous trouverez une bonne réponse qui vous permettra de prendre d'excellentes décisions. Rien ne restera en suspens. Tout se réglera grâce à votre détermination. Plus que jamais, vous avez besoin d'être en contrôle de votre vie. Vous êtes tanné d'être le bouc émissaire de plusieurs personnes. En 2017, vous avez besoin de trouver votre voie, votre équilibre et votre joie de vivre. Vous y parviendrez grâce aux efforts déployés pour atteindre cette béatitude. Vous tisserez des liens avec deux ou trois personnes importantes qui vous aideront à accomplir vos projets et à atteindre vos objectifs. Vous savez ce que vous voulez et vous vous dirigerez exactement vers les meilleurs résultats, même au prix de grands efforts. Vous serez conscient que la réussite de votre vie dépend de vos actions. Vous parviendrez donc à respecter vos objectifs et à les atteindre ! C'est ce qui comptera le plus pour vous et vous parviendrez à tenir cette promesse !

***Sealiah :*** 08, 20 et 32. Le chiffre « **8** » est votre chiffre chanceux. Jouez modérément ! Toutefois, lorsque la chance frappera à votre porte, elle vous surprendra à un point tel que vous aurez de la difficulté à y croire ! Tout peut vous arriver ! Participez à des concours, vous pourriez gagner de deux à cinq prix. De toute façon, qu'importe ce que vous gagnerez, vous l'accueillerez toujours avec un sourire !

Vous serez très chanceux si vous achetez une loterie avec l'un de vos proches de sexe féminin aux cheveux foncés et longs ! Vous pourriez former une équipe gagnante ! Si vous désirez vous joindre à un groupe, les groupes de deux, de six et de huit personnes seront favorables. Les journées de pleine lune seront également bénéfiques pour vous. Profitez-en pour vous procurer un billet de loterie. De plus, si vous connaissez une infirmière, une dentiste, une pharmacienne, une psychologue, une styliste, une esthéticienne ou une podiatre, achetez un billet avec elles. Ces femmes seront propices à attirer des gains vers vous.

Cette année, la chance vous permettra de faire le point sur certains événements qui dérange votre quiétude. Plusieurs ont vécu des périodes difficiles. Certains problèmes se sont réglés, mais pour d'autres, il est plus difficile de trouver une solution. Votre mission au cours de l'année est de trouver la clé essentielle à chaque problématique pour y mettre un terme définitif. Vous êtes tanné des problèmes et vous chercherez à vous en libérer rapidement! Votre détermination et volonté vous permettront d'obtenir de bonnes solutions et des réponses pour entreprendre tous vos changements. Attendez-vous à vivre de deux à huit situations qui auront un impact majeur dans votre vie. Ces situations vous encourageront à persévérer pour retrouver votre équilibre et la joie de vivre. En outre, vos bases seront plus solides qu'auparavant. Vous vous éloignerez de toutes les personnes et situations négatives. Vous ne voulez plus vivre dans cette énergie malsaine qui dérange votre santé globale. Cette année, votre priorité sera vous. Certains changements ne seront pas faciles. Néanmoins, vous êtes conscient que vous devez agir ainsi pour votre bien-être! Telle sera votre chance en 2017! Soit de retrouver votre équilibre et votre santé!

***Ariel :*** 11, 22 et 42. Le chiffre « **22** » est votre chiffre chanceux. Jouez modérément. Conservez votre argent pour vous gâter, pour les dépenses de voyage, pour les sorties familiales et pour rénover certaines pièces de la demeure! Cela sera à votre avantage! Toutefois, si vous le désirez, participez à des concours. Certains pourraient gagner de petits prix agréables! Rien d'extravagant, mais agréables à recevoir!

Cette année, priorisez les groupes. Cela sera chanceux! Les groupes de deux, de trois et de quatre personnes seront favorables. Si vous connaissez une personne dont le signe du zodiaque est Balance, achetez un billet avec elle! Cela sera chanceux! Si vous connaissez un homme aux cheveux blond-roux, un juge de paix, un policier, un avocat, un notaire, un sportif ou un chiropraticien, achetez des billets avec eux. Ces personnes attireront vers vous de belles surprises monétaires.

Cette année, vous prendrez des décisions importantes qui auront un impact majeur sur votre vie. De nombreuses possibilités viendront vers vous pour régler vos tracas. Saisissez donc ces opportunités! Vous ne serez pas déçu! Celles-ci apporteront la joie, le bonheur et l'équilibre dans votre vie. D'ailleurs, c'est ce que vous souhaitez le plus! En 2017, votre philosophie de vie s'améliore ! Cela vous permettra de regarder votre avenir d'un regard plus confiant. Vous savez ce que vous voulez et vous ferez tout votre possible pour l'obtenir. Vous vous fixerez des buts et vous chercherez à les atteindre. Vous êtes également conscient que pour atteindre ces buts, vous devez déployer des efforts pertinents. Vous relèverez donc vos manches et vous travaillerez assidument pour respecter votre engagement envers vos priorités et objectifs fixés ! Plusieurs retrouveront une meilleure qualité de vie à la suite de changements qu'ils amorceront au cours de l'année. Certains obtiendront un gain en ce qui concerne une situation gouvernementale ou juridique. Des papiers seront signés, une entente sera respectée, et cela allégera votre vie. Vous conserverez votre optimiste et vous vous éloignerez des situations ou personnes négatives. Vous avez besoin de vivre votre vie et non en souffrir. Donc, vous éviterez tout ce qui entrave cette béatitude ! Telle sera votre force en 2017 !

***Asaliah :*** 02, 04 et 32. Le chiffre « **4** » est votre chiffre chanceux. La chance vous favorisera dans plusieurs aspects de votre vie. Cela vous rendra heureux. Vous récolterez les bienfaits de vos efforts ! Vous serez même ébahi de la tournure de certains événements. Cela vous encouragera à améliorer votre vie, à écouter votre intuition et à profiter des moments agréables qui se présentent à vous ! Vous serez débordant d'énergie et d'amour ! Votre sourire sera contagieux ! Vos proches seront heureux de vous voir ainsi. Cela faisait longtemps qu'ils ne vous avaient pas vu aussi dynamique qu'en cette année !

Jouez seul. Achetez vos loteries préférées. Sachez bien les choisir ! Celles-ci vous réservent de petits montants qui vous permettront de vous gâter ! Si vous désirez joindre un groupe, les groupes de deux et de trois personnes seront favorables. Achetez un billet avec votre partenaire amoureux, un ami, un membre de la famille, un collègue de travail ou une personne dont le signe du zodiaque est Poissons. Vous pourriez former une équipe gagnante ! Si vous connaissez un pêcheur, un apiculteur, un pisciculteur, un paysagiste ou un préposé qui travaille dans un magasin de chasse et pêche, achetez un billet avec eux. Ces personnes attireront la chance dans votre direction ! Les courses de chevaux peuvent également vous apporter de la chance. Les chevaux portant le numéro « 4 » seront favorables !

Cette année, vous serez passionné et débordant d'énergie. Cela vous permettra de vous prendre en main et de régler tout ce qui dérange votre harmonie. Vos choix seront bien analysés et vous les appliquerez instantanément à vos situations. Vous serez très fier de vous et de tout ce que vous entreprendrez pour améliorer votre vie. Attendez-vous à vivre de trois à six événements qui agrémenteront votre année. Certains obtiendront un emploi de rêve. D'autres signeront un contrat alléchant qui les sécurisera sur le plan financier. Les célibataires rencontreront leur partenaire idéal. Il y aura également rapprochement entre les couples. Plusieurs amoureux retrouveront l'équilibre et la paix dans leur cœur. Ils réaliseront l'importance de leur union. Avant que l'année se termine, vous vivrez une situation qui vous rendra très heureux. Il peut s'agir d'une grossesse, d'une naissance, d'une guérison, d'un mariage, d'une transaction immobilière ou d'un nouveau véhicule ! Telle sera votre chance pour 2017 !

***Mihaël :*** 06, 10 et 32. Le chiffre « **6** » est votre chiffre chanceux. La chance vous réserve de deux à six belles surprises au cours de l'année. Vous serez passionné par les événements qui surviendront. Vous goûterez à la réussite. Cela vous encouragera à déployer tous les efforts pertinents pour réussir vos objectifs fixés. Profitez-en également pour participer à des concours. Plusieurs auront le privilège de gagner des prix agréables !

Que vous jouez seul ou en groupe, cela n'a pas d'importance puisque la chance sera avec vous ! Priorisez vos loteries préférées. Cela sera chanceux ! Si vous désirez joindre un groupe, les groupes de trois, de quatre ou de six personnes seront favorables. La chance se fera également sentir lorsque vous recevrez un billet en cadeau ! Certains gagneront des prix agréables ! Vous pouvez également acheter des billets de loterie avec votre partenaire amoureux, votre meilleur ami ou un proche masculin aux cheveux pâles. Si vous connaissez une personne dont le signe du zodiaque est Sagittaire, Balance ou Cancer ; achetez un billet avec elle. Vous pourriez former une équipe gagnante !

Cette année, la chance se fera davantage sentir dans vos actions. Vos idées seront constructives. Vous ferez tout pour les mettre sur pied et les réussir. Vous travaillerez ardemment, néanmoins, vous serez satisfait des efforts déployés pour atteindre vos objectifs fixés. Cette ardeur vous permettra de trouver un bel équilibre dans plusieurs aspects de votre vie. Vous regarderez votre avenir avec un sentiment de confiance et d'espoir. Vous savez ce que vous voulez et vous irez dans la direction de vos besoins, de vos rêves et de vos buts. Fini les larmes causées par les problèmes et par la négativité des autres. Cette année, vous prioriserez vos besoins et votre vie. Vous mettrez un terme aux situations et personnes problématiques. Vous leur tournez le dos et avec raison. Vous avez trop souffert par leur attitude. Votre santé mentale en a pris un vilain coup ! Vous remontez en douceur la pente. Vous ne voulez plus sombrer dans cette énergie morbide et immorale. Vous avez besoin de vous nourrir d'amour, de respect et de positivisme. Votre détermination vous permettra de laisser derrière vous les peurs, l'inertie, les problèmes et le manque de confiance. Vous renaissez à la vie plus déterminé que jamais ! Vous agissez convenablement pour obtenir des résultats satisfaisants lors de vos actions. Cette attitude attirera vers vous que du succès et des mérites.

## Les Vertus et la santé

L'état de votre santé dépend de la façon dont vous gérez votre vie ! Négligez vos alarmes, et vous tomberez malade ! Prenez soin de vous, et vous serez en pleine forme ! Bref, si vous dépassez la limite de vos capacités, que vous négligez votre alimentation, vos nuits de sommeil et les signaux de votre corps, vous allez vite vous en ressentir ! Par contre, si vous prenez soin de vous, de votre alimentation et que vous vous reposez, vous serez en pleine forme pour entreprendre vos activités préférées et pour réaliser vos projets. Voilà l'importance d'être à l'écoute de votre corps. Prenez-en bien soin et il vous permettra de faire mille et une activités. Négligez-le et il vous arrêtera ! Être en santé est l'un des cadeaux les plus importants à posséder ! Si vous êtes en forme, continuez de bien prendre soin de vous. Vous avez un privilège que d'autres n'ont pas nécessairement. Alors, ne détruisez pas ce cadeau important.

Si vous négligez votre santé, vous êtes le seul coupable des conséquences qui s'ensuivra ! Avant de blâmer qui que ce soit, réfléchissez à la manière dont vous avez mené votre vie. Si vous avez négligé vos signaux, il est évident qu'aujourd'hui, vous devez y faire face. Si vous voulez éviter les hôpitaux, les traitements, les médicaments, etc., commencez à priorisez votre santé ! Ainsi, vous pourriez recouvrer la santé et reprendre vos activités habituelles.

Cette année, les personnes cardiaques et diabétiques devront redoubler de prudence et écouter sagement les conseils de leur médecin. Si vous négligez ses recommandations, vous vivrez une année dans la maladie et dans les hôpitaux ! Il sera trop tard pour remédier à la situation ! Les toxicomanes peuvent également avoir de graves ennuis de santé. Vous pourriez être victime d'une overdose et cela peut endommager votre cœur ou votre cerveau. À vous d'y voir avant qu'il soit trop tard !

### *Sur une note préventive, voici les parties vulnérables à surveiller plus attentivement et les faiblesses du corps en ce qui concerne chacun des enfants Vertus.*

Tel que l'an passé, votre faiblesse sera votre négligence ! Surveillez les feux, les objets tranchants et les objets lourds. Vous éviterez ainsi des incidents fâcheux. La sécurité, la prévoyance et la vigilance sont de mise encore cette année. Sinon, certains pourraient s'occasionner de graves blessures. Si vous voulez éviter ces incidents, soyez attentif à votre environnement et respectez les consignes de sécurité en tout temps ! Assurez-vous d'avoir une pharmacie remplie de diachylons et de pansements ! Vous en aurez régulièrement besoin au cours de l'année !

De plus, plusieurs se plaindront de maux physiques et de douleurs lancinantes. Certains devront recevoir une piqûre de cortisone pour soulager leur douleur. Il faudra également surveiller le système digestif, le cœur, le pancréas, le foie et les intestins. Ce sont des parties à ne pas négliger. Consultez votre médecin si une douleur persiste. D'autres prendront des médicaments pour régler leurs ennuis de santé. Certains chercheront à rehausser leur énergie, ils essayeront des produits naturels. Toutefois, les effets ne leur apporteront pas satisfaction ! La période des allergies en dérangera plusieurs. Vous serez obligé de prendre des antihistaminiques pour passer de bonnes journées et de meilleures nuits.

Cette année, vous irez souvent voir le médecin pour mille et une raisons. Attendez-vous à passer des examens approfondis pour déceler l'origine de vos maux. Toutefois, vous serez toujours bien conseillé et traité par votre spécialiste.

***Hahahel :*** plusieurs personnes négligentes auront des ennuis de santé qui les obligeront à passer des examens médicaux et à prendre des médicaments. La négligence, le stress, la fatigue et le surmenage seront généralement la cause de vos maux. Plusieurs se plaindront également de douleurs à l'estomac. À la suite d'examens, certains seront hospitalisés. D'autres seront traités et surveillés. Quelques-uns prendront un médicament. D'autres devront prendre quelques jours de repos. Cette année, soyez vigilant et attentif à votre environnement. Écoutez sagement les recommandations de votre médecin. Toutes ces précautions sont les clés pour éviter des ennuis de toutes sortes et recouvrer rapidement la santé !

***Mikhaël :*** votre santé sera imprévisible. Certains peuvent tomber malade sans avertissement. Il serait important de respecter la limite de vos capacités et de vous reposer lorsque le corps réclame du repos. Ne brûlez pas la chandelle par les deux bouts ! Sinon, tout peut vous arriver au cours de l'année. Plusieurs se plaindront de maux musculaires et de douleurs lancinantes qui les obligeront à consulter leur médecin. Certains devront prendre un médicament. D'autres iront consulter un physiothérapeute. Quelques-uns subiront une intervention chirurgicale pour régler leur problème. Il peut s'agir du canal carpien, d'un disque lombaire ou autre.

Surveillez également votre santé mentale. Certains seront exténués et épuisés. Entreprendre trop de tâches stressantes ne vous aidera guère à conserver la forme. Respectez la limite de vos capacités et reposez-vous lorsque vous êtes fatigué. Cela sera à votre avantage. Sinon, vous risquez de sombrer dans un état végétatif et il vous sera beaucoup plus difficile de recouvrer votre santé mentale et physique, à moins d'un repos complet d'une année ou plus. Si vous voulez éviter ce scénario, respectez-vous et arrêtez de jouer les superhéros !

De plus, il serait important de bien vous couvrir lors de températures plus froides. Plusieurs auront des grippes, des bronchites et même des pneumonies. Également, lors de la période des allergies, certains seront obligés de prendre des antihistaminiques et leur inhalateur pour pouvoir accomplir leur journée ! Ceux qui souffrent du syndrome du côlon irritable devront changer leurs habitudes alimentaires. Cela dit, ne négligez pas votre santé ! Ainsi, vous éviterez des rencontres médicales !

***Veuliah :*** plusieurs vivront durement la période des allergies. Vous serez obligé de prendre des antihistaminiques, un inhalateur et des papiers mouchoirs ! La peau sera également fragile. Certains devront utiliser une crème médicamentée pour atténuer les rougeurs. D'autres auront la peau sèche au niveau des mains et des coudes. Cette année, la vigilance est de mise. N'entamez aucune tâche lorsque vous êtes fatigué. Sinon, vous pourriez vous blesser. Assurez-vous d'avoir une pharmacie bien remplie ! Vous utiliserez souvent des diachylons et des pansements pour calmer et guérir les plaies causées par votre négligence ! Certains se blesseront à la main ou à un pied. Vous risquez d'avoir la main, la cheville ou le pouce enflé par votre négligence ! Plusieurs seront obligés de prendre un médicament pour calmer leurs douleurs !

À la suite d'une grande fatigue et d'un découragement, plusieurs réaliseront qu'ils sont négligents et qu'il est maintenant temps de prendre soin d'eux ! Certains prendront des médicaments ou des produits naturels pour rehausser leur énergie et pour soulager certaines douleurs. D'autres changeront leurs habitudes alimentaires. Plusieurs prendront le temps de relaxer et de respecter leur corps. Cela leur sera bénéfique et salutaire !

***Yelahiah :*** vous vivrez plusieurs problèmes de santé. Votre négligence vous affectera énormément cette année. Plusieurs seront obligés de subir d'une à deux interventions chirurgicales dans un laps de temps rapproché. Il faudra récupérer de ces ennuis de santé. Certaines journées seront difficiles. Il serait donc important d'écouter les recommandations de votre médecin soignant. Lui seul sait comment vous soigner adéquatement pour que vous puissiez recouvrer la santé rapidement ! La tête, les épaules, les bras, les hanches, les jambes seront des parties vulnérables. Vous pourriez subir un traitement relié à une douleur lancinante ou à une fracture. D'autres devront recevoir une dose de cortisone pour soulager leurs douleurs. La santé mentale et physique réclamera du repos. Vous pourriez souffrir d'une dépression et d'un surmenage. Vous serez donc obligé, sous l'ordre de votre médecin, de prendre du repos et de la médicamentation. Ce sera le seul moyen pour recouvrer la santé ! Reposez-vous ! Ne négligez pas cette recommandation de votre médecin ! Vous seul souffrirez !

***Sealiah :*** plusieurs seront épuisés et en manque d'énergie. Vous avez de la difficulté à arrêter, vous depasserez donc la limite de vos capacités et votre santé globale en prendra un vilain coup ! Vos nuits seront agitées et tourmentées par vos maux. Vous aurez de la difficulté à dormir. Cela sera dévastateur sur votre concentration et votre humeur ! Vous pourriez faire des erreurs monumentales. Il y aura également des périodes de découragement, de frustration et d'agitation. Cela engendra des maux de têtes, des pertes d'appétit, un mal de vivre. Vous verserez également des larmes de fatigue et d'épuisement. Tous ces maux sont des signaux que vous lance votre corps pour vous avertir d'un danger imminent. Ne négligez pas ces signaux ! Voyez-y rapidement ! Ainsi, vous éviterez une hospitalisation et un repos prolongé. Cette année, plusieurs seront obligés de prendre un médicament pour parvenir à avoir une meilleure qualité de vie. Prenez ce médicament. Si vous allez à l'encontre des recommandations de votre médecin. Vous souffrirez et vous aurez de la difficulté à recouvrer la santé. Remarquez que tout peut être évité. Prenez tout simplement soin de vous ! Si vous négligez votre santé, vous affronterez un problème important qui vous angoissera. La meilleure façon de vous libérer de ce scénario est de prendre soin de vous et de prioriser votre santé globale !

De plus, soyez vigilant lorsque vous emprunterez des escaliers, marchez doucement et ne courez pas ! Il en est de même sur un plancher glissant ou sur de la glace vive ! Certains trébucheront et se blesseront. Quelques-uns devront porter un plâtre. D'autres utiliseront des béquilles pendant quelques jours !

***Ariel :*** plusieurs se plaindront de maux physiques. L'une de vos épaules sera douloureuse. Certains recevront une dosee de cortisone pour soulager leurs douleurs. D'autres consulteront un spécialiste en douleur chronique pour les aider à atténuer leur douleur et à l'accepter ! Quelques-uns devront subir une intervention chirurgicalc pour régler leur problème. Certains se plaindront d'un torticolis. Couvrez-vous bien lors de journées plus froides. Quelques-uns pourraient également souffrir de tendinites causées par un mouvement répétitif. Certains iront consulter un acupuncteur pour soulager leur douleur. Ils seront ébahis des résultats ! Les haltérophiles devront être vigilants lors d'entraînement. Ne surpassez pas vos limites. Trop en faire risquerait de provoquer des incidents fâcheux. Vous serez moins alerte et vous pourriez vous blesser gravement. Cela s'applique également aux personnes négligentes ! Certains s'occasionneront de petites blessures qui nécessiteront un pansement.

Les yeux seront aussi fragiles. Vous consulterez un ophtalmologiste ou un optométriste. Ces spécialistes répondront bien à votre problème et ils vous soigneront adéquatement. Quelques-uns subiront une intervention chirurgicale aux yeux. Cette intervention améliorera votre vision.

***Asaliah :*** plusieurs se plaindront de douleurs musculaires. Il y aura des faiblesses au niveau des hanches, des genoux, des jambes et des chevilles. Elles seront régulièrement la source de vos douleurs. Il peut s'agir de varices, d'enflures ou d'une mauvaise circulation. Certains seront obligés de porter des bas orthopédiques. La douleur sera tellement intense que vous serez obligé de prendre un médicament pour vous soulager. D'autres consulteront un spécialiste en douleur chronique. Celui-ci vous donnera de bons conseils à suivre. Il faudra également surveiller le système digestif. Plusieurs se plaindront de douleurs à la poitrine et à l'estomac. Certains auront des intolérances à certains aliments. Ils devront les consommer raisonnablement. Lors de la période des allergies, quelques-uns devront prendre des antihistaminiques pour passer d'agréables journées ! Surveillez également les piqûres d'insectes. Certains réagiront vivement. Assurez-vous d'avoir à votre portée des antihistaminiques ainsi qu'une crème médicamentée contre les démangeaisons. Cela vous sera utile lors de la période estivale.

***Mihaël :*** certains se plaindront de maux ici et là ! Votre corps sera en souffrance ! Plus vous surpassez la limite de vos capacités. Plus votre corps ; réagira à votre négligence ! Respectez-vous et vous serez en santé ! Négligez-vous et vous devrez visiter régulièrement votre médecin pour passer des examens approfondis pour déceler, prévenir ou régler vos problèmes. Tout cela peut être évité. Il n'en dépend que de vous ! Si vous pratiquez un sport ou que vous faites de la bicyclette, assurez-vous de porter un casque protecteur pour éviter des blessures à la tête. Les travailleurs de la construction devraient également suivre ce conseil.

Cela dit, certaines femmes auront des ennuis avec les organes génitaux. Certaines personnes devront subir une intervention chirurgicale. D'autres auront des problèmes cutanés. Vous serez obligé de consulter un dermatologue. De plus, la bouche causera quelques ennuis. Certains se plaindront d'ulcères. Ce sera douloureux ! D'autres iront consulter un dentiste. Attendez-vous à des dépenses onéreuses pour retrouver une bonne santé buccale et une dentition parfaite.

## Les Vertus et l'amour

Plusieurs couples devront faire des efforts pertinents pour améliorer leur relation. Vous prendrez conscience que votre couple possède des lacunes qui, à la longue, pourraient déranger votre sécurité amoureuse. Attendez-vous donc à converser régulièrement avec votre partenaire au sujet de votre relation et de vos besoins. Vous lui ferez remarquer vos lacunes et vous exigerez des solutions de sa part. Vous serez déterminé à régler vos problématiques. Vous ne lâcherez pas prise si facilement ! Certaines journées, votre partenaire vous trouvera très exigeant et exaspérant. Vous ferez des pieds et des mains pour retrouver l'harmonie dans votre foyer. Même au détriment de votre partenaire ! Vous lui ferez comprendre qu'il est indispensable, voire primordial qu'il s'implique davantage dans la relation, et ce, pour votre bien-être mutuel !

Grâce à votre détermination, vous parviendrez à trouver de bonnes solutions pour retrouver le bonheur dans votre couple. Cela sauvera votre union ! Attendez-vous à faire des sorties agréables avec votre partenaire. Vous reprendrez le temps perdu ! Vous renouerez avec vos bonnes habitudes d'autrefois. Vous irez souper au restaurant, voir une pièce de théâtre, prendre un verre avec vos amis, etc. Au lieu de planifier des activités individuelles, vous miserez sur des sorties impliquant votre partenaire. Cela apportera beaucoup de joie dans votre maison et solidifiera davantage votre union.

Ces changements bénéfiques agrémenteront plusieurs de vos journées. Ces moments magnifiques rehausseront votre amour conjugal. Ces journées surviendront au cours des mois suivants : ***janvier, février, mars, mai, juillet*** et ***décembre***. Au cours de ces mois bénéfiques, plusieurs événements vous rapprocheront de votre partenaire. Certains planifieront une seconde lune de miel. D'autres changeront leur attitude face à leur conjoint. Ils seront plus attentifs à ses besoins et ils feront tout pour combler ses désirs. Cela lui attirera l'amour et le respect.

Il y aura tout de même des périodes plus compliquées. Lors de ces moments tendus, si vous y voyez rapidement, vous réglerez facilement vos problématiques et le tout reviendra à la normale. Si vous négligez vos problèmes, vous vous compliquerez la vie inutilement. De plus, évitez les cris. Cela n'aidera guère votre partenaire à comprendre votre désarroi. Vos cris l'éloigneront davantage de vous. Essayez la douceur, ce sera préférable et vous aurez un partenaire à l'écoute de vos besoins!

**Voici quelques situations qui pourraient déranger l'harmonie conjugale:** les cris, l'indifférence et les activités individuelles. Chacun vit sa vie et ne se soucie guère des besoins de l'autre. Vous avez une routine individualiste. Vous oubliez que vous êtes un couple. Cela engendra des complications dans votre relation si vous négligez ce problème! De plus, essayez de converser calmement avec votre partenaire. Plus vous crierez, moins vous parviendrez à régler votre problème. Cette année, il y aura beaucoup de turbulences dans votre union. Si vous parvenez à régler vos différends, vous retrouverez votre harmonie. Si vous les négligez, vous serez obligé de prendre une décision qui risque de vous blesser émotionnellement.

## Les couples en difficulté

Plusieurs se blesseront par des paroles mesquines! Si vous voulez sauver votre union, vous devez faire des sacrifices. Au lieu de vous lancer la balle, essayez de dialoguer paisiblement. Cherchez un terrain d'entente. Ce sera favorable. Si vous négligez vos problématiques, votre couple subira un échec et une séparation suivra. Si vous aimez votre partenaire, améliorez certaines faiblesses. Invitez-le à prendre un apéro et discuter de votre relation. Ne criez pas et ne le blâmez pas pour les difficultés que vous vivez actuellement. Dressez la liste des sujets à aborder avec votre partenaire. Choisissez un problème parmi votre liste. Discutez de ce problème. Lorsque celui-ci sera réglé, prenez le prochain problème et ainsi de suite. Prenez une pause entre chaque problème. Si vous parvenez à régler ces problématiques, vous sauverez votre union!

La paix, la joie et le bonheur reviendront dans votre foyer et vous en serez très heureux. Cette année, plusieurs couples devront faire face à trois ou six problématiques.

## Les Vertus submergées par la négativité

Vous ferez souvent verser des larmes à votre partenaire. Vous le négligerez et vous l'abaisserez avec des mots désobligeants ! Vous ferez tout pour l'éloigner de vous. Vous serez déplaisant. Vous ferez des ravages avec vos paroles et vos gestes. Vous critiquerez continuellement les agissements de votre partenaire. Celui-ci cherchera à trouver un terrain d'entente et des solutions pour régler vos différends. Toutefois, votre froideur ne lui permettra pas de régler la situation. Aussitôt que votre partenaire s'approchera de vous pour discuter sagement, vous l'attaquerez avec des paroles blessantes. Vous lui crierez après. Il est évident que cette attitude vindicative lui fera verser des larmes de désespoir ! Il ne sera plus comment agir pour ramener l'harmonie dans votre foyer. Sa seule porte de sortie sera de vous quitter ! Si vous tenez à votre partenaire et que vous ne voulez pas le perdre, améliorez votre attitude. Sinon, votre partenaire vous quittera avant que l'année se termine. Il sera trop tard pour vous réconcilier. Vous serez celui qui versera des larmes par la suite ! Toutefois, vous l'aurez bien mérité !

## Les Vertus célibataires

Plusieurs célibataires auront la chance de rencontrer le grand amour. La passion sera instantanée et réciproque. À la première poignée de main, au premier regard que vous poserez l'un sur l'autre, un sentiment puissant se développera à l'intérieur de vous. Ce sera un sentiment incompréhensible et fou ! Vous ne pensiez pas vivre cela un jour ! Votre cœur saura immédiatement que c'est le partenaire de votre vie. Vous lui ferez également une forte impression. Vous échangerez vos numéros de téléphone. Vous planifierez une sortie ensemble. Toutefois, vous prendrez le temps de le connaître profondément avant de vous engager sérieusement dans la relation. Après quelques mois de fréquentation, vous parlerez d'avenir et de projets.

Avant de faire cette rencontre sublime, vous ferez quelques sorties agréables. Toutefois, aucune personne ne viendra faire palpiter votre cœur ! Certaines journées, vous serez découragé. À un point tel, que vous ne chercherez plus l'amour, mais simplement la compagnie de gens agréables. Au moment où vous lâcherez prise sur la rencontre de l'amour idéal, il croisera votre route ! Ce sera une rencontre inoubliable et inimaginable ! Vous qui pensiez vieillir en solitaire, vous verrez un vent de fraîcheur tourner en votre direction ! Il se nomme : « amour » ! Vous l'accueillerez chaleureusement à bras et à cœur ouverts !

Vous pourriez faire sa rencontre lors des mois suivants : ***janvier, février, mars, avril, mai, juin, août*** et ***novembre.*** La journée du jeudi et du dimanche seront prédisposées à la rencontre de ce partenaire idéal. À la première rencontre, cette personne parlera de voiture. Soit qu'elle est en négociation pour acheter un nouveau véhicule ; soit qu'elle vient de l'acquérir et elle vous en parlera ! Elle aura des sujets de conversations divertissantes. Vous rirez énormément en sa compagnie. Vous passerez de bons moments avec cette personne. Cela rehaussera davantage vos sentiments à son égard ! Vous pourriez faire sa rencontre par l'entremise d'un collègue de travail, lors d'une fête, lors d'un voyage ou d'une activité quelconque. Dès qu'il posera le regard sur vous, vous réagirez vivement ! Vous serez chamboulé par sa présence et par sa beauté ! Ne vous inquiétez pas, vous aurez le privilège de le revoir et de le connaître profondément !

## Les célibataires submergés par la négativité

Vous serez arrogant et hargneux ! Tout vous tombera sur les nerfs ! Votre négativité fera fuir les personnes intéressées à vous connaître davantage ! Bref, vous serez inaccessible, exigeant et mécontent. Aucune personne ne parviendra à vous satisfaire. Vous leur trouverez toujours des défauts ! Vous serez également plaintif et vous critiquerez sur tout et rien. Cette attitude mesquine ne fera pas de vous un être attirant ! Si vous désirez demeurer célibataire, maintenez cette attitude ! Toutefois, si vous aimeriez faire la rencontre d'une bonne personne qui saura calmer votre tempête intérieure et votre négativité, soyez plus souriant et convivial ! De bonnes personnes se colleront alors à vos côtés !

## *Les Vertus et le travail*

Vous vivrez plusieurs situations favorables au cours de l'année. Vos inquiétudes s'estomperont grâce aux possibilités qui surviendront. Il ne tiendra qu'à vous de foncer vers les objectifs fixés et vers les avenues prolifiques. Si vous le faites, vous ne serez pas déçu. Vous améliorerez vos conditions de travail. D'autres obtiendront de l'avancement. Quelques-uns changeront d'emploi. Tout au long de l'année, vous serez au bon endroit avec des personnes compétentes qui sauront vous apporter satisfaction. Rien ne restera en suspens. Tout se réglera. Toutefois, vous devrez faire les efforts nécessaires pour obtenir de bons résultats. Cela dit, tous les travailleurs qui se donneront la peine d'avancer seront satisfaits de leur emploi, de leur décision, de leur entrevue, etc.

Cependant, les travailleurs paresseux ou négligents vivront de la frustration et du découragement. Tout cela peut être évité. Il suffit d'être alerte lorsqu'une possibilité s'offrira à vous. N'oubliez pas que tout est éphémère ! Il faut saisir les chances lorsqu'elles se présentent à vous. Sinon, vous resterez dans la même énergie, à entreprendre les mêmes tâches, à critiquer votre emploi et à rêver d'un meilleur emploi ou salaire ! Toutefois, si vous le désirez vraiment, vos rêves peuvent se réaliser au cours de l'année. Relevez vos manches et avancez ! Il y a tellement de belles possibilités qui s'offriront à vous qu'il sera impossible d'être insatisfait !

Attendez-vous à vivre de trois à huit événements favorables à votre travail. Certains feront trois entrevues l'une à la suite de l'autre. D'autres auront des décisions à prendre puisque il y aura deux magnifiques possibilités qui leur seront offertes. Bref, de l'action, il y en aura ! Des changements, vous en vivrez également. Certains seront majestueux. D'autres vous laisseront indifférents et quelques-uns vous mettront hors de vous ! Par contre, ces changements auront pour but d'améliorer l'atmosphère au travail et d'alléger certaines tâches. Avant de critiquer, analysez profondément les raisons pour lesquelles les autorités veulent appliquer ces changements. Les personnes en affaires signeront des contrats alléchants. Bref, tous ces événements constructifs et prolifiques surviendront lors des mois suivants : ***janvier, février, mars, mai, juin, juillet, août, octobre, novembre*** et ***décembre***. Si vous devez prendre une décision, la réussite se fera davantage sentir lors de ces mois. Avant que l'année se termine, plusieurs travailleurs réaliseront que les efforts déployés seront bien récompensés.

**Voici quelques situations qui pourraient déranger l'harmonie au travail**: les échéanciers et les imprévus. Il y aura plusieurs changements qui surviendront à votre travail. Certains changements seront annoncés. Il est évident que cela provoquera de l'inquiétude au sein de votre équipe. Certaines autorités parleront de mises à pied. Cela dérangera énormément vos collègues puisque personne n'avait pensé vivre ce problème. D'autres parleront de grève. Bref, il y aura des imprévus, des pourparlers, des discussions qui inquièteront souvent le travailleur. Toutefois, il y aura toujours une solution qui atténuera vos angoisses. De plus, les échéanciers en stresseront quelques-uns. Vous serez invité à faire des heures supplémentaires pour respecter les échéanciers. Cela ne fera pas toujours votre bonheur!

## Les travailleurs Vertus submergés par la négativité

Il faudra améliorer votre caractère si vous voulez profitez des événements favorables qui se produiront à votre travail. Sinon, vous serez exclu des possibilités d'amélioration. De plus, advenant une mise-à-pied, vous serez le premier à partir. Il est évident que cela vous frustrera énormément. Si vous voulez éviter cette fâcheuse situation, soyez moins agressif avec vos collègues. Votre attitude négative déplait énormément à ceux-ci. Certains s'en plaindront aux autorités. Cela ne vous avantagera guère à obtenir une augmentation de salaire ni un changement favorable dans vos tâches. Si vous améliorez votre caractère, vous pourriez prendre part aux changements proposés pour améliorer votre emploi. Vous pourriez même obtenir une aide précieuse pour respecter les échéanciers.

Toutefois, si vous conservez votre caractère vindicatif, attendez-vous à vivre plusieurs problèmes de taille qui vous dérangeront énormément! Cela attaquera votre santé globale. Plusieurs plaintes seront émises contre vous et vous aurez à défendre vos droits dans plusieurs causes. Vous aurez de la difficulté à garder votre sang-froid et vous crierez votre indignation! En agissant ainsi, vous serez pris au piège et vous donnerez raison aux autorités qui chercheront à vous rétrograder, au lieu de promouvoir votre travail.

# Chapitre XXXII

# Événements à surveiller durant l'année 2017

Voici quelques événements qui pourraient survenir au cours de l'année 2017. Pour les situations négatives, lisez-les à titre d'information. Le but n'est pas de vous perturber ni de vous blesser. Il s'agit tout simplement de vous informer.

- Vous vivrez plusieurs situations qui vous passionneront. Cela fait longtemps que vous n'avez pas vécu autant d'événements favorables au cours d'une même année ! L'harmonie sera présente et cela rehaussera votre moral. Vous serez animé par la joie de vivre et par l'amour. Votre cœur sera pétillant de bonheur et cela se reflétera sur votre entourage ! Votre rire sera contagieux ainsi que votre bonne humeur !
- N'oubliez pas que la chance sera à vos côtés lors de certains mois. Attendez-vous à recevoir des cadeaux qui vous rendront heureux. Vous serez gâté par la Providence. Profitez-en pour jouer à la loterie. Vous pourriez obtenir des gains agréables. De plus, certains billets que vous recevrez en cadeau vous réservent de belles surprises monétaires !
- Plusieurs personnes trouveront des pièces de monnaie. Conservez ces pièces et échangez-les contre des vœux ! Il suffit de lancer la

pièce et de faire un vœu! Ainsi, les Anges se mettront à l'œuvre pour réaliser vos vœux! Toutefois, vos vœux doivent être réalistes si vous désirez les obtenir! Vous pouvez également prendre ces pièces trouvées et les insérer dans votre petit pot d'abondance[3]. Lorsque vous en aurez accumulées suffisamment, échangez-les pour un billet de loterie. Cela pourrait être bénéfique et chanceux!

- Vous, ou un proche, aurez des ennuis avec le foie, le pancréas ou les intestins. À la suite de plusieurs examens médicaux, vous serez soignez en conséquence. Toutefois, un avis important vous sera lancé. Il ne faudra pas le prendre à la légère! Sinon, vous subirez un traitement et une intervention chirurgicale dans la même année!
- Surveillez les allergies, les piqûres d'insectes et les rayons du soleil. Protégez régulièrement votre peau! Assurez-vous d'appliquer une crème solaire lors de vos activités extérieures. Certaines personnes qui aiment se faire bronzer au soleil vivront des ennuis cutanés. Vous serez obligé de consulter un dermatologue.
- Certains devront consulter un ophtalmologiste ou un optométriste. Certains devront utiliser des gouttes médicinales pour conserver la santé de leurs yeux. À d'autres, on diagnostiquera la maladie du glaucome. Vous serez suivi méticuleusement par l'ophtalmologiste. Certaines personnes subiront une intervention chirurgicale aux yeux. Vous serez soigné pour votre presbytie.
- Lors de la période hivernale, ne dépassez pas la limite de vitesse. Ne prenez pas le volant en état d'ébriété et évitez de garer votre voiture dans les stationnements interdits. Ainsi, vous éviterez une contravention et le remorquage de votre véhicule.
- Vous, ou un proche, devrez surveiller les outils tranchants. Certains pourraient se blesser. Vous serez obligé de porter un pansement pendant quelques jours. Assurez-vous d'avoir une trousse de premiers soins dans votre pharmacie.

3. J. Flansberry, *Soins Angéliques – L'Argent*, Éditions Le Dauphin Blanc.

- Vous, ou un proche, aurez des ennuis cardiaques. Si vous fumez, votre médecin vous suggéra d'arrêter pour le bien de votre santé ! Il est évident que cela ne sera pas facile. Néanmoins, si vous voulez vivre longtemps et en santé, vous serez obligé d'écouter ses conseils. Certains opteront pour les cigarettes électroniques. Cela ne sera pas le meilleur traitement à suivre. Votre médecin vous suggéra l'hypnose ou un traitement médical pour vous aider. Plusieurs de vos proches vous appuieront dans votre démarche.
- Vous, ou un proche, souffrirez de migraines atroces. Plusieurs devront consulter leur médecin pour les aider à recouvrer la santé. Celui-ci vous fera passer des examens approfondis pour déceler l'origine de vos maux. À la suite d'un diagnostic, certains devront se reposer. D'autres seront médicamentés et quelques-uns subiront une intervention chirurgicale.
- Certains se blesseront à un genou. Vous serez obligé de faire de la physiothérapie pendant quelques semaines pour retrouver votre flexibilité. D'autres seront obligés de subir une intervention chirurgicale à un genou. Vous devrez utiliser des béquilles, le temps de recouvrer votre flexibilité.
- Au cours de l'année, vous amorcerez plusieurs changements pour améliorer votre vie. Retrouver votre équilibre et l'harmonie sera votre priorité. Vous ferez tout pour réussir cette béatitude. Vous y parviendrez au prix d'efforts. Toutefois, cela en vaudra la peine !
- Vous aurez souvent des dialogues avec votre partenaire. Vous ne laisserez rien passer. Lors de problématiques, vous chercherez immédiatement les bonnes solutions pour que l'harmonie revienne dans votre foyer. Il y aura des moments difficiles, néanmoins, votre ardeur à vouloir régler les problèmes instantanément vous apportera de bons résultats. Toutefois, il serait important de ne pas trop crier lors de conversation. Plus vous crierez, moins votre partenaire sera attentif à vos demandes. Plus vous lui parlerez doucement, plus votre partenaire cherchera à combler vos besoins et à régler les problèmes.

- Attendez-vous à planifier un voyage avec votre partenaire. Il peut s'agir d'un voyage de sept jours. Toutefois, vous adorerez vos vacances!
- Un souper en tête-à-tête est à prévoir et vous passerez une magnifique soirée dans les bras de votre partenaire. Vous fêterez un événement! Il peut s'agir de l'anniversaire de votre rencontre!
- Certains aborderont un sujet délicat avec leur partenaire. Vous aurez un profond dialogue concernant un enfant, un membre de la famille, le travail ou la situation financière. La réaction de votre partenaire vous angoissera. Toutefois, la manière dont vous aborderez le sujet atténuera votre anxiété.
- Plusieurs célibataires auront la chance de rencontrer leur partenaire idéal. Ne refusez aucune sortie. Vous rencontrerez des personnes intéressantes et l'une d'elles fera palpiter votre cœur dans tous les sens! Vous serez en amour!
- Plusieurs événements favorables surviendront dans votre année. Saisissez donc ces chances d'améliorer certains aspects de votre vie. Ne les laissez pas passer! Sinon, vous serez déçu!
- Plusieurs travailleurs vivront des changements qui leur seront très bénéfiques. Vous avez travaillé ardemment. Vous récolterez les fruits de vos efforts. Cela vous encouragera à persévérer pour obtenir de bons résultats. Vos compétences seront appréciées et notées par vos employeurs. Cela aura un impact favorable lors de vos entrevues et demandes pour améliorer vos conditions de travail. Vos serez épaulé et vous bénéficierez de l'aide des autorités. Vous serez donc avantagé!
- Tout au long de l'année, vous serez en mesure de surmonter chaque petit obstacle qui se présentera sur votre route. Votre ardeur et détermination vous donneront le courage de vous prendre en main et de régler immédiatement vos problématiques. Vous ferez régulièrement la lumière sur les points qui dérangent votre harmonie. Vous irez aux endroits où se trouvent vos réponses. Par la suite, vous prendrez les décisions qui s'imposent. Tout se réglera et rien ne restera en suspens. Telle sera votre nouvelle vision de la vie pour cette année!

- Votre intuition sera remarquable au cours de l'année. Prenez toujours le temps d'écouter votre voix intérieure. Elle saura bien vous diriger au moment opportun. De plus, si vous sentez un danger, éloignez-vous en immédiatement ! Si l'attitude d'une personne vous laisse indifférente ou vous dérange, évitez les conversations et éloignez-vous en également ! Cela sera favorable. Sinon, vous serez envahi par un problème ardu qui vous déstabilisera énormément. Voilà l'importance d'écouter votre voix intérieure !
- Plusieurs combleront le vide à l'intérieur d'eux. Ils avanceront fièrement vers des buts fixés. De belles réussites les attendent. Vous ferez des efforts qui en vaudront la peine et qui vous valoriseront également. Cela rehaussera votre confiance.
- Certains couples en difficulté auront des décisions importantes à prendre au cours de l'année. Avant de penser à la séparation, prenez le temps d'évaluer et d'analyser votre relation. De plus, misez également sur les dialogues avec votre partenaire. Rien ne sert de crier. Vous ne réglerez rien de cette manière. L'important est de réfléchir à ce que vous voulez vraiment. Faites une analyse de votre vie. Quels sont les points que vous voulez améliorer ? Qu'est-ce que vous attendez de votre partenaire ? Qu'est-ce que vous êtes prêt à faire pour sauver votre union ? Si vous parvenez à trouver vos réponses, vous parviendrez à choisir la meilleure solution pour retrouver votre équilibre affectif et prendre de bonnes décisions.
- Vous, ou un proche, recevrez un pardon de la part d'un ancien amoureux. Celui-ci cherchera à vous reconquérir. Il ne tiendra qu'à vous de décider si vous acceptez sa demande ou si vous la refusez !
- Certains changeront de véhicule au cours de l'année. Vous serez satisfait de votre nouvelle acquisition !
- Quelques-uns planifieront un voyage outre-mer. Vous envisagerez l'Europe. L'Italie et l'Espagne seront vos lieux préférés. Vous aurez beaucoup de plaisir lors de ce voyage ! Vous reviendrez avec des souvenirs agréables et mémorables !

- Les personnes veuves ou divorcées feront de belles rencontres au cours de l'année. Si vous ouvrez la porte de votre cœur, une relation s'amorcera. Vous réaliserez que vous avez plusieurs points en communs avec cette nouvelle connaissance. Bref, laissez vos peurs de côtés et foncez vers ce bel amour. Cela vous changera les idées et animera favorablement vos journées ! Laissez-vous donc aimer !

- Faites attention à l'électricité ! Si vous manquez d'expérience, n'essayez pas de changer une prise électrique. Cela sera dangereux et vous pourriez vous blesser. Surveillez également vos factures d'électricité. Ne les oubliez pas ! Sinon, un avis vous sera envoyé. D'autres réaliseront qu'ils consomment trop d'électricité. Ils changeront certaines de leurs habitudes. De plus, à la suite d'une panne électrique dans votre quartier, vous manquerez d'électricité pendant une période de 24 à 72 heures. Quelques-uns iront loger chez des proches ou dans un motel, et ce, jusqu'à que tout rentre dans l'ordre.

- On vous annoncera le rétablissement de trois personnes malades. Ces nouvelles vous apaiseront énormément.

- Quelques-uns iront faire l'achat d'un portable ou d'un objet électronique. De plus, assurez-vous que vous utilisez une clé de secours pour sauvegarder vos fichiers. Certains pourraient les effacer par mégarde. Votre clé de secours sera grandement appréciée.

- Vous, ou un proche, recevrez une belle surprise de la part du partenaire qui fera palpiter votre cœur de joie ! Il peut s'agir d'un voyage romantique, d'un bijou significatif ou d'un appareil désiré !

- Vous vous fixerez des buts. Six buts seront atteints au cours de l'année, à votre grande joie et satisfaction. Vous travaillerez ardemment pour atteindre ces buts. Néanmoins, vous serez satisfait des résultats.

- Certains se réconcilieront avec un ancien ami, voisin ou amoureux.

- Lors de la période estivale, soyez prudents si vous faites de la motomarine. Au lieu de faire de la vitesse sur l'eau, profitez de votre appareil pour vous balader au soleil. Les personnes négligentes pourraient provoquer un accident désagréable et regrettable.

- L'attitude d'une personne vous blessera énormément. Vous avez tellement aidé cette personne dans le passé. Celle-ci vous tournera le dos sans raison valable. Cela vous peinera énormément. Vous chercherez à connaître les raisons, toutefois, rien ne sortira de sa bouche. Ne vous inquiétez pas cette personne se repentira énormément par la suite. Elle réalisera l'erreur monumentale qu'elle vient de commettre. Il sera trop tard par la suite pour réparer son erreur. Vous aurez tourné la page et avancerez plus serein vers des situations positives.

- N'essayez pas d'atteindre des buts trop élevés. Cela ne vous aidera guère à conserver votre équilibre. Soyez réaliste dans vos choix ! Ainsi, vous éviterez d'être déçu et malade ! Faites un pas à la fois. Ainsi, vous pourriez atteindre vos objectifs plus aisément et en retirez de la satisfaction ! Si vous essayez de tout faire en même temps, vous tomberez malade et vous ne pourrez plus rien entreprendre. Vous serez donc perdant sur toute la ligne ! Si vous êtes raisonnable, vous serez satisfait de vos accomplissements personnels.

- Certains auront le privilège de rencontrer un artiste sur scène. Vous adorerez votre expérience et vous en parlerez longtemps !

- Vous, ou un proche, vivrez de l'intimidation sur une page Facebook que vous gérez ! Certains commentaires seront déplaisants. Une autorité viendra régler le problème très rapidement.

- Si vous buvez, ne prenez pas le volant ! Vous, ou un proche, perdrez votre permis de conduire à cause de la boisson. Vous pourriez également provoquer un accident de la route ou un carambolage. Même les journaux parleront de cet événement. Il est évident que cela vous nuira énormément par la suite.

- Vous, ou un proche célibataire, *chatterez* avec une nouvelle connaissance. Soyez vigilant dans vos nouvelles rencontres sur le net. Certains vivront quelques ennuis à cause d'une nouvelle rencontre. Cette personne possède un casier judiciaire qui pourrait déranger votre quiétude.

- Évitez les achats en ligne si vous n'êtes pas certains de l'honnêteté des gens. Certains pourraient se faire *cloner* leur carte de crédit.
- La santé d'une femme vous inquiétera énormément. À la suite d'un diagnostic, elle devra subir des traitements. Vous consolerez cette femme. Grâce à sa détermination et aux bons soins qui lui seront prodigués, elle recouvrera rapidement la santé, au soulagement de sa famille.
- Plusieurs recevront des petits cadeaux inattendus qui leur feront plaisir. Ces petits cadeaux sont des marques d'affection de vos proches. Ils récompensent votre grande générosité envers eux !
- Cette année, vous mettrez un terme à plusieurs difficultés qui hantent vos journées. Vous vous prenez en main et vous réglerez vos problématiques avec tact et dynamisme. Jamais on ne vous a vu aussi déterminé ! Vos proches vous féliciteront et vous encourageront à continuer à améliorer votre vie !
- Certains procéderont à un grand ménage dans leur maison. Ils feront une vente de débarras. Plusieurs vieux souvenirs s'envoleront en même temps ! Toutefois, vous n'aurez aucun regret. Cela faisait longtemps que vous aviez pensé faire ce ménage.
- Assurez-vous d'avoir une roue de secours dans votre valise, ainsi que des outils nécessaires pour changer une crevaison. Vous en aurez besoin au cours de l'année !
- Lors d'une soirée de vins et fromages, surveillez les plats. Quelques-uns feront une réaction allergique ou un empoissonnement alimentaire. Assurez-vous que les ustensiles utilisés pour couper le fromage soient propre et qu'il ne reste aucun résidu de fromage. Certaines personnes pourraient avoir des ennuis gastriques causés par la malpropreté des ustensiles ou des plats servis.
- Certains voyageurs devraient surveiller les rayons du soleil. Vous pourriez brûler votre peau au premier degré. Vous ferez de la

fièvre et vous serez obligé de revenir plus rapidement que prévu dans votre pays!

- Vous, ou un proche, gagnerez une cause juridique. À la suite de cette nouvelle, un fardeau sera enlevé sur vos épaules. Cela mettra fin à une longue bataille juridique. Vous serez soulagé. Cela faisait tellement longtemps que vous attendiez cette nouvelle. De plus, cela allégera vos nuits de sommeils.
- Un jeune adulte aura des ennuis avec la Loi à cause de la drogue, d'un vol ou d'une dispute avec arme blanche. Il n'aura pas le choix de réclamer l'aide d'un avocat pour le sortir de ce pétrin. La Loi l'obligera à passer quelques nuits en prison et à faire des travaux communautaires. Toutefois, cette personne en retirera une bonne leçon. Ce sera un réveil brutal. Toutefois, après une thérapie, ce jeune se prendra en main et changera sa vie. Il s'éloignera des problèmes, à la grande joie de ses proches!
- Certaines femmes devront mettre un homme à leur place. Sinon, vous serez obligé de le dénoncer. Cet homme vous intimidera par des paroles sexuelles. Vous lui lancerez un premier avis. Si celui-ci persiste, vous agirez avec les autorités!
- Vous, ou un proche, devrez accepter les transformations que subira votre corps à la suite d'une maladie ou d'une intervention chirurgicale. Vous devez également respecter la limite de vos capacités. Ainsi, votre moral se portera mieux et vous vaquerez plus rapidement à vos tâches habituelles.
- Vous assisterez à un événement triste. Vous consolerez une personne en peine. Votre douceur réconfortera énormément cette personne. Elle vous sera très reconnaissante.
- Une maison sera vendue avant la fin de l'année. Cela sera un soulagement pour le propriétaire.
- Une personne vous réclamera une aide financière. Cette personne vivra une bataille financière. Si vos finances vous permettent de l'aider, faites-le! Toutefois, cela ne veut pas dire que cette personne sera en mesure de vous rembourser. À vous de décider!

- Plusieurs recevront des marques d'affection et de tendresse. Vous passerez du bon temps avec vos proches. Vous serez toujours heureux de vous retrouver lors d'événements.
- Certains feront quelques petits voyages en train. Vous aimerez vos petits déplacements !
- Un homme souffrira du zona. Vous serez abasourdi par les ravages que fera cette maladie chez cet homme. Vous lui viendrez régulièrement en aide.
- Plusieurs verront de deux à cinq souhaits se réaliser au cours de l'année ! Vous sauterez de joie et vous n'arrêterez pas de remercier le Ciel pour ces cadeaux providentiels. Les Anges récompensent vos bonnes actions !
- Ceux qui planifient faire du bénévolat, vous serez satisfait de l'aide que vous apporterez aux autres. Certains accompagneront les personnes mourantes à leur dernier repos. Cette expérience vous fera énormément grandir intérieurement.
- Certains auront un ennui avec la toiture, la salle de bains ou la douche. Attendez-vous à nettoyer un dégât d'eau ! Pour quelques-uns les dommages seront énormes et ils devront réclamer l'aide des assurances. Toutefois, assurez-vous que vos assurances sont payées et à jour !
- Ne négligez pas le cautionnement de vos plaques d'immatriculation. À la suite d'une photo radar pour la vitesse, votre véhicule sera remorqué !
- Certains seront fêtés lors de leur anniversaire de naissance. Attendez-vous à recevoir un cadeau de groupe qui vous fera verser des larmes.
- Vous assisterez à une soirée. Vous reviendrez avec un cadeau sous le bras. Vous en ferez des jaloux !
- Plusieurs parents réaliseront que la rentrée scolaire leur coûtera plus cher que prévu ! Vos enfants grandissent et leurs tenues vestimentaires ne leur font plus. Vous serez obligé d'acheter

plusieurs tenues pour l'école. Surveillez vos dépenses au cours de l'été. Sinon, vous aurez de la difficulté à joindre les deux bouts !

- Certains seront convoqués à la barre comme témoin. Cela vous énervera énormément. Ne vous inquiétez pas, tout ira bien !
- Cette année, l'un de vos défunts ou votre Ange vous fera un signe. Il enverra sur votre chemin des pièces de dix sous.

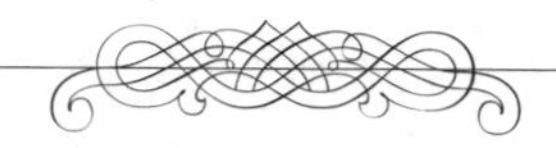

# Partie IX

# *Les Principautés*

*(23 novembre au 31 décembre)*

# Chapitre XXXIII

## L'année 2017 des Principautés

### *Vous remercierez régulièrement l'univers de Dieu pour tous les cadeaux offerts !*

L'année de la spiritualité réveillera les athées et rehaussera l'énergie des croyants ! Vous vivrez tellement d'événements sublimes que vous n'aurez pas le choix de remercier le Ciel pour tous les cadeaux divins ! Vous vivrez de trois à sept événements qui chambarderont favorablement votre vie. Vous n'avez qu'à faire une demande et tout se mettra en place pour la réaliser. Tout viendra à vous comme par enchantement ! Ceux qui saisiront ces chances uniques et qui passeront à l'action seront choyés par les résultats. Ils réaliseront qu'une aide angélique écoute sagement leurs demandes et qu'elle les aide à les concrétiser. Toute cette nourriture spirituelle réveillera votre foi et votre croyance divine. Vous admettrez qu'une force supérieure est présente dans votre vie. Cela fait longtemps que vous n'aviez pas eu cette sensation de présence auprès de vous. Certains croyants auront la chance de voir un Être de Lumière ou de ressentir sa présence auprès d'eux. D'autres verront davantage les signes qu'enverront les Anges sur leur chemin. Vous vivrez intérieurement une béatitude que vous n'aviez pas ressentie depuis longtemps. Même les athées n'auront pas le choix d'admettre qu'une force supérieure les a aidés à atteindre cette félicité! Ils ne crieront pas nécessairement tout haut leur croyance. Toutefois, leur foi grandira et ils remercieront l'Univers pour tous les cadeaux qu'ils recevront. Quelques-uns admettront qu'il existe une force supérieure à eux. D'autres chercheront davantage à connaître l'Univers des Anges.

Cela dit, les croyants continueront à prier les Anges et leur ouvrir la porte de leur cœur ainsi que de leur demeure. Vous serez rayonnant et débordant d'amour. Tous chercheront à se coller à vous. Votre énergie spirituelle se fera ressentir auprès de plusieurs personnes! Ceux-ci chercheront à connaître votre recette magique! Vous serez heureux de leur parler de votre spiritualité et de vos croyances divines. Plusieurs écouteront sagement vos récits et ils chercheront en apprendre davantage sur les Anges. D'autres vous taquineront, par contre, vous aurez tout de même piqué leur curiosité!

L'an passé vous avez dû faire face à plusieurs problématiques. Votre santé globale en a pris un vilain coup! Plusieurs personnes ont vu leurs rêves s'envoler littéralement. Il est évident que cela vous a affecté. Vous avez tellement travaillez ardemment pour les voir se réaliser. Toutefois, certaines problématiques sont intervenues et vous avez dû fournir les efforts pertinents pour les régler. Tous ces ennuis ont provoqué toutes sortes d'émotions à l'intérieur de vous. Le découragement, la peur, l'incertitude, la frustration et le désespoir! Certaines journées ne vous ont pas épargné avec des événements de toutes sortes. Votre foi a été ébranlée à maintes reprises. Plusieurs ont tourné le dos à leur spiritualité et aux êtres divins. Devant autant de problématiques, vous avez pensé que la sphère spirituelle vous avait oublié!

En 2017, l'année de la spiritualité vous amènera à réfléchir profondément sur l'essence de votre vie et l'importance d'être heureux. Vous réaliserez également que les Êtres Divins ont été régulièrement présents auprès de vous. Ils vous ont donné la force, le courage et la détermination de continuer votre route, de vous relever, et de vous prendre en main pour améliorer votre vie. Cette prise de conscience réveillera davantage à l'intérieur de vous la foi et l'espoir qu'un jour meilleur se dessinera devant vous. Ce jour est maintenant arrivé. Il guidera votre année 2017! Attendez-vous à vivre des moments sublimes qui rempliront votre cœur de bonheur! Plusieurs possibilités surviendront et elles agrémenteront votre routine quotidienne. Ces occasions vous donneront le privilège d'amorcer de nouveaux projets, de relever des défis, d'améliorer certains aspects de la vie, de régler des problématiques, de mettre un terme aux souffrances et aux situations négatives. Vous aurez la force, le courage et la détermination de vous prendre en main, de vous lancer corps et âme dans vos projets et de les réussir! Tel sera votre dynamisme au cours de l'année. Rien ne vous arrêtera. Vous serez rempli d'énergie, d'ardeur et d'idées constructives. Vous laisserez finalement le passé derrière vous et vous avancerez plus déterminé que jamais vers un futur rêvé, tout en profitant de vos moments présents. Vous passerez du temps de qualité avec votre famille et vos amis. Vous leur ferez comprendre l'importance qu'ils occupent dans votre vie. Ces aveux de votre part réconforteront énormément vos proches. Ils vous récompenseront également par des paroles et gestes attentionnés à votre égard. Vous êtes heureux et vous partagerez votre bonheur avec vos proches.

C'est certain qu'il y aura des mois difficiles, certaines émotions peuvent refaire surface, comme le doute, la peur de faire de mauvais choix, de ne pas réussir tel que souhaité, etc. Vous serez incertain de vos choix et décisions. Cela provoquera un tourbillon d'émotions et de questionnement. Lors de ces périodes, n'hésitez pas à réclamer de l'aide auprès de l'Ange gouverneur. Celui-ci sera en mesure d'éclairer votre chemin et d'atténuer vos doutes. Sa Lumière rehaussera votre sentiment de confiance. Cela vous permettra de reprendre le contrôle et de continuer votre route vers la réalisation de vos objectifs fixés.

***Les personnes ayant une attitude négative*** resteront dans leur négativité et vivront dans le désespoir. Elles préféreront jouer le rôle de la victime et du souffre-douleur! Elles crieront tout haut leur désarroi. Elles seront en colère avec la vie et l'univers de Dieu. Elles ne croiront en rien. Elles s'amuseront à détruire la foi et la croyance des autres. Elles les attaqueront par des paroles dévastatrices. Inconsciemment, leur âme et leur foi en souffriront énormément. Elles seront souvent envahies par le mal de vivre. À les entendre, elles seules vivent des moments pénibles. Toutefois, elles ne feront rien pour améliorer leur vie. Il est évident que cette attitude dévastatrice attirera vers vous que des ennuis.

De plus, l'allure piteuse que vous emprunterez pour mieux attirer les regards dans votre direction ne vous servira guère à conserver leur amitié et leur soutien. Cela les fera fuir au lieu de se rapprocher de vous et de vous soutenir moralement. De toute façon, vous leur chanterez toujours la même rengaine. À la longue, cela les épuisera. En outre, vous ne faites rien pour améliorer votre sort. Donc, pourquoi vos proches s'acharneraient-ils à vous aider, si vous êtes incapable de le faire vous-même ? N'oubliez pas que votre vie vous appartient. Si vous faites de mauvais choix, cela n'est aucunement la faute des autres ! C'est vous qui avez fait ces choix ! Si vous éprouvez des difficultés financières, c'est vous qui avez engendré ces ennuis. Arrêtez de mettre la faute sur les autres et de les accuser à tort pour ce qui vous arrive dans votre vie ! Si vous voulez que les problématiques cessent, rien de plus simple ; prenez-vous en main et faites les sacrifices nécessaires pour améliorer votre routine quotidienne ! Les autres ne peuvent pas prendre de décision à votre place ni conduire votre vie et faire les changements nécessaires pour retrouver votre équilibre.

De plus, changez votre perception de la vie. Penser que tout le monde vous doit quelque chose puisque vous leur avez apporté du soutien n'est guère gratifiant. Vos proches ont apprécié votre aide. Toutefois, ils ne sont pas obligés de tout faire pour vous. Ils ne sont pas obligés d'être à votre merci. D'ailleurs, votre attitude ne leur inspire guère de vous soutenir et de vous aider. Vous êtes tellement arrogant et pessimiste. Ceux-ci préfèrent occuper leur esprit vers des causes positives et valorisantes.

Si vous souhaitez ardemment améliorer votre vie, changez votre attitude ! Arrêtez de penser que tout le monde vous en veut. Arrêtez de croire qu'on vous doit quelque chose pour l'aide apportée. Arrêtez de jouer la victime et de vous plaindre que personne ne vous aime ! Arrêtez de perdre votre temps à critiquer sur des banalités. Arrêtez de vous apitoyer sur votre sort et agissez pour que l'équilibre anime votre vie. D'ailleurs, plus vous critiquerez, moins les problèmes se régleront. Au contraire, d'autres s'en ajouteront et vos tracas grandiront davantage.

Si vous parvenez à réaliser que votre attitude dérange votre routine quotidienne et que vous êtes la proie de votre négativité, vous ferez un pas constructif vers l'amélioration de votre vie. Si vous pensez différemment et plus positivement, vous réaliserez rapidement que cette nouvelle perception de la vie vous siéra bien et qu'elle vous permettra d'obtenir d'excellents résultats lors de vos actions. Vous attirerez vers vous des situations lumineuses et productives. Cela vous encouragera donc à améliorer votre vie. Bref, réalisez que vous êtes le maître de votre vie. Il ne tient qu'à vous maintenant de choisir entre le bonheur et le malheur !

## Aperçu des mois de l'année des Principautés

Au cours de l'année 2017, **vos mois favorables** seront ***janvier, février, juin, juillet, août, septembre*** et ***décembre***. Lors de ces mois, vous vivrez plusieurs événements qui agrémenteront vos journées. Vous serez également en pleine forme pour accomplir toutes les idées qui vous passent par la tête. Attendez-vous également à faire des rencontres intéressantes, à recevoir de bonnes nouvelles et à trouver des solutions valables pour régler vos problèmes. Tels sont les effets bénéfiques qui se produiront au cours de ces mois. Certains auront le privilège de signer un contrat alléchant. Il peut s'agir d'une vente, d'une augmentation de salaire, d'une entente, etc. Ce papier réalisera l'un de vos rêves ! Il y aura également des mois où la Providence sera à vos côtés. Lors de ces mois de chance, profitez-en pour acheter vos loteries préférées, pour amorcer vos projets, pour prendre une décision, etc. Tout viendra à vous comme par enchantement ! Au cours de l'année 2017, ces **mois chanceux** seront ***janvier, juin, août*** et ***septembre.***

Les **mois non favorables** seront ***mars, mai*** et ***novembre***. Lors de ces mois, vivez une journée à la fois. Régler les problèmes un à un. Cela sera profitable pour votre santé globale ! Plusieurs seront épuisés et découragés par l'ampleur de certains événements. Avant de sombrer dans une dépression, réclamez de l'aide auprès des Anges gouverneurs. Leurs énergies vous aideront à passer à travers vos journées les plus ardues. Vous aurez moins tendance à vous laisser influencer par les situations et les personnes problématiques. Grâce à leur aide, vous ne resterez pas longtemps inerte et vous reprendrez pleine possession de vos capacités. Cela vous encouragera à persévérer pour obtenir les résultats désirés.

Les **mois ambivalents** seront ***avril*** et ***octobre***. Au cours de ces mois, il y aura de belles journées et parfois de moins bonnes. Quelques situations du passé referont surface. Vous serez donc envahi par la nostalgie. Certaines journées, tout ira bien, mais à d'autres, tout ira de travers. Vous serez envahi par toutes sortes d'émotions autant positives que négatives. Si vous le pouvez, prenez le temps de vous reposer et de méditer. Cela vous sera salutaire lors de vos journées compliquées !

## Voici un bref aperçu des événements qui surviendront au cours des mois de l'année pour les Principautés

Une nouvelle année qui s'amorce très bien. Dès le ***10 janvier***, la porte de l'abondance s'ouvre à vous. Tout ce que vous entreprendrez vous apportera de la satisfaction ! Vous travaillerez ardemment, néanmoins, vous serez satisfait des résultats encourus ! Vous serez animé par l'ardeur, la détermination et le courage ! Cette énergie dynamique vous aidera à régler rapidement vos problématiques et à amorcer vos buts fixés. Vous établirez également un plan d'attaque et vous irez de l'avant ! Vous évaluerez le « pour » et le « contre » et vous prendrez les décisions qui s'imposent. Vous analyserez minutieusement chaque situation. Vous ne voulez faire aucune erreur et vous voulez également être satisfait de vos choix. Vous vous fixerez également six objectifs qui vous tiennent à cœur. Vous ferez tout votre possible pour les atteindre et les réussir au cours de l'année ! Vous êtes conscient que vous devez y mettre des efforts, toutefois, vous êtes prêt à le faire ! Cette nouvelle attitude attirera vers vous de bons événements. La satisfaction et le bonheur vous animera régulièrement ! Vous serez heureux et cela se reflétera dans vos actions et dans votre entourage !

De plus, attendez-vous à signer un papier important au cours de ce mois. Ce papier enlèvera un poids de vos épaules. Il peut s'agir d'un rêve qui prend vie à votre grand étonnement ! D'autres partiront en vacances. Vous adorerez votre itinéraire. Ce sera également une période importante pour les célibataires. Vous ferez la rencontre d'une très bonne personne. Ouvrez-lui la porte de votre cœur et une belle histoire d'amour s'amorcera ! Certains couples en union libre parleront de solidifier leur lien soit par un mariage, par l'achat d'une maison ou par la venue d'un enfant. Les femmes désireuses d'enfanter seront dans une période fertile. Certaines femmes donneront naissance à des jumeaux de sexe différent.

Lors de ***janvier***, profitez-en pour acheter vos loteries préférées. Cela sera bénéfique. De plus, si vous connaissez une personne dont le signe du zodiaque est Gémeaux, achetez un billet avec elle. Cela sera chanceux ! La journée du samedi vous apportera toujours de bonnes nouvelles. Profitez-en pour acheter vos billets lors de cette journée.

Certaines personnes malades devront écouter sagement les recommandations de leur médecin. Si vous le faites, vous recouvrerez rapidement la santé et la forme physique. Ne négligez pas les conseils ! De plus, certains devront surveiller les chaussées glissantes. Assurez-vous de porter des bottes antidérapantes. Ainsi, vous éviterez une blessure à la jambe. Bref, ne sortez pas à l'extérieur avec vos souliers d'été. Ce ne sera pas à votre avantage ! Vous pourriez tomber et vous blesser à la hanche ou à la jambe. Certains seront obligés de porter un plâtre pendant quelques semaines. Tout peut être évité. Il suffit d'être vigilant.

Au cours de ***février***, attendez-vous à recevoir trois bonnes nouvelles. Vous réaliserez que l'une de vos actions a porté fruits. Vous serez heureux de cet événement. Cela vous encouragera à continuer dans la même direction. Attendez-vous à bouger beaucoup au cours de ce mois. Certains planifieront des activités familiales. D'autres feront des appels pour finaliser un projet. Quelques-uns iront à la pêche sur glace. Certains iront marchander un nouveau véhicule. Vous fêterez également un événement. Vous recevrez des gens à souper. Vous passerez du bon temps avec vos proches. De plus, si vous prenez des vacances, vous serez heureux de votre voyage. Profitez donc de ces moments agréables. Cela agira favorablement sur vous !

La période printanière s'annonce un peu plus compliquée ! Les personnes malintentionnés, les commérages et les problématiques vous dérangeront beaucoup. Vous serez atterré par l'attitude de certaines personnes. Jamais vous n'auriez pensé qu'elles auraient pu agir de la sorte. Cela dérangera vos émotions. Certains verseront des larmes. D'autres vivront de la frustration et du mépris. Bref, plusieurs situations décevantes viendront hanter votre mois de ***mars***. Certaines situations requerront votre attention immédiate avant qu'elles prennent des proportions majeures. Cela attaquera votre mental. Vous serez maussade, frustré et atterré. Vous ne pourriez rien faire que d'attendre. L'adage suivant : « Seul le temps arrange bien les choses » décrira bien votre mois de mars ! Soyez donc patient, plusieurs événements surviendront et régleront vos ennuis. Toutefois, ces situations bénéfiques surviendront qu'au cours de la période estivale.

De plus, soyez prudent sur la route. Respectez également les panneaux de signalisation. Sinon, vous récolterez une contravention ou un accrochage ! Assurez-vous également que vos assurances et vos plaques d'auto soient payées. Cela vous évitera des ennuis. Également, il faudra surveiller votre santé. Ne brûlez pas la chandelle par les deux bouts. Certains sombreront dans une dépression. D'autres souffriront d'une fatigue chronique. Quelques-uns se plaindront de douleurs et de fièvres causées par une grippe virale. Soignez-vous bien ! Certains devront demeurer au lit pendant une période de neuf jours. Le repos leur sera recommandé. Il serait donc important d'écouter les recommandations de votre médecin. Sinon, cela vous prendra quelques semaines avant de recouvrer la santé et reprendre vos activités habituelles.

À la suite d'événements épuisants, vous relaxerez au cours d'***avril***. Vous réaliserez que votre corps à besoin de repos et vous le respecterez ! De toute façon, votre énergie sera à la baisse. Vous prendrez donc le temps nécessaire pour récupérer et rehausser votre énergie. Lors de période maussade, il serait important d'entreprendre des activités plaisantes, de passer du bon temps avec des gens positifs et de prendre soin de vous ! Cela rehaussera votre énergie et secourra votre mental. Vous serez moins enclin à sombrer dans un état lamentable ! Plusieurs évalueront leur vie au cours d'avril. Vous ferez du ménage. Les dernières semaines ne vous ont pas épargnés en événements de toutes sortes. Vous ne voulez plus revivre certains événements et vous ne voulez plus être le bouc émissaire de certaines personnes. Vous ferez donc du ménage dans vos relations. Vous mettrez un terme aux problématiques qui vous déstabilisent et dérangent votre quiétude intérieure ! Il est évident que cela ne sera pas facile. Toutefois, vous êtes conscient que vous ne pouvez plus demeurer dans cette énergie malsaine.

Attendez-vous à faire face à trois problématiques au cours de ***mai***. Vous relèverez donc vos manches et vous passerez à l'action. Certaines journées seront éprouvantes. Toutefois, vous ne baisserez pas les bras et vous continuerez à amorcer des changements. Vous réaliserez également que vous avez négligé de bonnes personnes. Vous réparerez les pots brisés avant de perdre leur amitié. Vous y mettrez beaucoup d'énergie et d'efforts pour parvenir à trouver un terrain d'entente ainsi que la quiétude dans votre vie. Toutefois, vous y parviendrez ! Lorsque le mois de ***juin*** arrivera, vous récolterez tous les bienfaits de vos efforts. Cela vous encouragera à continuer vos changements et à croire en vos capacités. La période printanière vous en a fait voir de toutes les couleurs ! Vous en avez vécu des émotions lors de cette période. Toutefois, vous êtes parvenu à passer au travers et à régler vos ennuis. Vous serez donc très fier de vous et de vos décisions.

Cela dit, ***en juin***, vous entrez dans une période prolifique. Cette période s'étendra jusqu'à la ***fin septembre***. Profitez au maximum des événements favorables qui surviendront lors de cette période. Votre patience sera bien récompensée. Attendez-vous à voir de trois à six projets prendre vie. Vous serez ébahi par les événements. Certains recevront également trois cadeaux significatifs. Vous verserez des larmes de bonheur ! Quelques-uns verront les résultats d'un projet. Ce résultat sera meilleur que ce que vous aviez souhaité. Vous en serez tout étonné mais tellement heureux ! Plusieurs travailleurs recevront de bonnes nouvelles. Certains vivront une augmentation de salaire. D'autres obtiendront un poste rêvé. Bref, qu'importe ce que vous vivrez, vous serez satisfait !

Cela sera également une période favorable pour faire de bonnes rencontres. Certains célibataires rencontreront l'amour de leur vie. Les gens d'affaires signeront des contrats alléchants. Certains solitaires feront des rencontres amicales qui les aideront à chasser l'ennui et leur solitude. Les couples vivront de bons moments. Les rires, la joie de vivre et la complicité se feront sentir lors de leurs sorties. Bref, tout au long de cette période, vous serez bien entouré et vous profiterez au maximum des temps précieux que vous offre la vie !

Vous mettrez également un terme à plusieurs situations problématiques. Après avoir vécu une période difficile, vous reprenez vos forces et vous agissez en conséquence. Vos paroles seront directes et franches.

Vous ferez également taire les mauvaises langues et vous leur ferez comprendre qu'ils doivent changer leur attitude s'ils veulent conserver votre amitié ! De plus, vous apporterez des changements bénéfiques dans votre routine quotidienne. Cela aura un impact favorable sur votre mental. Vous apprendrez à mieux respecter vos limites au lieu de les dépasser et de vous épuiser ! Un fardeau sera également enlevé de vos épaules et vous en serez soulagé ! Plusieurs réaliseront l'importance de consacrer du temps à leur famille et ils s'organiseront pour planifier des activités avec eux !

Puisque la Providence sera à vos côtés, profitez-en pour acheter vos loteries préférées. Si vous désirez vous joindre à un groupe, priorisez les groupes de trois ou de six personnes. Si vous connaissez une personne dont le signe du zodiaque est Poissons, Taureau ou Sagittaire, achetez des billets avec elles. Celles-ci attireront la chance dans votre direction. Certains gagneront trois belles sommes d'argent au cours de cette période. De plus, si vous recevez des billets en cadeau, ce sera profitable. Tout au long de l'année, vous offrirez régulièrement vos services. Certains vous récompenseront en vous donnant un billet de loterie. Cela sera chanceux pour plusieurs. Vous ferez des gains grâce aux loteries reçus en échange de service ! Ce sera également une période prolifique pour les artistes. Vous pourriez connaître le succès grâce à l'une de vos œuvres. Vous y avez mis beaucoup d'efforts pour obtenir de bons résultats. Vous récolterez donc les bienfaits de vos efforts ! Plusieurs hommes seront choyés par leurs enfants lors de la fête des pères. Leur marque d'affection vous touchera énormément. Vous passerez une magnifique journée en leur compagnie.

La seule ombre au tableau : les allergies et les piqûres d'insectes. Plusieurs personnes souffriront d'allergies ou réagiront aux piqûres d'insectes. Vous serez obligé de prendre un médicament pour contrer les réactions virulentes que peuvent provoquer ces problématiques. De plus, surveillez les beaux charmeurs. Ne vous laissez pas impressionner par leur attitude et n'abandonnez pas votre relation amoureuse pour eux. Sinon, vous ferez une grave erreur. Vous serez déçu et des larmes couleront. Il sera trop tard pour réparer votre faiblesse !

En ***octobre***, plusieurs regretteront un geste commis ou une parole dite. Vous réaliserez que votre attitude a touché profondément l'un de vos proches. Vous aurez du chagrin. Vous ferez tout pour réparer votre erreur. Ce ne sera pas facile. Soyez tenace et tout se réglera! Bref, vous ferez face à trois problèmes de taille. Vous ne saurez plus dans quelle direction vous tournez! Votre vigilance et votre diplomatie seront de mise. Ainsi, vous réglerez astucieusement et favorablement vos problématiques. Toutefois, si vous pointez du doigt et que vous accusez les gens sans aucune preuve à l'appui, ceux-ci vous écraseront. Réfléchissez profondément aux conséquences de vos actes avant d'agir ou de parler. Cela sera favorable et vous évitera de graves ennuis! Si vous agissez professionnellement, vous réglerez adéquatement vos problématiques. Si vous perdez le contrôle, vous échouerez. Aucune issue ne sera présente pour vous libérer de vos ennuis. Cela attaquera votre santé mentale. Il vaut mieux régler avec diplomatie vos problèmes, vous serez gagnant. Si vous agissez pernicieusement, vous serez perdant! Il en est de même pour ***novembre***.

Certains éprouveront des ennuis causés par un enfant ou un ancien partenaire. Vos discussions seront vives et animées. De plus, certains parents auront tendance à se disputer devant les enfants. Vous risquez d'énerver l'un de vos enfants. Celui-ci éprouvera quelques difficultés scolaires. Certains parents recevront un appel de la direction. Le problème sera analysé et vous serez convoqué à un entretien avec le directeur et le psychologue de l'école. Ce sera une période compliquée qui dérangera l'harmonie dans votre foyer. Il serait donc important de discuter avec votre partenaire sans la présence de vos enfants. Ainsi, vous éviterez de sérieux ennuis. Les couples qui éprouvent de la lassitude dans leur relation trouveront la période automnale très difficile émotionnellement. Certains quitteront le foyer et ils se disputeront la garde des enfants.

Cela dit, plusieurs devront relever des défis de taille au cours de ce mois. Certains seront découragés par l'ampleur des événements. D'autres réaliseront qu'ils doivent quitter un partenaire ou un lieu de travail pour recommencer sur des bases plus solides. La fatigue et le stress dérangeront plusieurs. Certains devront prendre quelques jours de congé pour récupérer! Tout vous arrive en même temps! Il est évident que cela n'est pas sans vous épuiser. Il serait donc important de vous reposer lorsque le corps réclame du repos. Cela vous sera salutaire! Lors de cette période, couvrez-vous bien. Certains se plaindront de torticolis, de laryngites, de sinusites et d'otites. Vous serez obligé de prendre un médicament pour soulager votre douleur.

Finalement, vous êtes conscient qu'une décision s'impose avant que l'année se termine. Ce n'est pas sans vous énerver et vous peiner. Au cours de ***décembre***, vous parviendrez à trouver de bonnes solutions et les appliquer à vos problématiques. Cette action vous permettra de finir l'année en beauté. Vous serez soulagé et anxieux d'amorcer votre nouvelle année avec votre nouvelle vision de la vie. Vous bougerez beaucoup. Vous serez dans les préparatifs de Noël. Vous réaliserez également que tous vos changements qui s'amorcent doucement améliorent déjà plusieurs aspects de votre vie. Cela vous encouragera à continuer à faire des changements pour retrouver la quiétude et l'harmonie dans votre foyer.

Au cours de ***décembre***, vous misez sur votre nouvelle année. Vous gardez espoir que votre vie s'améliorera et que vous ne ferez plus les mêmes erreurs. Cette détermination de votre part engendra de belles réussites au cours de la prochaine année. Certains iront marchander un nouveau véhicule. Vous serez satisfait de votre transaction. D'autres partiront en voyage. Vous irez vous reposer ! Quelques-uns changeront de lieu de travail. Bref, plusieurs personnes feront un pas important avant que l'année se termine. Ce pas engendra un impact majeur dans leur nouvelle année. Vous serez heureux et satisfait de vos efforts pour améliorer votre vie. Vous réaliserez que cela en vaut la peine puisque vous récolterez plus que ce que vous aviez souhaité !

---

***Conseil angélique des Anges Principautés :*** *Faire place aux changements n'est jamais facile. Vous pourriez rencontrer quelques difficultés qui risquent de vous décourager. Tel un brave chevalier, n'ayez pas peur d'avancer ni d'amorcer des changements lorsque cela s'impose. Prenez votre courage à deux mains et améliorez votre vie ! Vous prendrez de l'expérience ! Vous deviendrez intrépide ! Cela aura un impact favorable lors de vos actions. Votre ténacité et dynamisme vous donneront l'ardeur de braver courageusement* *toutes les intempéries de la vie. Peut-être reculerez-vous d'un pas, mais ces intempéries vous stimuleront suffisamment pour que vous puissiez ensuite marcher à pas de géants avec confiance et détermination. Ainsi, vous deviendrez un vaillant chevalier qui, contre vents et marées, parvient toujours à arriver bon premier et à être décoré de la médaille de bravoure ! Cette année, nous serons heureux de vous décorer de cette médaille. Pour vous annoncer notre présence auprès de vous, nous vous enverrons des signes particuliers. Nous vous montrerons un colibri, soit en image ou en réalité. Ce symbole annonce un changement important qui se produira dans votre vie. Ce changement améliorera un aspect particulier. À la suite de ce symbole, attendez-vous à vivre un beau bonheur. Nous vous montrerons également le chiffre « 3 ». Ne soyez pas surpris de regarder votre réveille-matin et d'y lire 3h33 ! Nous nous amuserons à vous annoncer notre présence auprès de vous. De plus, ce nombre annoncera une bonne nouvelle qui arrivera sous peu. Nous avons pris connaissance de l'une de vos demandes et nous envoyons plusieurs possibilités sur votre chemin pour que cette demande puisse être exaucée tel que vous le souhaitez !*

## Les événements prolifiques de l'année 2017

* N'hésitez pas à prier et à faire des demandes aux Anges. Ceux-ci répondront bien à votre appel ! Si vous saisissez toutes les opportunités qu'ils enverront sur votre chemin. Vous verrez trois de vos rêves prendre vie à votre grande joie et étonnement ! De plus, plusieurs de vos demandes seront également accordées ! N'oubliez pas de les remercier pour toute l'abondance qu'ils vous accorderont !

* Plusieurs auront le privilège de voir un Ange ou de le ressentir. Vous en parlerez longtemps de cette expérience divine. Il est évident que cela rehaussera davantage votre foi et votre croyance envers leur énergie.

* Au cours de l'année, vous vivrez plusieurs événements riches, agréables et remplis d'espoir. Ceux-ci viendront bonifier votre vie et la remplir de bonheur ! Vous serez subjugué par tous ces moments euphoriques. Cela remplira votre cœur de joie et d'ardeur pour continuer votre route et persévérer. Tous ces événements vous feront prendre conscience que votre vie s'améliore et que vous suivez bien le cours des événements. Vous reprenez votre pouvoir et goût à la vie. Cela vous avantagera dans plusieurs aspects de votre vie.

* Malgré les changements nécessaires qui devront s'opérer dans votre vie, vous sortirez souvent gagnant de vos batailles. Vous serez satisfait de tout ce que vous entreprendrez pour améliorer votre routine quotidienne. Vous irez chercher toutes les ressources nécessaires pour mettre sur pied vos projets et idées. Vous ne reculerez devant rien ! Vous irez droit au but. Rien ni personne ne pourra vous arrêter. Vous serez friand de nouveauté. Vous aurez la tête remplie d'idées ingénieuses et vous ferez votre possible pour les réussir ! Telle sera votre vivacité en 2017 !

* La Providence pourrait gâter quelques-uns ! Ne soyez pas surpris de gagner un montant d'argent considérable ! De plus, tous ceux qui ont eu des problèmes financiers auront la chance de se replacer au cours de l'année. Certaines situations vous seront bénéfiques et elles vous aideront à remonter la pente financièrement. Toutefois, il faudra être très discipliné et éviter les dépenses inutiles. En respectant votre budget, vous reprendrez le contrôle de vos finances. Cela allégera le poids sur vos épaules.

* Vous aurez régulièrement le privilège de vous trouver au bon endroit, au moment opportun. Cela vous favorisera dans plusieurs aspects de votre vie. De plus, il y aura toujours une bonne nouvelle qui arrivera à point. Plusieurs de vos journées seront agréables. Vous ferez des sorties familiales. Vous aurez des conversations enrichissantes et divertissantes avec vos proches. Vous planifierez des activités. Bref, vous vivrez et prendrez le temps de savourer chaque moment agréable qui se présentera à vous ! Vous profiterez de la vie et cela aura un impact favorable sur votre mental !

## Les événements exigeant la prudence

* Plusieurs situations requerront votre attention immédiate. Vous bougerez beaucoup. Vous serez productif, constructif et créatif. Vous ne laisserez rien en suspens et vous vous organiserez pour terminer tout ce que vous entreprendrez ! Parfois, la fatigue et l'épuisement vous envahiront. Il serait donc important de surveiller votre environnement pour éviter des blessures graves. De plus, évitez d'amorcer des actions qui s'avéreront dangereuses lorsque la concentration n'y est pas. Cela sera important. Vous éviterez ainsi de fâcheux incidents !

* Surveillez également votre santé. Ne négligez jamais les alarmes de votre corps. Si une douleur persiste, consultez votre médecin. Si vous vous négligez trop, vous vous retrouverez avec des ennuis de santé qui entraineront la prise de médicament, une intervention chirurgicale ou un arrêt obligatoire de vos tâches quotidiennes avec une date de retour indéterminée ! De plus, les personnes cardiaques devront redoubler de prudence. Ne surpassez pas la limite de vos capacités et reposez-vous lorsque vous êtes fatigué. Cela sera favorable et sécuritaire pour le bien de votre santé ! Sinon, vous serez victime d'un infarctus avant que l'année se termine. Il faudra plusieurs mois avant de récupérer de ce malaise.

* N'oubliez jamais de remercier les gens qui vous apporteront de l'aide, qu'il s'agisse de paroles, d'aide, de projet, d'un montant d'argent ou autres faveurs. Soyez diplomate et appréciez leur geste envers vous ! Ces personnes ne sont pas obligés de vous aider ni de vous appuyer dans vos démarches. En les remerciant, cela les encouragera à continuer à vous prêter main forte dans vos projets. Si vous les négligez, vous n'obtiendrez plus leur soutien. À la longue, vous réaliserez que leur aide était précieuse et que vous aviez besoin de leur performance. Il sera difficile de trouver des gens aussi généreux, compétents et fidèles qu'eux. Votre perte sera lourde. Il sera trop tard pour réparer les pots brisés. Ne négligez pas ce conseil ! Cela vous sera utile et profitable !

- Surveillez également vos états d'âme. Plusieurs seront envahis par la nostalgie du passé. Vous verserez des larmes, vous serez lunatique et inaccessible pendant quelques jours. Vos proches auront de la difficulté à comprendre votre attitude. Cela les inquiètera énormément. Il est vrai qu'il n'est pas facile d'oublier une personne que l'on a beaucoup aimée. Il n'est jamais facile de se relever de la perte d'un être cher. Que ce soit par le décès, la séparation ou la maladie. Ce sont de dures épreuves. Lorsque la nostalgie vous démoralisera et vous envahira, assurez-vous de faire des activités agréables. Ainsi, vous serez moins enclin à la dépression. De plus, confiez-vous aux personnes de confiance. Leurs conseils et leur écoute apaiseront vos états d'âme.
- Évitez les potins et surveillez vos paroles. Sinon, vous serez impliqué dans une situation problématique dont vous aurez de la difficulté à vous libérer. Vous pourriez blesser de bonnes gens. Cela vous épuisera et pourra même vous rendre malade. Avant de juger le comportement d'une personne, renseignez-vous à son sujet. Arrêtez d'écouter les balivernes de tout le monde. Certaines personnes jalouses chercheront à vous induire en erreur. Vous pourriez éloigner une personne honnête et importante pour la réalisation de vos projets. Il est évident que cela vous dérangera énormément par la suite. Toutefois, il sera trop tard pour réparer votre erreur ! Réfléchissez avant de parler ! Ainsi, vous éviterez un désastreux incident.

# Chapitre XXXIV

# Informations supplémentaires propres à chacun des Anges Principautés

## *Les Principautés et la chance*

En 2017, la chance des Principautés sera **bonne.** Toutefois, elle sera **excellente** lorsqu'ils recevront des billets en cadeau. Cette année, vos services seront bien récompensés. Plusieurs personnes vous achèteront des loteries en guise de remerciement. Vous leur rendrez service, vous ne voulez rien en retour. Pour vous récompenser de votre grande bonté, ceux-ci vous offriront une loterie ou autre cadeau agréable. Vous gagnerez régulièrement avec ces loteries reçues en récompense. Vous pourriez gagner des billets gratuits, de petites sommes d'argent et parfois des gains considérables! Sachez remercier les personnes qui attireront la chance dans votre direction grâce à leur présent! Cela les encouragera à vous gâter davantage!

Les enfants de **Vehuel,** de **Nithaël**, de **Mebahiah** et de **Poyel** seront plus disposés à recevoir des loteries en cadeau et à faire des gains. De plus, misez sur vos loteries préférées. Cela sera favorable.

Au cours de l'année 2017, plusieurs chiffres seront prédisposés à attirer la chance dans votre direction. Toutefois, les chiffres **07**, **21** et **37** seront les plus prolifiques pour vous. Votre journée de chance sera le **samedi.** Les mois les plus propices pour attirer la chance vers vous seront **janvier, juin, août** et **septembre**. Plusieurs situations bénéfiques surviendront lors de ces mois. Profitez-en donc pour acheter des loteries, pour prendre des décisions, pour signer des contrats, pour faire des changements, etc. Ces mois vous avantageront dans plusieurs aspects de votre vie. Lorsqu'une opportunité s'offrira à vous, saisissez votre chance ! Ne laissez pas passer ces occasions uniques d'améliorer votre vie ! Celles-ci sont souvent éphémères et de courte durée ! Voilà l'importance d'en profiter au moment opportun !

De plus, n'oubliez pas de prendre en considération le chiffre en **gras** relié à votre Ange de Lumière. Ce numéro représente également un chiffre chanceux pour vous. Plusieurs situations bénéfiques pourraient être marquées de ce nombre. Il serait important de l'ajouter à votre combinaison de chiffres. Toutefois, votre Ange peut également utiliser ce numéro pour vous annoncer sa présence auprès de vous. Lors d'une journée, si vous voyez continuellement ce chiffre. Cela indique que votre Ange est avec vous. Profitez-en pour lui parler et lui demander de l'aide ! Cela peut également signifier de prier l'Ange gouverneur. Vous avez possiblement besoin de sa Lumière pour traverser l'une de vos épreuves, pour prendre une décision, pour régler une problématique, etc. Soyez toujours attentif aux signes que vous enverront les Anges au cours de l'année. Ceux-ci vous seront d'un grand secours !

---

***Conseil angélique :*** *Si vous voyez une libellule ou une étoile filante, achetez un billet de loterie puisque ces deux symboles représentent votre signe de chance.*

---

***Vehuel :*** 15, 17 et 39. Le chiffre « **17** » est votre chiffre chanceux. La chance vous sourira au cours de l'année. Attendez-vous à recevoir de magnifiques surprises qui vous rendront heureux. Les Anges ont entendu vos prières et ils vous gâteront régulièrement ! Vous serez toujours ébahi par les cadeaux qui viendront vers vous. Qu'il s'agisse d'un montant d'argent, de billets gratuits, d'une bonne nouvelle, de la réalisation de l'un de vos projets, etc., vous serez gâté par la Providence. Les Anges récompenseront vos bonnes actions envers autrui. Cela vous encouragera à continuer d'aider votre prochain et de les soutenir dans leurs épreuves. Les gens apprécieront régulièrement votre aide. Des « mercis » seront souvent prononcés dans votre direction. Vos gestes seront bénéfiques et vos proches apprécieront énormément votre grande générosité envers eux !

Jouez seul. Profitez-en pour acheter vos loteries préférées ! Cela sera chanceux. De plus, les loteries instantanées vous apporteront également de la chance. Toutefois, si vous désirez joindre un groupe, les groupes de deux, de trois et de dix-sept personnes vous favoriseront dans les jeux de hasard. Si vous connaissez une personne dont le signe du zodiaque est Poissons, achetez un billet avec elle. Cela sera chanceux ! Si vous connaissez une éducatrice, une professeure, une infirmière, une coloriste et une décoratrice intérieure, achetez des billets avec elles. Ces personnes attireront la chance vers vous.

Cette année, vous renaissez à la vie ! Vous réglerez plusieurs problèmes reliés avec votre passé. Vous videz vos placards de souvenirs. Vous garderez seulement les bons souvenirs et vous vous départirez des autres ! Fini les larmes causés par la nostalgie et par les problèmes du passé. Plus que jamais, vous avez besoin de vivre votre vie et non la subir et souffrir. Vous vous prenez donc en main et vous améliorez tous les aspects qui dérangent votre quiétude et votre joie de vivre ! Vous apporterez plusieurs améliorations qui chambarderont positivement votre vie. Cela fait longtemps que vous rêvez de faire ce ménage. Vous aurez l'occasion de le faire cette année. Ce sera pour vous une année constructive et enrichissante. À chaque problème, vous trouverez une solution. À chaque question, vous obtiendrez une réponse. Rien ne restera en suspens et tout se réglera grâce à votre détermination. Attendez-vous à réussir deux projets qui vous tiennent à cœur. Vous serez très fier de vous et de tout ce que vous entreprendrez pour améliorer votre vie. Votre vivacité vous permettra d'affronter les pires intempéries de la vie. Cela fera d'un vous une personne courageuse et perspicace. Attendez-vous à de belles réussites au cours de l'année. Malgré certaines épreuves, vous parviendrez toujours à vous en sortir et à trouver de bonnes solutions pour régler le tout rapidement!

***Daniel :*** 02, 34 et 43. Le chiffre «**34**» est votre chiffre chanceux. La Providence vous surprendra! Vous aurez de la difficulté à le croire! Toutefois, vous serez toujours satisfait des cadeaux qu'elle vous réservera. Il peut s'agir de sommes d'argent comme des cadeaux utiles. De toute façon, vous serez heureux d'accueillir ces surprises inattendues. Profitez-en également pour participer à des concours de circonstance. Cela sera bénéfique. Vous pourriez gagner toutes sortes de prix agréables! Certains auront le privilège de régler un problème ardu. Vous serez très heureux de la tournure des événements, comme si vous veniez de gagner à la loterie!

Cette année, priorisez les groupes. Cela sera à votre avantage. Les groupes de deux, de trois et de sept personnes seront prédisposés à attirer la chance vers vous! Si vous connaissez un avocat, un juge, un policier, un éboueur ou un homme qui travaille dans le métal ou le recyclage, achetez un billet avec eux. Cela vous portera chance! Toutefois, assurez-vous de placer immédiatement le billet dans un lieu sûr. Certains pourraient accidentellement jeter à la poubelle leurs billets ou les égarer! Cela vous attirera des ennuis avec les membres du groupe!

Cette année, vous vous prenez en main et vous amorcez des changements importants pour rétablir l'harmonie dans votre vie. Au lieu de vous plaindre et de ne rien faire, vous passez à l'action! Vous êtes exaspéré d'être le bouc émissaire de vos proches. En 2017, vous changez de rôle! Au lieu de jouer à la victime, vous optez pour le rôle de gagnant. Vous utiliserez plusieurs stratagèmes pour parvenir à vos fins et pour obtenir de bons résultats. Néanmoins, vous aurez le privilège de trouver des solutions qui régleront vos problématiques. Vous n'attendrez plus après les commentaires des autres ni leurs conseils. Trop souvent, vous avez dû retarder vos changements pour leur faire plaisir. Cette année, vous changerez de tactique. Bref, vous foncerez et agirez selon votre intuition et vos décisions. Il y aura des moments où vous ferez des erreurs.

Malgré tout, vous continuerez votre chemin avec la ferme intention de régler vos ennuis. Lorsqu'une erreur arrivera, vous y trouverez une bonne solution pour la régler. Telle sera votre cran au cours de l'année. Cette attitude vous permettra de prendre le contrôle de votre vie et de ramener l'harmonie dans votre domicile. Cela sera important pour vous. Certains obtiendront un gain avec une cause judiciaire, gouvernementale ou autre. D'autres régleront un problème relié avec les poubelles ou le recyclage. Il y aura beaucoup d'actions en 2017. Néanmoins, vous ne regretterez rien puisque les résultats avantageront continuellement votre quotidien.

***Hahasiah :*** 13, 18 et 30. Le chiffre « **13** » est votre chiffre chanceux. Vous vivrez plusieurs situations prolifiques qui auront un impact bénéfique dans votre vie. Cela vous permettra de vous prendre en main et de renaître à la vie. Vous récolterez régulièrement les bienfaits de vos efforts et de votre générosité. Plusieurs proches vous récompenseront par des petits cadeaux ou des billets de loterie. Certains billets vous apporteront de petits gains ! Toutefois, qu'importe le cadeau ! Vous serez toujours heureux des marques d'attention qui seront portés à votre égard !

Vous avez la main chanceuse et une intuition élevée ! Choisissez donc vos billets. Les loteries instantanées vous apporteront également de la chance. Si vous désirez joindre un groupe ; les groupes de deux, de trois, de quatre et de treize personnes attireront la chance dans votre direction. Si vous connaissez un thanatologue, un massothérapeute, un fleuriste ou un cuisinier, achetez un billet de loterie avec eux. Cela sera chanceux !

Cette année, la chance sera fera également sentir au niveau de vos actions et décisions. Plusieurs mettront un terme aux fantômes du passé et à plusieurs problématiques qui dérangent leur harmonie. Fini les larmes causées par les personnes négatives et par les problèmes de toutes sortes. Cette année, vous vous prenez en main et vous régler astucieusement vos problèmes. Certaines journées ne seront pas faciles. Toutefois, vous êtes conscient que vous n'avez pas le choix d'agir ainsi pour vous libérer définitivement de vos tracas. Vous prendrez un problème et vous trouverez la meilleure solution. Ce procédé attirera de bons résultats. Cela vous encouragera à continuer d'amorcer des changements pour améliorer votre routine quotidienne. Vous apporterez plusieurs améliorations dans votre vie. Vous serez satisfait de vos choix et décisions. Les résultats seront au-delà de vos espérances ! Vous laissez derrière vous les peurs, l'inertie, les doutes et le manque de confiance. Vous renaissez à la vie et vous agissez promptement ! Attendez-vous à savourer de belles réussites au cours de l'année, et ce, grâce à votre perspicacité et votre désir d'améliorer votre vie ! De plus, certains auront le privilège de voir trois de leurs vœux prendre vie à leur grand étonnement ! Vous réaliserez que votre patience a valu la peine puisque vos récoltes seront abondantes !

***Imamiah :*** 02, 10 et 36. Le chiffre « **2** » sera votre chiffre chanceux. Jouez modérément. Si l'envie d'acheter un billet de loterie titille à l'intérieur de vous, faites-le ! Autrement, abstenez-vous d'en acheter ! La chance favorisera vos actions et vos décisions et non pas les loteries. À moins que vous en receviez en cadeau ou que vous joigniez un groupe. Cela dit, lors d'événements, vous aurez toujours le choix entre deux situations. Cela vous favorisera dans vos décisions. Vous n'aurez qu'à choisir ce qui vous convient le mieux ! Telle sera votre chance en 2017 !

Au lieu de jouer seul, joignez des groupes ! Les groupes de deux et de trois personnes seront favorables. Si vous connaissez une personne qui travaille dans le monde médical, achetez un billet avec elle. Celle-ci attirera la chance dans votre direction !

Cette année, la chance touchera plusieurs aspects de votre vie. Vous travaillerez ardemment. Néanmoins, vous parviendrez à reprendre le dessus. Certaines journées seront très compliquées. D'autres seront agréables et productives. L'important est votre vivacité à accomplir des actions qui favoriseront votre routine quotidienne. Malgré certaines intempéries de la vie, vous parviendrez toujours à trouver une bonne solution au moment opportun. Cela vous encouragera à persévérer pour obtenir de bons résultats ! Toutefois, attendez-vous à faire face à deux situations précaires. Votre vigilance et votre diplomatie seront de mise. Sinon, vous pourriez déclencher une bataille que seule la Loi parviendra à régler pour vous. Tout cela peut être évité, il suffit d'utiliser la diplomatie au lieu de la vengeance ou de l'ignorance. À vous de choisir ce qui vous convient le mieux !

De toute façon, tout au long de l'année, vous aurez le privilège de choisir entre deux options. Assurez-vous de choisir la bonne! Bref, après avoir vécu des moments pénibles, plusieurs retrouveront la paix et l'équilibre dans leur cœur. Cela vous aidera à trouver un sens à votre vie. Vous réaliserez également que vous avez négligé de bonnes personnes aux dépens de personnes manipulatrices et mensongères. Vous ferez donc un ménage. Vous réparerez aussi les pots brisés par votre attitude. Certaines personnes accepteront votre pardon. D'autres auront un peu de la difficulté. Vous les avez tellement blessées. Il faudra utiliser de la patience et leur prouver votre bonne intention d'améliorer votre caractère. Si vous le faites, ces personnes reprendront confiance en vous! Cela vous rendra heureux et prolifique lors de vos projets! Leur appui vous sera indispensable!

***Nanaël :*** 12, 20 et 22. Le chiffre « **22** » est votre chiffre chanceux. Votre chance arrivera toujours au moment opportun et vous l'accueillerez toujours à bras ouverts! Participez à des concours de circonstances. Ceux-ci vous permettront de passer de belles soirées divertissantes. Quelques-uns auront le privilège de gagner des soupers gastronomiques, des sorties au cinéma, des concerts de musique, etc.

Jouez seul et modérément. Misez sur vos loteries préférées. Vous ne gagnerez pas d'énormes sommes, toutefois, il sera toujours agréable de voir que l'un de vos billets est gagnant! Si vous désirez joindre un groupe, les groupes de deux et de trois personnes seront prédisposés à attirer la chance dans votre direction. Lors d'une sortie à l'extérieur de votre ville, profitez-en également pour acheter des billets de loterie. Cela sera chanceux! Si vous connaissez une personne dont le signe du zodiaque est Bélier ou Capricorne, achetez un billet avec elle. De plus, si vous connaissez un joueur d'hockey, de volleyball, de soccer, de ringuette ou de baseball, achetez un billet avec lui. Cela sera extrêmement chanceux! Si une personne aux cheveux roux vous remet un billet en cadeau ou vous offre la possibilité d'acheter un billet, acceptez! Vous pourriez détenir un billet gagnant!

Cette année, vous serez partout en même temps et vous ferez mille et une activités. Vous aurez la tête remplie d'idées constructives et vous chercherez à les réaliser! Vous serez en forme pour entreprendre tout ce qui vous passe par la tête. Vous ne serez pas de tout repos! Votre détermination vous permettra de trouver de bonnes solutions pour régler vos tracas. Vous ferez également la lumière sur des situations ambiguës et problématiques. Vous résoudrez des conflits et les problèmes qui dérangent votre quiétude. Vous ne laisserez rien passer et vous réglerez tout. Vous serez direct et ferme dans vos propos ! Gare à ceux qui chercheront à vous induire en erreur. Ils le sauront rapidement ! Vous risquez de les envoyer se promener avec un ton ironique ! Vous leur ferez comprendre que leur attitude est déplaisante et que vous n'avez rien à faire avec eux ! À moins qu'ils changent d'attitude à votre égard.

Vous êtes exaspéré d'être le bouc émissaire de vos proches, de tout accomplir pour eux sans aucun remerciement ni respect de leur part. Cette année, cela va changer ! Vous prendrez soin de vous en premier et vous tiendrez tête à ceux qui chercheront à vous manipuler ou à vous faire changer d'idée. Attendez-vous donc à amorcer des changements importants dans votre vie. Vos pas seront constructifs. Vous irez aux endroits bénéfiques pour vous. Cette nouvelle vision de la vie attirera la paix, la quiétude, la joie et la satisfaction dans votre foyer. Plusieurs auront le privilège de voir l'un de leurs projets prendre vie, à leur grande joie !

***Nithaël :*** 06, 18 et 30. Le chiffre « **6** » est votre chiffre chanceux. Vous serez gâté par la Providence. Attendez-vous à recevoir de deux à six cadeaux importants au cours de l'année. Il peut s'agir de sommes d'argent, de bonnes nouvelles ou la réalisation de vos rêves. De plus, toute l'aide que vous apporterez aux autres sera largement récompensée. Attendez-vous à recevoir des éloges, des petits cadeaux agréables et utiles, des billets de loteries, etc. Également, tous les billets de loteries que vous recevrez en cadeau seront bénéfiques. Certains gagneront des billets gratuits et de petites sommes d'argent. Toutefois, quelques-uns pourraient gagner le gros lot indiqué sur le billet !

Jouez seul et optez pour vos loteries préférées. Si vous désirez joindre un groupe, les groupes de deux, de quatre et de six personnes seront prolifiques. Si vous connaissez un homme barbu dont le signe du zodiaque est Bélier ou Capricorne, achetez un billet avec lui. Cela sera chanceux ! Si vous connaissez également un banquier, un comptable, un militaire ou un gestionnaire, achetez un billet avec eux. Ceux-ci attireront la chance dans votre direction !

Cette année, la chance se fera également sentir dans vos actions pour régler vos problématiques. Vous serez confronté à trois problèmes que vous devez régler rapidement. Votre intuition vous aidera à trouver de bonnes solutions. Vous serez souvent au bon endroit, au moment opportun. Cela vous avantagera lors de la prise de décision et lors de changements. Plus que jamais, vous avez besoin d'améliorer votre vie. Vous êtes épuisé de souffrir à cause de votre passé, des personnes problématiques et des situations envenimées. Vous êtes exaspéré de votre vie misérable. Vous avez un urgent besoin de voir luire le soleil dans votre demeure, et avec raison! Votre détermination et votre ardeur vous permettront de passer à l'action et d'obtenir des résultats extraordinaires. Chaque problème détiendra sa solution. Chaque question possédera sa réponse. Vous prendrez régulièrement les procédures qui s'imposent pour régler astucieusement vos problématiques. Rien ne restera en suspens et tout se réglera! Gare à ceux qui chercheront à vous induire en erreur! Vous leur tournerez rapidement le dos et vous éloignerez d'eux.

Cette année, votre besoin fondamental est de vous entourer de personnes dynamiques et agréables. Vous chasserez les personnes malintentionnées et négatives de votre vie. À moins qu'elles changent leur attitude en votre présence. De plus, toute bonne action que vous apporterez aux autres sera largement récompensée. Vos proches vous aiment et vous le démontreront par de belles attentions à votre égard. Pour plusieurs, un nouveau cycle s'annonce pour eux, meilleur que le précédent! Avant que l'année se termine, une personne s'agenouillera devant vous et réclamera votre pardon. À vous de décider! Toutefois, cette personne sera sincère dans sa démarche!

***Mebahiah :*** 04, 12 et 18. Le chiffre « **4** » est votre chiffre chanceux. Jouez modérément. Toutefois, lorsque la chance frappera à votre porte, elle vous surprendra à un point tel que vous aurez de la difficulté à y croire! Si l'envie d'acheter un billet de loterie titille à l'intérieur de vous, faites-le! Autrement, abstenez-vous d'en acheter! La chance favorisera vos actions, vos choix et vos décisions ; mais malheureusement, pas les loteries. À moins que vous en receviez en cadeau ou que vous joignez un groupe. Ce sera alors différent.

Participez donc à des groupes. Cela sera favorable! Les groupes de deux et de quatre personnes seront prolifiques. Si vous connaissez un bijoutier, un horloger, un technologue, un banquier, un informaticien, un architecte, un cartographe et un photographe, achetez des billets avec eux. Ces personnes attireront la chance dans votre direction ! De plus, les billets de loterie que vous recevrez en cadeau vous réservent de petites surprises agréables !

Cette année, plusieurs amélioreront leurs conditions de travail. D'autres rétabliront leur situation financière. Quelques-uns chasseront leur sentiment négatif. Bref, vous vous prenez en main et vous améliorez votre caractère et vos faiblesses. Vous êtes conscient que certaines de vos faiblesses vous dérangent et vous préoccupent. Vous ferez donc votre possible pour reprendre le contrôle de votre vie. Certaines journées ne seront pas faciles. Toutefois, votre désir de retrouver votre équilibre et votre joie de vivre vous aideront à passer au travers ces journées ardues. Vous irez aux endroits prolifiques pour vous. Cela vous avantagera dans plusieurs aspects de votre vie. Plusieurs auront le privilège de régler des problèmes de longue date qui les accaparent et qui les empêchent d'être heureux. Lorsque ces situations seront réglées, un fardeau sera enlevé de vos épaules, vous serez finalement soulagé et heureux !

À la suite de vos actions, vous reprenez goût à la vie. Cela vous permettra de savourer les événements agréables que vous offre la vie. Pour une fois, vous prendrez le temps de vous reposer et de vous relaxer lorsque votre corps réclamera du repos ! Cela aura un impact favorable sur votre santé globale. Plus que jamais, vous savez ce que vous voulez et vous ferez votre possible pour l'atteindre et le réussir tel que souhaité ! Certains régleront un problème de jalousie, de consommation ou de jeu. Vous serez fier de votre initiative. Vous serez obligé de consulter un thérapeute. Toutefois, les résultats vous épateront. De plus, attendez-vous également à recevoir quatre cadeaux emballants. Vous réaliserez que ça vaut la peine de persévérer pour obtenir de bons résultats et de croire en vos rêves sans perdre espoir !

***Poyel :*** 08, 10 et 32. Le chiffre « **10** » est votre chiffre chanceux. Vous serez gâté par la Providence. Attendez-vous à vivre des événements qui embelliront plusieurs de vos journées. Tous vos efforts seront récompensés ainsi que votre grande bonté. Continuez de propager l'entraide et la joie autour de vous. Les Anges récompenseront chacune de vos bonnes actions.

Que vous jouez seul ou en groupe, cela n'a pas d'importance puisque la chance sera avec vous. Achetez vos billets de loteries préférées. Cela sera chanceux. Si vous désirez joindre un groupe, les groupes de deux, de trois et de dix personnes seront bénéfiques. Achetez un billet de loterie avec votre partenaire amoureux. Vous pourriez former une équipe gagnante! Toutefois, si votre partenaire vous remet un billet de loterie en cadeau, cela sera chanceux. Certains gagneront de petites sommes d'argent grâce à des loteries reçues en cadeau. N'oubliez pas de gâter votre partenaire! Si vous connaissez un podiatre, un arpenteur, un infographe ou un plâtrier, achetez des billets avec eux. Ces personnes attireront la chance dans votre direction.

Cette année, plusieurs auront la chance de retrouver un bel équilibre dans plusieurs aspects de leur vie. Vous regardez droit devant vous avec un œil prometteur sur votre avenir. Vous êtes conscient que la réussite de votre avenir ne dépend que de vous. Vous ferez donc tout votre possible pour qu'il soit à la hauteur de vos attentes. Vous êtes également conscient que vous devez faire quelques sacrifices pour obtenir de bons résultats lors d'actions et de décisions. Néanmoins, vous êtes prêt à tout pour réussir votre vie! Telle sera votre nouvelle vision de la vie au cours de 2017. Vous vous prenez en main et vous vous dirigez aux endroits rêvés. Vous accomplissez des actions importantes qui favoriseront votre avenir. Attendez-vous à être choyé par la Providence. Certains recevront de trois à dix bonnes nouvelles. Il peut s'agir d'une somme d'argent, de la signature d'un papier, d'une transaction et autre. Qu'importe ce que vous vivrez, vous serez toujours heureux de le recevoir! Vous améliorerez votre vie, vous retrouverez votre équilibre, la forme et la joie de vivre. Vous éloignerez de vous les situations insolubles et les personnes problématiques. Vous voulez vivre une année exempte de problèmes. Il est évident que certaines journées seront ardues. Toutefois, votre dynamisme et vivacité trouveront rapidement une solution et vous l'appliquerez instantanément. Tout se réglera et rien ne restera en suspens!

Cela dit, l'amour sera présent. Vous serez passionné au cours de l'année! Tout ce que vous entreprendrez attirera vers vous de bons moments. Les personnes célibataires feront la rencontre de leur flamme jumelle. Les couples reconstitués parleront de solidifier leur union soit par un mariage, par la venue d'un enfant ou par l'acquisition d'une maison. Avant que l'année se termine, vous réaliserez que les Anges ont été présents dans votre vie et qu'ils vous ont accordé plusieurs de vos demandes !

## *Les Principautés et la santé*

Prenez soin de vous, et vous éloignerez la maladie ! Négligez votre corps, et vous serez malade ! Apprenez également à respecter votre corps. Lorsqu'il est fatigué et épuisé, reposez-vous ! Cette année, le plus beau cadeau que vous pouvez vous offrir est de prendre soin de votre corps ! Depuis quelques années, plusieurs personnes ont négligé cet aspect de leur vie. Cela leur a occasionné des ennuis de toutes sortes. L'an dernier, vous n'avez pas été épargné par les douleurs lancinantes et les problèmes de santé. Certains ont dû subir une intervention chirurgicale. D'autres ont été obligés de prendre un repos forcé. Quelques-uns ont été obligés de prendre des médicaments pour soulager leur douleur.

Cette année, adoptez de bonnes habitudes de vie. Cela sera salutaire et bénéfique pour votre santé globale. Vous ne voulez plus vivre dans la maladie ? Alors surveillez-vous ! Les personnes vigilantes passeront une magnifique année exempte de douleurs et de problèmes. Toutefois, les personnes négligentes vivront plusieurs ennuis de santé. Ils devront se déplacer régulièrement chez leur médecin et subir plusieurs examens approfondis pour déceler l'origine de leur maux. Des médicaments seront obligatoires et des instructions sévères seront lancées pour recouvrer la santé. Tout cela peut être évité ! Il suffit de respecter la limite de vos capacités et d'écouter sagement les recommandations de votre médecin. Si vous lui tenez tête, vous ne ferez qu'empirez votre cas !

### *Sur une note préventive, voici les parties vulnérables à surveiller plus attentivement et les faiblesses du corps en ce qui concerne chacun des enfants Principautés.*

Cette année, certaines parties du corps seront à surveiller. Premièrement, la santé mentale sera précaire. Il serait donc important de respecter les limites de vos capacités. Si vous surpassez vos limites, que vous ne vous nourrissez pas bien, que vous dormez mal, attendez-vous à sombrer dans un état lamentable. Votre santé mentale en souffrira énormément. Certains souffriront d'agoraphobie, de détresse, de mal de vivre, etc. Vous serez obligé de prendre un médicament pour contrer les effets dévastateurs de votre mental.

Deuxièmement, il faudra surveiller le cœur qui sera une partie vulnérable. Plusieurs se plaindront de palpitations et d'arythmie. D'autres auront des douleurs au niveau de la poitrine. Dans la plupart des cas, le stress causera ses alarmes. Néanmoins, il ne faudra pas les négliger. Par contre, les personnes cardiaques devront redoubler de prudence et suivre méticuleusement les recommandations de leur médecin. Cela leur sera favorable. Sinon, certains subiront une intervention chirurgicale au cours de l'année. Il faudra également surveiller la glande thyroïde. Certains seront obligés de subir un traitement ou une intervention chirurgicale. La peau sera également une partie fragile. Vous pourriez souffrir de problèmes cutanés. Vous serez obligé de consulter un dermatologue pour qu'il vous prescrive une crème médicamentée pour atténuer les rougeurs!

Finalement, plusieurs s'occasionneront des blessures banales, des égratignures, et des éraflures. Assurez-vous d'avoir une trousse de premiers soins et une pharmacie bien remplie de produits antiseptiques.

***Vehuel :*** il faudra surveiller les allergies et les infections. Certains souffriront de problèmes cutanés. Il peut s'agir d'herpès buccal[4], d'eczéma, de psoriasis ou d'une réaction alimentaire. De plus, certaines femmes auront des ennuis avec leurs organes génitaux. Quelques-unes devront subir une hystérectomie. D'autres devront passer une mammographie. Si vous fumez et négligez votre santé, vous serez confronté à un problème. Votre médecin sera direct et clair avec vous. Il vous suggéra de cesser votre cigarette et de changer vos habitudes de vie. Sinon, votre santé féminine en souffrira.

Cette année, plusieurs personnes se plaindront de douleur abdominale, ils devront passer des examens approfondis pour déceler la cause de leur douleur. D'autres feront des infections et auront quelques ennuis nécessitant l'intervention d'un spécialiste. Quelques-uns

4. Le nom médical désignant les feux sauvages.

devront changer leurs habitudes alimentaires. D'autres prendront des médicaments pour soulager leur maux. Lors de la période des allergies, certains réagiront. Ils seront obligés de prendre des antihistaminiques et parfois un inhalateur pour bien accomplir leur journée.

***Daniel :*** plusieurs iront voir leur médecin pour des problèmes de toutes sortes. Celui-ci vous fera passer plusieurs examens pour déceler la cause de vos malaises. Si vous écoutez sagement ses recommandations, il vous sera permis de vaquer plus rapidement à vos tâches quotidiennes. Si vous refusez de vous plier à ses exigences, votre état de santé se détériorera. Bref, si votre médecin vous prescrit un médicament ou un repos obligatoire, c'est que vous en avez besoin ! Si vous vous entêtez, cela ne vous aidera guère à recouvrer la santé. Vous pourriez tomber malade du jour au lendemain et il vous sera beaucoup plus difficile de remonter la pente par la suite. De plus, surveillez votre alimentation. Certains auront des problèmes avec leur système digestif. Vous n'aurez pas le choix d'améliorer votre menu ou de prendre un médicament. Soyez également vigilant avec les objets tranchants, certains se blesseront.

Cette année, pour éviter la maladie, respectez la limite de vos capacités ! Sinon, votre santé globale en prendra un vilain coup ! Vous serez obligé de prendre un repos forcé. Mieux vaut prévenir que guérir ! À vous de décider ce qui vous convient le mieux !

***Hahasiah :*** votre santé sera imprévisible. Certains peuvent tomber malades sans avertissement. Il serait important de respecter la limite de vos capacités et de vous reposer lorsque le corps réclame du repos. Sinon, vous sombrerez dans un état lamentable et il faudra plusieurs semaines avant de recouvrer la santé. Vous serez également obligé de suivre une thérapie, de prendre des médicaments, etc.

Surveillez également les produits naturels. Certains produits peuvent vous causer plus d'ennuis que de bienfaits. Avant de prendre un produit naturel, assurez-vous que celui-ci est adéquat pour vous. Cette prévention concerne davantage les personnes qui prennent des médicaments. Demandez toujours l'avis de votre médecin ou du pharmacien avant de prendre un produit en vente libre. Assurez que cela n'interféra pas avec vos médicaments. Certaines personnes éprouveront de la douleur aux mains. Il peut s'agir d'arthrite, de crampes ou d'une douleur due à un mouvement répétitif. Vous aurez également tendance à vous blesser. Assurez-vous d'avoir des diachylons dans votre pharmacie!

***Imamiah :*** votre faiblesse est votre tête. Quelques-uns se blesseront à la tête. Les ouvriers devront s'assurer de porter un casque de sécurité en tout temps et de respecter les consignes de sécurité. Cela sera favorable! Vous souffrirez également de migraines, de sinusites, de laryngites, d'amygdalites et autres. Les oreilles seront également une partie vulnérable. Quelques-uns seront obligés de porter un appareil auditif. D'autres auront des acouphènes. Certains souffriront d'otites ou d'infections. Les yeux seront aussi fragiles, certains consulteront un ophtalmologiste. D'autres consulteront un optométriste pour leur prescrire des verres adaptés à leur vision. Quelques-uns subiront une intervention chirurgicale aux yeux pour améliorer leur vue. De plus, lors de températures plus fraîches, couvrez-vous bien. Quelques-uns attraperont un torticolis. Bref, lors de la période hivernale, ne sortez jamais sans votre foulard. Ainsi, vous éviterez de prendre froid et de vous plaindre de torticolis.

Cela dit, votre santé mentale sera également à surveiller. Il sera important de respecter la limite de vos capacités et d'écouter les signaux de votre corps. Ainsi, vous éviterez des problèmes majeurs. Au cours de l'année, plusieurs se plaindront de toutes sortes de douleurs. Certains maux seront causés par la fatigue et le surmenage. Toutefois, quelques maux seront plus sérieux et nécessiteront l'aide d'un spécialiste. Plusieurs passeront des examens médicaux pour déceler la cause de leurs douleurs et se faire soigner en conséquence! Ils seront obligés de prendre un médicament et de surveiller plus attentivement leur état de santé. D'autres seront obligés de prendre quelques jours de repos. Prenez bien soin de vous et tout ira à merveille. Négligez-vous et vous sombrerez dans un état lamentable!

***Nanaël :*** plusieurs se plaindront de douleurs musculaires. Certains se retrouveront à l'hôpital et consulteront un spécialiste pour les aider à soulager leur maux. Ce spécialiste vous fera passer mille et un examens pour déceler la cause de vos douleurs. Il parviendra à découvrir la source de vos problèmes et il vous soignera en conséquence. Il faudra également surveiller le système digestif. Plusieurs se plaindront de douleurs à la poitrine et à l'estomac. Certains auront des intolérances alimentaires et ils devront changer leur menu. La peau sera également une partie fragile. Plusieurs auront des ennuis cutanés qui exigeront l'intervention du dermatologue. La rosacée, l'eczéma, l'acné et le psoriasis en dérangeront plusieurs. Ils devront subir un traitement pour atténuer la rougeur sur la peau.

De plus, regardez où vous mettez les pieds. Vous serez régulièrement lunatique et vous blesserez souvent. Certains devront porter un plâtre ou un pansement. Assurez-vous d'avoir une trousse de premiers soins dans votre pharmacie puisque vous en aurez régulièrement besoin !

***Nithaël :*** certains devront prendre d'un à six médicaments pour soulager leurs maux. Les genoux seront une partie vulnérable. Attendez-vous à souffrir d'une douleur lancinante. Vous serez obligé de consulter un spécialiste. Certains subiront une intervention chirurgicale. D'autres devront perdre le poids superflu. Quelques-uns feront de la physiothérapie. Au cours des périodes automnale et hivernale, plusieurs souffriront de maladies virales qui les amèneront à garder le lit de 24 à 72 heures. Assurez-vous de toujours bien laver vos mains et évitez les endroits contaminés par les virus !

De plus, surveillez votre santé mentale. Ne surpassez pas la limite de vos capacités. Ainsi, vous serez moins enclin à la dépression ! Reposez-vous lorsque votre corps est fatigué. Si vous faites le contraire, vous sombrerez dans un état pitoyable. Il vous faudra plusieurs semaines avant de recouvrer la santé !

***Mebahiah :*** votre faiblesse sera l'estomac, les poumons et les intestins. Vous vous plaindrez souvent de maux de ventre et de douleurs à la poitrine. Vous consulterez votre médecin pour qu'il puisse vous soigner en conséquence. Certains seront obligés de prendre un médicament. D'autres subiront une chirurgie pour régler leurs ennuis. Quelques-uns devront changer leurs habitudes alimentaires et suivre un régime pendant une période de temps. Quelques personnes essayeront des produits naturels pour rehausser leur énergie. Toutefois, il suffit de respecter vos limites et votre corps. Si vous surveillez votre alimentation, que vous avez de bonnes nuits de sommeils et que vous prenez le temps de vous reposer, vous n'aurez pas besoin de médicaments ni de produits pour rehausser vos énergies. Vous serez en forme et vous vaquerez à vos tâches habituelles sans aucun tracas !

En outre, les personnes cardiaques et les fumeurs devront écouter précieusement toutes les recommandations de leur médecin. Ainsi, ils éviteront une chirurgie et une hospitalisation. Bref, lors des périodes automnale et hivernale, couvrez-vous bien. Certains attraperont régulièrement des grippes virales. Vos poumons seront régulièrement atteints par ces virus. Surveillez-vous et évitez les endroits contaminés par des virus ! Votre système immunitaire sera affaibli. Il serait primordial de vous reposer et de prendre soin de vous !

De plus, soyez également vigilant lorsque vous entamez des tâches inhabituelles. Certains pourraient se blesser. Quelques-uns auront une main enflée à cause d'un coup de marteau ! Tout au long de l'année, vous vous ferez des écorchures, des égratignures et des blessures banales. Assurez-vous d'avoir des pansements, des diachylons et des produits antiseptiques pour nettoyer les plaies ! Vous en aurez régulièrement besoin ! Les travailleurs de la construction devront suivre précieusement toutes les consignes de sécurité. Cela leur sera favorable et salutaire !

***Poyel :*** les cardiaques devront écouter sagement les recommandations de leur médecin. Sinon, une intervention chirurgicale et des traitements s'avèreront obligatoires. Les poumons seront également une partie fragile. Couvrez-vous bien lors de températures plus froides. Plusieurs auront des grippes et des bronchites. Certains feront des pneumonies. L'utilisation d'un inhalateur sera obligatoire pour dilater vos voies respiratoires.

De plus, certains seront prédisposés aux infections, surtout au niveau de la vessie et des reins. D'autres souffriront du syndrome du côlon irritable et devront changer leurs habitudes alimentaires. L'estomac sera également à surveiller. Vous aurez des problèmes digestifs. Les personnes alcooliques vivront plusieurs ennuis de santé. Certains seront hospitalisés d'urgence. Quelques-uns se plaindront de maux musculaires. Vous consulterez un médecin, un physiothérapeute ou un chiropraticien pour soulager votre douleur. Certains seront obligés de prendre un médicament pour les aider à passer des journées exemptes de douleur. Votre négligence occasionnera plusieurs problématiques. Toutefois, cela vous permettra de réaliser l'importance d'avoir une excellente santé. Vous améliorerez donc vos habitudes de vie. Cela vous aidera à recouvrer la santé et à retrouver la forme physique !

# *Les Principautés et l'amour*

Plusieurs couples travailleront ardemment pour retrouver leur équilibre amoureux. Votre bonheur sera votre priorité. Vous ferez tout votre possible pour l'atteindre. Vous aurez de bons dialogues avec votre partenaire qui vous permettront de mieux comprendre vos intentions et vos états d'âme. Cela sera important pour vous. Le manque de communication a nui profondément à votre relation et vous en êtes conscient. Vous chercherez donc à rattraper le temps perdu. Attendez-vous à entamer plusieurs discussions sur des sujets délicats qui nuisent présentement à votre relation. Vous ferez donc le point sur plusieurs situations problématiques qui dérangent votre union. À la suite de vos dialogues, vous et votre partenaire serez prêts à améliorer la situation. Vous apporterez tous les changements nécessaires pour retrouver votre bonheur conjugal. Il est évident que vous aurez des sacrifices à faire, néanmoins, cela en vaudra la peine. L'amour renaît et plusieurs réaliseront qu'ils sont heureux avec la personne qui partage leur vie. Vous placerez la confiance et le respect en premier. Toutefois, les couples qui négligeront ces aspects seront confrontés à un problème. Cette année, vous devez prioriser votre relation. Cela sera primordial. Sinon, vous subirez une séparation.

Au cours de l'année, vous vivrez plusieurs journées agréables qui rehausseront votre amour conjugal. Ces journées surviendront au cours des mois suivants : ***janvier, février, juin, juillet, août, septembre*** et ***décembre***. Au cours de ces mois bénéfiques, plusieurs événements vous rapprocheront de votre partenaire. À la suite de conversations et des changements apportés à votre relation. Vous vivrez une période plus sereine et harmonieuse avec votre partenaire. Vous ferez de belles sorties en amoureux. Vos dialogues seront intéressants et divertissants. Votre partenaire sera compréhensif et attentif à vos besoins. Vous parlerez de projets et de voyages. Vous passerez du bon temps en sa compagnie. Vous planifierez plusieurs activités avec votre partenaire. Certains planifieront l'itinéraire d'un voyage longtemps rêvé ! D'autres s'amuseront en famille. Bref, plusieurs situations agréables agrémenteront vos journées. Cela rehaussera l'ambiance au foyer ! Vous réaliserez que vos changements, vos discussions et vos sacrifices ont valu la peine ! Cela vous rendra heureux et deux fois plus amoureux de votre partenaire !

Il y aura tout de même des périodes plus compliquées. Lors de ces moments tendus, si vous y voyez rapidement, vous réglerez facilement vos problématiques et le tout reviendra à la normale. Si vous négligez vos problèmes, vous vous compliquerez la vie inutilement. Vous et votre partenaire vous lancerez la balle et vous ne parviendrez pas à régler votre problématique adéquatement ! De plus, vous bouderez mutuellement pendant quelques jours. Cela ne vous aidera guère à trouver un terrain d'entente. Ne laissez donc pas vos situations s'envenimées ; voyez-y rapidement !

**Voici quelques situations qui pourraient déranger l'harmonie conjugale :** vos bouderies vous éloigneront l'un de l'autre. Vous agirez comme deux inconnus qui vivent sous le même toit. Cela n'est pas sans vous frustrer et vous perturber émotionnellement. Surveillez également vos exigences. Vous n'êtes pas parfait ! Donc, n'exigez pas à votre partenaire la perfection ! Cela s'applique au couple qui travaille ensemble. Vous vivrez régulièrement des conflits avec votre partenaire relié aux horaires, aux attentes et aux échéanciers. Plus vous le stresserez, moins votre partenaire sera productif. Au lieu de le critiquer, supportez-le et aidez-le à bien accomplir ses tâches comme prévu ! Ensemble, vous formerez une équipe du tonnerre ! Si vous agissez différemment, vous serez obligé de prendre une décision. L'un devra quitter et s'aventurer vers un nouveau travail ! Cela sauvera votre union ! De plus, surveillez les discussions sur l'Internet. Ne jouez pas avec le feu ! Sinon, vous écoperez ! Si vous aimez votre partenaire, ne cherchez pas ailleurs ! Quelques-uns se feront prendre en flagrant délit. Votre partenaire explosera ! Il y a de fortes chances que celui-ci vous quitte avant que l'année se termine. Vous éprouverez du remord et une peine immense. Donc, soyez prudent et évitez les sites de rencontres ! Cela n'est pas pour vous !

## Les couples en difficulté

Plusieurs couples s'affronteront sur toutes sortes de sujets. Ils seront mécontents et susceptibles. Lorsqu'un notera une faiblesse chez l'autre, ce dernier réagira vivement et répliquera en lui lançant également une faute. Bref, les discussions seront régulièrement animées. Vous parlerez continuellement des événements passés que vous n'avez pas réglés. Vous aurez tendance à jeter la faute sur l'autre. Cette attitude ne vous aidera guère à sauver votre union. Il serait important de prendre quelques jours de congé et de discuter profondément avec votre partenaire. De plus, évitez les cris et les batailles de mots. Essayez plutôt de trouver des solutions pour régler vos problématiques. Les couples qui parviendront à discuter sagement sauveront leur union. Les autres subiront une séparation. Attendez-vous à une longue bataille juridique. À moins que vous parveniez à réaliser que seuls les avocats en sortiront gagnants ! Il serait donc avantageux pour vous de consulter un médiateur et d'essayer de trouver un terrain d'entente ! Cela agira favorablement sur votre santé globale !

## Les Principautés submergées par la négativité

Vous serez très déplaisant avec votre partenaire amoureux. Vous le manipulerez en le menaçant de paroles blessantes et méchantes. Vous serez également très exigeant envers votre conjoint. Vous le critiquerez sur tout ce qu'il accomplira. Vous lui ferez souvent verser des larmes de désespoir. Il ne saura plus quoi faire pour ramener l'harmonie entre vous. Cette attitude mesquine de votre part ne vous aidera guère à conserver son amour ni son respect. Si vous aimez votre partenaire, améliorez votre attitude ! Cela sauvera votre union. Sinon, vous subirez une séparation et il sera trop tard pour vous réconcilier.

## Les Principautés célibataires

Il y aura plusieurs occasions qui vous permettront de faire des rencontres intéressantes qui s'avéreront importantes ! Il suffit d'ouvrir la porte de votre cœur ! Si vous le faites, vous serez en amour ! Il est évident que vous devez utiliser votre charme pour le conquérir. Néanmoins, ce temps de séduction vous rendra heureux et pétillant de bonheur ! Vous rayonnerez ! Cette attitude charmante attirera cette nouvelle connaissance dans votre direction. Vous lui ferez tout un effet ! La passion sera instantanée et réciproque. Au premier regard que vous poserez l'un sur l'autre, un sentiment puissant se développera à l'intérieur de vous. Cela faisait longtemps que vous rêviez de ce moment magique ! Vous serez comblé et fou de joie ! Ce sentiment incompréhensible que vous éprouverez vous fera réaliser qu'il est le partenaire rêvé ! Vous chercherez donc à le connaître davantage. Vous échangerez vos numéros de téléphone. Vous planifierez une sortie ensemble et la relation s'amorcera.

Il sera votre flamme jumelle. Tout vous plaira dans sa personnalité. Vous aurez beaucoup de plaisir en sa compagnie. Vos activités vous rapprocheront et scelleront davantage votre union. Après une année de fréquentation. Vous solidifierez votre union par l'achat d'une propriété ou un déménagement dans la résidence de l'un ou de l'autre. Quelques-uns parleront de mariage. Bref, attendez-vous à recevoir un bijou significatif de la part de votre partenaire. Ce bijou vous fera réaliser l'importance que vous occupez dans la vie de cette flamme jumelle. Cela remplira votre cœur de bonheur!

Avant de le rencontrer, vous ferez des rencontres agréables. Toutefois, lorsque votre regard croisera le sien. Vous axerez votre énergie dans sa direction. Vous ferez tout pour lui plaire et le conquérir! Votre sourire radieux lui fera tout un effet. Il fondera sous votre charme! Bref, vous l'envoûterez par votre joie de vivre et votre dynamisme!

Vous pourriez faire sa rencontre lors des mois suivants: ***janvier, février, juillet, août, septembre, octobre*** et ***décembre.*** La journée du samedi est prédisposée à la rencontre de cet amour idéal. À la première rencontre, cette personne parlera d'un voyage et se frottera régulièrement une jambe. Il peut s'agir d'un geste de nervosité ou causé par une douleur! Vous lui poserez la question et vous en saurez la raison! Tout au long de la soirée, vous rirez en sa compagnie. Il vous racontera des histoires amusantes. Vos sujets de conversations seront divertissants. Vous passerez un bon moment avec lui et cela vous donnera l'envie de le fréquenter. Vous vous donnerez un autre rendez-vous et ainsi de suite. Après quelques sorties agréables, votre relation deviendra plus sérieuse! Vous ferez sa rencontre par l'entremise d'une connaissance ou lors d'une activité amicale. Dès que vous le verrez, vous réagirez vivement! Vous serez chamboulé par sa présence et par sa beauté! Vous utiliserez donc votre charme dans sa direction. Cela fonctionnera et vous aurez un prétendant à votre écoute!

## Les célibataires submergés par la négativité

Votre arrogance dérangera énormément les personnes susceptibles de vous plaire et de vous rendre heureux! Vous jouerez l'indépendant même si, au fond de vous, vous souhaitez faire des rencontres. Il est évident que cette attitude n'attirera guère des prétendants dans votre direction. Si vous désirez partager votre vie avec un partenaire ; changez votre attitude. Ne soyez pas arrogant ! Soyez souriant et accessible. Sinon, vous resterez célibataire ! Toutefois, si vous améliorez votre attitude, vous ferez de bonnes rencontres. L'une d'elles s'avérera être votre partenaire idéale. Vous pourriez vous épanouir dans ses bras. Cette année, remisez votre arrogance dans le placard et laissez-vous conquérir par ceux qui vous intéressent. Vous verrez que votre cœur réagira positivement à ces nouvelles rencontres, surtout une en particulier !

## Les Principautés et le travail

Vous ne chômerez pas cette année puisque du travail, il y en aura. Vous vivrez plusieurs situations bénéfiques qui agrémenteront votre année. Vous aurez des choix importants à faire. Vous prendrez le temps nécessaire de tout analyser avant de prendre une décision déterminante. Toutefois, lorsque votre décision sera prise, rien ne vous arrêtera !

Certains retourneront aux études. D'autres quitteront leur travail pour se lancer en affaires. Quelques-uns amélioreront leurs conditions de travail. Vous discuterez profondément avec votre employeur. Vous lui prouverez vos compétences et vous lui demanderez sa coopération vis-à-vis certaines exigences. Celui-ci sera compréhensif et il vous donnera l'aide nécessaire pour mieux accomplir vos tâches et respecter les échéanciers. De plus, votre employeur bonifiera votre salaire et vos conditions de travail. Cela vous encouragera à persévérer et à accomplir infailliblement vos tâches. Votre employeur n'aura que des éloges à votre égard ! Cela dit, plusieurs travailleurs amélioreront leur situation professionnelle. Ils feront les changements nécessaires pour atteindre leur équilibre. S'ils doivent quitter un emploi pour s'aventurer vers un nouveau, ils le feront. Rien ne les arrêtera. Plus que jamais, vous avez besoin d'être en harmonie avec votre vie professionnelle. Vous ferez donc ce qu'il faut pour atteindre cette béatitude. Vous ferez des efforts, toutefois, vous serez bien récompensé !

Tout au long de l'année, il y aura des possibilités qui surviendront pour améliorer vos conditions de travail. Cela se produira lors des mois suivants : ***janvier, février, juin, juillet, août*** et ***décembre***. Plusieurs bonnes nouvelles viendront agrémenter vos journées lors de ces mois bénéfiques. Vous serez toujours satisfait de vos décisions et de votre accomplissement au travail. Attendez-vous également à signer un contrat alléchant lors de cette période. Vous sauterez de joie lorsque vous signerez ce papier !

**Voici quelques situations qui pourraient déranger l'harmonie au travail** : vous serez exaspéré par le comportement de personnes paresseuses. Vous manquerez de patience avec eux et les incompétents. Toutefois, vous aurez raison sur toute la ligne. Ces personnes négligentes dérangeront votre capacité au travail. Vous serez obligé de reprendre leur travail. Cela vous retardera dans vos échéanciers. Vous aurez de la difficulté à vous concentrer. Votre pensée sera trop fixée sur ces incompétents. Vous vivrez de la frustration et cela vous fera maugréer ! Il serait sage de parler avec votre employeur de la situation. Il est évident que ce ne sera pas facile. Vous n'aimez pas les commérages ni les commentaires désobligeants. Toutefois, vous n'aurez pas le choix d'agir. Vous serez obligé de divulguer les raisons de vos retards. Vous soumettrez régulièrement vos dossiers en retard à cause de la négligence de vos coéquipiers. Après une réunion importante, les autorités apporteront des changements importants qui affecteront les incompétents et les personnes paresseuses. Cela vous soulagera. De plus, vous collaborerez avec une nouvelle équipe. Celle-ci sera beaucoup plus dynamique et performante que l'ancienne. Vous serez donc encouragé et vous remettrez vos dossiers tels que prévu !

## Les travailleurs Principautés submergés par la négativité

Plusieurs travailleurs attireront vers eux plusieurs problèmes causés par leur incompétence et par leur attitude négative. Ils s'acclimateront difficilement à leurs nouvelles tâches. Ils ne respecteront pas les échéanciers. Ils critiqueront continuellement et cela dérangera leurs collègues. Votre attitude provoquera une ambiance malsaine et insupportable pour vos collègues. Ceux-ci seront exaspérés de vos jérémiades. Vous vous lamenter sur tout et rien. Cela sera difficile à supporter ! Votre attitude les dérangera énormément et ils s'en plaindront aux autorités. Après quelques semaines, un avertissement vous sera lancé. Vous devez y voir puisque votre emploi sera en jeu ! Vous pourriez vous retrouver sans travail du jour au lendemain. De plus, le syndicat ne pourra rien faire pour vous puisque votre employeur détiendra plusieurs preuves à l'appui !

# Chapitre XXXV

# Événements à surveiller durant l'année 2017

Voici quelques événements qui pourraient survenir au cours de l'année 2017. Pour les situations négatives, lisez-les à titre d'information. Le but n'est pas de vous perturber ni de vous blesser. Il s'agit tout simplement de vous informer.

- Plusieurs auront le privilège de voir de deux à cinq objectifs se concrétiser au cours de l'année. Vous serez heureux et débordant d'énergie à la suite de ces réalisations. Vous réaliserez que cela a valu la peine de faire autant de sacrifices. Vous récolterez tous les bienfaits de vos efforts.
- Vous, ou un proche, donnerez naissance à des jumeaux. Attendez-vous à recevoir de l'aide de vos proches et plusieurs cadeaux utiles.
- Plusieurs possibilités viendront à vous pour améliorer votre vie. Après avoir vécu une période difficile, tout se replacera à votre avantage. Vous retrouverez votre équilibre et votre joie de vivre!
- La Providence sera avec vous lors de certaines journées. Cela vous avantagera dans plusieurs aspects de votre vie. De plus, les billets que vous recevrez en cadeau s'avéreront chanceux. Il peut s'agir des billets gratuits comme d'une somme considérable!

- Tout au long de l'année, vous mettrez un terme à plusieurs situations problématiques. Certaines journées seront ardues et parfois pénibles. Toutefois, les résultats de vos actions vous enchanteront et vous satisferont !
- La fatigue, l'épuisement et le stress envahiront plusieurs personnes. Il faudra donc apprendre à respecter vos limites. Sinon, certains sombreront dans une dépression et cela prendra beaucoup de temps avant de vous relever. Toutefois, si vous respectez vos limites, votre santé se portera à merveille !
- Vous, ou un proche, se plaindrez de maux d'oreilles, de sinusites ou de laryngites. Vous consulterez un oto-rhino-laryngologiste pour être soigné. Certains subiront une intervention chirurgicale. D'autres prendront des médicaments. Quelques-uns devront porter un appareil auditif.
- Écoutez toujours les sages conseils de votre médecin. Si celui-ci vous prescrit un médicament, c'est que vous en avez besoin ; prenez-le ! Plus vous lutterez, moins vitre vous recouvrerez la santé. Si vous souffrez d'une maladie mentale, cela ne veut pas dire que vous êtes fou ! Vous avez tout simplement besoin de repos et de médicament pour vous aider à passer de meilleures journées et à accomplir vos besognes journalières.
- Certaines personnes alcooliques devront être hospitalisées. Le foie, le pancréas et les reins exigeront un suivi médical.
- Certains se blesseront à la cheville. Soyez toujours vigilant lors de vos activités. Vous éviterez ainsi une blessure lancinante ou un plâtre !
- Plusieurs seront obligés de prendre un médicament pour soulager les douleurs de l'arthrite, l'arthrose ou la fibromyalgie. Quelques-uns feront des exercices de physiothérapie pour soulager leur douleur. D'autres opteront pour de la natation. Certains changeront leurs habitudes de vie. Ils incluront des périodes de méditation, de relaxation et de yoga à leur horaire. Qu'importe l'exercice que vous ferez, cela vous apportera un bien-être et atténuera vos douleurs.

- Cette année, surveillez votre négativité. Si vous vous laissez envahir par ce sentiment néfaste, vous éloignerez de bonnes personnes qui ne cherchent qu'à vous aider. De plus, arrêtez de vous plaindre pour des banalités et de critiquer l'attitude des autres. Cette attitude ne vous aidera guère à conserver vos bons amis et à obtenir ce que vous désirez ! Si vous voulez améliorer certains aspects de votre vie, commencez par votre attitude. Tout viendra facilement à vous par la suite !

- Certains travailleurs vivront des changements à leur emploi. Attendez-vous à beaucoup de pourparlers. Vous assisterez à plusieurs réunions. Plusieurs discussions auront lieu. Cela énervera les employés. À la suite de ces réunions, plusieurs actions seront posées. Certains auront peur de perdre leur emploi. D'autres vivront de grands changements. Au début, vous aurez de la difficulté à les accepter. Vous ne croirez pas que ces changements peuvent améliorer vos conditions de travail. Après quelques semaines, vous changerez d'avis. Vous réaliserez que ces changements vous seront favorables. Par la suite, vous serez moins anxieux et vous vous appliquerez à vos tâches avec confiance et satisfaction.

- Quelques-uns signeront un contrat alléchant. Cela améliorera votre situation financière et allégera vos anxiétés !

- Vous vivrez plusieurs situations qui vous passionneront. Ces situations vous apporteront de la joie, du bonheur et des rires. Plusieurs événements fortuits surviendront dans votre vie. Vous l'avez tellement souhaité ! Vous serez donc bien servi par la Providence ! Les Anges ont entendu votre appel et ils récompensent vos bonnes actions !

- Cette année, si vous trouvez des pièces de monnaie, c'est un signe des Anges. Par ce signe, les Anges vous invitent à lancer la pièce et faire un vœu puisque vous méritez un cadeau providentiel !

- Cette année, tout ce que vous accomplirez sera doublement récompensé. Vous aurez toujours le privilège de choisir entre deux situations, deux événements, deux décisions, etc. Il ne tiendra qu'à vous de faire le choix adéquat pour obtenir ce que vous désirez ! Toutefois, si vous faites une erreur, c'est que vous n'avez pas fait le bon choix ! Bref, il y aura toujours devant vous, deux possibilités d'améliorer votre vie et vos problématiques. La réussite de votre année ne dépend que de vous et des choix que vous ferez pour bien la diriger. Faites de bon choix et vous vivrez une année qui sort de l'ordinaire. Sinon, vous souffrirez durant votre année 2017 !

- Les femmes désireuses d'enfanter auront le privilège de voir leur rêve se réaliser au cours de l'année. Toutefois, attendez-vous à une grossesse gémellaire. Surtout celles qui sont en clinique de fertilité.
- Cette année, plusieurs travailleront ardemment pour retrouver leur équilibre et la quiétude dans leur vie. N'oubliez pas que vous vivrez plusieurs possibilités pour l'obtenir. Il suffit de faire de bons choix !
- Plusieurs se rapprocheront de leur famille. D'autres réaliseront que la famille est importante et ils organiseront des soirées avec eux. Attendez-vous donc à recevoir vos proches régulièrement à la maison. Vous les inviterez à prendre part à certaines activités, tels qu'un souper, jouer à des jeux de société, de regarder un film, etc. Ce temps en leur compagnie sera précieux à vos yeux !
- Certains parleront de rénovation. Vous améliorerez quelques pièces de la maison. Vous embellirez ces pièces avec de nouveaux meubles, de la peinture, des cadres, un plancher nouveau, etc.
- Plusieurs prioriseront leur vie amoureuse. Vous prendrez tout le temps nécessaire pour régler les petits problèmes et pour vous retrouver mutuellement. Cette décision vous sera d'un très grand secours et permettra à votre couple de continuer dans la bonne direction. Plusieurs réaliseront l'importance de leur vie à deux et chercheront à améliorer tous les aspects qui dérangent leur union. Attendez-vous à des discussions profondes avec votre partenaire. Certaines journées seront émotionnelles. D'autres, très agréables !
- Vous vivrez deux événements qui vous rendront heureux. Vous planifierez un voyage avec votre partenaire amoureux ou avec

des amis. Vous adorerez votre itinéraire. De plus, l'un de vos souhaits affectifs se réalisera au cours de l'année. Votre cœur sera heureux et débordant de bonheur !

- La période hivernale sera difficile pour les couples en détresse. Vous prendrez une décision majeure. Soit vous donnez une chance à votre couple de continuer la route ensemble. Soit vous décidez de vous séparer.
- Attendez-vous à faire plusieurs sorties agréables au cours de l'année. Chaque sortie apportera de l'agrément dans votre vie. Il y aura toujours une situation agréable qui surviendra lors de vos sorties. Cela embellira votre année.
- Plusieurs passeront du temps de qualité avec leur partenaire et leur famille. Vous profiterez de ces moments pour leur rappeler que vous les aimez et qu'ils tiennent une place importante dans votre cœur ! Attendez-vous à des accolades de leur part ! Vous vivrez une belle frénésie d'amour. Rien ne peut défaire ces liens privilégiés.
- Sur une note préventive, lors des périodes automnale et hivernale, surveillez votre dos. Certains pourraient faire une chute et se blesser au dos. Demandez toujours de l'aide lorsqu'il s'agit de déplacer des objets lourds ! Les haltérophiles devront également respecter les consignes de sécurité. Ne dépassez pas vos limites ! Cela sera important !
- Les personnes célibataires feront de belles rencontres au cours de l'année. Toutefois, si vous ouvrez la porte de votre cœur, l'une de ces rencontres deviendra sérieuse. Une union naîtra. Cela ne prendra pas de temps que vous parlerez de projets sérieux. Vous serez heureux. Vous réaliserez que cette personne est votre flamme jumelle !
- Un ancien amoureux refera surface dans votre vie. Il dérangera temporairement votre vie. Vous prendrez une décision. Certains laisseront entrer de nouveau cet ancien amoureux dans leur vie. D'autres lui tourneront le dos. Votre décision sera bien réfléchie et analysée avant de la prendre. Donc, vous n'aurez aucun regret par la suite.

- Vous, ou un proche, serez en amour ! À la suite d'une séparation ou d'une déception amoureuse, vous rencontrerez votre flamme jumelle. Votre cœur sera prêt à aimer de nouveau et rapidement. Une belle relation débutera et vous serez rayonnant de bonheur.
- Certains cavaliers feront l'achat d'un cheval puissant. Vous serez satisfait de votre acquisition.
- Pour ceux qui possèdent des chevaux de course, l'un de vos meilleurs chevaux se blessera à une patte. Vous serez obligé de le faire soigner par un vétérinaire. Le temps que celui-ci récupère de sa blessure sera une perte pour vous.
- Quelques pêcheurs feront des exploits au cours de l'année. Vous parlerez longtemps de vos sorties de pêche. Certains se payeront un voyage de pêche dans un lieu rêvé ! Vous reviendrez avec plusieurs belles anecdotes à raconter.
- Certaines personnes feront leur propre vin maison. Quelques-uns réaliseront que ce projet demande beaucoup de précision et de patience. Il y a de fortes chances qu'ils abandonnent en cours de route. D'autres réussiront leur projet. Ils seront fiers de leur cuvée !
- Cette année, vous vivrez plusieurs contrariétés avec les objets électroniques. Vous ferez régulièrement des dépenses pour vous procurer de la nouveauté. Attendez-vous à acheter un ordinateur puissant, une télévision, une tablette, etc. Par contre, certains préféreront faire réparer leurs appareils. Assurez-vous qu'aucun ficher important soit accessible. Vous pourriez vivre quelques désagréments avec vos comptes. De plus, assurez-vous que seulement les personnes compétentes réparent votre appareil. Ainsi, vous éviterez des ennuis de toutes sortes.
- Ne laissez jamais une chandelle et une cigarette allumées sans votre présence. Vous éviterez ainsi un incident qui pourrait s'avérer dangereux !
- Plusieurs se feront des égratignures, des blessures et des brûlures. Assurez-vous d'avoir une pharmacie bien remplie de pansements, de diachylons, d'antiseptiques et d'analgésiques. Vous en aurez régulièrement besoin !

- Lors de la période hivernale, les conducteurs négligents provoqueront un accident. Leur voiture dérapera et causera un accrochage. Soyez donc vigilant et prudent sur la route. Respectez également la limite de vitesse.
- Certains retraités accompliront un travail qui leur apportera beaucoup d'agrément. Ce travail peut vous occuper d'une à deux journées par semaine. Quelques-uns aideront les personnes âgées à faire leurs emplettes. D'autres conduiront les gens à leur dernier repos. Vous vivrez de belles expériences avec les personnes en fin de vie et autres. Qu'importe le travail que vous accomplirez, l'important sera votre initiative à planifier vos journées et chasser l'ennui.
- Certains auront le privilège de faire d'une à quatre entrevues. L'une d'elles sera réussie. Si vous acceptez l'offre d'emploi, attendez-vous à vivre des changements bénéfiques dont vous serez très fier par la suite. Cela améliorera également votre vie financière!
- Vous aiderez l'un de vos proches à se relever d'une dépression majeure. Votre soutien et vos mots d'encouragement l'aideront à reprendre le contrôle de sa vie. Votre proche n'aura que des éloges pour vous.
- Certains prendront de deux à cinq semaines pour se rétablir d'un mauvais rhume. Sortez vos mouchoirs et ne planifiez aucune sortie lors de cette période. Vous aurez besoin de repos pour recouvrer la santé!
- Plusieurs s'inscriront à des cours quelconques pour chasser l'ennui ou pour mieux améliorer leurs capacités sur un sujet qui les intéresse.
- Plusieurs feront la rencontre de personnes intéressantes. Ces rencontres vous apporteront toujours de l'agrément et du plaisir.
- Un proche adolescent réclame votre aide. Il est en conflit avec sa personnalité. Vous l'aiderez énormément dans sa quête existentielle.

- Quelques-uns auront des ennuis avec l'un de leurs voisins. Toutefois, vous parviendrez à une entente. Le problème sera un sujet banal. Cela vous stressera. Toutefois, lorsque le tout se réglera, vous serez soulagé et vous rirez de cet événement anodin.
- Vous, ou un proche, réglerez un problème important. Cela aura un effet bénéfique dans votre relation amoureuse. Vous réaliserez que ce problème aurait dû se régler depuis longtemps !
- Un jeune adulte vous inquiétera. Il sombre dans l'alcool. Vous avez peur pour sa santé mentale et globale. Vous aurez un entretien profond avec lui. Vos doutes seront fondés. Si celui-ci ne cesse, il s'attirera de graves ennuis dans sa direction !
- Vous serez appelé à témoigner à la cours. Cela vous stressera et vous énervera. On a besoin de votre témoignage pour mieux saisir certains événements qui se sont produits et dont vous avez été témoin.
- Vous, ou un proche, devrez consulter le médecin pour faire le point sur un malaise quelconque. Attendez-vous à passer des radiographies et des tests sanguins pour mieux connaître l'origine de vos malaises. Un diagnostic viendra confirmer les observations du médecin. Vous serez traité en conséquence et vous retrouverez le chemin de la santé avec joie !
- Certains vivront des dégâts causés par un arbre. À la suite d'une tempête ou de vents atroces, l'un de vos arbres se déracinera. Vous serez obligé de l'abattre. Cela vous peinera. Toutefois, ce sera la seule solution envisageable pour réparer les dégâts.
- Un jeune adulte se plaint continuellement de migraines atroces. Il passera plusieurs examens avant de déceler l'origine de ces maux. Il sera soigné par un spécialiste compétent. À la suite d'un traitement ou d'une intervention chirurgicale, son problème sera résolu.
- Au cours de l'année, vous vivrez de trois à huit situations qui vous angoisseront. L'une d'elles est reliée à un événement du passé. Cela hantera vos nuits et vous donnera parfois des maux d'estomac.

- Si vous devez faire réparer vos chaussures chez le cordonnier, assurez-vous de conserver votre billet et d'aller chercher vos souliers à la date précise. Si vous retardez trop, vos souliers seront mis aux poubelles!

- Plusieurs personnes auront envie de fêter leur anniversaire de naissance en famille. Attendez-vous à une soirée réussie. Toutefois, toutes vos connaissances voudront assister à cet événement. Votre petite fête se terminera en grand! Vous serez gâté et choyé par vos amis.

- Certains cultivateurs auront des récoltes abondantes. Votre terre sera très fertile au cours de l'année. Vous travaillerez ardemment. Néanmoins, les résultats seront meilleurs de ce que vous aviez espéré!

- Lors de la période estivale, plusieurs auront la main chanceuse. Profitez-en pour acheter des loteries et les choisir. De plus, lors de cette période, toutes les transactions vous apportera de la satisfaction.

- Vous, ou un proche, réglerez astucieusement un problème ardu. Il peut s'agir d'un problème de consommation. Cela ne sera pas facile au début. Toutefois, votre désir de retrouver le chemin de la santé et l'harmonie dans votre vie vous facilitera la tâche. De plus, vos proches vous appuieront dans vos démarches. Ceux-ci vous encourageront. Leur appui et leur réconfort vous donneront l'énergie nécessaire pour réussir ce défi de taille!

- Certaines personnes devront surveiller les beaux parleurs. Ne vous laissez pas influencer par leurs paroles mielleuses. Ne mettez pas votre relation en péril pour céder à la tentation. Vous ferez une grave erreur et vous aurez du chagrin par la suite. Évaluez profondément les conséquences de vos gestes avant de vous lancer dans cette relation non fiable et dangereuse.

- Certaines femmes seront sensibles au froid. Portez toujours des bas ou de petites chaussettes lors de journées plus froides. Ainsi, vous éviterez une infection urinaire.

- Attendez-vous à recevoir de trois à six cadeaux significatifs au cours de l'année. Ces cadeaux viendront embellir certaines de vos journées. Vous serez régulièrement récompensé pour vos bonnes actions.

- Vous, ou un proche, gagnerez trois sommes d'argent provenant d'une loterie. L'une de ces sommes sera considérable. De plus, plusieurs seront chanceux dans des concours. Si l'on vous offre de participer à un concours, faites-le ! Vous pourriez gagner des prix agréables !

- Un jeune adulte quittera le domicile familial. Cela vous touchera énormément. Celui-ci cherchera à s'émanciper. Ce ne sera pas facile d'accepter sa nouvelle vision de la vie.

- Un couple aura une vive discussion devant vous. Vous en serez mal à l'aise. De plus, on vous demandera votre avis sur une situation. Vous serez vraiment dans une fâcheuse position. Le mieux que vous pourrez faire, ce sera de vous taire et de vous éloigner d'eux, le temps que la tempête se calme ! Si vous cherchez à les calmer ou à vous impliquer en donnant votre point de vue, vous empirerez la situation. Mieux vaut vous taire et laissez ce couple se débrouiller par eux-mêmes !

- Certains parleront de vendre ou d'acheter une maison. Cette idée vous habitera énormément. Si vous décidez d'aller de l'avant avec ce projet, vous ne serez pas déçu !

- La santé d'une femme vous inquiétera énormément. À la suite d'un diagnostic, elle devra subir des traitements. Vous consolerez cette femme. Grâce à sa détermination et aux bons soins qui lui seront prodigués, elle recouvrera rapidement la santé.

- Vous, ou une femme proche, serez obligé de recevoir de la cortisone dans l'un de vos bras. Vous souffrirez d'une tendinite chronique à l'une de vos épaules ou à l'avant-bras. Cela vous empêchera de faire vos tâches habituelles. Certains seront en repos pendant une période indéterminée. Ils seront obligés de faire de la physiothérapie pour retrouver l'élasticité de leurs muscles. Ils n'auront pas le choix d'abandonner certains de leurs projets. Cela les peinera énormément. Toutefois, ils devront se reposer. S'ils persistent à faire leur travail habituel et qu'ils n'écoutent pas les recommandations de leur médecin, il leur faudra plus de temps pour recouvrer la santé de leur bras.

- Vous, ou un proche, serez inquiet au sujet d'un enfant. Sa santé mentale n'ira guère. Il s'agira d'une légère dépression causée par son environnement scolaire, amical ou amoureux. Grâce à une thérapie ou à une activité quelconque, cet enfant reprendra goût à la vie, au soulagement des parents.
- Certains encaisseront une perte d'argent avec l'un de leurs projets. Vous serez obligé de le rebâtir ou de le laisser tomber. Vous réaliserez que les personnes embauchées pour la réalisation de ce projet ne sont pas aussi compétentes qu'elles vous avaient révélées. Attendez-vous à une période difficile émotionnellement. Vous avez tellement mis votre énergie pour réussir ce projet. Les résultats ne seront pas exactement comme vous les aviez souhaités. Deux choix viendront à vous : abandonner le projet ou aller chercher l'aide de personnes compétentes. Toutefois, attendez-vous à investir une somme considérable si vous optez pour la deuxième proposition.
- Certains devront régler un problème avec la Loi, le gouvernement ou le courtier d'assurance. À la suite d'un appel téléphonique ou d'une lettre enregistrée, vous serez convoqué à une rencontre pour discuter d'un papier. Cela vous stressera énormément. Vous aurez à fournir des documents ou des preuves pour clore le dossier. Si vos papiers sont en ordre, vous n'aurez aucun ennui et tout se replacera instantanément. Toutefois, si vous avez du désordre dans vos papiers, attendez-vous à vivre des ennuis.
- Certains organiseront un petit voyage à la campagne pour se reposer. Ce petit voyage vous apportera beaucoup de joie et il vous permettra de rehausser vos énergies.
- Vous, ou une femme proche, parlerez de chirurgie faciale. Vous voulez atténuer les rides au visage. Attendez-vous à lire sur le sujet et vous renseigner sur les coûts à encourir.
- Certaines personnes devraient surveiller leurs commentaires désobligeants envers une personne ou une situation. Vos

commentaires peuvent être véridiques. Toutefois, certaines personnes les ébruiteront. Cela vous causera des ennuis avec les personnes concernées. Vous serez impliqué dans une histoire pour laquelle vous aurez à vous défendre. Ce ne sera pas agréable. De plus, vous réaliserez que vous avez jugé trop rapidement l'attitude d'une personne. Vous éprouverez du remord par la suite.

- Certains adopteront un animal de compagnie. D'autres consulteront un vétérinaire pour vérifier l'état de santé de leur animal.

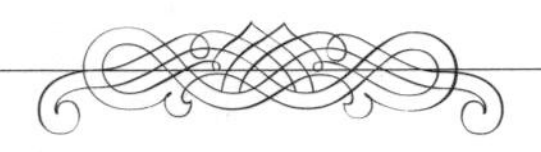

# Partie X

# Les Archanges

*(1er janvier au 9 février)*

# Chapitre XXXVI

# L'année 2017 des Archanges

## *Vous vivrez passionnément votre vie !*

L'année de la spiritualité favorisera plusieurs personnes. Cela les rapprochera de leur âme et de leurs croyances. Cela ne veut pas dire que vous irez à la messe et que vous changerez d'idée au sujet de vos croyances. Cela éveillera tout simplement votre conscience et votre philosophie de vie. Plusieurs personnes chercheront à vivre leur spiritualité en toute simplicité. Cela deviendra un besoin fondamental. Ils réciteront régulièrement des prières pour eux et leurs proches, ce qui les aidera à passer au travers de journées plus ardues. Tandis que pour d'autres, il sera suffisant de croire qu'il existe une force supérieure et ils ne chercheront pas à en connaître davantage. Toutefois, certains événements qui surviendront les feront réfléchir plus profondément sur les énergies divines. Quelques-uns chercheront à connaître davantage les bienfaits de la Lumière des Anges. Ils feront des recherches, liront des livres à ce sujet, etc. Leur soif de connaissance réveillera en eux un sentiment de quiétude. Cela les surprendra de ressentir autant de béatitude lors de leurs recherches !

De plus, l'année de la spiritualité ébahira les athées. Elle les éveillera à la dimension spirituelle et elle dérangera leur perception au niveau des religions. Ils auront moins tendance à être incroyants. Ils vivront des situations qui sortiront hors de l'ordinaire. Cela les amènera à réfléchir et à se questionner sur l'existence d'une force supérieure. Ils ne parleront pas nécessairement de leur réflexion sur ce sujet délicat. Toutefois, leur confiance dans la possibilité d'un monde supérieur à l'humain s'accroîtra dans leur pensée et c'est ce qui sera important pour eux.

Cela dit, plusieurs vivront passionnément leur vie en 2017 ! Vous serez davantage à l'écoute de votre cœur et de vos besoins. Vous réaliserez que vous êtes important et que cela fait trop longtemps que vous vous négligez. Le bonheur de vos proches sera également important pour vous. Pas au détriment de votre santé, toutefois. Voilà la différence. Vous vous dévouerez corps et âme pour vos proches. En revanche, vous vous respecterez aussi. Vous vous gâterez. Vous apprendrez également à dire « non » lorsque vous serez incapable de donner. Ce sera un défi de taille pour vous. Par contre, vous n'avez pas le choix et vous en êtes conscient. Sinon, c'est votre santé globale qui en écopera. Vous en savez quelque chose puisque l'an passé, plusieurs se sont retrouvés en perte d'énergie à cause de situations insolubles. Vous avez dépensé beaucoup d'énergie pour certaines personnes mais en vain, rien ne s'est produit tel que vous le souhaitiez ! Vous avez constaté que certaines personnes ne veulent pas s'aider. Ils préfèrent jouer à la victime et ne rien faire ! L'an passé, vous vous êtes fait influencer par ces victimes. Cette année, cela sera très différent. Vous vous en éloignerez rapidement. Vous apporterez seulement votre aide à ceux qui l'apprécieront et qui se prendront en main.

Cette nouvelle attitude vous conduira vers la réalisation de vos rêves que vous aviez négligés. Vous accomplirez régulièrement des actions qui vous plairont. Vous ne vous laisserez plus influencer par la négativité ni par les autres. Plus que jamais, vous avez besoin de vous sentir vivant et en harmonie avec la vie ! Vous ferez donc ce que vous cœur désire ardemment accomplir. Vous prendrez le contrôle de votre vie et accomplirez exactement tous les projets que vous avez en tête. Ce sera agréable de vous voir agir ainsi. Vous serez déterminé et productif. Vous passerez vos désirs en premier au lieu d'être le dernier. Il est évident que cela affectera les proches qui avaient tendance à se fier sur vous.

Néanmoins, vous leur ferez comprendre que vous souhaitez également voir vos rêves prendre vie. Ceux qui vous aiment et qui vous respectent vous encourageront et ils seront fiers de votre nouvelle attitude. Toutes les personnes malintentionnées trouveront votre nouvelle vision de la vie un peu égoïste et irréaliste à leur goût. Toutefois, vous serez indifférent à leurs commentaires. Vous ne leur laisserez aucunement la chance de venir entraver vos rêves. Vous leur tournerez immédiatement le dos et suivrez vos plans d'attaque, et ce, pour réussir vos objectifs fixés. Vous avez tellement besoin de vous affirmer et de penser à vous. Cela rehaussera votre confiance que vous aviez négligée depuis les dernières années. De plus, cela aura un impact favorable sur votre santé globale! Vous reprenez goût à la vie! Cela vous amènera à emprunter plusieurs routes inconnues. Toutefois, vous adorerez votre expérience acquise lors de vos changements!

Il est évident qu'il y aura des mois difficiles. Il n'est jamais facile d'amorcer des changements, de refuser les demandes des proches, d'emprunter de nouvelles avenues et autres. La peur, l'inquiétude et le chagrin peuvent en envahir plusieurs. Toutefois, vous êtes conscient que cette façon d'agir est salutaire pour votre bien-être et pour la réalisation de vos rêves. Il serait important de conserver votre attitude de gagnant. Si vous le faites, vous parviendrez à surmonter facilement tous les obstacles sur votre chemin, à confronter les personnes malintentionnées et à ne pas vous laisser influencer par elles. Tel un gagnant, vous tiendrez votre point de vue et vous gagnerez vos causes. Cela attirera de belles réussites dans votre direction. Toutefois, si vous baissez les bras, vous échouerez. Vos proches influenceront vos décisions. Cela retardera vos rêves. Vous vivrez le même scénario qu'auparavant. Si vous voulez éviter cette situation, il suffit de vous faire confiance et de vous éloigner des personnes problématiques. Bref, advenant une faiblesse de votre part, n'hésitez pas à réclamer l'aide de l'Ange gouverneur. Celui-ci rehaussera votre confiance et il vous permettra de respecter votre plan d'attaque pour la réalisation de vos projets. L'Ange gouverneur éclairera vos idées et votre chemin. Cela vous facilitera la tâche. Vous serez moins enclin à vous laisser influencer par les autres. Vous chercherez davantage à persévérer pour obtenir de bons résultats.

***Les personnes ayant une attitude négative*** devront mettre les bouchées doubles pour parvenir à leurs fins. Rien ne vous sera acquis facilement. Plus vous critiquerez votre prochain, plus il s'éloignera de vous. N'oubliez pas que certains de vos projets requiert de l'aide. Si vous souhaitez voir vos rêves se réaliser, il serait important de ne pas mettre à dos certaines personnes. Cela ne vous rendra pas service et vous causera des ennuis. En outre, plus votre attitude sera négative, plus les problèmes s'ajouteront à votre horaire. Si vous voulez profiter des occasions qui s'offriront à vous, il faudra changer votre attitude par rapport aux gens et à la vie. Plus vous chercherez à obtenir le contrôle sur les autres, plus ceux-ci vous causeront des ennuis ou s'éloigneront de vous. Changez donc votre façon de voir la vie et vous verrez qu'il est possible d'être heureux et d'obtenir tout ce que vous désirez. Il suffit de faire les efforts nécessaires. Vous en serez satisfait ! Il ne tient qu'à vous d'améliorer votre caractère. Vous verrez que plusieurs personnes vous apporteront de l'aide et vous soutiendront dans vos démarches. Cela vous permettra d'amorcer de grands projets et de les réussir avec satisfaction !

## Aperçu des mois de l'année des Archanges

Au cours de l'année 2017, plusieurs situations agréables surviendront et embelliront certaines de vos journées. Ces événements favorables se produiront continuellement lors des mois suivants : ***février, mars, juin, juillet, août, septembre, octobre*** et ***novembre***. Lors de ces périodes, vous serez toujours en pleine forme pour accomplir toutes les idées qui vous passent par la tête. Attendez-vous également à faire des rencontres intéressantes, à recevoir de bonnes nouvelles et à trouver des solutions valables pour régler vos problèmes. Vous soutirerez plusieurs bienfaits de ces mois favorables. Cela vous permettra de surmonter les périodes plus difficiles. Il y aura également des mois dont la Providence sera à vos côtés. Lors de ces mois de chance, profitez-en pour acheter vos loteries préférées, pour amorcer vos projets, pour prendre une décision, etc. Tout viendra à vous comme par enchantement ! Au cours de l'année 2017, ces **mois chanceux** seront ***février, juin, juillet, août*** et ***octobre.***

Le **mois non favorable** sera ***mai***. Lors de ce mois, plusieurs situations vous feront verser des larmes et vous inquiéteront. Il serait donc important de vivre une journée à la fois. De régler les problèmes un à un. Cela sera profitable pour votre santé globale ! De plus, n'hésitez pas à réclamer l'aide des Anges gouverneurs. Leurs énergies vous aideront à passer à travers vos journées les plus ardues. Vous aurez moins tendance à vous laisser influencer par les situations insolubles et les personnes problématiques. Grâce à leur aide, vous ne resterez pas longtemps inerte et vous reprendrez pleine possession de vos capacités. Cela vous encouragera à persévérer pour obtenir les résultats désirés.

Les **mois ambivalents** seront ***janvier*** et ***avril.*** Au cours de ces mois, il y aura de belles journées et parfois de moins bonnes. Plusieurs questions existentielles seront élaborées. Vous serez envahi par toutes sortes d'émotions, autant positives que négatives. Certaines journées, tout ira bien, et à d'autres, tout ira de travers. Vous avancerez d'un pas, et le lendemain, vous reculerez de deux pas ! Cela ne vous aidera guère à régler rapidement vos problématiques. Si vous le pouvez, prenez le temps de vous reposer et de méditer. Cela vous sera salutaire lors de vos journées compliquées !

## Voici un bref aperçu des événements qui surviendront au cours des mois de l'année pour les Archanges

Vous amorcerez votre nouvelle année avec de bonnes intentions. Vous vous fixerez des buts et vous chercherez à les atteindre. Vous aurez mille et un projets en tête. Plusieurs résolutions à respecter et plusieurs problématiques à régler. Vous ne voulez plus vivre ce que vous avez vécu l'an passé. Vous amorcerez donc un grand ménage dans votre vie. Vous améliorerez votre existence et vous vous départirez de tout ce qui dérange votre harmonie.

Vous fêterez le ***1<sup>er</sup> de l'An*** avec vos proches. Ensuite, vous vous retirerez pour planifier votre plan d'attaque pour l'année. Lors de cette période, vous chercherez davantage la solitude que les sorties familiales. Vous avez besoin de ce temps solitaire pour mieux planifier votre année et amorcer les actions nécessaires pour retrouver l'équilibre, la joie et le bonheur dans votre foyer. Vous ferez un bilan de tout ce que vous aimeriez accomplir au cours de 2017. Vous vous fixerez des buts et des objectifs. Vous prendrez également le temps de les écrire pour éviter de les oublier ! Plusieurs personnes colleront de petites notes positives, ici et là, pour les aider à amorcer leurs changements. Cela vous apportera du courage, de la détermination et de l'ardeur pour bien accomplir vos tâches fixées.

À partir du ***7 février***, vous entrez dans une période prolifique. Attendez-vous à vivre des situations qui embelliront vos journées. Lors de cette période, vous trouverez des solutions pour chacun de vos problèmes et vous les appliquerez instantanément. Votre ménage se continuera au cours de ce mois. Vous réaliserez que vous êtes dans la bonne direction. Certaines journées seront ardues mais profitables. Cela vous encouragera à persévérer pour faire les changements souhaités. Certaines personnes auront le privilège de passer un bel anniversaire de naissance. Vos proches vous réservent une belle surprise. Cela vous fera chaud au cœur. Attendez-vous également à recevoir un aveu qui vous fera fondre en larme. Vous réaliserez l'importance que vous occupez dans la vie de vos proches !

Plusieurs personnes recevront trois bonnes nouvelles au cours de ***février***. Ça peut être au niveau de la santé, du travail ou des amours. Ces nouvelles arriveront à point dans votre vie. Vous serez débordant de bonheur à la suite de ces informations favorables. De plus, la Providence sera à vos côtés, ; profitez-en pour acheter vos loteries préférées. Au cours de ce mois, la journée du vendredi sera favorable dans plusieurs aspects de votre vie. Vous vivrez régulièrement des moments agréables lors de cette journée. Profitez-en donc pour acheter vos billets de loterie ! Vous pourriez faire des gains ! Si vous connaissez une personne de signe Poissons, achetez un billet avec elle. Vous formerez une équipe gagnante. Les loteries instantanées seront favorables. Vous pourriez gagner régulièrement de petits montants ou des billets gratuits avec ce genre de loterie. De plus, lors de cette période, certains auront le privilège de voir un Ange ou un défunt. Cette situation vous apeurera et ensuite vous rendra heureux. Votre défunt ou un Ange vous fera un signe. À la suite d'une demande, le Ciel vous répondra par un signe particulier. Vous serez ébahi par la rapidité des réponses.

Cela dit, plusieurs mettront un terme à des problématiques. Vous serez en contrôle de votre vie et vous axerez vos énergies au bon endroit.

Vous respecterez vos objectifs et vos échéanciers. Vous serez fier de vous et de tout ce que vous entreprendrez pour améliorer votre vie ! Attendez-vous également à obtenir la vérité dans une situation ambigüe. Vous jouerez au détective et vous parviendrez à faire ressortir la vérité. Vous réglerez astucieusement le problème et vous y mettrez un terme. De plus, plusieurs travailleurs obtiendront de bons résultats à la suite d'une entrevue ou d'un entretien avec les autorités. Vous améliorerez vos conditions de travail avec satisfaction. Bref, au cours de ce mois, la seule ombre au tableau : surveillez les endroits contaminés par les virus ! Certains seront obligés de prendre du repos à la suite d'une grippe virale. Certaines femmes auront des ennuis avec les organes génitaux. Prenez le temps de vous reposer et vous recouvrerez rapidement la santé !

***Mars*** apportera la fin de plusieurs problématiques. Attendez-vous à régler trois problèmes ardus à votre grande satisfaction. L'un de ces problèmes est relié au passé. Vous serez heureux d'y mettre un terme et de tourner la page. Au cours de ce mois, vous bougerez beaucoup ! Vous serez très actif et productif. Rien ne passera inaperçu ! Tout se réglera ! Vous ne serez pas de tout repos. Gare à ceux qui chercheront à vous induire en erreur ou à vous manipuler. Vous leur tournerez rapidement le dos. Attendez-vous à remettre de deux à trois personnes à leur place. Vous ne mâcherez pas vos mots avec ces personnes malintentionnées. Toutefois, vous leur ferez comprendre que leur attitude vous déplait. S'ils veulent conserver votre amitié, ils doivent améliorer leur caractère. Sinon, ils perdront votre amitié. Ces personnes savent pertinemment que s'ils perdent votre amitié, ils n'auront aucune chance de vous reconquérir ! Lorsque vous mettez un terme à une relation, c'est fini. Vous ne revenez plus en arrière. Lorsque qu'une personne vous blesse profondément, vous devenez méfiant. Vous préférez partir et quitter une relation que de vivre dans la méfiance !

Bref, vos journées seront bien remplies. Vous continuerez à faire votre ménage dans votre vie. Tout y passera, sans exception. Il peut s'agir de vos proches, de votre vie amoureuse, de votre travail, etc. Tout ce qui vous dérange, vous l'évaluerez profondément et vous chercherez à trouver une bonne solution. Vous réglerez certaines situations avec satisfaction et vous en bannirez d'autres de votre vie. Tout ce ménage aura un impact majeur dans votre existence. Toutefois, votre priorité sera votre quiétude et votre équilibre. Donc, vous vous départirez de tout ce qui entrave cette béatitude ou vous le réglerez. Vous ne voulez plus être le bouc émissaire de tout le monde. Plus que jamais, vous avez besoin de penser à vous, à vos rêves et à vos besoins. Vous désirez également vous entourer de personnes positives et dynamiques. Vous avez un urgent besoin d'énergie positive autour de vous. Vous vous éloignerez rapidement de tout ce qui entrave cette euphorie.

Au niveau de la santé, certains devront subir une intervention chirurgicale. Néanmoins, vous recouvrerez rapidement la santé. Vous serez bien soigné. Cela vous aidera à remonter plus rapidement la pente. De plus, surveillez les objets tranchants. Certains se blesseront. Assurez-vous d'avoir des pansements, des diachylons et de l'antiseptique pour nettoyer les plaies de vos blessures !

Plusieurs personnes seront malades au cours d'***avril***. Quelques-uns subiront un traitement ou une chirurgie. D'autres seront victimes d'une grippe virale. Quelques-uns seront fatigués et épuisés. Il faut dire que les derniers mois ont été très actifs. Il est évident que votre corps réclame du repos. Bref, vous serez moins productif. Votre humeur sera maussade pendant quelques jours. Vous serez nostalgique. Vous vous remémorez des événements pénibles. Cela vous fera verser des larmes. Vous aurez donc besoin de vous reposer. Cette apathie durera jusqu'à la fin ***mai***. Il serait donc important pour votre moral d'entreprendre des activités qui vous plaisent. Cela rehaussera votre énergie.

Lors de votre période printanière, il y aura trois situations qui requerront votre attention immédiate. Cela vous inquiétera énormément et vous empêchera d'avoir de bonnes nuits de sommeil. Une décision s'imposera. Elle ne sera pas facile à prendre. Toutefois, lorsque vous ferez un premier pas. Vous réaliserez que vous avez fait le bon choix ! De plus, quelques-uns laisseront tomber l'un de leurs projets. Ils réaliseront que le temps n'est pas adéquat pour ce projet. Ils le remettront à une date ultérieure. Cela les peinera énormément. Par contre, cela allégera leurs épaules. Ils seront moins anxieux par la suite !

Certains se verront refuser une demande, un poste, un changement ou autre. Ce refus vous atteindra énormément. Vous aviez tellement espéré une réponse positive. Il vous faudra quelques jours pour récupérer de cette nouvelle. Toutefois, plusieurs possibilités surviendront et vous permettront d'oublier rapidement ce refus ! Vous obtiendrez mieux ailleurs ! Sur une note préventive, ne courez pas dans les marches d'escaliers, certains se blesseront et se fouleront une cheville.

Dès le ***4 juin***, vous entrez dans une période prolifique, et ce, jusqu'à la ***fin décembre***. Vous réaliserez que tous vos efforts ont porté fruits. Attendez-vous à vivre plusieurs événements bénéfiques qui agrémenteront plusieurs de vos journées. Tout arrivera comme par enchantement. Il est évident que certaines journées seront compliquées. Toutefois, il y aura toujours une bonne nouvelle qui arrivera au moment opportun et qui vous permettra de surmonter les intempéries de la vie. Vous serez débordant d'énergie et d'ardeur. Cela vous permettra de régler plusieurs situations problématiques. La satisfaction vous sourira régulièrement au cours de la période estivale, automnale et hivernale. Attendez-vous à recevoir de quatre à sept bonnes nouvelles. Vous serez au diapason avec les événements favorables qui surviendront au cours de cette période. Vos actions obtiendront les résultats escomptés. Cela vous encouragera à persévérer et à améliorer votre vie. Fini les larmes causés par les problématiques. Vous relevez donc vos manches et vous réglerez astucieusement tout ce qui entrave votre bonheur de s'épanouir ! Votre grande détermination attirera la réussite et le succès dans l'élaboration de vos tâches.

Cela sera également une période importante au niveau du travail. Plusieurs travailleurs vivront de l'amélioration et de la satisfaction à leur emploi. Toute entrevue sera réussie. Certains se verront offrir un emploi rêvé. D'autres verront leurs conditions de travail s'améliorer. Bref, si vous devez quitter un emploi, vous le ferez ! Si vous devez régler une problématique, vous la réglerez. Si vous devez parler avec l'un de vos collègues ou votre employeur, vous leur parlerez. Vous trouverez toutes les issues possibles pour régler vos tracas et ramener une ambiance agréable au travail.

Sur une note préventive, lors de la période estivale, il serait important que les travailleurs de la construction portent leur casque de sécurité sur leur lieu de travail. Ainsi, vous éviterez des blessures à la tête. Quelques-uns seront étourdis à la suite d'un coup reçu ! D'autres subiront une commotion cérébrale. Tout peut être évité. Il suffit d'être vigilant et de respecter vos consignes de sécurité en tout temps !

Cela dit, en ***juin***, vous vivrez quatre événements agréables. Certains recevront une bonne nouvelle au niveau du travail. Les célibataires feront une rencontre importante. Un bel amour naîtra ! Les couples qui vivent de la difficulté se réconcilieront et donneront une seconde chance à leur union de s'épanouir à travers leur amour. Certains couples planifieront un voyage. Cela les rapprochera et rallumera la flamme de leur amour. Les personnes d'affaires signeront de deux à cinq contrats alléchants. Tout au long de juin, la Providence se fera sentir. Profitez-en pour acheter vos loteries préférées. Joignez-vous à un groupe, cela sera favorable. Achetez des billets de loterie avec vos collègues de travail. Vous pourriez former une équipe gagnante.

En outre, vous passerez de bons moments avec votre famille. Certains auront de belles discussions près d'un feu de camp, sur le bord d'une piscine, d'une plage, etc. Quelques-uns en profiteront pour se prélasser sur une terrasse en prenant un apéro et un souper gastronomique ! D'autres feront du voilier, iront en bateau, feront de la motomarine, etc. Bref, vous profiterez de votre été au maximum ! Il est évident que cela rehaussera votre énergie. Toute cette dynamique se poursuivra jusqu'en ***juillet***. Lors de ce mois, attendez-vous à saisir une opportunité qui chambardera favorablement votre vie. Ce sera une chance unique et vous la saisirez avec ardeur ! Vous serez très satisfait de votre vivacité lors de cet événement. L'amour, l'harmonie, la joie et le bonheur se feront ressentir énormément dans votre foyer. Certaines personnes auront le privilège de recevoir une surprise monétaire. Il peut s'agir d'un gain à la loterie, d'un cadeau d'un proche, d'une transaction, etc. Si vous désirez acheter des billets de loterie, faites-le. Vous avez la main chanceuse. Donc, choisissez vos billets de loterie et votre combinaison de chiffre. Jouez seul, ce sera favorable !

En ***août***, vous fêterez plusieurs événements. Certains pourraient participer à des fêtes foraines, des anniversaires de naissance, de mariage, etc. Vous vous amuserez beaucoup au cours de ce mois. Plusieurs couples se promèneront main dans la main. Quelques-uns partiront en voyage. L'équilibre et la joie se feront énormément ressentir dans votre foyer. Plusieurs feront des sorties agréables. Vous irez au cinéma, voir une pièce de théâtre, un spectacle, etc. D'autres iront se balader en moto. Quelques-uns iront faire du shopping pour une tenue de soirée élégante. Ils assisteront à un gala ou à une soirée conviviale et gastronomique.

Ils seront obligés de suivre le code vestimentaire. Il y aura également beaucoup de pourparlers au travail. Attendez-vous à assister à plusieurs réunions. Plusieurs discussions auront lieu. Toutefois, vous serez avantagé par les changements qui s'amorceront. Avant que le mois se termine, certains se réconcilieront avec un membre de l'entourage. Vous aurez une bonne discussion et le tout se replacera par la suite !

Il en est de même pour ***septembre*** : vous mettrez un terme aux situations problématiques. Une personne réclamera votre pardon. Son attitude vous a déplu. Elle réalisera l'ampleur de son comportement. Elle vous suppliera de lui pardonner. Il ne tiendra qu'à vous de décider si vous acceptez son pardon ou pas. Vous êtes également conscient que cette personne est de nature impulsive. Elle ne prend pas le temps de réfléchir avant de parler. C'est l'une de ses faiblesses et vous avez de la difficulté avec ce trait de caractère. Vous lui laisserez possiblement une autre chance. Néanmoins, ce sera la dernière. Vous lui lancerez donc un ultimatum. Vous bougerez beaucoup au cours de ce mois. Certains parents iront acheter les accessoires d'école. D'autres amorceront une activité physique pour retrouver la forme. Quelques-uns partiront en voyage. Certains débuteront un nouvel emploi. Cela les tracassera au début. Néanmoins, ils apprendront vite et obtiendront les louanges de leur employeur. Cela les réconfortera et aidera à accomplir leurs tâches.

Cette ardeur se continuera en ***octobre.*** Attendez-vous à recevoir trois bonnes nouvelles. Cela vous fera sauter de joie ! De plus, si vous recevez des billets de loterie en cadeau, ils seront peut-être chanceux. Certains gagneront des gains considérables grâce à ces loteries. Il y aura plusieurs possibilités qui vous seront offertes pour améliorer votre vie. Il suffit de saisir ce qui vous convient le mieux. Plusieurs célibataires feront des rencontres intéressantes. L'une d'elles fera palpiter votre cœur de bonheur ! D'autres verront un ancien amoureux leur demander pardon et leur faire la cour ! Vous serez surpris de cet événement ! Certains verront leur situation financière remonter, à leur grande joie et espoir !

Si vous rénovez certaines pièces de la maison, soyez vigilant avec les outils dangereux. Quelques-uns se blesseront. Ne soyez pas surpris d'avoir une main enflée à cause d'un coup de marteau ! Réclamez de l'aide auprès de personnes compétentes. Cela sera favorable. Toutefois, certaines personnes éprouveront de la douleur à la main ou au poignet.

Il peut s'agir du tunnel carpien ou d'un mouvement répétitif. Vous consulterez votre médecin pour mieux déceler l'origine de votre douleur.

Au cours de ***novembre***, vous bougerez beaucoup. Vous serez animé par l'envie de faire mille et une activités. Certains se lanceront dans les préparatifs de Noël ! Vous serez débordant d'énergie et cela se fera ressentir auprès de vous. Vous serez comme une vraie girouette. Vous tournerez dans tous les sens et vous étourdirez vos proches ! Cette attitude ne leur plaira guère puisque vous serez exigeant envers eux ! Par contre, vous leur ferez comprendre que toute cette ardeur est autant bénéfique pour eux que pour vous ! Vous leur direz également que certaines situations requièrent une attention particulière et que vous n'avez pas le choix de travailler ardemment pour obtenir des résultats satisfaisants. Vous agirez tel un avocat qui veut gagner ses causes. Vous ne laisserez aucun détail vous filer entre les doigts ! Vous évaluerez chacune de vos situations et vous appliquerez la bonne solution. Les effets de vos actions seront tellement bénéfiques que vous serez très fier de votre dévouement. Cela vous encouragera à persévérer et à continuer dans la même direction. Vos proches n'auront pas le choix d'admettre que vous aviez raison sur toute la ligne. Ils seront témoins de vos résultats. Donc, ils vous encourageront, vous épauleront et ils seront à votre service.

Cette attitude vous permettra de gagner plusieurs de vos points. Gare à ceux qui chercheront à vous induire en erreur ! Vous serez d'attaque pour les confronter et les remettre à leur place. D'ailleurs, au cours des prochains mois, vous chercherez davantage la compagnie de personnes positives et dynamiques que celle des personnes problématiques.

Vous finirez donc l'année en beauté. Vous irez de l'avant avec vos projets et vos idées. Vous serez productif. Vous établirez des plans pour la nouvelle année et vous chercherez à les réussir au cours de 2018. Votre ardeur vous donnera l'énergie nécessaire pour amorcer des changements. Vous serez animé par la joie de vivre. Votre nouvelle année s'annonce bien et prolifique. Cela vous encouragera à persévérer et à fournir tous les efforts essentiels pour obtenir de bons résultats lors de vos actions. Vous regardez votre avenir d'un œil prometteur et confiant. Vous vous fixerez des buts et vous chercherez à les atteindre. Vous ferez bouger les situations stagnantes. Finis les moments d'attente et d'incertitude. Fini les larmes causées par l'attitude des autres. Vous agirez comme un vrai chevalier et vous vaincrez toutes les situations négatives qui se présenteront sur votre route. Vous ferez tout pour vivre sereinement au cours de la prochaine année. Telle sera votre philosophie de vie au cours de ***décembr***e.

De plus, attendez-vous à régler deux situations problématiques. Vous ferez taire les mauvaises langues et vous confronterez les personnes négatives. Vous les mettrez à leur place. Vous serez en confiance avec votre potentiel et vous l'exploiterez. Vos proches seront fiers de votre ardeur et de votre dynamisme. Cela vous permettra de savourer votre mois de décembre avec satisfaction. En outre, certaines personnes souffriront d'une douleur à l'épaule ; si vous devez déplacer des meubles, demandez de l'aide auprès de vos proches. Ceux-ci seront heureux de vous prêter main forte. Il faudra également surveiller les objets tranchants. Certains se blesseront. Assurez-vous d'avoir des diachylons dans votre pharmacie ! Finalement, vous recevrez un cadeau très significatif et inattendu. Une personne récompensera l'une de vos actions. Elle prononcera des mots gratifiants à votre égard et vous remettra ce cadeau. Votre cœur palpitera de joie !

---

*Conseil angélique des Anges Archanges : Vous désirez depuis longtemps améliorer votre vie ? Alors, il est maintenant temps d'agir ! Soyez motivé et vous savourerez de belles victoires ! Foncez vers votre avenir avec certitude, détermination et confiance, et jamais vous n'échouerez. Profitez des opportunités qui viendront à vous. Celles-ci ont pour but de bonifier votre vie et de la rendre agréable ! Armez-vous d'une foi inébranlable et vous serez capable de relever tous les défis qui se présenteront sur votre route. Croyez en votre potentiel et vous bâtirez un bel avenir. Chaque individu possède à l'intérieur de lui de grandes qualités. Toutefois, plusieurs n'arrivent malheureusement pas à les reconnaître. Sachez donc reconnaître vos qualités exemplaires, celles qui façonnent votre personnalité, et utilisez-les afin d'affronter les défis avec assurance et détermination, ou afin de profiter, avec bonheur et contemplation, des bons moments que la vie vous offre. Vous êtes une personne forte, courageuse et audacieuse, alors, osez l'admettre et savourez pleinement la vie! Réussissez donc votre année et soyez maître de votre destin! Pour vous annoncer notre présence auprès de vous, nous vous enverrons des signes particuliers. Nous vous montreront l'image d'un éléphant. Ce symbole annonce un événement qui se produira dans votre vie. Nous avons écouté l'une de vos demandes et nous envoyons plusieurs possibilités sur votre chemin pour que cette demande puisse être exaucée comme vous le souhaitez! De plus, si vous voyez l'image d'un signe de paix, cela vous indique que nous ramènerons la paix dans votre foyer!*

## Les événements prolifiques de l'année 2017

* Plusieurs auront le privilège de faire la rencontre d'une personne extraordinaire. Elle sera votre Ange terrestre. Cette personne sera toujours disponible pour vous épauler et vous réconforter au moment opportun. Ne négligez surtout pas ses conseils! Ceux-ci vous seront d'un grand secours lors de périodes plus compliquées! Cette personne vous aidera à voir plus clair dans votre vie et à améliorer certains aspects difficiles. Grâce aux précieux conseils qu'elle vous offrira, il vous sera possible de trouver la sérénité, la joie et l'équilibre dans votre vie.
* Attendez-vous à vivre trois événements au cours de l'année. Ces événements vous apporteront de la joie et du bonheur! Vous serez gâté par la Providence!
* Malgré les changements nécessaires qui s'opéreront dans votre vie, vous sortirez souvent gagnant de vos batailles. Vous serez grandement satisfait de vos actions. Cette année, vous ferez tout en votre pouvoir pour améliorer votre routine quotidienne. Cela fait trop longtemps que vous attendiez ce moment! Vous aurez donc le privilège de mettre à exécution vos plans pour atteindre

les buts fixés. Plusieurs possibilités viendront à vous et vous les saisirez! Qu'il s'agisse de votre vie personnelle, professionnelle, familiale, amicale, vous saisirez toutes les ressources possibles qui vous aideront à atteindre votre équilibre. En outre, vous appliquerez toujours la meilleure méthode qui vous apportera satisfaction. Vous serez fier de vous, de vos choix, de vos décisions et de vos actions!

* Au cours de l'année, tout ce que vous chercherez à connaître ou à savoir, vous l'apprendrez! Plusieurs situations viendront vers vous et elles vous révéleront des vérités qui vous permettront de clarifier toutes vos situations ambiguës. Rien ne restera en suspens et tout se réglera. Vous serez souvent au bon endroit, au moment opportun, et vous en profiterez grandement. Cela sera difficile pour vos proches de vous cacher quoi que ce soit puisque vous le découvrirez instantanément. Vous serez également attentif à votre environnement. Cela vous permettra de prendre en défaut les personnes malintentionnées! Rien ne vous échappera, vous verrez tout et vous serez apte à déjouer leurs plans! Vous les effrayerez et éloignerez de vous!

* Plusieurs auront le privilège de signer des papiers importants. Vous récolterez régulièrement les fruits de vos efforts. Cela vous encouragera à persévérer. Vous ne lâcherez pas prise facilement. Cette attitude positive attirera de belles réussites et satisfactions dans votre direction! Vous réaliserez que l'avenir est entre vos mains et que si vous y mettez les efforts nécessaires, vous réaliserez de grands rêves!

* Les femmes désireuses d'enfanter verront leur rêve se réaliser. Il peut s'agir également d'adoption. Vous serez heureuse de tenir un enfant dans vos bras. En outre, l'année 2017 sera fertile dans tous les sens du mot! Plusieurs de vos actions seront prolifiques! Tout pour vous rendre heureux et débordant de bonheur!

## *Les événements exigeant la prudence*

* Essayez d'être moins exigeant envers vous-même. N'oubliez pas que vous êtes un être humain et que vous avez droit à l'erreur. De plus, vous ne pouvez pas tout accomplir en même temps. Vous risquez de vous épuiser et de provoquer des incidents fâcheux qui pourraient être évités. Votre vigilance est de mise !

* Surveillez vos paroles ! Vous aurez tendance à être prompt et direct. Cela pourrait déranger certains proches. Ils ne sont pas habitués à ce nouvel aspect de votre personnalité ! Avertissez-les que vous désirez améliorer votre vie ; pour quiconque s'y opposera, vous aurez la réplique facile. Ainsi, ils seront avertis et sauront à quoi s'attendre advenant un écart de conduite de leur part !

* La fatigue, le stress, le découragement et l'épuisement envahiront plusieurs personnes. La santé mentale sera précaire. Il serait vital de prendre soin de vous et de vous reposer lorsque votre corps est fatigué. Ainsi, vous ne sombrerez pas dans une dépression. De plus, si votre médecin vous prescrit un médicament, c'est que vous en avez besoin ; prenez-le ! Ainsi, vous récupérerez plus rapidement.

* Surveillez également votre alimentation. Certains risquent de se plaindre de problèmes gastriques, de cholestérol ou de diabète causés par une mauvaise alimentation. Il serait important de vous prendre en main et d'éliminer les aliments qui nuisent à votre santé.

* Laissez vos fantômes dans vos placards ! Rien ne sert de les ramener à la surface si vous n'êtes pas apte à les régler. Cela vous empêchera de vous épanouir et de profiter des moments agréables que vous offrira la vie ! En revanche, séchez vos larmes ! Chassez la nostalgie ! Tournez la page et misez sur votre avenir ! Cela sera mieux et bénéfique pour votre santé mentale et globale ! Sinon, vous sombrerez dans l'inertie, la dépression et la nostalgie. Ces émotions vous accableront et vous détruiront petit à petit ! Tout peut être évité, il ne dépend que de vous et de votre attitude face au passé !

## Chapitre XXXVII

# Informations supplémentaires propres à chacun des Anges Archanges

### *Les Archanges et la chance*

En 2017, la chance des Archanges sera **excellente**. La Providence vous réserve de belles surprises qui agrémenteront plusieurs de vos journées. Si vous profitez de chaque occasion qui se présentera à vous, vous passerez une magnifique année ! Des cadeaux imprévus fuseront de toutes parts. Cela vous rendra heureux et débordant d'énergie ! Vos idées seront constructives. Vos actions seront prolifiques. Tout tournera en votre faveur. Il suffit de vous faire confiance et de saisir toutes les opportunités qui se présenteront à vous ! Si vous agissez, vous serez bien servi par la Providence. Si vous lambinez, plusieurs belles surprises vous passeront sous le nez et il sera trop tard pour les rattraper !

Les enfants de **Nemamiah**, d'**Umabel**, d'**Iah-Hel** et de **Mehiel** seront davantage alertes lorsqu'il s'agira de saisir les opportunités sur leur chemin. Ces êtres risquent de vivre une année féérique !

Au cours de l'année 2017, plusieurs chiffres seront prédisposés à attirer la chance vers les enfants Archanges. Toutefois, les chiffres **02**, **03** et **18** seront les plus prolifiques pour eux. Votre journée de chance sera le **mardi.** Les mois les plus propices a attiré la chance vers vous seront **février, juin, juillet, août** et **octobre**. Plusieurs situations bénéfiques surviendront lors de ces mois. Profitez-en donc pour acheter des loteries, pour prendre des décisions, pour signer des contrats, pour faire des changements et autres. Ces mois vous avantageront dans plusieurs aspects de votre vie. Lorsqu'une opportunité s'offrira à vous, saisissez votre chance! Ne laissez pas passer ces occasions uniques d'améliorer votre vie! Celles-ci sont souvent éphémères et de courte durée! Voilà l'importance d'en profiter au moment opportun!

De plus, n'oubliez pas de prendre en considération le chiffre en **gras** relié à votre Ange de Lumière. Ce chiffre représente également un numéro chanceux pour vous. Plusieurs situations bénéfiques pourraient être marquées de ce nombre. Il serait important de l'ajouter à votre combinaison de chiffres. Toutefois, votre Ange peut également utiliser ce chiffre pour vous annoncer sa présence auprès de vous. Lors d'une journée, si vous voyez continuellement ce numéro, cela indique que votre Ange est avec vous. Profitez-en pour lui parler et lui demander de l'aide! Cela peut également signifier de prier l'Ange gouverneur. Vous avez possiblement besoin de sa Lumière pour traverser l'une de vos épreuves, pour prendre une décision, pour régler une problématique, etc. Soyez toujours attentif aux signes que vous enverront les Anges au cours de l'année. Ceux-ci vous seront d'un grand secours!

---

***Conseil angélique :*** *Si une personne vous remet un bouquet de fleurs avec une tige de blé ou un lys, si vous voyez l'image d'un coquillage avec une perle à l'intérieur et si une femme vous remet une pomme rouge, achetez un billet de loterie puisque ces trois symboles représentent votre signe de chance.*

---

***Nemamiah :*** 22, 30 et 36. Le chiffre « **22** » est votre chiffre chanceux. Cette année, vous serez productif. Vous bougerez dans tous les sens. Toutefois, vos actions attireront vers vous de belles récompenses ! Entreprenez donc tout ce qui vous trotte dans la tête ! Les résultats vous surprendront allègrement !

Jouez seul. Cela sera favorable ! Si vous connaissez une personne dont le signe du zodiaque est Bélier, achetez un billet avec elle. Cela sera extrêmement chanceux ! Si vous connaissez un policier, un coiffeur, un pompier, un cavalier ou un joueur d'hockey, achetez un billet avec eux. Ces personnes attireront la chance dans votre direction. Lors d'un déplacement pour aller voir un spectacle ou de la famille, profitez-en pour acheter une loterie. Vous pourriez faire un petit gain !

Cette année, la chance se fera davantage sentir au niveau de vos actions. Vous travaillerez ardemment. Néanmoins, vos résultats vous satisferont. Vous prenez finalement le contrôle de votre vie. Fini de jouer le bouc émissaire de vos proches. Fini de vous laisser influencer par les autres. Cette année, vous choisissez une route et vous irez dans cette direction. Aucune personne ne pourra vous faire changer d'idée. Plus que jamais, vous êtes déterminé à réussir vos objectifs fixés et vous y parviendrez ! Vous réglerez astucieusement plusieurs problèmes qui vous retiennent prisonniers et qui vous empêche d'être heureux. À chaque problème, vous trouverez une solution et vous l'appliquerez instantanément. À chaque question, vous trouverez sa réponse. Rien ne restera en suspens. Tout se réglera grâce à votre détermination.

Cette nouvelle attitude vous aidera énormément à trouver un sens à votre vie. Vous trouverez votre équilibre, votre joie de vivre et la paix intérieure. Vous serez heureux et cela se reflétera dans votre personnalité. Cela dit, attendez-vous à faire des rencontres importantes au cours de l'année. Vous tisserez des liens avec cinq personnes qui vous soutiendront lors de projets importants. Leurs paroles seront importantes et leurs gestes gratifiants. Vous apprécierez énormément leur aide lors de vos actions. Ces personnes seront toujours présentes au moment opportun. Grâce à leur appui, vous parviendrez à atteindre vos objectifs fixés avec succès ! Cela vous encouragera donc à persévérer pour retrouver votre béatitude !

***Yeialel:*** 08, 10 et 32. Le chiffre « **10** » est votre chiffre chanceux. N'oubliez pas que la Providence est avec vous. Profitez-en pour saisir les opportunités qui se présenteront à vous. Cela vous permettra de régler quelques problématiques et de mettre sur pied certains projets. Vous serez souvent au bon endroit, au moment opportun. Vous serez donc avantagé par les circonstances exceptionnelles de la vie ! Ne négligez pas cet aspect ! Cela n'est pas récurrent ! Tout est éphémère ! Il faut donc en profiter lorsque les occasions se présentent à soi ! Vous ne serez pas déçu !

Cette année, vous serez plus chanceux si vous jouez en groupe que seul ! Les groupes de deux, de quatre et de dix personnes vous seront favorables. Certains pourraient gagner un montant considérable grâce à un groupe ! Si vous connaissez une personne dont le signe zodiaque est Bélier ou Capricorne, achetez un billet avec elle. Cela sera chanceux ! Si vous connaissez un matelot, un capitaine de bateau, un pompier ou un taxidermiste, achetez un billet avec eux. Ces personnes attireront la chance dans votre direction.

En 2017, plusieurs personnes amélioreront leur vie. Vous êtes exaspéré d'être le bouc émissaire de vos proches. Vous les aimez beaucoup mais pas au détriment de votre santé et bonheur. Vous serez donc plus sévère avec ceux qui ne cherchent qu'à vous soutirer de l'argent ou de l'aide sans apprécier votre générosité. Fini les larmes causées par des situations insolubles. Vous axerez davantage vos énergies vers des situations positives et agréables. Cela vous siéra bien et vous rendra heureux. Il est évident que vous devez accomplir des efforts pour obtenir de bons résultats. Néanmoins, vous êtes prêt à le faire. Vous avez tellement hâte d'améliorer certains aspects de votre vie que vous ferez tout votre possible pour atteindre votre équilibre. Attendez-vous à vivre des événements prolifiques. Vous réaliserez que tous vos efforts ont porté fruits. Cela rehaussera votre confiance en votre potentiel et vous encouragera à persévérer pour atteindre vos buts fixés ! Certains planifieront un voyage longtemps désiré. Vous serez heureux de faire ce voyage. D'autres se libéreront d'une situation problématique qui les accaparait. Vous serez soulagé à la suite de cet événement. Cela vous permettra de tourner la page et d'aller de l'avant avec vos projets !

***Harahel:*** 11, 22 et 44. Le chiffre « **22** » est votre chiffre chanceux. La Providence vous apportera régulièrement deux situations en même temps ! Vous aurez donc l'embarras du choix ! Il ne tiendra qu'à vous de choisir ce qui vous convient le mieux ! De plus, si vous gagnez une petite somme d'argent, attendez-vous à une deuxième par la suite.

Que vous jouez seul ou en groupe, cela n'a pas d'importance. Certaines loteries instantanées seront chanceuses. Vous pourriez faire de petits gains ! Si vous désirez joindre un groupe, les groupes de deux et de trois personnes vous seront bénéfiques. Si vous connaissez une mère monoparentale, un cardiologue, un dentiste ou une hygiéniste dentaire, achetez des billets avec eux. Vous pourriez former une équipe gagnante !

Cette année, vous bougerez beaucoup et vous travaillerez ardemment. Vous mettrez un terme à plusieurs problématiques qui dérangent votre vie quotidienne et votre santé mentale. Plus que jamais, vous avez besoin de retrouver votre équilibre et votre joie de vivre. Vous êtes exaspéré d'être toujours pris entre l'arbre et l'écorce. Le rôle du médiateur commence à vous peser lourd sur les épaules ! Vous lâcherez donc prise sur les situations insolubles. Vous éviterez également de faire l'interprète entre deux personnes qui ne se parlent plus. Vous ne chercherez plus à les aider. Cela ne fera pas de vous un être déplaisant. Au contraire, vous vous mêlerez de vos affaires ! Vous apporterez votre aide à ceux qui cherchent à retrouver l'harmonie. Vous vous éloignerez des personnes malintentionnées et problématiques. Vous réaliserez que ces personnes ne vous causent que des ennuis déplaisants et cela attaque votre santé globale.

En 2017, vous voulez vivre exempt de problème. Cela ne sera pas facile d'obtenir cette béatitude. Toutefois, vous éviterez les endroits et les personnes qui pourraient déranger votre harmonie. Cela dit, certains devront régler deux problématiques ardues au cours de l'année. Votre tact et votre diplomatie seront vos clés de réussite. Vous parviendrez astucieusement à régler tout ce qui dérange votre quiétude. Vous ferez taire les mauvaises langues et vous donnerez des ultimatums aux manipulateurs ! Gare à ceux qui chercheront à vous induire en erreur. Vous les mettrez rapidement à leur place !

***Mitzraël:*** 05, 23 et 32. Le chiffre « **5** » est votre chiffre chanceux. Vous êtes dans une période de réussite. Vos idées seront constructives et vous serez productif. Vous prendrez votre vie en main et vous réglerez tout ce qui entrave votre bonheur. Vous travaillerez ardemment, néanmoins, vous serez satisfait des résultats. La Providence vous guidera régulièrement vers de bonnes solutions. Cela vous aidera lors de la prise de décisions.

Que vous jouez seul ou en groupe, cela n'a pas d'importance. Si vous désirez joindre un groupe, les groupes de deux et de cinq personnes vous seront bénéfiques. Si vous connaissez un vendeur de meubles, un rembourreur, une décoratrice intérieure et une policière, achetez des billets avec eux. Ces personnes attireront la chance dans votre direction !

Cette année, la chance vous infusera l'énergie nécessaire pour reprendre le contrôle de votre vie. Après avoir vécu une période de tension et de stress. Vous chercherez davantage la quiétude. Toutefois, vous êtes conscient que vous devez apporter de l'amélioration dans votre routine quotidienne. Vous relèverez donc vos manches et vous passerez à l'action. Vous établirez des plans et vous les respecterez. Tout y passera ! Votre vie familiale, amoureuse, professionnelle, amicale, etc. Vous ne laisserez rien en suspens. Tout ce qui vous plait et vous rend heureux, vous le conserverez. Tout ce qui nuit à votre bonheur, vous vous en départirez. Plusieurs personnes feront du ménage dans leurs relations et mettront un terme aux relations négatives. Vous réaliserez que ces personnes dérangent votre santé mentale et émotionnelle. Vous n'aurez donc pas le choix de vous en éloigner. À moins que ces personnes améliorent leur attitude en votre présence !

Bref, attendez-vous à régler cinq situations problématiques. Vous aurez également le privilège d'amorcer deux projets qui vous tiennent à cœur. Vous y mettrez toute votre énergie pour les voir se réaliser et vous y parviendrez avec joie, et fierté ! Vous serez bien servi par la Providence au cours de l'année ! Vous serez très fier de vous et de votre cheminement face à la vie. De plus, certains signeront un papier important qui rehaussera leur situation financière.

***Umabel:*** 05, 10 et 22. Tel que l'an passé, le chiffre « **10** » est de nouveau votre chiffre chanceux. Vous serez favorisé par la chance. Profitez de chaque événement agréable que vous enverra la Providence. Vous ne serez pas déçu ! Attendez-vous à voir plusieurs situations se régler comme par enchantement ! Vous n'aurez qu'à formuler une demande et tout se placera pour la voir se réaliser. Il ne tiendra qu'à vous d'amorcer l'action essentielle pour la réussir ! Cela dit, certains auront la chance de gagner plusieurs petits concours. Participez régulièrement à ce genre de concours. Vous pourriez remporter des prix agréables !

Jouez seul puisque la chance vous appartient ! Toutefois, si vous achetez un billet avec votre partenaire amoureux ou un membre de votre famille. Cela sera bénéfique ! Lors d'une soirée familiale, profitez-en pour acheter un billet de groupe ! Vous pourriez former une équipe gagnante. Si vous désirez joindre un groupe, les groupes de deux, de trois, de quatre ou de dix personnes vous seront favorables. Si vous connaissez une famille reconstituée, un menuisier, un bijoutier ou un artiste, achetez un billet avec eux. Vous formerez une équipe gagnante !

Cette année, plusieurs personnes amélioreront leur vie. Vous réaliserez que vous êtes le maître de votre destin et que vous désirez ardemment avoir la chance de savourer un bel avenir plutôt que de vivre dans les problématiques. Vous ferez donc des changements importants au cours de l'année. Tout ce qui ne fonctionne pas bien, vous y trouverez une bonne solution. Vous ne vivrez plus dans le doute ni dans l'inquiétude. Vous prenez le contrôle de votre vie et vous passez à l'action. Attendez-vous à bouger beaucoup. Toutefois, vous serez régulièrement satisfait des résultats qu'engendreront vos actions. Certains travailleurs recevront de bonnes nouvelles. Quelques-uns obtiendront de belles promotions. Cela les aidera à remonter leur situation financière. D'autres amélioreront leur condition de travail. Cela allègera leurs tâches. Tout au long de l'année, vous serez inondé par de belles opportunités. Cela vous permettra de retrouver la joie de vie et un bel équilibre. Vous avez prié pour que votre vie s'améliore ? Vous le vivrez au cours de l'année ! Vous saisirez toutes les opportunités qui se présenteront à vous ! Rien ne vous filera sous le nez ! Lorsqu'une situation vous interpellera, vous la retiendrez !

***Iah-Hel :*** 07, 21 et 22. Le chiffre « **21** » est votre chiffre chanceux. La Providence vous réservera de belles surprises. Tout ce que vous accomplirez obtiendra de bons résultats. Vous récolterez donc les fruits de vos efforts. Vous serez régulièrement au bon endroit, au moment opportun. Cela vous avantagera dans plusieurs aspects de votre vie !

Jouez seul ! Achetez vos loteries préférées. Cela sera bénéfique ! Lors d'une randonnée champêtre, profitez-en également pour acheter des billets de loteries. Si vous désirez joindre un groupe, les groupes de deux et de trois personnes vous seront favorables. Si vous connaissez une personne dont le signe du zodiaque est Cancer, Vierge ou Balance, achetez un billet avec elle. Si vous connaissez une fleuriste, une coiffeuse, une architecte ou une infographiste, achetez des billets avec elles. Celles-ci attireront la chance dans votre direction.

Trois bonnes nouvelles viendront agrémenter votre année. Il peut s'agir d'une transaction immobilière, d'un changement au niveau du travail, de la rencontre de votre idéal, etc. Plusieurs verront l'un de leurs rêves se concrétiser. Vous travaillerez ardemment, toutefois, vous récolterez abondamment ! Tout viendra à vous comme par enchantement ! Vous serez satisfait des actions et transactions que vous amorcerez au cours de 2017. Vous serez productif, actif et débordant d'énergie. Cela vous aidera dans l'élaboration de vos tâches. Rien ne restera en suspens et tout se réglera ! Vous n'aurez qu'à penser à un événement, et tout se placera pour le régler, le réaliser ou l'améliorer. La Providence enverra régulièrement sur votre chemin plusieurs possibilités pour mettre à profit vos idées et pour amorcer vos changements. Plus que jamais, vous serez en contrôle avec les événements qui se produiront dans votre vie. Vous serez déterminé et efficace. Cela fait longtemps que vous ne vous êtes pas senti aussi énergétique qu'en cette année. Il est évident que certaines journées, vous serez épuisé. Toutefois, cela ne prendra pas de temps que vous reprendrez le contrôle de votre vie.

Vous serez régulièrement satisfait des actions que vous entreprendrez. Cela vous encouragera à continuer de persévérer pour obtenir de bons résultats. Certaines journées seront épuisantes mais gratifiantes ! Celles qui désirent enfanter peuvent s'attendre à voir leur rêve se réaliser au cours de l'année. D'autres adopteront un enfant.

***Anauël:*** 04, 13 et 26. Le chiffre « **4** » est votre chiffre chanceux. La Providence vous enverra de belles possibilités pour améliorer votre vie. Toutefois, vous serez très prudent avant d'entreprendre une tâche quelconque. Vous n'agirez pas sur un coup de tête. Vous prendrez régulièrement le temps de réfléchir aux actions que vous entreprendrez pour réaliser vos objectifs fixés. L'an passé, vous avez fait des erreurs par votre impulsion. Cette année, vous vous êtes promis de ne plus agir de cette façon. Donc, vous prendrez votre temps. Vous analyserez dans les moindres détails chacune de vos actions. Lorsque vous serez satisfait, vous agirez ! Telle sera votre philosophie au cours de 2017 ! Cela vous apportera de belles satisfactions et la réussite.

Au niveau des loteries, jouez seul. Achetez vos loteries préférées. Cela sera favorable. Si vous désirez joindre un groupe, les groupes de deux et de quatre personnes vous seront bénéfiques. Si vous connaissez une personne qui fait de la méditation ou du yoga, achetez un billet avec elle. Vous pourriez former une équipe gagnante !

Cette année, votre chance se fera davantage sentir au niveau de votre vie personnelle. Vous vaincrez vos ennemis intérieurs et extérieurs. Vous mettrez un terme à plusieurs problématiques qui hantent vos nuits et qui vous empêchent de bien dormir. Vous ferez également un ménage dans vos relations. Vous vous éloignerez de toutes personnes négatives et problématiques. Vous ne voulez plus vivre dans la chicane et les commérages. Cela vous rend malade ! Vous chercherez donc la tranquillité, la paix et l'harmonie. Vous êtes conscient que cela ne s'acquiert pas facilement. Vous devez déployer des efforts pour atteindre cette béatitude. Toutefois, votre ardeur à retrouver la quiétude, tant intérieure et qu'extérieure, vous amènera à faire des changements dans votre routine quotidienne.

De plus, chaque situation que vous souhaiterez régler, vous l'analyserez profondément pour appliquer la meilleure solution. Cela fera d'un vous un être gagnant et satisfait ! Au cours de l'année, vous vivrez de deux à quatre événements bénéfiques qui agrémenteront plusieurs de vos journées. Vous réaliserez l'importance de conserver une attitude positive face aux événements de la vie. Tout ce qui entrave cette résolution importante, vous vous en éloignerez ! Avec vos changements et les possibilités qui surviendront cette année, vous réaliserez que la vie vaut la peine d'être vécue ! Vous changerez donc d'opinion face à votre existence !

***Mehiel :*** 12, 14 et 20. Le chiffre « **12** » est votre chiffre chanceux. La Providence vous réserve de belles récompenses. Vous récolterez régulièrement les bienfaits de vos efforts. Profitez-en au maximum puisque vous le méritez ! De plus, continuez à mettre autant d'efforts dans vos actions. Vous ne serez pas déçu ! Vous vivrez plusieurs événements qui agrémenteront plusieurs de vos journées. Vous serez très fier de vous et de votre ardeur à reprendre le contrôle de votre vie.

Au niveau des loteries, jouez seul. Achetez vos loteries préférées. Cela sera favorable. Si vous désirez joindre un groupe, les groupes de deux et de trois personnes vous seront bénéfiques. Si vous connaissez une femme dont le signe du zodiaque est Lion, achetez un billet avec elle. Vous pourriez former une équipe gagnante !

La Providence vous servira bien au cours de l'année. Certains travailleurs obtiendront une promotion ou un emploi de rêve. D'autres réussiront un examen important. Quelques-uns signeront un papier bénéfique. Attendez-vous à vivre régulièrement des événements agréables qui vous apporteront de la joie. En outre, qu'importe ce qui se produira, il y aura toujours une bonne nouvelle au moment opportun. Vous réaliserez que plusieurs de vos objectifs fixés se réalisent, et ce, à votre grande satisfaction. De plus, lorsqu'arrivera un problème, un échec ou une déception, au lieu de vous décourager et de vous plaindre, vous relèverez vos manches et vous trouverez rapidement la meilleure solution. Vous ne voulez plus vivre dans le désordre ni les problèmes. Vous ferez donc le nécessaire pour régler le tout à votre entière satisfaction. Vous rêvez d'un avenir serein et prolifique. Vous ferez donc les changements essentiels pour atteindre cette béatitude. Au cours de l'année, vous entreprendrez plusieurs activités avec vos proches. Certaines personnes adopteront un animal de compagnie. Cela les aidera à chasser leur solitude ou leur ennui. D'autres amélioreront l'intérieur de leur demeure. Cela fait longtemps qu'ils rêvent de ces changements ! Ils pourront voir leur rêve se réaliser au cours de l'année !

## Les Archanges et la santé

Si vous tenez à votre santé, ne la négligez pas! Respectez vos limites; lorsque votre corps est fatigué, prenez le temps de vous reposer. Si vous le faites, vous passerez une magnifique année, en pleine forme et avec énergie. Cela vous permettra d'accomplir vos journées efficacement! En revanche, si vous vous négligez, vous souffrirez de maux intenses et votre santé mentale en écopera. Vous irez régulièrement voir votre médecin, vous passerez des examens approfondis et prendrez des médicaments. Si vous voulez fuir la maladie, si vous voulez éviter un repos forcé, si vous voulez être en forme pour entreprendre vos projets, surveillez votre santé et prenez soin de vous!

En outre, transformez votre négligence en vigilance. Soyez alerte et prudent. Si vous êtes malade, écoutez les recommandations de votre médecin. Vous recouvrerez ainsi la santé. Sinon, certains se retrouveront à l'hôpital pour y subir des traitements ou une intervention chirurgicale. Vous passerez une année au lit, chez le médecin, à l'hôpital et en perte d'énergie. Il est évident que cela attaquera votre moral. Voilà donc une bonne raison pour prendre soin de vous et d'écouter sagement les conseils de votre spécialiste.

De plus, ne prenez aucun produit sans l'avis de votre médecin. Ce qui est bon pour les autres, ne l'est possiblement pas pour vous. Avant d'ingurgiter toutes sortes de produits en vente libre, vérifiez les effets secondaires et assurez que cela n'interagira pas avec vos médicaments. Certaines personnes pourraient s'occasionner des ennuis de santé à cause de leur négligence!

### Sur une note préventive, voici les parties vulnérables à surveiller plus attentivement et les faiblesses du corps en ce qui concerne chacun des enfants Archanges.

Cette année, votre santé mentale sera précaire. Il serait donc important de respecter la limite de vos capacités et de vous reposer régulièrement. Si vous dépassez vos limites, si vous négligez votre alimentation et si vos nuits sont écourtée, vous sombrerez dans un état lamentable. Votre santé mentale en souffrira énormément. Certains souffriront d'agoraphobie, de détresse, de mal de vivre, etc. Vous serez obligé de prendre un médicament pour contrer les effets dévastateurs de votre mental.

De plus, certaines femmes auront des ennuis avec leurs organes génitaux. Quelques-unes devront subir une hystérectomie. D'autres devront passer une mammographie. La tête sera également une partie fragile. Certains se plaindront de migraines. D'autres se feront des blessures. Les ouvriers devront régulièrement porter leur casque de sécurité. Ainsi, ils éviteront de fâcheux incidents. Les oreilles en feront souffrir quelques-uns. Il peut s'agir d'otites, d'un surplus de cérumen, d'acouphènes ou de vertiges. Vous consulterez un spécialiste pour rétablir le bon fonctionnement de votre audition. Quelques-uns auront des douleurs au niveau de la poitrine. Dans la plupart des cas, le stress causera ces alarmes. En revanche, les personnes cardiaques devront redoubler de prudence et suivre méticuleusement les recommandations de leur médecin. Cela leur sera favorable. Sinon, certains subiront une intervention chirurgicale au cours de l'année. Cela dit, plusieurs s'occasionneront des blessures banales, des égratignures, des éraflures et des brûlures. Assurez-vous d'avoir une trousse de premiers soins et une pharmacie bien remplie de produits antiseptiques. Vous en aurez régulièrement besoin !

***Nemamiah :*** votre faiblesse sera les oreilles. Plusieurs devront consulter un spécialiste pour soulager leur problème. Attendez-vous à passer des examens. Il faudra également regarder en avant de vous ! Plusieurs se feront des blessures causées par leur négligence ! Surveillez également les feux ! Vous pourriez vous brûler. Vous serez obligé d'appliquer une compresse sur votre brûlure. Certaines femmes auront des ennuis avec leurs ongles, vous souffrirez de champignons. Vous serez obligé d'appliquer une solution antifongique sur vos ongles. Ne négligez pas ce problème, sinon, vous pourriez perdre un ongle.

***Yeialel :*** plusieurs souffriront de maux de dents. Vous serez obligé de consulter un dentiste. Quelques-uns recevront un traitement de canal. D'autres devront faire réparer une ou deux caries. Tous ceux qui négligeront leur santé et qui ne respecteront pas leur capacité seront malades. Vous souffrirez d'un surmenage ou d'une dépression. Plusieurs auront une perte d'appétit, un manque de sommeil, une baisse d'énergie et un manque d'intérêt. Vous trouverez vos journées longues et pénibles. Votre médecin vous prescrira un repos et une médicamentation pour recouvrer la santé. Il serait important de l'écouter et de suivre ses conseils. De plus, vos oreilles seront également fragiles. Couvrez-vous bien lors de températures plus froides. Vous éviterez ainsi une otite et un torticolis ! À la suite d'une rencontre avec un spécialiste, certaines personnes seront obligées de porter un appareil auditif. D'autres souffriront d'acouphènes. Si vous devez prendre l'avion ou faire une croisière, vous serez obligé de prendre un médicament. Sinon, vos oreilles se boucheront régulièrement.

***Harahel :*** les oreilles, les dents et votre santé mentale seront vos faiblesses. Plusieurs seront obligés de suivre un traitement ou de prendre une médicamentation pour les soulager. Vous serez souvent en perte d'énergie. Il faudra donc prendre soin de vous. Si vous le faites, vous récupérez rapidement. Si vous vous négligez, vous sombrerez dans une dépression ou un surmenage. Cela prendra un temps avant que vous puissiez recouvrer la santé. Voilà l'importance de respecter vos capacités et ne pas les surpasser. Certains devront nettoyer régulièrement leurs oreilles à cause d'un surplus de cérumen. D'autres souffriront d'otites ou d'acouphènes. Quelques-uns subiront une intervention chirurgicale aux oreilles. De plus, certaines femmes vivront quelques ennuis au niveau de leurs organes génitaux. D'autre devront passer une mammographie. Les femmes fumeuses seront invitées à cesser la cigarette. Sinon, elle détériorera leur santé. Au cours de l'année, votre imprudence vous causera des égratignures, des écorchures et de petites blessures. Assurez-vous d'avoir une trousse de premiers soins dans votre pharmacie. Plusieurs chefs cuisiniers se blesseront avec les couteaux !

***Mitzraël :*** votre état de santé sera identique à l'an passé. Si vous surpassez la limite de vos capacités, votre santé globale en prendra un vilain coup ! Vous souffrirez d'insomnie. Vous serez préoccupé par votre santé. Cela vous empêchera de bien dormir. Vous serez donc vulnérable et tout vous tapera sur les nerfs. Vous verserez souvent des larmes de frustration, de fatigue et de découragement. Vous trouverez vos journées longues et pénibles. Les personnes alcooliques devront redoubler de prudence et cesser leur consommation. Sinon, leur pancréas et leur foie seront atteints. Il en est de même pour les personnes diabétiques. Surveillez donc votre alimentation. Si vous négligez votre état de santé, vous passerez quelques jours en observation ! Au cours des périodes automnale et hivernale, couvrez-vous bien. Certains souffriront de maladies virales qui les obligeront à garder le lit pendant quelques jours. Finalement, surveillez les feux. Vous pourriez vous brûler !

***Umabel :*** à la suite de problèmes gastriques, vous changerez votre alimentation. Cela vous avantagera ! Toutefois, certaines personnes se plaindront de douleurs ici et là qui les obligeront à prendre un médicament. La période des allergies en fera souffrir quelques-uns. Vous serez obligé de prendre des antihistaminiques et parfois un inhalateur pour accomplir vos journées ! Quelques femmes souffriront de fibromyalgie. Certaines de vos journées seront pénibles et difficiles à supporter. Vous serez obligé de prendre un médicament pour atténuer vos douleurs. D'autres suivront un traitement particulier ou une activité quelconque qui les soulagera énormément. Plusieurs personnes suivront méticuleusement les recommandations de leur médecin. Recouvrer la santé sera votre priorité !

***Iah-Hel :*** lors de la période des allergies, plusieurs seront obligés de prendre un antihistaminique et un inhalateur pour parvenir à passer d'agréables journées et nuits. La peau sera également fragile. Lors de la période estivale, surveillez les rayons du soleil, vous pourriez endommager votre peau. Assurez-vous d'appliquer une bonne crème solaire. D'autres auront la peau sèche. Cela vous causera des démangeaisons. Vous serez obligé d'appliquer un baume sur la peau pour l'adoucir et calmer les démangeaisons.

De plus, certaines femmes se plaindront de douleurs menstruelles. D'autres souffriront de vaginite ou de cystite[5]. Cela vous obligera à consulter un gynécologue. Quelques femmes subiront une hystérectomie. Certaines femmes accoucheront par césarienne puisque le bébé sera trop gros ! Finalement, plusieurs se plaindront de maux de ventre. Il peut s'agir du côlon irritable. Vous passerez une colonoscopie pour déceler l'origine de vos maux.

5. Inflammation de la vessie.

***Anauël :*** plusieurs se plaindront de douleurs aux genoux. À la suite d'examens médicaux, quelques-uns subiront une intervention chirurgicale. D'autres devront perdre le poids superflu. Plusieurs consulteront un physiothérapeute pour les aider à renforcer les muscles autour du genou. D'autres pratiqueront de la natation. Il faudra également surveiller la santé mentale. Ceux qui ne respecteront pas leurs capacités, leur santé en prendra un vilain coup! Vous aurez de la difficulté à entreprendre vos journées. La fatigue, l'épuisement et le découragement vous guetteront. Votre système immunitaire sera à plat. Cela vous portera à attraper toutes les maladies virales qui circuleront près de vous. Certains seront en repos obligatoire pendant plusieurs journées! En outre, surveillez également les objets tranchants. Votre négligence vous causera des blessures. Assurez-vous d'avoir des pansements, des compresses et des diachylons à votre portée! Vous en aurez régulièrement besoin!

***Mehiel:*** plusieurs se plaindront de maux intestinaux. Vous serez obligé d'améliorer votre alimentation. Certains réaliseront qu'ils ont des intolérances au lactose ou au gluten. La période des allergies en fera souffrir quelques-uns. Vous serez obligé de prendre des antihistaminiques. La peau sera également fragile. Certains souffriront de rosacé, d'eczéma, de couperose ou d'acné. D'autres souffriront d'herpès labial[6] à répétition. Cela les dérangera énormément. Vous serez obligé de consulter un dermatologue pour calmer votre maladie de peau. Il faudra également surveiller le feu. Vous pourriez vous brûler! Finalement, certaines femmes éprouveront des ennuis avec les organes génitaux. Certains seront obligés de suivre un traitement et une intervention chirurgicale.

## Les Archanges et l'amour

Plusieurs couples prioriseront leur relation. Vous aurez de nombreuses possibilités pour régler vos problèmes conjugaux. Grâce à vos dialogues, vous parviendrez à clarifier plusieurs situations ambiguës que vous aviez négligées. Vous êtes conscient que la réussite de votre couple dépend des efforts que vous apporterez à votre union pour l'améliorer. Vous chercherez mutuellement toutes les issues essentielles pour éviter une

6. Nom médical des feux sauvages.

séparation. Vous planifierez donc des sorties familiales, des moments intimes, des périodes de dialogue, etc. Vous et votre partenaire prendrez le temps d'analyser chaque problématique. Chacun donnera son point de vue. Par la suite, vous tenterez de trouver une bonne solution et l'appliquer! Pour plusieurs couples, cette nouvelle initiative sauvera leur union. Au lieu de laisser les situations problématiques envenimer votre relation, vous y verrez instantanément. Plus que jamais, vous avez besoin de vous sentir en sécurité et comblé dans votre relation. Vous accomplirez tout pour combler ce besoin fondamental dans votre union.

Au cours de l'année, vous vivrez plusieurs journées agréables qui rehausseront votre amour conjugal. Ces journées surviendront au cours des mois suivants: ***janvier, février, mars, juin, juillet, août, septembre, octobre, novembre*** et ***décembre***. Au cours de ces mois bénéfiques, plusieurs événements vous rapprocheront de votre partenaire. Tout ce que vous vivrez lors de ces périodes augmentera votre amour. L'un de vos désirs sur le plan amoureux se réalisera à votre grande joie. Certains parleront de mariage. D'autres achèteront une propriété. Quelques-uns planifieront un voyage romantique. Certains agrandiront leur famille par la venue d'un enfant! Vous solidifiez votre union et vous en êtes heureux.

Il y aura tout de même des périodes plus compliquées. Lors de ces moments tendus, si vous y voyez rapidement, vous réglerez facilement vos problématiques et le tout redeviendra à la normale. Si vous négligez vos problèmes, vous vous compliquerez la vie inutilement. Cela prendra plus de temps à retrouver votre harmonie. Il est évident que cela dérangera votre santé globale.

**Voici quelques situations qui pourraient déranger l'harmonie conjugale:** les paroles lancées sous l'effet de la colère causeront de violentes disputes. Cela dérangera l'ambiance dans votre foyer. Certains couples devraient éviter de se disputer devant leurs enfants. L'un de vos enfants deviendra très nerveux et cela dérangera son sommeil. Ses notes à l'école en souffriront également. Vous serez convoqué chez le directeur. Une plainte pourrait être portée contre vous au Centre de la protection de la jeunesse. Vous pourriez perdre la garde de vos enfants. Ne négligez pas cet aspect.

De plus, les couples reconstitués devraient laisser le passé derrière eux. Sinon, cela engendra des batailles sans fin avec leur partenaire. À la longue, cela les éloignera l'un de l'autre. Si vous éprouvez des sentiments puissants envers votre nouveau partenaire, tournez la page du passé. Construisez votre avenir sur des bases plus solides et heureuses. Cela sera à votre avantage.

La boisson et la toxicomanie causeront également des problématiques avec votre partenaire. Si vous souffrez de cette dépendance, elle nuira énormément à votre relation. Votre partenaire vous lancera un ultimatum. Si vous ne changez pas dans les jours qui suivront sa demande, celui-ci vous quittera. Vous subirez une séparation et il sera trop tard pour reconquérir votre partenaire.

## Les couples en difficulté

Plusieurs couples s'affronteront au sujet de l'argent, des enfants, des dépendances et de la négligence de la part de l'un des deux partenaires. Tous ces sujets seront explosifs et apporteront des discussions animées. Si vous voulez sauver votre union, vous devez amorcer des discussions importantes, et ce, sans crier. Il faut également éviter les reproches, cela ne vous aidera guère à réparer les pots brisés. L'important est de vérifier si vous souhaitez toujours continuer votre relation ou non. Êtes-vous prêt à faire les sacrifices nécessaires pour éviter une séparation ? Si oui, agissez en conséquence ! Laissez les bouderies et les mots blessants de côtés ! Cela sera nécessaire et bénéfique pour la survie de votre couple.

De plus, prenez quelques jours de vacances. Partez ensemble et dialoguer de votre plan pour améliorer votre union. Vous verrez que dans l'espace de peu, vos sacrifices apporteront de l'harmonie dans votre foyer. Votre amour s'épanouira de nouveau. Cela vous permettra de réaliser que vous avez fait une bonne action en donnant une seconde chance à votre union de repartir à zéro !

Toutefois, certains couples ne parviendront pas à surmonter cette dure épreuve. Une séparation s'ensuivra. Des larmes seront versées. Il faudra rebâtir votre confiance envers l'amour. Néanmoins, plusieurs proches seront présents et ils vous réconforteront. Cela vous aidera à remonter la pente et à retrouver votre équilibre.

## Les Archanges submergés par la négativité

Si vous tenez vraiment à votre union, il serait important de changer votre attitude. Essayez d'être moins arrogant et manipulateur ! Votre désir de vouloir tout contrôler apportera des ennuis majeurs dans votre relation. De plus, surveillez vos paroles dévastatrices. Plus vous chercherez à abaisser votre partenaire, plus vous l'éloignerez de vous. N'oubliez pas que vous n'êtes pas parfait non plus.

De plus, arrêtez de jouer à la victime et de penser que votre partenaire ne vous aime pas. N'oubliez pas que votre attitude n'est pas toujours agréable. Vous êtes parfois pesant sur ses épaules. C'est la raison pour laquelle votre partenaire s'éloigne de vous. Il a besoin d'un peu d'air frais pour se ressourcer et avec raison ! Donc, si vous voulez partager des activités avec votre partenaire, si vous voulez le voir heureux, changez votre attitude et vous verrez qu'il vous gâtera et vous cajolera. Il sera très ravi d'être à vos côtés.

En outre, ceux qui souffrent de jalousie maladive, de dépendances à l'alcool, à la drogue ou au jeu devraient consulter un thérapeute pour se libérer de cette impasse. Sinon, vous détruirez votre relation par ces problématiques néfastes.

## Les Archanges célibataires

Cette année, vous vivrez de deux à cinq événements qui vous permettront de faire des rencontres intéressantes qui s'avéreront prépondérantes ! Si vous ouvrez la porte de votre cœur et vous vous laissez aimer ! Vous mettrez un terme à votre statut de célibataire ! L'amour enivrera votre vie ! Cela fait tellement longtemps que vous attendiez ce moment privilégié ! Accueillez donc ce bonheur qui entrera dans votre vie. Il est votre flamme jumelle. L'amour rêvé depuis si longtemps ! Vous lui ferez tout un effet ! Votre sourire moqueur, votre personnalité enivrante et votre joie de vivre lui procureront toutes sortes de « pulsations » magiques ! Profitez de cette période de badinage amoureux. Cela rehaussera votre santé globale. Vous serez heureux et débordant d'énergie. L'amour vous fera tout un effet ! Vous peinerez à accomplir vos journées ! Vos pensées seront régulièrement axées sur cette nouvelle rencontre ! À chaque minute, vous vérifierez votre cellulaire pour regarder s'il n'y a pas un texto de sa part! La passion sera instantanée et réciproque.

Dès le premier contact, un sentiment puissant se développera à l'intérieur de vous. Vous chercherez tous les moments essentiels pour vous connaître davantage. Vous échangerez vos numéros de téléphone. Vous planifierez également une sortie ensemble ou une activité physique. Vous aurez beaucoup de plaisir en sa compagnie. Vos activités vous rapprocheront et scelleront votre union. Au départ, vous formerez une relation amicale. Après quelques sorties, celle-ci se transformera en relation amoureuse. Vous solidifierez votre union par un déménagement dans la résidence de l'un ou de l'autre. Quelques-uns parleront de mariage. Attendez-vous également à recevoir un bijou significatif de la part de votre partenaire. Il s'agit d'une bague scellant davantage votre union. Cela remplira votre cœur de bonheur!

Vous pourriez faire sa rencontre lors des mois suivants: ***janvier, février, juin, juillet, août, septembre, octobre*** et ***novembre.*** La journée du mardi et du samedi sont prédisposées à la rencontre de cet amour idéal. À la première rencontre, cette personne vous taquinera. Il tiendra dans ses mains un verre rempli d'une boisson alcoolisée ou rafraîchissante. Cette personne portera une tenue vestimentaire ou un bijou de couleur bleue. Cela attirera votre regard. Tout au long de la soirée, vous vous amuserez en sa compagnie. Il vous racontera des anecdotes divertissantes au niveau de plusieurs sujets. Il vous fera rire jusqu'aux larmes! La soirée se terminera par un baiser amical et par le désir de se revoir. Vous vous fixerez un deuxième rendez-vous. Vous apprendrez à vous connaître. Après quelques sorties agréables, votre relation deviendra plus sérieuse et vous finirez l'année main dans la main! Vous ferez sa connaissance par l'entremise d'un site de rencontre, par l'Internet ou par un proche. Dès que vous poserez votre regard vers lui, votre cœur palpitera de joie! Tous les deux, vous serez chamboulés par vos personnalités.

## Les célibataires submergés par la négativité

Vous jouerez l'indépendant lors de la rencontre de votre partenaire idéal. La peur vous envahira. Au lieu de laisser l'amour entrer dans votre vie, vous le fuirez! Vous ferez la rencontre de votre flamme jumelle, votre cœur réagira fortement en sa présence. Une partie de vous cherchera à la connaître davantage et une autre partie voudra s'éloigner. Vous jouerez donc l'indifférent. Vous ne laisserez pas vos sentiments paraître. Il est évident que cela découragera cette nouvelle rencontre. Elle pensera que vous n'êtes pas intéressé. Elle préféra donc s'éloigner de vous que de subir un échec. De plus, lorsque cette personne sera en votre présence, vous l'ignorerez complètement ! Vous risquez de perdre un bel amour ! À moins que vous désirez vraiment rester célibataire ! Si c'est le cas, conservez votre attitude d'indépendant. Continuez à clamer fort que vous aimez votre célibat et que vous ne voulez rien savoir d'une relation amoureuse, sauf si elle n'est que sexuelle ! Dans ce cas, vous resterez célibataire. En revanche, si vous souhaitez rencontrer votre partenaire idéal, arrêtez de fuir l'amour et laissez-le envahir votre cœur. Si vous avez besoin de cet amour, alors, ouvrez-lui la porte et soyez heureux !

## *Les Archanges et le travail*

Plusieurs travailleurs auront le privilège de signer de deux à quatre papiers intéressants. L'année 2017 sera pour vous une année cruciale. Vous entrez dans une période bénéfique pour améliorer vos conditions de travail. Vous serez souvent au bon endroit, au moment opportun. Cela vous aidera à atteindre vos objectifs fixés. Lors de périodes d'indécision, il y aura toujours une bonne personne à l'écoute qui vous donnera des conseils judicieux. Ainsi, vous serez en mesure de faire des choix sensés. Tout viendra à vous comme par enchantement. Lorsqu'une problématique surviendra, une solution arrivera ! Vous serez donc bien servi par la Providence cette année. Il suffit de saisir les opportunités qui vous interpelleront le plus !

Cela dit, certains auront le privilège de changer d'emploi pour un travail beaucoup plus rémunérateur. D'autres recevront une belle promotion qui les encouragera à continuer d'accomplir leurs tâches avec efficacité. Il y aura de l'amélioration, peu importe les événements qui surviendront, les décisions prises et les changements qui s'appliqueront. Vous serez régulièrement satisfait de ce qui se produira et vous vous adapterez facilement aux changements. Vous serez également conscient que ces changements ont pour but d'améliorer vos tâches et l'atmosphère au travail. Cela vous enchantera de voir qu'enfin votre désir d'amélioration se concrétisera. Toutes décisions qui seront prises par les chefs seront équitables. Il est évident qu'ils ne feront pas nécessairement le bonheur de certains de vos collègues. En revanche, ces décisions amélioreront la qualité du travail ainsi que l'ambiance. À votre point de vue, c'est ce qui sera le plus important et vous respecterez énormément ces changements. Cette attitude vaut vaudra de beaux éloges et du respect de la part de votre employeur.

Plusieurs changements pourraient se produire lors des mois suivants : ***février, mars, avril, juin, juillet, août, octobre, novembre*** et ***décembre***. Certains auront la chance d'obtenir un emploi rêvé. Certains travailleurs à temps partiel auront le privilège de prolonger leur contrat ou d'obtenir un travail permanent. La journée du mardi et du vendredi seront favorables. Plusieurs bonnes nouvelles surviendront lors de cette journée. Lors de cette période, les entrevues seront réussies. Les problèmes seront réglés. Ces mois bénéfiques vous permettront d'avoir de bons dialogues avec vos collègues ou vos supérieurs. Cela vous permettra de régler les conflits et autres.

**Voici quelques situations qui pourraient déranger l'harmonie au travail** : le désordre causé par les changements ou par un déménagement. Certains dossiers se perdront. Les tâches changeront également. Qui s'occupe de tel dossier ? Qui est la personne ressource à consulter pour telle situation ? Qui doit répondre au téléphone ? Ce sont toutes des questions qui seront lancées entre collègues. Un confirmera une action, l'autre la désapprouvera. Une personne émettra un point de vue, une autre ne sera pas du même avis ! Bref, il y aura beaucoup de turbulences au travail durant les changements. Toutefois, lorsque le tout sera terminé, tout entrera dans l'ordre et les collègues pourront vaquer calmement à leurs nouvelles tâches.

## Les travailleurs Archanges submergés par la négativité

Tous les changements qui surviendront à votre emploi vous dérangeront énormément. Vous vous sentirez berné et trahi par vos collègues et votre employeur. Il est évident que votre attitude négative a joué un rôle important dans les décisions qui ont été prises et appliquées.

Vous ne serez pas favorisé par les changements qui s'opéreront à votre travail. Cela ne fera pas votre affaire. Par contre, vous n'avez pas le choix de vous y adapter. À moins de quitter votre emploi et de vous en chercher un autre. À la suite d'une discussion avec votre employeur, celui-ci sera catégorique et il ne changera pas son point de vue. Il vous affirmera que votre attitude vous a causé du tort et qu'il détient des preuves irréfutables vous mettant en défaut. Vous n'aurez donc pas le choix d'accepter vos changements. Votre employeur vous invitera également à quitter votre emploi, si vous n'êtes pas satisfait. Si vous ne voulez pas perdre votre emploi, vous serez obligé de vous conformer aux exigences imposées. En revanche, si vous améliorez votre attitude, vous aurez la possibilité d'obtenir un changement en votre faveur.

# Chapitre XXXVIII

# Événements à surveiller durant l'année 2017

Voici quelques événements qui pourraient survenir au cours de l'année 2017. Pour les situations négatives, lisez-les à titre d'information. Le but n'est pas de vous perturber ni de vous blesser. Il s'agit tout simplement de vous informer.

- Avant de prendre une décision, vous l'analyserez profondément. Lorsque vous serez prêt, vous l'appliquerez dans votre vie. Cela vous avantagera dans plusieurs aspects de votre vie. De plus, à la suite d'une décision importante, vous retrouverez un bel équilibre dans votre vie. Cela vous rendra heureux et allégera vos épaules.
- Vous êtes dans une période fertile, et ce, dans tous les sens du mot. Tout ce que vous entreprendrez apportera de bons résultats. Certaines femmes qui désirent enfanter auront le privilège de voir leur rêve se réaliser. Quelques femmes annonceront une grossesse gémellaire ou multiple. Au cours de l'année, trois personnes de votre entourage vous annonceront une grossesse. L'une d'elles vous fera énormément plaisir. Ces personnes donneront naissance à des filles.

- Vous, ou un proche, gagnerez une belle somme d'argent à la loterie. Cela vous permettra de payer vos dettes et de retrouver un bel équilibre financier.
- Lors de la période hivernale, plusieurs prendront goût aux activités extérieures. Certains déambuleront sur les pentes de ski. D'autres iront faire de la raquette, du patin, de la motoneige et de la pêche sur glace. Ces activités rehausseront vos énergies et votre moral !
- Vous, ou une femme fumeuse, aurez des ennuis cardiaques. Il faudra écouter sagement les recommandations de votre médecin si vous voulez recouvrer la santé et reprendre vos tâches hebdomadaires.
- Certains devront changer leurs habitudes alimentaires. À la suite de problèmes intestinaux, vous réaliserez que vous souffrez d'allergies alimentaires au gluten ou au lactose. Quelques-uns iront consulter une nutritionniste pour les aider à bien s'alimenter.
- Vous, ou un proche, ronflez. Cela dérange vos nuits et celles de votre partenaire. Vous souffrez d'apnée du sommeil. Vous serez obligé d'acheter un appareil pour cesser de ronfler et avoir de meilleures nuits de sommeil. Sinon, votre moral en prendra un vilain coup ainsi que votre concentration. Vous serez toujours fatigué. De plus, vous dérangez votre partenaire. Vous n'aurez pas le choix de trouver une solution. À défaut de quoi, vous irez coucher ailleurs que dans la chambre conjugale !
- Certains auront des ennuis au niveau de leur santé mentale. Vous souffrirez d'agoraphobie ou de surmenage. À la suite d'une consultation chez le médecin, un médicament vous sera suggéré pour calmer vos angoisses. Ne butez pas contre ce médicament puisque vous en aurez besoin. Si vous le refusez, votre santé se détériorera et moins vite vous recouvrerez la santé. Si vous l'acceptez, dans l'espace de peu de temps, vous remonterez la pente ! Bref, si votre médecin vous prescrit ce médicament, c'est que vous en avez vraiment besoin. Prenez-le ! Vous pourriez

ainsi profiter de vos journées au lieu de rester au lit à pleurer continuellement !

- Il y aura souvent des périodes où l'amour se fera ressentir. Vous passerez du bon temps avec votre partenaire. Vos samedis seront ensoleillés de joie et de rires. Attendez-vous à faire plusieurs activités en sa compagnie. Plusieurs couples s'investiront davantage dans leur relation. Ils planifieront un voyage et des moments intimes pour rehausser leur amour.
- Les personnes veuves feront de belles rencontres au cours de l'année. L'une d'elles deviendra votre nouveau compagnon de vie. Attendez-vous à faire parler les gens autour de vous. Néanmoins, vous serez heureux de vivre une nouvelle vie amoureuse. Vous serez débordant de bonheur et vous vous ficherez des commentaires des gens.
- Un enfant causera beaucoup d'ennuis à ses parents. Ils seront obligés de consulter une personne ressource pour obtenir de l'aide et sauver leur enfant.
- Les couples qui éprouvent de la difficulté vivront régulièrement de l'agitation dans leur foyer. À un point tel que l'un deux cherchera la solitude lors de temps de répit. Vous chercherez toutes les issues possibles pour améliorer votre situation.
- Certains seront victimes d'un manipulateur. Faites attention, cette personne vous causera énormément de peine. Apprenez à déceler et à connaître ses intentions avant de vous impliquer totalement dans la relation. Avis aux personnes célibataires : méfiez-vous de ce charmeur. Il ne veut que s'amuser avec vous pour un soir ou deux ! Protégez donc votre cœur ! Aux gens d'affaires : faites une enquête de crédit ou autres avant de vous lancer en affaires avec une personne et de lui faire confiance. Protégez-vous !
- Certains iront visiter une personne à l'hôpital ou ils l'accompagneront régulièrement à leur rendez-vous chez le médecin. Cette personne malade appréciera énormément votre geste envers elle. Attendez-vous à des éloges de sa part.

- Lors de la période hivernale, certaines personnes analyseront profondément leur relation amoureuse ou professionnelle. Vous devez faire des choix pour améliorer votre vie. Vos décisions déclencheront un changement majeur dans votre situation. Toutefois, vous serez satisfait de votre initiative. Vous réaliserez que ces changements auraient dû se faire depuis longtemps !
- Vous, ou un proche, aimerez de nouveau. Après avoir vécu une mauvaise aventure, vous laisserez entrer l'amour dans votre vie. Ce nouveau partenaire comblera vos journées. Vous réaliserez qu'il est le partenaire rêvé pour vous !
- Certaines personnes devront surveiller leur sentiment de jalousie. Cela vous rendra malade et dérangera votre relation amoureuse. Si vous éprouvez de la difficulté à contrôler ce sentiment destructeur. N'hésitez pas à consulter un thérapeute. Celui-ci vous sera d'un très grand secours. Sinon, votre santé mentale en prendra un vilain coup ainsi que votre relation amoureuse.
- Certains couples vivront des ennuis au sein de leur relation amoureuse causés par les mauvaises langues et les personnes négatives. Ne vous laissez pas influencer par celles-ci et éloignez-vous d'elles. Si vous avez des doutes, confrontez tout simplement votre partenaire. Celui-ci sera le mieux placé pour répondre à vos questions et pour clarifier la situation. De plus, si vous éprouvez une période difficile avec votre partenaire, n'allez pas l'ébruiter. Sinon, les mauvaises langues auront un plaisir fou à tout raconter et à empirer la situation. En revanche, si vous avez besoin de vous confier, assurez-vous que votre confident gardera cette confidence pour lui. Ainsi, vous éviterez des ennuis conjugaux.
- Tous les couples qui prioriseront leur vie amoureuse vivront une année exempte de problème. Vous prendrez toujours le temps de régler vos petits ennuis, de faire des sorties familiales et de prendre le temps nécessaire pour vous retrouver. Cela apportera que des bienfaits dans votre relation. L'amour se présente et vous serez pétillant de bonheur !

- Vous, ou un proche, serez victime d'un dégât causé par l'eau ou le vent. Ce dégât causera quelques dommages. Toutefois, plusieurs proches vous apporteront une aide précieuse pour remettre le tout en bon ordre !

- Vous, ou un proche, penserez à rénover votre demeure. Vous changerez vos armoires de cuisine. Vous redorez votre place. D'autres rallongeront une pièce de la maison. Vous serez satisfait des résultats. Attendez-vous à des dépenses excessives.

- Après avoir vécu une période difficile, vous, ou un proche, vous remettrez vite sur vos deux pieds et avancerez fièrement vers les objectifs que vous vous êtes fixés. Vous atteindrez l'un de vos buts avant que l'année se termine. Vous fêterez cet événement avec joie !

- Vous assisterez à un événement où vous consolerez une personne en peine. Votre douceur réconfortera énormément cette personne. Vous lui dicterez les bons mots. Celle-ci vous remerciera. Par la suite, elle vous invitera à prendre part à une journée spéciale. Lors de cette journée, elle vous réserve une belle surprise. Elle récompensera votre grande bonté envers elle. Vous réaliserez que cette personne a vraiment apprécié votre geste de réconfort.

- Lors d'un enterrement ou d'une visite au salon mortuaire, vous serez stupéfait des propos tenus par un proche du défunt. Cela vous frustrera et dérangera énormément.

- Pour plusieurs, l'année 2017 mettra un terme à plusieurs difficultés. De bonnes solutions seront appliquées. Cela allégera énormément vos angoisses et vos nuits de sommeil.

- Vous, ou une femme malade, recouvrez la santé. Après une période difficile, vous remontez la pente à votre grande joie.

- À la suite d'une prière, l'un de vos défunts vous fera un signe. Une libellule ou un joli papillon virevoltera auprès de vous et viendra se déposer sur votre main.

- Les personnes dont le signe du zodiaque est Poissons vous apporteront toujours de bonnes nouvelles. De plus, profitez-en pour acheter une loterie avec eux. Cela sera chanceux !

- Lors de la période hivernale, vous serez victime d'un mensonge de la part d'une femme. Cela vous frustrera énormément. Vous chercherez à comprendre les raisons pour laquelle cette femme vous a menti. Vous serez dérouté par la situation. Vous confronterez cette personne. Votre ardeur combative l'obligera à vous raconter la vérité.
- Certaines femmes iront consulter un spécialiste en chirurgie plastique. Elles remodèleront leurs seins ou leur visage. D'autres subiront une chirurgie bariatrique. Qu'importe leur traitement, elles seront satisfaites des résultats !
- Un adolescent se plaindra de maux de tête ou de ventre. Vous consulterez un spécialiste. À la suite d'examens médicaux, cet adolescent sera soigné adéquatement. Il recouvrera rapidement la santé.
- Au cours de la période estivale, certains assisteront à un concert de musique donné en plein air. Vous passerez une magnifique soirée avec vos proches.
- Vous réglerez de deux à six situations reliées au passé. Vous serez très fier de vous par la suite. Vous sauterez de joie lorsque l'une d'elles se réglera. Cela faisait tellement longtemps que vous attendiez cet événement !
- Lors de la période printanière, surveillez les objets tranchants. Vous pourriez vous blesser. Assurez-vous d'avoir des diachylons et des pansements dans votre pharmacie.
- Vous, ou une proche femme, donnerez naissance par césarienne. Toutefois, une femme accouchera rapidement. Il lui faudra moins d'une heure pour son accouchement. Elle aura juste le temps de se rendre à l'hôpital !
- Une femme âgée doit subir une intervention chirurgicale et cela l'angoisse énormément. Toutefois, l'équipe médicale prendra bien soin d'elle. Celle-ci recouvrera rapidement la santé.
- Certains célibataires feront une rencontre grâce à l'Internet. Vous *chatterez* avec cette personne pendant quelques semaines. Par la suite, vous planifierez une rencontre. Une belle relation naîtra.

- Surveillez régulièrement les personnes qui parlent dans le dos des autres. Celles-ci vous impliqueront dans une histoire pour laquelle vous aurez à vous défendre. Cela vous rendra malheureux et mal à l'aise.
- Un véhicule aura des ennuis mécaniques. Vous devez le faire réparer. Vous n'avez pas le choix. Cela causera un trou dans votre budget. Néanmoins, vous serez satisfait du travail opéré par le mécanicien.
- Certaines personnes réagiront vivement aux journées de pleine lune. Vous serez vulnérable et verserez des larmes sans raison apparente !
- Vous planifierez un voyage avec un groupe de personne. Vous adorerez ce voyage.
- Les professionnels, les artistes et les actionnaires réussiront deux de leurs projets. Attendez-vous à des résultats impressionnants.
- Certains partiront en voyage pour le temps des Fêtes. D'autres recevront la famille. Vous organiserez une belle fête de Noël dont vos invités se remémoreront longtemps. Au cours de l'année, plusieurs vivront de belles réunions familiales qui les rendront heureux. De belles discussions auront lieu. Des photos seront regardées et des souvenirs seront relatés. Cela vous amènera à passer des soirées de rires, de joie et de bonheur avec vos proches.
- Certains devront surmonter un obstacle. Cela ne sera pas facile. Toutefois, une aide précieuse arrivera vers vous et elle vous sera d'un très grand secours. Celle-ci vous encouragera et elle vous aidera à résoudre rapidement votre problème. Vous lui serez très reconnaissant.
- Ceux qui recherchent un parent biologique ou la vérité sur une ambiguïté obtiendront des réponses. Cela vous permettra de fermer un livre et de passer à une autre étape de votre vie.
- Une maison sera vendue avant la fin de l'année ! Cette transaction vous soulagera énormément !

- Un couple renaît à la vie. Après avoir vécu une période difficile ou subi une séparation, ils se donneront la chance de rebâtir leur vie sur des bases plus solides. Leur bonheur se lira de nouveau sur leur visage.
- Certains retraités accompliront du bénévolat. Vous développerez de belles amitiés. Cela remplira vos journées. De plus, votre aide sera très appréciée par votre entourage.
- Lors de la période automnale, les chasseurs seront bien servis. Plusieurs vanteront leurs prouesses survenues lors de la chasse !
- Soyez vigilant lors de promenade dans le bois. Vous pourriez subir une blessure causée par une branche d'arbre. Assurez-vous d'avoir des pansements et de l'antiseptique pour bien nettoyer la plaie.
- Les techniciens en vitrerie devront porter leur gant de sécurité pour éviter des blessures graves. Soyez toujours vigilant et prudent lorsque vous devez soulever une vitre. Cela vous évitera de graves ennuis.
- Plusieurs recevront des marques d'affection et de tendresse. Vos proches apprécient votre grande générosité envers eux. Attendez-vous à être gâté par eux. Vous passerez du bon temps en famille. Cela rehaussera votre énergie.
- Cette année, plusieurs auront le privilège de réussir une entrevue, d'obtenir un poste rêvé, d'améliorer leurs conditions de travail ou de changer d'emploi. Vous vivrez plusieurs possibilités qui vous permettront de retrouver l'harmonie à votre travail.
- Au cours de juin, plusieurs laboureront un coin de terre pour préparer leur jardin ou leurs fleurs. Lorsque l'été arrivera, vous serez heureux de votre petit chef-d'œuvre !
- Certaines personnes planifieront l'achat d'un nouvel ordinateur ou d'une tablette. Si vous êtes nul en ce qui concerne l'informatique, réclamez de l'aide auprès de vos proches. Ceux-ci se feront un plaisir de vous accompagner lors de votre achat.

- Vous, ou un proche, éprouverez une difficulté et des tracas juridiques avec une compagnie, le gouvernement ou une personne problématique. Pour gagner votre cause, vous serez invité à prouver votre innocence et fournir les documents pertinents qui vous libéreront de cette accusation. Si vous parvenez à leur fournir les documents requis, vous gagnerez votre point de vue avec avantage !
- Certaines femmes auront des ennuis avec leurs jambes. Elles devront consulter un spécialiste pour atténuer leurs varices. Elles subiront un traitement au laser.
- Les parents de jeunes enfants devraient surveiller les jeux électroniques sur leur tablette. L'un de vos enfants pourrait acheter des jeux avec votre carte de crédit. Assurez-vous que vos renseignements personnels n'y apparaissent pas. Sinon, votre facture sera très élevée !
- Quelques-uns réaliseront qu'ils ont un problème de dépendance au jeu. Vous serez obligé de vous prendre en main. Sinon, vous encourez vers une perte financière et familiale.
- Vous vivrez plusieurs moments qui vous permettront de revoir des gens du passé. Ces moments vous remémoreront de bons souvenirs avec vos anciens amis. Vos discussions seront divertissantes. Certains renoueront avec un ancien camarade de classe. Votre amitié sera aussi profonde qu'avant !
- Surveillez votre vitesse. Certains recevront une contravention de vitesse par la poste. Un radar vous a pris en défaut ! Soyez donc prudent sur les routes ! Lorsque vous verrez une enseigne annonçant un radar, modérez ! Également, avertissez vos proches lorsqu'ils prennent votre voiture. Ainsi, vous n'aurez pas à payer pour leur imprudence.
- Certains travailleurs devront orienter leur carrière dans un domaine complètement différent de leurs tâches habituelles. Cela vous énervera énormément. Toutefois, vous aurez une aide précieuse qui vous permettra de réussir vos nouvelles tâches !

- Vous, ou un proche, effectuerez un tatouage sur le corps commémorant un événement important. Il peut s'agir de la naissance d'un enfant, le souvenir d'un défunt, etc.
- Vous, ou un proche, serez invité à célébrer un mariage. Vous remplirez des papiers vous donnant l'autorisation de sceller un mariage par l'état civil.
- Certaines personnes iront déjeuner au restaurant. Cela sera votre douceur de la fin de semaine. Vous aurez beaucoup de plaisir avec vos proches. Cela débutera bien votre journée!
- Certains parleront de voiture. Vous tomberez en amour avec un nouveau modèle sur le marché. Vous irez chercher de l'information au sujet de ce véhicule. Malgré le fait que votre voiture actuelle est en excellent état, ne soyez pas surpris de faire un échange avant que l'année se termine!
- Les électriciens devront toujours écouter les consignes de sécurité. Ne négligez jamais cet aspect. Ainsi, vous éviterez de vous électrocuter. Soyez toujours prudent et vigilant lorsque vous changez un panneau électrique!
- Certaines personnes seront surprises de recevoir un dû qu'ils avaient oublié. On vous remettra un emprunt que vous aviez jadis accordé. Il peut s'agir d'une somme d'argent, d'un livre, d'un vêtement, d'un meuble, d'un outil, etc. Vous ne pensiez plus recevoir ce dû. Vous serez très heureux lorsqu'on vous le remettra.
- Vous, ou un proche, vivrez une passion secrète. Cette passion vous procurera beaucoup de joie mais en même temps, elle vous tracassera. Il serait donc important de prendre une décision. Sinon, votre santé mentale en prendra un vilain coup! Si vous éprouvez toujours des sentiments pour votre partenaire, il serait mieux pour vous de mettre un terme à votre relation passionnel et de rétablir l'harmonie dans votre couple. Si votre partenaire venait à l'apprendre, vous encourriez une grande perte et il sera trop tard pour réparer les dégâts.

- Un adolescent recevra un certificat de reconnaissance. Il peut s'agir d'une invention, d'un acte de bravoure ou autre. Vous serez très fier de lui.
- Certains rénoveront de vieux meubles. Vous utiliserez une peinture à la craie. Vous serez satisfait de votre petit chef-d'œuvre.
- Quelques-uns achèteront un meuble d'ordinateur ou pour le téléviseur. D'autres achèteront un ensemble de cinéma maison. Certains se procureront également deux fauteuils de cuir pour relaxer. Vous l'installerez dans votre pièce de cinéma maison.
- Vous, ou un proche masculin, éprouverez des ennuis avec la prostate. Vous serez obligé de consulter un urologue pour atténuer vos douleurs. À la suite d'un traitement, quelques-uns seront obligés de subir une intervention chirurgicale.
- Un jeune adulte quittera le domicile familial pour s'enrôler dans les forces armées. Cela dérangera énormément les parents. Ce sera toute une expérience pour ce jeune adulte.
- Vous, ou un proche, aiderez une famille dans le besoin. Cette famille vous sera très reconnaissante. Attendez-vous à faire quelques épiceries pour eux.
- Au cours de la période estivale, vous ferez plusieurs sorties familiales. Attendez-vous à dépenser beaucoup d'argent lors de vos sorties ! Vous dépasserez régulièrement votre budget ! Toutefois, vous aurez du plaisir à participer à ces activités. L'important sera de passer du bon temps avec vos proches. Certains iront faire du rafting. Vous adorerez votre expérience. Vous en parlerez longtemps !
- Certaines personnes iront consulter un photographe. Il peut s'agir d'une photo familiale, de votre grossesse, d'un mariage et autres. Ce photographe saura bien saisir le souvenir désiré.
- Quelques personnes prendront une décision en ce qui concerne l'urne d'un défunt. Ce ne sera pas facile de prendre cette décision. Toutefois, vous serez heureux de votre choix. Il peut s'agir de l'endroit où vous placerez cette urne. Vous consulterez

la famille. Ensemble, vous parviendrez à trouver une solution qui satisfera tous les proches du défunt.

- Lors des périodes automnale et hivernale, un jeune enfant fera des otites à répétition ainsi que des amygdalites. Le pédiatre qui le suivra le soignera bien. Toutefois, celui-ci envisagera une intervention chirurgicale si le problème persiste. Il attendra que l'enfant atteigne l'âge de six ans. Après cet âge, si l'enfant souffre toujours du même problème, le pédiatre prendra la décision de l'opérer.
- Vous, ou un proche, irez consulter un vétérinaire. Votre animal de compagnie sera malade. Il mangera une plante ou ingurgitera un médicament. Ce vétérinaire le soignera bien. Toutefois, la facture sera onéreuse puisque qu'il devra garder votre animal en observation pendant 48 heures.
- Un proche éprouvera de la difficulté avec un collègue de travail. Cela l'épuisera énormément. Vous serez obligé de le réconforter et de l'aider à régler sa problématique.

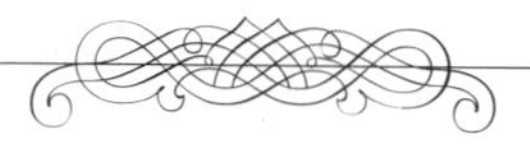

# Partie XI

# *Les Anges*

*(10 février au 20 mars)*

# Chapitre XXXIX

# L'année 2017 des Anges

## *La joie de vivre animera votre année !*

Cette année, vous ne ferez qu'un avec votre spiritualité. Vous nourrirez votre âme d'énergie positive. Cela fait trop longtemps que vous avez besoin de fusionner avec votre âme et votre source divine. Plusieurs ont négligé cet aspect de leur vie ! Cela vous a amené à réfléchir profondément sur l'essence de votre vie et de l'importance de conserver une attitude positive face à la vie et d'être heureux ! Cela ne veut pas dire que vous prierez tous les jours ! Vous prenez tout simplement conscience qu'il est important, pour votre bien-être, de vous ressourcer, de méditer, de prier lorsque vous en ressentez le besoin, d'être en paix et de croire qu'il existe une énergie divine pour vous aider lors de périodes compliquées ! Si vous conservez cette attitude, cela aura un impact bénéfique lors de vos actions, de vos décisions, de vos choix et de vos changements. Vous apprécierez davantage les moments agréables que vous offre la vie. Plus que jamais, vous avez envie d'être optimiste, équilibré, vivant et créatif ! Votre perception de la vie change ! Lorsqu'une opportunité arrivera vers vous, vous la saisirez instantanément. Vous n'attendrez plus les avis des autres. Vous

vous prenez en main et vous foncerez vers vos objectifs pour atteindre le bonheur. Vous êtes conscient que vous êtes le maître de votre destin. Vous ferez donc en sorte de le réussir et d'obtenir de bons résultats pour vivre sereinement et harmonieusement. Vous réaliserez également que vous possédez le pouvoir de tout obtenir. Il suffit de garder cette attitude positive face à la vie.

Cela dit, en l'an 2017, vous serez très fier de vous et de votre détermination à vivre votre vie au lieu de la subir ! Vous réaliserez que votre bien-être est essentiel à votre bonheur ! La joie de vivre vous animera tout au cours de l'année ! Fini les larmes causées par les autres. Cette année, vous vous éloignerez de tout ce qui entrave votre joie de vivre. Les personnes négatives et manipulatrices doivent se tenir tranquille et changer leur attitude s'ils veulent conserver votre amitié ! Sinon, vous mettrez un terme à ces relations qui dérangent votre harmonie. Votre grande générosité n'a pas été à l'abri des profiteurs. Toutefois, en 2017, vous axerez vos énergies vers des situations lumineuses qui vous apporteront de l'agrément. Vous cesserez votre rôle de médiateur qui ne cherche qu'à aider son prochain et lui apporter de la quiétude. Cette année, vous travaillerez pour votre bonheur. Vous avez besoin d'être heureux et en harmonie avec la vie. Vous apporterez toujours de l'aide à vos proches. Par contre, vous aiderez ceux qui veulent s'aider et vous laisserez tomber les causes désespérées qui ne vous apportent que de la contrariété. Vous avez besoin de vivre une année exempte de stress et de situations négatives. Vous irez donc aux endroits bénéfiques et prolifiques pour votre bonheur et votre santé globale.

Vous mènerez à terme vos projets, vos idées, vos changements et vos décisions. Vous serez en contrôle de votre vie. Vous améliorerez votre routine quotidienne et vous prendrez le temps de savourer chaque moment agréable qui surviendra cette année. Vous passerez du temps avec vos proches, vous ferez des activités qui vous plaisent, bref, vous profiterez de la vie. Votre envie d'améliorer votre destin sera tellement intense que vous y mettrez tous les efforts pertinents afin d'apporter des modifications nécessaires pour embellir vos journées quotidiennes, et vous y parviendrez avec mérite !

De plus, vous aurez le privilège de signer deux contrats importants. Il peut s'agir d'un achat, d'une vente, d'une somme d'argent ou d'un contrat professionnel. Ces papiers vous apporteront de la satisfaction. Vous serez très heureux lorsque ces contrats seront signés. Bref, cette année, attendez-vous à vivre de quatre à dix événements prolifiques qui rempliront votre cœur de joie!

Il est évident qu'il y aura des périodes difficiles et parfois compliquées. Certaines personnes jalouseront votre succès et votre joie de vivre. Vous êtes de nature sensible, il est apparent que cela vous peinera. Vous serez ralenti par leur attitude envers vous. Vous chercherez à les comprendre et à leur faire plaisir. Néanmoins, cela ne les empêcheront pas de vous détruire. Il serait donc important de vous éloigner de ces gens. Ils n'ont rien d'agréable ni de bon à vous apporter, sauf des ennuis de toutes sortes! Ces personnes, vous les avez beaucoup aidées dans le passé. À maintes reprises, vous avez subi leurs sautes d'humeur, leur manipulation, leur négativité, et ce, sans broncher. Vous leur avez donné plusieurs chances d'améliorer la relation avec vous. Ceux-ci n'ont pas su en profiter. Cette année, vous avez décidé de passer à autre chose! Vous ne voulez plus vivre dans la négativité des autres. Vous voulez être heureux. Il n'est pas facile de tourner le dos à des gens que l'on aime, mais pour le bien de votre santé mentale, vous n'avez pas le choix de le faire au cours de l'année. Vous avez trop souffert avec ces relations problématiques. Il est maintenant temps pour vous d'aller vers des personnes plus agréables qui sauront vous apporter de la joie et des énergies positives.

Lors de décisions importantes, n'hésitez pas à réclamer de l'aide auprès de l'Ange gouverneur du mois. Celui-ci rehaussera votre confiance et il vous donnera l'énergie nécessaire de trancher et de mettre un terme aux situations et aux relations problématiques qui enveniment votre joie de vivre. De plus, l'Ange gouverneur veillera à ce que vous continuez votre route vers des situations plus lumineuses et agréables pour votre bien-être!

***Cette année, les personnes ayant une attitude négative*** vivront plusieurs déceptions. Au lieu de vous libérer des personnes problématiques, vous resterez dans cette énergie morbide qui dérangera énormément votre santé physique et mentale. Cela vous rendra vulnérable et affectera votre santé. Votre âme souffrira. Vous serez envahi par le mal de vivre. Cela ne vous aidera guère à apprécier les événements agréables qui se produiront dans votre vie. Au lieu d'appliquer des solutions pour régler vos problèmes, vous les ignorerez ! Il est évident que cette attitude vous créera des frustrations et de l'insatisfaction.

En 2017, il sera important pour votre bien-être et celui de vos proches d'améliorer votre attitude. Sinon, vous souffrirez moralement. Toujours vivre dans la bataille, cela ne vous aidera guère à conserver une bonne santé. De plus, ça dérange les bonnes personnes qui ne cherchent qu'à vous aider et à vous libérer de vos problématiques. Cette année, faites-vous un cadeau et éloignez-vous des situations et des personnes problématiques. Évitez leur jeu de bataille ! Cela sera bénéfique pour votre moral ! Plus vous vous enliserez dans leur jeu, plus vous affecterez votre santé. Bref, cette énergie négative n'attirera rien de bon vers vous. Donc, si vous voulez changer votre routine quotidienne et l'améliorer, commencez par vous éloigner de ces personnes et améliorez votre attitude. Si vous agissez ainsi, cela ne prendra pas de temps pour que votre vie s'améliore, votre santé prendra du mieux et de belles possibilités arriveront vers vous pour agrémenter votre année ! Il suffit de saisir ces occasions uniques qui apporteront du bonheur dans votre routine quotidienne ! À vous de choisir votre route ! N'oubliez pas que vous êtes le maître de votre destin ! Si vous voulez vivre dans la joie et le bonheur, commencez par atteindre la paix intérieure et vous verrez dans l'espace de peu de temps, votre vie s'améliorera ! Vous en serez très heureux ! Faites le bon choix et savourez votre année !

## Voici un bref aperçu concernant les mois de l'année des Anges

Au cours de l'année 2017, plusieurs situations agréables surviendront et embelliront certaines de vos journées. Ces événements favorables se produiront continuellement lors des mois suivants : ***février, mars, avril, juin, juillet, septembre, octobre*** et ***novembre***. Lors de ces périodes, vous serez toujours en pleine forme pour accomplir toutes les idées qui vous passent par la tête. Attendez-vous également à faire des rencontres intéressantes, à recevoir de bonnes nouvelles et à trouver des solutions valables pour régler vos problèmes. Vous soutirerez plusieurs bienfaits de ces mois favorables. Cela vous permettra de surmonter les périodes plus difficiles. Il y aura également des mois où la Providence sera à vos côtés. Lors de ces mois de chance, profitez-en pour acheter vos loteries préférées, pour amorcer vos projets, pour prendre une décision, etc. Tout viendra à vous comme par enchantement ! Au cours de l'année 2017, ces **mois chanceux** seront ***février, juin, septembre*** et ***octobre.***

Les **mois non favorables** seront ***mai, août*** et ***décembre***. Lors de ces mois, vivez une journée à la fois. Réglez les problèmes un à un. Cela sera profitable pour votre santé globale ! De plus, n'hésitez pas à réclamer l'aide des Anges gouverneurs. Leurs énergies vous aideront à passer à travers vos journées les plus ardues. Vous aurez moins tendance à vous laisser influencer par les situations et les personnes problématiques. Grâce à leur aide, vous ne resterez pas longtemps inerte et vous reprendrez pleine possession de vos capacités. Cela vous encouragera à persévérer pour obtenir les résultats désirés.

Il y aura également un **mois ambivalent.** Au cours de ce mois, il y aura de belles journées et parfois de moins bonnes. Vous serez envahi par toutes sortes d'émotions, autant positives que négatives. En 2017, votre **mois ambivalent** sera ***janvier***. La période des fêtes vous a épuisé. Cela se reflétera au cours de janvier. Vous serez très vulnérable et un rien vous fera exploser. Il serait sage de ne pas trop vous impliquer dans les problèmes des autres. Prenez le temps de vous reposer et d'amorcer des activités qui vous plaisent. Cela sera à votre avantage.

## Voici un bref aperçu des événements qui surviendront au cours des mois de l'année pour les enfants Anges

Vous amorcerez votre nouvelle année en étant un peu maussade et vulnérable. Plusieurs situations vous ont obligé à courir ici et là. Vous n'avez pas eu beaucoup de répit ni de temps d'arrêt lors des derniers mois et votre corps réclame du repos. Vos angoisses seront à la hausse et vous souffrirez d'insomnie. Pour le bien de votre santé, il serait important de vous respecter et de prendre quelques jours de congé. Si vous avez la chance de partir en voyage, allez-y ! Cela vous fera du bien ! Au cours de ce mois, il y aura trois mauvaises nouvelles qui dérangeront vos émotions. L'un de vos proches vivra une difficulté et cela vous dérangera énormément. Il peut s'agir de sa santé ou de sa vie amoureuse. De plus, l'attitude d'une femme vous mettra en colère. Vous réaliserez que les apparences sont parfois trompeuses ! Néanmoins, tout se replacera avant la fin du mois et cela vous soulagera.

À partir du ***9 février, et ce, jusqu'au 22 avril***, vous entrez dans une période de chance. Plusieurs événements agréables surviendront lors de cette période. Vous serez emballé par ces événements. Vous réaliserez que les Anges ont répondu à vos demandes ! Lors de cette période prolifique, profitez-en pour jouer à la loterie, pour amorcer des projets, pour régler vos problématiques, etc. Vous serez souvent au bon endroit, avec les bonnes personnes, au moment opportun. Cela vous avantagera dans plusieurs aspects de votre vie. Au cours de cette période, trois bonnes nouvelles arriveront vers vous. Elles embelliront vos journées ! Vous réaliserez qu'il a valu la peine de mettre autant d'efforts pour réaliser l'un de vos projets et de régler une problématique. Les résultats seront meilleurs que ce que vous aviez souhaité !

Au cours de ***février***, la satisfaction sera votre lot de récompenses ! Certains gagneront une somme d'argent. D'autres obtiendront gain de cause lors d'un débat judiciaire, gouvernemental ou professionnel. Attendez-vous également à faire des efforts pour réussir l'un de vos objectifs. Néanmoins, vous parviendrez à le réussir et vous en serez heureux ! Toutes les pièces de monnaie que vous trouverez, utilisez-les pour acheter des loteries. Cela sera chanceux ! Quelques-uns signeront un contrat alléchant ! Vous fêterez cet événement.

Plusieurs vivront une journée mémorable lors de leur anniversaire de naissance ! Quelques-uns seront fêtés par leurs proches. Pour d'autres, leur partenaire amoureux leur réserve une belle surprise. Certains se gâteront en planifiant un voyage ou un achat quelconque. La joie et l'harmonie seront présentes dans votre vie. Cela rehaussera votre énergie ! Vous aurez la tête remplie de mille et une idées ! Vous passerez du bon temps avec vos proches ! Les personnes célibataires feront des rencontres intéressantes. L'une d'elles changera favorablement votre vie. Vous serez en amour ! Toutefois, au niveau de la santé, surveillez vos mains. Certains se blesseront. D'autres appliqueront une crème pour la peau sèche. Le tout se poursuivra jusqu'en ***mars***.

Lors de ce mois, attendez-vous à recevoir de deux à cinq bonnes nouvelles qui agrémenteront plusieurs de vos journées. Vous serez au diapason avec les événements qui surviendront! Vous réaliserez que l'un de vos désirs s'est concrétisé, et ce, à votre grand étonnement et joie! Attendez-vous également à recevoir des fleurs avec des mots tendres de la part du partenaire. Cela sera également une période fertile pour les femmes désireuses d'enfanter. Annonce d'une naissance. Vous aurez également un dialogue important avec un proche, une réconciliation s'ensuivra! Cela vous allégera et vous rendra heureux! De plus, vous réaliserez que tout le bien que vous apporterez aux autres sera triplement récompensé. Attendez-vous à vivre des événements qui vous feront chaud au cœur. Ces événements vous feront réaliser que vous occupez une place importante dans le cœur de vos proches. Cela vous rendra heureux. Toute cette belle frénésie se poursuivra jusqu'en ***avril***. Deux invitations vous seront lancées lors d'avril. Allez-y! Une belle surprise vous y attend!

Certains artistes recevront un honneur. Vous assisterez à un événement où on parlera favorablement de vous. Vous serez choyé et adulé lors de cette soirée. Quelques-uns se verront offrir deux prix bien mérités. Il peut s'agir également d'un acte de bravoure qu'une personne a réalisé. Elle sera récompensée pour avoir sauvé une vie. Bref, le mois d'avril sera prolifique pour plusieurs personnes. Tout le bien que vous avez engendré sera récompensé et apprécié des gens. On ne parlera que de vos qualités et de vos compétences. Ne soyez pas surpris si les médias parlent favorablement de vos actes charitables et de vos œuvres. Cela redorera votre image. Toutefois, demeurez humble! Ainsi, vous conserverez votre notoriété! Toute cette nourriture agréable que vous savourerez lors de ces trois mois, vous permettra de traverser votre mois de ***mai***!

Lors de ***mai***, attendez-vous à vivre cinq situations qui vous déconcerteront! Il peut s'agir d'un enfant, d'un membre de votre famille, d'un problème relié au passé, de votre vie affective ou d'une décision à prendre. Lors de ce mois, vous aurez l'impression de vivre dans des montagnes russes et qu'aucune solution n'est disponible pour régler vos problématiques! Vous serez découragé par l'ampleur des événements. Le mieux sera de prendre une journée à la fois et de régler les problèmes un à un. Cela dit, ce que vous trouverez très difficile, ce sont les paroles et l'attitude des gens. Vous aurez de la difficulté à comprendre leur agissement. Il est évident que cela dérangera vos émotions. De plus, une conversation avec un homme vous peinera énormément. Vous ne penserez jamais à ce que cette personne puisse vous blesser autant par ses paroles. Néanmoins, celui-ci se repentira et il viendra s'excuser par la suite. Malgré tout, la blessure sera vive et il faudra un certain temps avant que le tout entre dans l'ordre. Ne vous inquiétez pas, vous surmonterez cette étape de votre vie avec sagesse !

Sur une note préventive, surveillez le surmenage et les objets tranchants. Certains risquent de se blesser. D'autres chercheront à tout faire en même temps et il est évident que cela affectera leur moral. Ne dépassez pas la limite de vos capacités, sinon, votre santé mentale en écopera ! Respectez-vous et respectez votre corps ! Cela sera à votre avantage ! Attendez d'être en meilleure forme pour amorcer vos projets. D'ailleurs, ***juin*** vous permettra de le faire grâce aux situations bénéfiques qui surviendront au cours du mois. En revanche, les personnes alcooliques et les toxicomanes éprouveront des ennuis de santé. Certains seront hospitalisés d'urgence. Vous serez en observation pendant quelques jours. Certains seront aux soins intensifs. Si vous voulez vivre, vous serez obligé de cesser votre dépendance.

En ***juin***, vous ferez une rencontre importante qui vous permettra de résoudre l'un de vos problèmes et d'amorcer l'un de vos projets. Cela sera un mois prolifique ! Vous bougerez beaucoup lors de ce mois ! Tout viendra à vous comme par enchantement ! Vous serez heureux de la tournure des événements. Il est évident que vous travaillerez ardemment pour obtenir de bons résultats, néanmoins, vous serez épaté par l'ampleur des événements ! Les résultats seront meilleurs que ce que vous aviez souhaité ! Cela vous encouragera à continuer d'améliorer votre vie et d'atteindre vos objectifs ! Vous regardez droit devant et vous ne vous laisserez plus envahir par les événements du passé et par ceux que vous avez vécu en mai. Fini les problèmes insolubles qui dérangent vos émotions ! Vous êtes conscient que ces problèmes vous empêchent d'avancer sereinement et d'atteindre vos objectifs. À partir de juin, votre philosophie de vie changera ! Vous ferez donc les changements nécessaires pour que cela ne se produise plus ! Vous ne voulez plus être le prisonnier des situations insolubles et des personnes négatives. Vous voulez tout simplement être le sauveur de votre avenir. Vous avez un urgent besoin de vous aventurer vers un avenir plus prometteur, tel que vous l'avez rêvé et souhaité chèrement pour 2017 ! Cette nouvelle vision de votre part, améliorera grandement votre vie. Au lieu de chercher à sauver tout le monde, vous vous sauverez en premier ! Cela n'est pas égoïste de votre part. Au contraire, vous prendrez toujours soin de vos proches. Toutefois, vous vous éloignerez de tout ce qui entrave votre bonheur. Vous vous éloignerez des cas problématiques, des situations qui vous grugent trop d'énergie sans donner de résultats puisque les personnes concernées ne sont pas prêtes à s'améliorer. C'est ce genre de situations que vous abandonnerez au cours de l'année ! Ce sera à votre avantage et bénéfique pour votre santé !

Cela dit, en ***juin***, profitez-en pour acheter des loteries et choisir vos billets ! Vous avez la main chanceuse ! Attendez-vous à une rentrée d'argent. Il peut s'agir de la loterie, d'un gain en particulier, d'une vente ou d'un contrat alléchant ! Quelques-uns pourraient également recevoir un cadeau de reconnaissance. Vous avez propagé la bonté autour de vous et une gentille personne l'a apprécié. Elle récompensera votre geste courtois et de bonne volonté. Cette attention particulière vous touchera énormément. Cela vous permettra de réaliser le bien que vous apportez aux bonnes personnes. Cela vous encouragera à continuer d'aider ces bonnes gens et vous éloigner des personnes problématiques. De plus, certains iront marchander un nouveau véhicule. Vous serez très fier de votre nouvelle acquisition. Cela sera également une période favorable pour ceux qui désirent acheter une propriété, la vendre ou l'améliorer. Attendez-vous à faire une transaction immobilière qui vous animera favorablement ! Il y aura également un petit voyage d'agrément. Vous aimerez votre itinéraire et les endroits visités. Attendez-vous à faire des dépenses excessives. Néanmoins, votre budget le permettra ! Vous reviendrez avec de bons souvenirs !

Lors de ***juillet***, vous serez toujours dans une belle frénésie. Attendez-vous à vivre plusieurs situations bénéfiques qui agrémenteront votre mois. Vous bougerez beaucoup lors de juillet. Vous serez invité à participer à plusieurs activités divertissantes. L'une d'elles exigera une tenue de soirée ! Néanmoins, vous aurez beaucoup de plaisir lors de cette soirée ! De plus, vous serez témoin d'un événement important. L'un de vos désirs se concrétisera ! Vous sauterez de joie ! Vous serez au diapason avec l'événement. Vous serez tellement heureux et débordant d'énergie. Vos proches se plairont à vous voir ainsi !

Plusieurs amoureux vivront une période de bonheur. Des promesses seront tenues et respectées. Cela vous rendra joyeux. De plus, votre partenaire amoureux vous réserve une belle surprise. Vous réaliserez l'importance que vous occupez dans sa vie. L'amour rayonnera dans votre demeure. Les célibataires feront une rencontre importante. Celle-ci changera favorablement votre destin ! Une union naîtra ! Un ancien amoureux pourrait refaire surface dans votre vie. Il vous aime encore et il vous le révélera. À vous de décider si vous lui laissez une seconde chance. Si vous éprouvez toujours des émotions pour lui, acceptez sa demande de sortie. Vous formerez à nouveau un couple. Votre union sera beaucoup plus solide qu'auparavant. Bref, attendez-vous également à recevoir des fleurs, une bouteille de vin ou une loterie. Une gentille personne récompensera votre grande générosité envers elle. Vous serez surpris de ce cadeau et en même temps heureux !

Pour plusieurs, le mois d'***août*** sera compliqué. Tout ira de travers. Vous vivrez toutes sortes d'émotions. Plusieurs situations requerront votre attention immédiate. Il y aura également du retard qui vous obligera à être davantage patient. Ce ne sera pas toujours évident ! Lors de cette période, vous chercherez la solitude pour mieux réfléchir à vos actions. Vous serez vulnérable et votre humeur en prendra un vilain coup ! Gare à ceux qui chercheront à vous induire en erreur ou à mesurer vos limites ! Ils risquent d'être surpris par votre attitude ! Vous les enverrez promener, et ce, diplomatiquement ! Ceux-ci comprendront rapidement qu'ils sont mieux de se tenir tranquilles, sinon, ils perdront votre amitié. Cela ne sera pas avantageux pour eux !

Néanmoins, malgré les batailles que vous vivrez au cours d'août, vous serez en mesure de les confronter et de les régler astucieusement ! Votre détermination à vivre sereinement et exempt d'ennuis vous amènera à faire des choix judicieux, à prendre des décisions éclairées et à opérer des actions bénéfiques. Finalement, votre patience sera bien récompensée ! Vos temps de réflexion seront lucratifs et tout se terminera en beauté !

Certains travailleurs devront montrer leur capacité à travailler sous pression. Si vous le faites, une offre d'emploi vous sera offerte. Si vous êtes incapable, une belle opportunité vous filera sous le nez ! De plus, la nervosité peut empêcher certains à réaliser une bonne entrevue. Vous serez déçu de votre performance. Toutefois, vous aurez la chance de vous rattraper. Essayez de vous calmer et de méditer avant votre entrevue. Changez vos idées. Cela sera à votre avantage et vous réussirez votre entretien. En revanche, les couples qui éprouvent de la difficulté vivront une période intense et difficile. Des larmes seront versées.

À partir du ***1^er^ septembre,*** et ce, jusqu'à la fin d'***octobre***, vous entrerez dans une période de chance et de récompenses. Plusieurs bonnes nouvelles viendront agrémenter vos journées ! Tout viendra à vous comme par enchantement. Vous récolterez tous les bienfaits de vos efforts et des services rendus. Toute l'aide que vous avez apportée au cours de l'année, se transformera en récompenses. Vous serez choyé par les événements qui surviendront pour embellir votre vie. Vous savourerez chacun de ces événements. Cela fait trop longtemps que vous attendiez ces moments magiques ! Vous serez donc bien servi au cours de ces deux mois bénéfiques !

Cela dit, quelques-uns auront la possibilité de faire des changements importants qui leur permettront de trouver leur équilibre. D'autres recevront une promotion. Certains changeront de travail. Quelques-uns signeront un contrat alléchant. Toute entrevue sera réussie. Le succès sera présent dans votre vie et vous en profiterez pleinement ! Les idées seront claires. Cela vous avantagera lors de choix et de décisions. Plus que jamais, vous savez ce que vous voulez et vous ferez en sorte de tout obtenir ! Vous mettrez un terme à des situations dérangeantes. Vous serez très fier de vos choix par la suite ! Certains signeront un papier chez le notaire ou à la banque. La Providence sera à vos côtés, profitez-en pour acheter des loteries. Les loteries instantanées seront avantageuses pour certains. Vous avez la main chanceuse, prenez le temps de choisir vos billets et votre combinaison de chiffres. Si vous désirez vous joindre à un groupe, les groupes de trois ou quatre personnes attireront la chance vers vous. Participez également à des concours. Cela sera bénéfique. Certains pourraient gagner des prix alléchants grâce à ces concours organisés. Bref, il y aura des opportunités qui se présenteront à vous et vous les saisirez ! Cette attitude fera de vous un gagnant !

En ***novembre***, vous profiterez de vos moments de répit pour vous reposer ! Vous avez besoin de récupérer de vos derniers mois actifs ! Certains s'adonneront à la méditation, la relaxation, le yoga ou autres activités qui leur feront du bien mentalement. Quelques-uns partiront en voyage. Vous adorerez votre itinéraire. Vous serez heureux de quitter pendant quelques jours ! Au cours de ce mois, plusieurs finaliseront une entente, un accord, un projet... Cela vous allégera ! Vous serez heureux de cette transaction. Les personnes malades seront obligées de prendre du repos. Néanmoins, ce repos vous permettra de recouvrir plus rapidement la santé. Lors d'une activité physique, surveillez vos gestes, certaines personnes se blesseront. Assurez-vous de faire des exercices de réchauffement avant d'entreprendre vos activités. Sinon, vous souffrirez de douleurs !

Avant que le mois se termine, quelques-uns auront le privilège de voir un Ange ou un défunt. Votre rêve sera tellement réel que vous réaliserez que vous avez bel et bien été en contact avec celui-ci. De plus, à la suite de cet événement, cet être vous enverra un signe particulier pour vous confirmer sa présence auprès de vous. Cela animera votre mois et vos discussions avec vos proches !

Au cours de ***décembre***, certains auront des petits ennuis de santé ! Il s'agira d'une extinction de voix, d'une laryngite, d'une grippe virale ou d'une otite. Le repos sera recommandé. Sinon, la période des Fêtes sera pénible ! Vous serez malade et pas en forme pour fêter ! Assurez-vous de laver régulièrement vos mains pour éviter d'être contaminé par toutes sortes de virus ! Ce sera également une période difficile pour les fumeurs et les asthmatiques. Certains consulteront leur médecin. Il serait important d'écouter les recommandations de votre médecin. Ainsi, vous éviterez une hospitalisation.

Lors de cette période, vous serez confronté à des personnes hypocrites. L'attitude de ces personnes vous irritera. À la suite d'un événement désagréable, vous confronterez l'une de ces personnes problématiques. Vous la surprendrez et vous la dérouterez avec votre perspicacité et pertinence. Vous l'incommoderez et elle comprendra rapidement que son attitude n'est pas la bienvenue dans votre environnement. Vos proches féliciteront votre audace auprès de cette personne. Vous réglerez astucieusement cette problématique et vous en serez fier ! Avant que l'année se termine, vous recevrez une excellente nouvelle. Cela vous permettra d'amorcer l'année 2018 en beauté !

***Message de l'Archange Gabriel et des Anges Anges :*** *Chers enfants, apprenez à vous épanouir et à récolter le fruit de vos labeurs. Ainsi, vous aurez le plaisir de voir tous vos rêves devenir réalité. Cette année, nous vous aiderons à exposer votre potentiel et à le faire fructifier. Nous savons que votre cœur est bon et généreux ! Vous méritez de recevoir des cadeaux providentiels. Cela nous fera plaisir de vous gâter et d'envoyer sur votre chemin des possibilités qui amélioreront votre vie et qui la rempliront de bonheur ! La beauté de votre âme mérite d'être soulignée et appréciée par votre prochain. Tel sera notre devoir envers vous. Nous ferons rayonner cette âme pour qu'elle puisse recevoir tous les bienfaits et l'amour qu'elle mérite ! Attendez-vous à recevoir des cadeaux qui embelliront votre vie et qui la rendra intéressante. Ces cadeaux vous encourageront à apporter le bien sur Terre et la paix dans le cœur de vos proches. Nous protégeons votre bonheur sous nos ailes. Pour vous annoncer notre présence auprès de vous, nous enverrons régulièrement une petite plume blanche. Nous ferons valser la flamme d'une chandelle en votre présence et nous vous montrerons régulièrement le chiffre « 2 ». À la vue de ce chiffre, cela annoncera un événement agréable. L'une de vos demandes a été entendue et acceptée par la sphère spirituelle. Lorsque vous trouverez la petite plume blanche, cela vous annoncera qu'une douleur, une problématique ou une peine s'effacera et que la joie reviendra dans votre foyer. Si la flamme d'une chandelle danse en votre présence, attendez-vous à recevoir une bonne nouvelle ! Grâce à nos signes, vous réaliserez que nous sommes présents dans votre vie et que nous ne vous abandonnons jamais ! Priez-nous et nous vous réserverons de magnifiques surprises !*

## *Les événements prolifiques de l'année 2017*

* Attendez-vous à vivre dix événements favorables au cours de l'année. Toutes ces situations agréables vous apporteront de la joie. À la suite d'un appel téléphonique ou d'un courriel, vous serez animé par une joie intense puisqu'on vous annoncera une excellente nouvelle. Celle-ci chambardera favorablement votre vie quotidienne. Vous réaliserez que cela a valu la peine de faire des sacrifices, des changements et des choix. Vous aurez le privilège de savourer chaque bienfait !
* Vous signerez de deux à quatre contrats. Deux de ces contrats concernent une somme d'argent. À la suite de la signature de ces contrats, vous trouverez votre équilibre et votre joie de vivre. Certains devront faire un déplacement ou un voyage outre-mer à la suite de la signature de ce contrat !
* Ceux qui veulent vendre ou acheter une propriété, vous aurez l'opportunité de le faire au cours de l'année. Vous serez satisfait de votre transaction.
* À la suite d'un événement, d'un écrit, d'un projet ou d'une aide, certains recevront un honneur, un diplôme, une note d'appréciation, un trophée ou une joyeuse acclamation. En recevant cet honneur, vous réaliserez l'importance de votre action. Cela vous encouragera à continuer de créer, de bâtir et d'apporter votre soutien dans les causes qui vous tiennent à cœur !
* Au cours de l'année, certains réaliseront un grand projet ou un grand rêve. Vous ne pensiez jamais voir cet événement se réaliser si tôt ! Vous serez fou de joie lorsque ce projet verra le jour ! Vous réaliserez que l'avenir est entre vos mains et si vous mettrez encore les efforts nécessaires ; vous aurez le privilège de réaliser un deuxième projet, et ce, avant que l'année se termine !
* Certains auront le privilège de faire un voyage agréable. Il peut s'agir d'un endroit longtemps rêvé. Vous adorerez ce voyage. Vous reviendrez avec de bons souvenirs. D'autres partiront en croisière. Ce voyage sera d'une durée de 14 jours !

* Vous améliorerez votre vie amoureuse. Vous intégrerez des activités familiales, des sorties, des dialogues, des moments intimes, des soupers romantiques. Vous passerez beaucoup de temps de qualité avec votre amoureux. Cela rallumera la flamme de l'amour ! Les couples reconstitués réussiront leur union. L'année 2017 leur réserve de bons moments. Certains couples scelleront leur union par la venue d'un enfant, par l'achat d'une propriété ou par un mariage.

* La Providence animera régulièrement votre année 2017 ! Profitez-en pour jouer à la loterie. Les groupes de deux, de quatre et de dix personnes seront bénéfiques pour faire des gains considérables ! Néanmoins, la Providence se fera également sentir dans plusieurs aspects de votre vie. Vous vivrez plusieurs événements agréables qui rempliront votre cœur de joie et de bonheur ! Vous serez gâté par la Providence !

* Il y aura quatre personnes importantes dans votre vie. Ces personnes apporteront leur soutien lors de périodes compliquées. Leurs conseils seront judicieux. Ces personnes ne veulent que votre bien et ils feront tout pour vous voir heureux et débordant d'énergie. Vous serez très fier de compter ces personnes parmi vos amis.

## Les événements exigeant la prudence

* Sur une note plus réfléchie, lisez vos contrats avant de les signer. Si vous n'êtes pas certain des clauses mentionnées, demandez de l'aide auprès de personnes ressources. Celles-ci sauront bien vous conseiller.

* Surveillez les plats chauds. Soyez toujours vigilant avec le feu. Certains se brûleront ou brûleront leurs mets ! Ne laissez aucune chandelle allumée sans surveillance. Si votre barbecue est usé, n'hésitez pas à le remplacer !

* Tel que l'an passé, les alcooliques et les toxicomanes devraient surveiller leur consommation. Cela dérange énormément leurs

proches. De plus, cette année, votre santé physique en écopera. Voyez-y avant qu'il soit trop tard !

* Sur une note préventive, ne dépassez pas la limite de vos capacités. Il est évident que vous chercherez à saisir toutes les opportunités qui viendront vers vous. Toutefois, ne négligez pas les alarmes de votre corps. Lorsque celui-ci réclame du repos, accordez-le lui ! Si vous négligez cet aspect, vous vous retrouverez avec quelques petits ennuis de santé qui pourraient entraîner la prise de médicaments et des visites régulières chez le médecin. Si vous voulez éviter cette situation, il ne tient qu'à vous d'y voir et de respecter votre corps ! Bref, essayez d'être moins exigeant envers vous-même. Cela sera profitable et bénéfique pour votre santé !

* Une personne du passé cherchera à vous rencontrer. Cette personne regrette amèrement d'avoir perdu votre amitié. Elle fera tout pour renouer avec vous. Dans cette histoire, vous êtes le gagnant ! À vous de décider, si vous lui pardonnez ou pas ! En ce qui vous concerne, vous n'avez pas vraiment besoin de cette personne dans votre vie. En ce qui la concerne, elle a besoin de vous ! Vous avez été longtemps son soutien et sa bouée de sauvetage. Le voulez-vous encore ? Avez-vous les capacités nécessaires pour poursuivre la relation ? Si oui, tournez la page et allez de l'avant. Néanmoins, soyez ferme dans vos attentes avec elle. Par contre, si vous pensez que vous n'avez plus l'énergie de continuer la relation ; fermez la page et continuez votre route !

* En ce qui concerne la loterie, si vous participez à des groupes, évitez d'être le responsable du billet. Vous risquez de le perdre. Vous pouvez également oublier de le faire valider lors des journées du tirage.

## Chapitre XL

# Informations supplémentaires propres à chacun des Anges Anges

### *Les Anges et la chance*

Tel que l'an passé, votre chance sera **excellente**. Il faut donc en profiter au maximum! Plusieurs événements agréables embelliront votre vie. Vous serez souvent au bon endroit avec les bonnes personnes. Cela vous avantagera dans plusieurs aspects de votre vie. Plusieurs retrouveront leur équilibre et leur joie de vivre au cours de l'année 2017. Vous réaliserez que tous vos efforts ultérieurs ont portés ses fruits. Cela vous encouragera à continuer d'agir, de créer, de bâtir en but d'améliorer votre vie. Une énergie positive vous animera et elle vous permettra de réaliser vos projets, vos rêves et vos idées. Vous serez en pleine forme et cela aura un impact favorable sur vos actions. Fini la détresse! Plusieurs feront place à la joie et à la sérénité. D'ailleurs, cela sera important pour eux! Vous vous éloignerez de toutes les situations et personnes négatives. Plus que jamais vous avez besoin d'énergie positive. Cela nourrira votre âme et vous permettra de trouver votre équilibre puisque ce sera votre priorité en 2017 !

Cela dit, la Providence s'ouvrira à vous et touchera favorablement plusieurs aspects de votre vie. Vous serez gâté par la Providence. Attendez-vous à recevoir des cadeaux qui vous enchanteront et qui vous feront sauter de joie ! Qu'importe le cadeau, il est évident que celui-ci arrivera toujours au moment opportun ! Cela vous permettra de réaliser que les Anges sont présents dans votre vie et qu'ils entendent vos demandes !

Tous les enfants des Anges seront chanceux. Il serait donc important pour eux de choisir leurs billets de loterie ainsi que leur combinaison de chiffres. Jouez également en groupe, cela sera favorable. Optez pour les groupes de deux, de quatre, de dix et de dix-huit personnes.

Au cours de l'année 2017, plusieurs chiffres seront prédisposés à attirer la chance vers vous. Toutefois, les chiffres **02**, **10** et **24** seront les plus prolifiques pour eux. Votre journée de chance sera le **mardi.** Les mois les plus propices a attiré la chance vers vous seront **février, juin, septembre** et **octobre**. Plusieurs situations bénéfiques surviendront lors de ces mois. Profitez-en donc pour acheter des loteries, pour prendre des décisions, pour signer des contrats, pour faire des changements et autres. Ces mois vous avantageront dans plusieurs aspects de votre vie. Lorsqu'une opportunité s'offrira à vous, saisissez votre chance ! Ne laissez pas passer ces occasions uniques d'améliorer votre vie ! Celles-ci sont souvent éphémères et de courte durée ! Voilà l'importance d'en profiter au moment opportun ! D'ailleurs, vous méritez ces cadeaux !

De plus, n'oubliez pas de prendre en considération le chiffre en **gras** relié à votre Ange de Lumière. Ce numéro représente également un chiffre chanceux pour vous. Plusieurs situations bénéfiques pourraient être marquées de ce nombre. Il serait important de l'ajouter à votre combinaison de chiffres. Toutefois, votre Ange peut également utiliser ce numéro pour vous annoncer sa présence auprès de vous. Lors d'une journée, si vous voyez continuellement ce numéro, cela indique que votre Ange est avec vous. Profitez-en pour lui parler et lui demander de l'aide ! Cela peut également signifier de prier l'Ange gouverneur. Vous avez possiblement besoin de sa Lumière pour traverser l'une de vos épreuves, pour prendre une décision, pour régler une problématique, etc. Soyez toujours attentif aux signes que vous enverront les Anges au cours de l'année. Ceux-ci vous seront d'un grand secours!

***Conseil angélique des Anges Anges :*** *Si vous trouvez une pièce de dix sous, si une personne vous parle en plaçant ses mains sur ses hanches et si vous voyez l'image d'une licorne, achetez un billet de loterie puisque ces trois symboles représentent votre signe de chance pour l'année 2017. Ce sont les signes qu'utiliseront les Anges pour vous indiquer que la Providence est à vos côtés!*

***Damabiah :*** 1, 11 et 30. Le chiffre « **1** » est votre chiffre chanceux. N'oubliez pas que la Providence est avec vous, sachez bien en profiter. Profitez-en également pour amorcer tous les changements qui vous tiennent à cœur! Vous ne serez pas déçu et cela vous apportera de belles satisfactions par la suite.

Cela dit, vous avez la main chanceuse, il sera préférable de choisir vos billets de loteries. Les loteries instantanées vous seront favorables. Certains gagneront des petits gains. Il peut s'agir d'un billet gratuit ou d'une petite somme d'argent! Jouez seul puisque la chance vous appartient. Toutefois, si vous désirez joindre un groupe, les groupes de deux ou dix personnes seront bénéfiques. Profitez-en pour acheter une loterie avec votre partenaire amoureux. Vous pourriez former une équipe gagnante. Si vous connaissez une athlète, une femme de cœur, une styliste et une gestionnaire, achetez un billet avec elles. Celles-ci attireront la chance vers vous.

Cette année, la chance se fera sentir au niveau de votre vie amoureuse. L'un de vos désirs se réalisera et vous en serez très heureux. Vous déploierez beaucoup d'efforts pour réussir votre union et vous y parviendrez grâce à vos changements et à votre nouvelle perception de la vie. Vous miserez davantage sur les discussions et les solutions pour voir le soleil briller dans votre foyer. Vous retrouverez la paix, la joie et l'harmonie dans votre vie et vous serez très fier de cet accomplissement. Cela était important pour vous de trouver la paix et la joie dans votre cœur. Les personnes célibataires auront le privilège de rencontrer leur flamme jumelle. Une belle union naîtra. Bref, tout au long de l'année, vous aurez la chance et le privilège de rencontrer des personnes dynamiques et respectueuses. Qu'il s'agisse de votre vie amoureuse, de votre vie personnelle, de votre vie professionnelle, vous ferez des rencontres intéressantes qui joueront un rôle important dans votre vie. De plus, attendez-vous à résoudre un problème qui vous tient à cœur et de réussir l'un de vos projets. Vous constaterez rapidement que les Anges sont présents dans votre vie et qu'ils veillent sur votre bonheur !

***Manakel :*** 01, 26 et 32. Le chiffre « **1** » est votre chiffre chanceux. Votre chance est excellente, voire inouïe ! La Providence vous sourit et vous saurez bien en profiter. Attendez-vous à être souvent au bon endroit, au moment opportun. Cela vous avantagera dans plusieurs aspects de votre vie ! Certains pourraient gagner une belle somme d'argent, un voyage, une croisière, un week-end de rêve, etc. N'hésitez pas à faire profiter votre chance, donc, participez à des concours et achetez des billets ! Un seul suffit pour gagner ! Vous n'avez pas besoin d'en acheter plusieurs ! Donc, soyez raisonnable dans vos achats de loteries !

Priorisez les loteries instantanées. Cela sera chanceux. De plus, choisissez également votre billet. Vous avez la main chanceuse ! Si vous désirez joindre un groupe, les groupes de deux ou trois personnes seront favorables. Assurez-vous qu'une personne dont le signe du zodiaque est Cancer ou le même signe que vous soit dans votre groupe. Cela sera chanceux ! De plus, si vous connaissez un pêcheur, un cultivateur ou un pisciculteur, achetez un billet avec eux. Ces personnes vous porteront chance !

Puisque la Providence sera à vos côtés, plusieurs en profiteront pour faire des changements longtemps désirés. Vous amorcerez également quelques projets. Vous serez animés par plusieurs idées et vous chercherez à les réaliser. Votre détermination à vouloir réussir tout ce qui vous passe par la tête, vous apportera du succès dans vos actions. Bref, tout ce que vous entreprendrez ou déciderez sera satisfaisant et gratifiant. Plus que jamais, vous savez ce que vous voulez et vous ferez en sorte de tout obtenir et réussir ! Telle sera votre vision de la vie au cours de l'année. Cela dit, tous vos efforts porteront fruits et vous en serez très heureux !

Attendez-vous à signer un papier important. Vous serez en extase devant ce papier. C'est l'un de vos rêves qui se réalise. De plus, les personnes célibataires rencontreront leur flamme jumelle. Vous serez en amour ! Quelques-uns auront le privilège de faire un voyage longtemps rêvé. Vous adorerez vos vacances. Tout au long de l'année, vous vivrez des événements agréables qui vous rempliront de joie. Cela faisait longtemps que vous n'aviez pas vécu cette frénésie de bonheur. Ce sera bon pour votre santé mentale.

***Eyaël :*** 01, 08 et 33. Le chiffre « **1** » est votre chiffre chanceux. La Providence vous réserve de belles surprises. Votre grande générosité sera bien récompensée. Vous récolterez tous les bienfaits de vos efforts. Pour une fois, c'est vous qui recevrez des cadeaux au lieu d'en faire ! Il serait donc important d'accepter ces cadeaux providentiels. Il est toujours facile de donner, toutefois, lorsque vient le temps de recevoir, certaines personnes ont de la difficulté à accepter. Cette année, attendez-vous à être gâté par la Providence. Tout le bien que vous avez apporté autour de vous sera récompensé au cours de 2017. Vous réaliserez rapidement que les gens vous aiment et qu'ils souhaitent votre bonheur ! Cela vous encouragera davantage à faire le bien autour de vous.

Cela dit, en ce qui concerne les loteries, achetez des billets lors de sorties à l'extérieur de votre ville. Priorisez les loteries instantanées. Ce sera bénéfique ! Certains pourraient gagner une somme de plus de dix milles dollars avec ce genre de loterie. Cette année, vous avez la main chanceuse, choisissez donc vos loteries et votre combinaison de chiffres. Si vous désirez joindre un groupe, les groupes de deux, de trois et de quatre personnes vous seront bénéfiques. Si vous connaissez un homme dont le signe du zodiaque est Bélier, achetez un billet avec lui. Cela sera chanceux ! Vous pouvez également acheter un billet avec un pompier, un historien, un géologue, un graphiste, un tailleur ou des collègues de travail. Ces personnes attireront la chance dans votre direction.

En 2017, la chance favorisera plusieurs aspects de votre vie. Vos actions seront bénéfiques et elles amélioreront votre vie. Fini les problèmes causés par toutes sortes de situations négatives. Cette année, vous réglerez tout ce qui entrave votre bonheur. Attendez-vous à être souvent au bon endroit, au moment opportun. Vous serez entouré de personnes dynamiques et productives. Cela vous permettra de mettre de l'ordre dans votre vie, de régler vos problématiques, de réussir vos projets et de réaliser vos rêves ! Vous réaliserez rapidement que les Anges ont entendu vos demandes et qu'ils récompensent vos bonnes actions. Tout au long de l'année, il y aura toujours une bonne nouvelle qui arrivera et agrémentera vos journées. Ces nouvelles rendront votre année divertissante et rehausseront votre joie de vivre ! Bref, tout ce qui vous dérange, vous aurez le privilège de le régler. Rien ne restera en suspens. Il y aura toujours une solution qui vous attendra. Il suffira de l'appliquer au moment propice. De plus, certains obtiendront une promotion. D'autres réussiront un examen important. Quelques-uns obtiendront un emploi de rêve. Certains signeront des papiers importants. Lorsqu'arrivera un pépin, au lieu de vous décourager, vous relèverez vos manches et vous trouverez rapidement la meilleure solution pour vous en sortir ! Ce sera votre année de prédilection et vous saurez bien en profiter !

***Habuhiah :*** 08, 18 et 34. Le chiffre « **8** » est votre chiffre chanceux. La Providence sera avec vous et elle vous réserve des surprises agréables qui agrémenteront votre année 2017 ! Celle-ci enverra sur votre chemin de belles possibilités pour atteindre plusieurs de vos objectifs et les réussir ! Profitez-en au maximum puisque tout est éphémère ! Plusieurs trouveront des pièces de monnaie au sol. Profitez-en pour acheter des billets de loteries. Cela sera bénéfique !

Que vous jouiez seul ou en groupe, cela n'a pas d'importance. Fiez-vous à votre instinct ! Vous ne serez pas déçu ! Si vous désirez participer à un groupe, participez-y ! Si vous désirez acheter des billets seul, faites-le ! De toute manière, la chance est avec vous ! Priorisez les loteries instantanées. Cela sera bénéfique. Choisissez également votre billet et votre combinaison de chiffres puisque vous avez la main chanceuse ! Toutefois, les groupes de quatre et de huit personnes seront prédisposés à attirer la chance dans votre direction. Si vous connaissez un bijoutier, un mécanicien, un banquier, un préposé aux bénéficiaires, un ouvrier ou un homme connaissant les vins, achetez un billet de loterie avec eux. Cela sera chanceux !

Il est vrai que la Providence vous offrira de belles possibilités au cours de l'année. Cela vous encouragera à améliorer votre vie. Vous apporterez des changements et vous serez satisfait de vos résultats. Vous analyserez profondément chacune de vos actions. Lorsque vous serez prêt, vous amorcerez vos changements. Cette attitude gagnante vous apportera un franc succès dans l'élaboration de vos tâches. Cela vous permettra également de savourer les bienfaits de vos efforts ! Vous trouverez rapidement votre équilibre, votre joie de vivre et la forme. Vous éloignerez de votre vie les situations insolubles qui drainent votre énergie ainsi que les personnes problématiques. Vous voulez ardemment vivre une année exempte de problèmes et vous ferez votre possible pour que cela puisse se réaliser. Cette année, vous tisserez des liens avec des personnes compétentes et positives. Ces personnes vous aideront dans l'élaboration de vos projets. Leur créativité et leur mot d'encouragement vous siéra bien ! Vous en avez besoin pour bien diriger votre route et bien réussir vos objectifs. Bref, vous savez ce que vous voulez et vous vous dirigerez exactement vers les meilleurs résultats, même au prix de grands efforts. Vous serez déterminé à réussir votre année et vous y parviendrez. Il est évident qu'il y aura parfois des moments plus ardus. Néanmoins, vous saurez toujours vous en sortir grâce à votre bon vouloir ! Certains auront le privilège de signer un contrat alléchant. D'autres recevront une excellente nouvelle qui embellira leur année 2017 !

***Rochel :*** 09, 18 et 36. Le chiffre « **9** » est votre chiffre chanceux. La Providence vous réserve de magnifiques surprises. Vous serez favorisé par la chance. Tout ce que vous accomplirez ou déciderez sera couronné de succès ! Le sourire sera souvent sur vos lèvres. Vous avez su attendre, maintenant, vous êtes en mesure de récolter tous les bienfaits de vos efforts ultérieurs. Plusieurs événements bénéfiques viendront embellir votre année 2017 ! Certains pourraient recevoir une grosse somme d'argent. Cette somme peut provenir d'un contrat alléchant, de la loterie, d'une vente ou d'un cadeau providentiel. Il est évident que ce cadeau vous apportera de la joie et du bonheur !

Cela dit, jouez seul ou en groupe, cela n'a pas d'importance. La chance est avec vous. Qu'importe ce que vous déciderez, il suffit d'un seul billet pour gagner ! Bref, si vous désirez participer à des groupes, optez pour un groupe de deux, de trois ou de neuf personnes. Cela sera avantageux. Si vous discutez avec une personne aux cheveux bruns et vêtue de la couleur verte, et que celle-ci se frotte les mains, profitez-en pour acheter une loterie, cela est un signe de chance pour vous. De plus, attendez-vous dans la semaine qui suivra ce signe à recevoir une bonne nouvelle qui vous fera plaisir. Cela dit, si vous connaissez un paysagiste, un fleuriste, un massothérapeute, un coiffeur et un alpiniste, procurez-vous un billet avec eux. Cela sera chanceux !

Il est vrai que la Providence vous offrira de belles possibilités au cours de l'année. Vous aurez la chance et le privilège de rencontrer des personnes importantes qui joueront un rôle majeur dans votre vie. Ces personnes vous dirigeront aux endroits prolifiques pour que le succès, la satisfaction et la joie animent votre vie. Vous prendrez des décisions pour rebâtir votre vie de façon plus harmonieuse, solide et équilibrée. Vous réglerez astucieusement tout ce qui entrave votre bonheur. Vous réaliserez que les Anges ont entendu votre appel et qu'ils répondent à vos besoins. Plus que jamais, vous serez fier de vous et de vos décisions. Cela faisait longtemps que vous rêviez de ces changements. En 2017, vous aurez le privilège de savourer les bienfaits de vos efforts et de vos choix pour retrouver votre équilibre et votre joie de vivre. Cela n'a pas été facile, néanmoins, vous remontez en douceur la pente et vous êtes conscient que l'avenir vous appartient et qu'il se dessine tel que vous l'avez souhaité et rêvé !

Attendez-vous à recevoir de trois à neuf cadeaux qui embelliront votre année. Vous serez en extase devant ces cadeaux providentiels. Acceptez-les puisque vous les méritez ! Cette année, tout vous réussira. Vous serez productif, constructif et créatif. Cela vous aidera lors de vos actions. Votre ardeur vous conduira vers de belles renommées. Jamais vous n'aviez pensé obtenir autant de privilèges et de cadeaux qu'en cette année. Cela vous encouragera à persévérer pour atteindre vos objectifs et pour améliorer votre vie.

***Jabamiah :*** 05, 19 et 30. Le chiffre « **19** » est votre chiffre chanceux. N'oubliez pas que vous êtes favorisé par la Providence ! Plusieurs recevront des cadeaux qui agrémenteront leur année 2017 ! Il peut s'agir de petits prix comme des prix gigantesques ! Participez à des concours ! Cela sera favorable ! Bref, la plupart de vos actions auront des conséquences heureuses ! Faites-vous confiance et vous verrez jaillir la réussite dans tout ce que vous entreprendrez et déciderez !

Il serait préférable de jouer seul qu'en groupe. Optez pour les loteries instantanées. Choisissez également votre combinaison de chiffres. Cela sera favorable ! Bref, si vous désirez joindre un groupe, les groupes de deux, de quatre et de cinq personnes seront bénéfiques. Si vous connaissez une personne dont le signe du zodiaque est Sagittaire, profitez-en pour acheter une loterie avec cette personne ! Vous pouvez également acheter une loterie avec votre partenaire amoureux, un collègue de travail, un musicien, un harpiste, un violoniste, un comédien, bref, un artiste ! Ceux-ci attireront la chance dans votre direction.

Cette année, la Providence vous réserve de belles surprises. Vous aurez la chance d'équilibrer votre vie, d'amorcer des changements et de réussir vos objectifs. Le soleil luira dans votre demeure et vous rendra heureux. Vous serez souvent au bon endroit et entouré de personnes dynamiques et productives. Celles-ci vous épauleront lors de vos changements. Elles vous aideront également à prendre de bonnes décisions et à trouver de bonnes solutions pour régler vos problématiques. Aussitôt qu'elles vous suggéreront une action, vous l'appliquerez instantanément dans votre vie. Vous réaliserez que leurs conseils sont judicieux et constructifs. Donc, fini les problèmes causés par les autres. Cette année, vous passerez en premier et vous vous éloignerez des situations insolubles et des personnes problématiques ! Vous ferez également taire les mauvaises langues. Votre dynamisme et votre détermination feront de vous un être gagnant et débordant d'énergie. Vous serez en contrôle de votre vie. Cela vous aidera lors de vos décisions et de vos actions. De plus, vous prioriserez votre santé. Plusieurs s'adonneront à des activités physiques. La marche sera l'un de vos sports préférés ! Plus que jamais, vous avez besoin de vous sentir en forme, en équilibre, heureux, et ce, loin des tracas et des problèmes de toutes sortes. Telle sera la manière que vous envisagez votre vie au cours de l'année 2017 et vous y parviendrez !

***Haiaiel :*** 03, 07 et 28. Le chiffre « **3** » est votre chiffre chanceux. Votre chance est inouïe ! La Providence sera à vos côtés et celle-ci vous réserve de belles surprises monétaires et autres ! Vous serez au diapason avec toutes les possibilités qui arriveront vers vous pour améliorer votre vie, pour réaliser vos rêves et pour régler vos problématiques. Vous profiterez au maximum de tous ces événements fortuits!

Cela dit, jouez seul ou en groupe, cela n'a pas d'importance. La chance est avec vous. De plus, vous avez la main chanceuse, choisissez vos billets de loterie et votre combinaison de chiffres. Optez également pour les loteries instantanées. Certains gagneront de belles sommes grâce à ce genre de loterie. Si vous désirez vous joindre à des groupes, optez pour un groupe de deux, de trois ou de quatre personnes. Cela sera bénéfique! Si vous connaissez un cultivateur, un jardinier, un paysagiste, un ramoneur, un massothérapeute ou un conseiller financier, achetez un billet avec eux. Vous formerez une équipe gagnante!

Cette année, la chance est à vos pieds, c'est rare que cela vous arrive! Alors, profitez-en au maximum! Vous ne serez pas déçu! De plus, vous méritez ces cadeaux imprévus! Cela fait trop longtemps que vous faites des sacrifices, il est maintenant temps de recevoir vos récompenses! Cela dit, tout ce que vous entreprendrez sera couronné de succès! Vous vous prenez en main et vous axez vos énergies vers des buts réalistes et faciles à atteindre. Vous vous éloignerez des situations insolubles et des personnes problématiques. Cette année, vous avez le désir de vivre simplement, tout en profitant de la vie! Vous ne voulez plus être la marionnette de tout le monde! Finalement, vous avez compris que d'essayer d'aider tout le monde ne vous apporte rien! Donc, en 2017, vous passerez en premier et vous tiendrez tête à ceux qui chercheront à vous manipuler ou à vous faire changer d'idées. Cette attitude sera bénéfique, et ce, dans plusieurs aspects de votre vie. Votre santé se portera mieux grâce à cette nouvelle vision de la vie! De plus, certains travailleurs verront de belles opportunités venir à eux. Vous aurez l'embarras du choix. Vous serez privilégié cette année. Sachez bien choisir vos opportunités et vous vivrez une année prolifique. Les gens d'affaires verront leurs recettes monter en flèche! Vous signerez des contrats alléchants et prolifiques. Vous travaillerez ardemment, néanmoins, les résultats seront magnifiques!

***Mumiah :*** 12, 14 et 36. Le chiffre « **14** » est votre chiffre chanceux. La Providence saura bien récompensée votre grande générosité! Elle vous surprendra au moment opportun. Il est évident que cela vous rendra heureux et débordant d'énergie. Cela vous encouragera à continuer à faire le bien autour de vous!

Cette année, priorisez les groupes. Les groupes de deux de trois et de cinq personnes attireront vers vous de belles surprises monétaires. Si vous connaissez un homme barbu aux cheveux pâles, un avocat, un juge de la paix, un politicien, un policier, un chiropraticien ou un médecin, achetez des billets avec eux. Cela sera chanceux! Vous pouvez également achetez un billet de loterie avec une personne dont le signe du zodiaque est Balance. Cela sera bénéfique. Vous pourriez faire des petits gains avec cette personne!

En 2017, vous réaliserez que la Providence vous sied bien! De nombreuses possibilités arriveront vers vous pour réaliser vos rêves, pour régler vos tracas, pour réussir vos projets et pour obtenir de bons résultats lors de vos actions. Vous saisirez rapidement ces opportunités! Cela fait trop longtemps que vous attendiez ces moments prolifiques! Vous serez fier de vous et de vos actions! Cela se notera par votre joie de vivre! De plus, la Providence vous conduira souvent aux endroits prolifiques qui vous avantageront dans plusieurs aspects de votre vie. Vous réaliserez rapidement que les Anges ont entendus vos appels et qu'ils récompensent vos efforts. Cela vous permettra d'améliorer votre routine quotidienne. Cela dit, plusieurs retrouveront une meilleure qualité de vie à la suite de changements qu'ils amorceront au cours de l'année. Certains signeront un papier important. D'autres obtiendront gain de cause dans une affaire judiciaire ou gouvernementale. Quelques-uns régleront un problème de longue date. Cela enlèvera un fardeau de leurs épaules! Vous êtes conscient que la réussite de votre vie vous appartient et que vous être le maître de votre destin. C'est la raison pour laquelle vous amorcerez plusieurs changements pour que votre avenir reflète le bonheur, la quiétude et la sérénité. Plus que jamais, vous avez besoin de vivre votre vie sans souffrir! Cette nouvelle attitude vous permettra d'être plus confiant face à votre avenir. Attendez-vous à signer deux papiers importants. L'une d'eux rehaussera votre situation financière. De plus, vous mettrez un terme à deux problèmes ardus. Cela enlèvera un fardeau de vos épaules. Plus que jamais, vous avez besoin d'harmonie et de joie de vivre dans votre foyer. Vous ferez votre possible pour atteindre cette béatitude.

## Les Anges et la santé

Plusieurs prioriseront leur santé. Cela sera important pour eux. Vous apprendrez à relaxer, à méditer, à faire des exercices physiques, avoir de bonnes nuits de sommeil et surtout à développer une bonne alimentation. Cela sera primordial pour vous ! D'ailleurs, vous avez la tête remplie d'idées et vous avez besoin d'être en santé pour les accomplir. Donc, pour parvenir à respecter votre engagement, vous ferez des changements dans votre horaire. Premièrement, vous respecterez vos limites. Deuxièmement, vous vous éloignerez des situations insolubles et des personnes problématiques. Vous savez pertinemment que cela dérange votre santé mentale, alors, vous les fuirez ! Finalement, vous prendrez soin de vous au lieu de prendre soin de tout le monde ! Vous passerez en premier, ensuite, ce sera les autres ! Cette attitude vous sera salutaire. Cette année, plus que jamais, vous avez besoin d'être entouré d'énergie positive. Vous êtes conscient que vous êtes de nature sensible, vous éviterez donc tout ce qui est négatif et malsain pour votre santé et votre bien-être.

Toutefois, les personnes négligentes qui n'écouteront pas les signaux d'alarme qu'enverra leur corps, tomberont malades du jour au lendemain. Soyez donc vigilant et ne brûlez pas la chandelle par les deux bouts. Sinon, vous en souffrirez énormément au cours de l'année. Il vous faudra plusieurs mois avant de recouvrer la santé. Vous serez suivi par votre médecin et celui-ci sera très sévère avec vous, si vous refusez d'être en arrêt de travail obligatoire. Surveillez vos alarmes et respectez votre corps ! Vous éviterez ainsi une hospitalisation et un congé obligatoire de plusieurs semaines.

### Sur une note préventive, voici les parties vulnérables à surveiller plus attentivement et les faiblesses du corps en ce qui concerne les enfants Anges pour 2017 :

Les genoux, les hanches et les brûlures seront des parties vulnérables. Certains se plaindront de maux aux genoux. Si vous faites de l'embonpoint, vous risquez d'avoir quelques ennuis avec vos genoux et vos hanches. De plus, lors d'activités physiques, assurez-vous de faire des exercices de réchauffement pour éviter des courbatures. D'autres se plaindront de douleurs musculaires qui les obligeront à prendre un médicament ou à consulter un physiothérapeute. Les personnes cardiaques et diabétiques devront redoubler de prudence et de ne pas négliger leur santé. De plus, assurez-vous d'avoir une pharmacie bien remplie puisque plusieurs se feront des blessures, des égratignures et des brûlures. Soyez donc prudent et attentif à votre environnement !

***Damabiah :*** plusieurs se plaindront de maux de cœur. L'estomac sera fragile. Certains devront prendre un médicament. Quelques-uns se plaindront également de palpitations et ils consulteront leur médecin. Il faudra aussi surveiller l'hypertension, le diabète et le cholestérol. Certains seront obligés de prendre des médicaments pour régulariser leur problème. Certains hommes auront des ennuis avec leur prostate. Un médicament leur sera prescrit pour améliorer leur état de santé. Toutefois, quelques-uns devront subir une intervention chirurgicale.

Certaines femmes auront des ennuis avec leurs organes génitaux qui nécessiteront également une intervention chirurgicale. Ne repoussez pas vos examens annuels chez votre médecin. Les femmes fumeuses et de plus de quarante ans, ne négligez pas votre examen de mammographie. Mieux vaut prévenir que guérir ! Les personnes cardiaques devront redoubler de prudence et écouter sagement les recommandations de leur médecin. Il en est de même pour les toxicomanes et les alcooliques.

***Manakel :*** certains prendront un médicament pour soulager une douleur quelconque. Surveillez les charges trop lourdes. Sinon, vous risquez de vous plaindre de douleur au dos, aux épaules ou au cou. Les haltérophiles devront être prudents lors de leurs activités physiques. Évitez de surpasser vos limites. Respectez votre corps. Cela sera bénéfique et profitable pour vous. Sinon, vous pourriez vous blesser et vous serez obligé de cesser votre sport pendant quelques semaines ou mois. De plus, certains seront victimes d'une entorse ou d'une douleur due à un mouvement répétitif. Il peut s'agir d'une tendinite ou du tunnel carpien. Vous consulterez un médecin. Celui-ci vous prescrira un médicament pour atténuer la douleur. D'autres recevront une dose de cortisone. Quelques-uns seront obligés de faire des exercices de physiothérapie. Bref, ne négligez jamais vos rendez-vous chez le médecin et vos examens.

Cela sera important. Prenez soin de votre santé et vous éviterez la maladie. Négligez-la, et vous serez malade !

***Eyaël :*** certains souffriront de douleurs à l'estomac. Votre estomac sera en feu ! Vous serez obligé d'améliorer votre alimentation. D'autres se plaindront d'une douleur à l'épaule. Quelques-uns souffriront d'insomnie, de migraines ou de sinusites. Tous ces maux vous obligeront à consulter votre médecin. Vous passerez des examens approfondis et votre médecin vous soignera en conséquence. Toutefois, certains devront prendre un médicament ou subir une intervention chirurgicale pour les guérir. Les cardiaques devront écouter sagement les conseils de leur médecin pour éviter des complications et une hospitalisation ! Certains auront des rougeurs sur la peau. Vous consulterez un dermatologue. Celui-ci vous prescrira un médicament ou une crème pour atténuer et éliminer les rougeurs. Les personnes âgées seront prédisposées à faire du zona. La période des allergies en fera souffrir plusieurs. L'utilisation d'un inhalateur et d'antihistaminiques sera nécessaire.

***Habuhiah :*** les ouvriers devraient respecter les consignes de sécurité. Ainsi, ils éviteront de fâcheux incidents. Plusieurs se blesseront. Assurez-vous d'avoir des diachylons et une trousse de premiers soins dans votre pharmacie ! Vous l'utiliserez régulièrement. De plus, la tête, les oreilles, la gorge et les sinus seront également des parties vulnérables. Certains se plaindront de migraines. D'autres perdront l'équilibre. À la suite d'examens approfondis, votre médecin vous soignera adéquatement. Certains auront de la difficulté à dormir. Vous souffrirez d'insomnie. Cela vous épuisera totalement. Plusieurs seront obligés de prendre un médicament pour régler leur problème. D'autres devront suivre une thérapie. Pour le bien de votre santé, prenez soin de vos problèmes. Lorsqu'une douleur persiste, n'attendez pas trop avant de consulter votre médecin. Cela évitera plusieurs ennuis.

***Rochel :*** assurez-vous de porter des gants de sécurité. Plusieurs se blesseront à leur main. Il peut s'agir de petites coupures ou de brûlures. D'autres souffriront d'arthrite. Quelques-uns seront obligés de prendre un médicament qui les soulagera. Il faudra également surveiller votre estomac. Ce sera une partie vulnérable. Certains seront obligés de changer leurs habitudes alimentaires. D'autres passeront des examens pour déceler l'origine de leurs maux. Il faudra également surveiller la vessie, certains auront des infections urinaires. D'autres souffriront de lithiases rénales[7]. Ils seront obligés de manger plus sainement pour éviter ce problème. À la suite d'un régime, certains perdront leur surplus de poids. Ainsi, ils éviteront plusieurs ennuis de santé.

***Jabamiah :*** surveillez vos pieds! Évitez de vous promener pieds nus. Cela ne sera pas bénéfique! Vous risquez de vous blesser. Lors de randonnée pédestre, assurez-vous d'avoir de bonnes chaussures pour éviter des foulures aux chevilles. Bref, plusieurs se plaindront de douleurs musculaires. Quelques hommes souffriront d'une douleur à l'épaule droite. L'épaule, le cou, les jambes, les genoux et les chevilles seront des parties vulnérables. Vous serez obligé de prendre un médicament pour soulager votre douleur. D'autres subiront une intervention chirurgicale. Certains prendront un produit naturel pour renforcer leur système immunitaire. Quelques-uns surveilleront leur alimentation à cause de leurs problèmes digestifs, etc. Cette année, soyez vigilant et ne négligez pas les alarmes de votre corps. Vous éviterez ainsi plusieurs ennuis de santé.

***Haiaiel :*** plusieurs prendront des antihistaminiques pour soulager leurs allergies. Pour d'autres, l'utilisation d'un inhalateur sera obligatoire. La peau sera également très fragile. Certains adolescents devront consulter un dermatologue. D'autres souffriront de rosacée, d'eczéma ou de psoriasis. Il y aura également la glande thyroïde qui préoccupera quelques personnes. Le médecin sera en mesure de bien vous soigner. Les personnes cardiaques devront redoubler de prudence et écouter sagement les conseils de leur spécialiste. Ainsi, ils éviteront des ennuis de santé. Il en est de même pour ceux qui ont un taux élevé en cholestérol. Ne négligez pas cet aspect de votre vie. Surveillez votre alimentation. Ce sera bénéfique! Ne manquez pas vos rencontres médicales. Prenez précieusement vos médicaments et écoutez sagement les recommandations de votre médecin. Cela sera important! Vous éviterez ainsi des ennuis majeurs!

***Mumiah :*** certains devront subir une intervention chirurgicale pour régler un problème de santé. Vous irez souvent consulter votre médecin au cours de l'année. Celui-ci vous fera passer plusieurs examens pour déceler la cause de vos malaises. Soyez également vigilant avec

7. Nom médical désignant des pierres aux reins.

les objets tranchants, vous risquez de vous blesser ! Certaines femmes auront des ennuis avec leurs organes génitaux. Quelques-unes devront subir une hystérectomie. D'autres devront prendre un médicament. La vessie sera également fragile. Plusieurs se plaindront d'infection urinaire. La glande thyroïde sera également une partie fragile. Certains seront suivis méticuleusement par leur médecin. D'autres auront des ennuis avec les intestins. Certains souffriront de constipation. Quelques-uns réaliseront qu'ils ont des intolérances au gluten. C'est ce qui cause leur ballonnement au niveau du ventre. Un suivi médical les sauvera. Cela atténuera leur douleur intestinale. La période des allergies en fera souffrir plusieurs. L'utilisation d'un inhalateur et des antihistaminiques seront obligatoires. Les personnes âgées seront sujettes au zona. Ils seraient importants pour eux d'aller se faire vacciner contre cette maladie. Bref, si vous respectez les limites de votre corps, vous n'aurez pas besoin de médicament ni de produits de toutes sortes pour rehausser vos énergies.

## *Les Anges et l'amour*

Pour plusieurs, le soleil luira sous leur toit. Vous vivrez de bons moments avec votre partenaire. Vos conversations seront rafraîchissantes et agréables. Vous planifierez plusieurs activités qui vous rapprocheront. Ces moments seront indispensables et essentiels pour votre bien-être. Grâce à vos sorties, vous retrouverez un bel équilibre au sein de votre relation. Cela vous permettra de réaliser l'importance de votre union. Vous réaliserez que vos sentiments pour votre partenaire sont toujours aussi puissants et profonds. Vous lui partagerez vos sentiments à son égard. Cela rehaussera la flamme de votre amour et votre santé se portera mieux !

En 2017, les mois qui agrémenteront votre union seront **février, mars, avril, juillet et septembre**. Au cours de ces mois bénéfiques, plusieurs événements surviendront pour rehausser votre amour. Vous planifierez des sorties agréables. Vos conversations seront divertissantes. Vous axerez vos buts dans la même direction. Vous serez charmeur, séducteur et cajoleur. Vous attirerez le regard de votre partenaire et celui-ci ne pourra résister à vos demandes ! Profitez-en ! Vous aurez un partenaire à l'écoute de vos besoins ! Quelques-uns partiront en voyage.

D'autres élaboreront des plans pour améliorer leur demeure. Lors de votre anniversaire de naissance, votre partenaire vous réserve une belle surprise ! Il est évident que ce geste de sa part remplira votre cœur de bonheur ! De plus, vous vivrez trois événements avec votre amoureux. Vous réaliserez rapidement que votre partenaire vous aime ! Attendez-vous également à recevoir des fleurs et des mots doux ! Il y aura aussi quelques soupers intimes. Vous aurez un plaisir fou à vous remémorer vos premières rencontres ! Vous serez heureux et cela se reflétera dans votre humeur. Vous ferez également des activités familiales. Vous appréciez chaque moment que vous passerez avec votre partenaire.

Bref, tous ces moments vous permettront de réaliser l'importance de votre union. Certains couples penseront à sceller leur union par un mariage. D'autres, par le renouvellement de leurs vœux. Quelques-uns par l'achat d'une propriété. Certains par la venue d'un enfant. De plus, lors de ces mois, profitez-en pour jouer à la loterie avec votre partenaire. Cela sera chanceux. Le mois de ***septembre*** sera prolifique pour faire des petits gains.

Généralement, tout se passera bien dans votre relation. Toutefois, il y aura également des périodes compliquées. Certaines journées, votre moral sera à plat pour diverses raisons. Lors de ces périodes, il serait important de dialoguer avec votre partenaire au lieu de crier ou de faire la moue. Cela ne sera pas à votre avantage. Dites-lui les raisons qui dérangent votre moral. Ainsi, il sera plus facile par la suite de trouver une solution pour régler le tout !

**Voici quelques situations qui pourraient déranger l'harmonie conjugale :** les absences de votre partenaire causées par le travail et son indifférence face à vos émotions. Votre anxiété, vos peurs et les cris de détresse causeront des désagréments au sein de votre union. À la suite d'un changement professionnel, votre partenaire risque d'être moins présent à la maison. Cela vous frustrera. Au lieu de lui mentionner, vous aurez tendance à le bouder. Cela n'aidera guère votre partenaire de comprendre votre froideur. Votre attitude l'éloignera. Au lieu de confier à votre partenaire votre désarroi face à ses absences, vous jouerez l'indifférence. Il sera donc difficile pour votre partenaire de comprendre vos états d'âme. De plus, votre sentiment d'insécurité sera à la hausse lors de certaines périodes. Cela n'aidera guère votre relation. Pour éviter les discussions animées et la froideur du partenaire, il serait important de dialoguer avec lui en ce qui concerne votre vulnérabilité, sans crier ! Ainsi, votre partenaire pourrait vous rassurer et vous réconforter lors de journées plus tendues. Sinon, vous amorcerez des batailles de mots qui vous blesseront inutilement.

## Les couples en difficulté

Les couples en difficulté auront plusieurs défis de taille à surmonter. Vous serez votre pire ennemi ! Une partie de vous veut partir et vous ne chercherez pas à réparer votre union. Il est évident que cela aura des répercussions sur votre relation. Il ne tient qu'à vous de décider si vous laissez une chance à votre union de s'améliorer. De plus, arrêtez d'écouter les autres. Votre vie vous appartient. Vos problèmes également. Vous pouvez toujours demander l'avis de vos proches, néanmoins, la décision finale vous appartient ! Bref, si vous voulez partir, faites-le ! Si vous n'êtes pas certain et que vous hésitez toujours, réfléchissez et repoussez votre départ à une date ultérieure. Si vous êtes dans le doute, c'est qu'il y a encore des sentiments en cause. Avant de prendre une décision majeure, donnez-vous du temps pour bien analyser vos émotions. Partez quelques jours avec votre partenaire, s'il le faut ! L'important est de ne pas agir sur un coup de tête, sinon, vous pourriez être déçu !

## Les personnes Anges submergées par la négativité

Votre arrogance causera de la turbulence dans votre foyer. De plus, arrêtez d'abaisser votre partenaire en présence des autres. Cela n'est pas agréable ni nécessaire. Réglez vos désaccords à la maison. Cessez également les cris et les mots désobligeants envers votre partenaire. Bref, votre attitude sera déplaisante. Vous mettrez également les gens mal à l'aise ! Si vous n'aimez plus votre partenaire, quittez-le au lieu de le faire souffrir ! En revanche, vous n'êtes pas parfait, donc, n'exigez pas des autres ce que vous ne pouvez pas donner ! Si vous tenez à votre union, changez votre attitude et essayez de reconquérir votre partenaire. Si vous n'agissez pas rapidement, vous deviendrez célibataire et il sera trop tard pour réparer les pots brisés. Lorsque votre conjoint vous quittera, sa décision sera définitive !

## Les Anges célibataires

Vous serez choyé cette année ! Vous ferez plusieurs rencontres qui s'avéreront importantes, intéressantes et dynamiques ! Ces personnes possèdent plusieurs qualités pour vous rendre heureux. Il suffit d'ouvrir la porte de votre cœur et de choisir la personne qui vous interpelle le plus. Votre flamme jumelle s'y trouvera ! Un bel amour naîtra. Vous formerez un merveilleux couple. Cela fait longtemps que vous rêviez de ce moment féérique et vous le vivrez au cours de l'année. Vous serez charmé par sa façon de rire, de dialoguer, par sa joie de vivre et par son regard perçant ! Vous éprouverez un fort sentiment en sa présence. Vous aimeriez également son odeur corporelle. Bref, tout chez cette personne vous fera complètement craquer ! Vous chercherez donc à la connaître davantage. Vous échangerez vos numéros de téléphone et vous vous texterez des messages agréables avant la prochaine rencontre ! Sa bonne humeur vous rendra joyeux. Vous serez bien en sa compagnie. Cela rehaussera votre énergie. Cette charmante personne fera un geste gratifiant qui captera l'attention de votre cœur ! Vous serez charmé par son regard espiègle et taquin. Ces petits clins d'œil en votre direction feront palpiter davantage votre cœur !

Toutefois, certains célibataires découvriront qu'une amitié est en train de prendre une tournure différente. Elle se transforme en douceur en amour. Vous serez abasourdi par ce nouveau sentiment qui s'éveille à l'intérieur de vous. À la suite d'une discussion avec votre ami, vous laisserez parler vos cœurs et amorcerez une relation amoureuse.

Toute cette belle frénésie amoureuse surviendra davantage lors des mois suivants : ***janvier, février, mars, avril, juin, juillet*** et ***septembre***. La journée du mardi et du dimanche sont prédisposées à la rencontre de cet amour idéal. Pour mieux le reconnaître, tout le long de la soirée, il enverra de petits clins d'œil dans votre direction. Il vous taquinera également sur un sujet en particulier. Vous passerez donc une soirée divertissante en sa compagnie. Il vous racontera des histoires amusantes. La soirée passera très vite. Vous vous trouverez une excuse pour pouvoir obtenir son numéro de cellulaire ou pour le revoir de nouveau. Après plusieurs rencontres, votre relation deviendra plus sérieuse. Vous serez mutuellement en amour ! Vous planifierez un voyage et vous serez heureux ! Vous ferez sa rencontre par l'entremise d'une connaissance, grâce à un ami, par un réseau social ou lors d'une fête agréable. Dès le moment où vous croiserez son regard. Votre cœur réagira fortement! Vous réaliserez que votre rêve est sur le point de se réaliser!

### Les célibataires submergés par la négativité

Vous êtes tellement frustré de votre dernière relation que vous ne serez pas du tout agréable à fréquenter ni à écouter. Vous vous plaindrez continuellement. Vous serez misérable et rancunier. Il est évident que cette attitude fera fuir toutes personnes susceptibles de vous rendre heureux. Votre attitude leur fera peur et elles n'oseront pas s'aventurer sur ce terrain délicat. Réglez vos problèmes avant. Ensuite, changez votre attitude pitoyable. Soyez plus souriant, sociable et positif. Vous verrez qu'en peu de temps, certaines personnes chercheront à vous séduire! Vous n'aurez qu'à choisir parmi ces gens, le partenaire qui vous conviendra le mieux! Vous finirez les bras enlacés. Vous serez amoureux et heureux!

## *Les Anges et le travail*

Cela sera une période importante pour plusieurs travailleurs. Tous vos efforts seront bien récompensés au cours de l'année. Il y aura plusieurs offres alléchantes qui viendront à vous. Il suffit de choisir celle qui vous interpelle le plus! Attendez-vous à vivre de deux à quatre situations qui embelliront votre année. Vous entrez dans une période bénéfique pour améliorer vos conditions de travail, pour réussir des entrevues, pour changer d'emploi, pour obtenir un poste supérieur rêvé et de l'aide lors d'échéanciers. Bref, vous serez souvent au bon endroit, au moment opportun. Cela vous avantagera régulièrement. Vous n'avez qu'à prononcer un désir pour qu'une situation survienne pour réaliser ce désir. Vous serez donc choyé par les événements. Certains auront l'appui de leurs co-équipiers lors de changements, de réunions et de discussions. Cela vous aidera à obtenir ce que vous désirez. Il y aura toujours une bonne personne à l'écoute de vos besoins. Celle-ci vous épaulera et donnera des conseils judicieux. Ainsi, vous serez en mesure de faire des choix sensés. Tout viendra à vous comme par enchantement. Lorsqu'une problématique surviendra, une solution arrivera! Vous serez donc bien servi par la Providence cette année. Il suffit de saisir les opportunités qui vous interpelleront le plus!

Cela dit, plusieurs auront le privilège de signer des contrats importants et enrichissants autant sur le plan financier que personnel. Quelques-uns connaîtront la gloire avec ces contrats. Vous établirez de bons contacts à l'étranger ou dans une ville étrangère. Ces contacts seront utiles et notables pour votre succès. Vous serez très fier de vous et de vos accomplissements. Les Anges ont entendu votre appel et ils récompenseront vos sacrifices des dernières années! D'autres changeront d'emploi. Ils s'aventureront vers un travail beaucoup plus rémunérateur. Quelques-uns recevront une belle promotion. Cela les encouragera à accomplir leurs tâches avec efficacité. Les autorités seront à votre écoute et ils feront tout pour vous plaire et vous accommoder lors de vos tâches. Cela rehaussera votre qualité au travail. Vous vous sentirez épaulé et apprécié par votre équipe et votre employeur.

Au cours de l'année, peu importe les événements qui surviendront, vous serez toujours satisfait des améliorations apportées et de vos décisions. Vous êtes également conscient que ces changements ont pour but d'améliorer vos tâches et l'atmosphère au travail. Toutes les décisions qui seront prises par votre employeur seront équitables et ils vous avantageront régulièrement. Il est évident qu'ils ne feront pas nécessairement le bonheur de certains de vos collègues. Toutefois, vous ne vous laisserez pas influencer par les personnes problématiques. Vous respecterez ces changements et vous vous appliquerez dans vos nouvelles tâches. Cela attirera des éloges et du respect de la part de votre employeur.

Plusieurs situations bénéfiques pourraient survenir lors des mois suivants : ***février, mars, avril, juin, septembre*** et ***octobre.*** Certains auront la chance de signer un contrat prolifique. D'autres recevront une belle somme d'argent provenant d'un projet réussi. La réussite et le succès se feront ressentir lors de ces mois bénéfiques. Attendez-vous également à recevoir de bonnes nouvelles. Vous avez travaillé ardemment, vous récolterez donc les bienfaits de vos efforts. La journée du mardi sera favorable. Plusieurs situations bénéfiques surviendront lors de cette journée. Au cours de ces mois, les entrevues seront réussies.

Les problèmes seront réglés. Vous aurez de bons dialogues avec vos collègues et vos supérieurs. Cela vous aidera à régler les problématiques et à y trouver de bonnes solutions.

**Voici quelques situations qui pourraient déranger l'harmonie au travail**: la jalousie dérangera l'atmosphère au travail. Les personnes travaillantes seront bien récompensées. L'employeur appréciera leur qualité et leur assiduité au travail. En guise d'appréciation, il leur accordera de belles possibilités pour améliorer leurs conditions de travail, pour respecter les échéanciers, etc. Certains employeurs amèneront leurs employés modèles dans de beaux restaurants. Quelques-uns leur donneront une ou deux journées de congés rémunérées, etc. Il est évident que les personnes négatives et paresseuses critiqueront ces situations. Elles chialeront sur tout et elles chercheront à induire en erreur les personnes travaillantes. Elles seront jalouses de la performance des autres. Elles bouderont et elles feront tout pour ralentir les tâches de leurs collègues. Elles seront méprisables et détestables envers leurs co-équipiers. Toutefois, lorsque les autorités s'apercevront de leur conduite mesquine envers les bons employés, ces personnes jalouses seront convoquées et confrontées. L'employeur ne mâchera pas ses mots. Il ne parlera pas en leur faveur et un ultimatum leur sera lancé. Ces travailleurs jaloux n'ont qu'à se tenir tranquille puisque leur emploi sera en jeu. S'ils n'améliorent pas leur attitude, ils seront rétrogradés ou mis à la porte.

## Les travailleurs Anges submergés par la négativité

Votre attitude arrogante et autoritaire éloignera de vous la possibilité de faire des changements qui vous seraient favorables. Personne ne veut travailler avec vous et tous vous évitent. Votre attitude négative les dérange énormément. Donc, vos collègues préfèrent s'éloigner de vous au lieu de vous venir en aide. Cela ne vous aide guère lorsque vous devez rencontrer des échéanciers. Vous accumulerez du retard. Vous serez obligé de débattre votre point de vue avec les autorités. Toutefois, ceux-ci sont conscients de votre attitude. Donc, au lieu de réprimander vos collègues de travail, c'est vous qui écoperez! Cela n'est pas sans vous frustrer et vous déranger émotionnellement. La fatigue vous envahira. À un point tel que vous serez obligé de prendre des journées de congé. Si vous décidez de quitter cet emploi, cela ne sera pas facile d'en trouver un autre qui corresponde à vos demandes. Vos anciens employeurs ne parleront pas en votre faveur. Donc, cela peut vous nuire également.

En revanche, il serait mieux pour vous d'améliorer votre attitude, cela vous sera favorable si vous êtes à la recherche d'un nouvel emploi. Cela favorisera vos références et aura un impact bénéfique lors de vos entrevues. Si vous adoptez une meilleure attitude, il est évident que vous aurez beaucoup de pain sur la planche pour prouver aux autorités vos bonnes intentions de vous améliorer. Votre attitude des dernières années vous a énormément nui et il y a de fortes chances que les autorités doutent de votre bonne volonté. Toutefois, si vous devenez persévérant et que vous vous laissez moins emporter par vos émotions négatives, cela plaidera en votre faveur. Devenez donc disponible et prêt à aider vos coéquipiers sans argumenter sur la méthode employée. Vous pouvez toujours donner votre avis, néanmoins, prenez également le temps d'écouter les commentaires de vos collègues de travail. Cela les rassurera et ils vous épauleront dans vos tâches. Ainsi, vous rencontrerez vos échéanciers, vous améliorerez vos conditions de travail et vous obtiendrez l'appui de vos autorités. Cela vous avantagera lors de vos entrevues, lors de discussions pour obtenir de meilleures conditions de travail et lors de références si vous désirez quitter votre emploi.

À vous de décider quelle attitude prendre avec vos collègues de travail. Si vous demeurez aussi borné et non accessible, vous serez rétrogradé, mis à la porte ou en chômage. Il peut prendre un certain temps avant d'obtenir un travail qui corresponde à vos qualités. De plus, si vos anciens patrons montent un dossier contre vous, cela ne vous aidera guère lors d'entrevues. Ce dossier vous suivra régulièrement. Prenez bien compte de cet avis. Il sera mieux et à votre avantage d'améliorer votre attitude arrogante. Cela sera mieux pour vous. Sinon, vous vous retrouverez sans travail ou vous entreprendrez un travail en dessous de vos compétences.

# Chapitre XL

# Événements à surveiller durant l'année 2017

Voici quelques événements qui pourraient survenir au cours de l'année 2017. Pour les situations négatives, lisez-les à titre d'information. Le but n'est pas de vous perturber ni de vous blesser. Il s'agit tout simplement de vous informer.

- Pour plusieurs l'année 2017 sera fertile, et ce, dans tous les sens du mot. Plusieurs femmes seront comblées par la venue d'un enfant. Vous entendrez également parler de trois grossesses autour de vous. Les gens d'affaires signeront de deux à six contrats alléchants. Deux projets se réaliseront et obtiendront d'excellents résultats. Bref, plusieurs de vos actions seront bénéfiques. Cela vous encouragera à persévérer pour obtenir de bons résultats !
- La Providence sera régulièrement à vos côtés. Celle-ci vous réserve de magnifiques surprises. Cela fait longtemps que vous n'avez pas été gâté de cette façon. Certains recevront une belle somme d'argent. D'autres recevront une excellente nouvelle concernant un projet ou leur état de santé. L'un de vos rêves se réalisera à votre grande surprise ! Un papier important sera signé et soulagera vos nuits ! Plusieurs événements surviendront et feront palpiter votre cœur de bonheur !

- Cette année, plusieurs personnes auront le privilège de replacer leur situation financière. Cela atténuera vos angoisses et vous permettra d'avoir de meilleures nuits de sommeil !

- Cette année, votre tête sera remplie d'idées ingénieuses et constructives. Cela vous aidera à améliorer votre vie et l'embellir de projets de toutes sortes ! Vous vivrez votre vie au maximum ! Vous prendrez le temps de savourer chaque moment agréable que vous offrira la vie. Vous serez heureux et débordant d'énergie. Cela fait trop longtemps que vous attendiez ce moment, donc, vous ne laisserez rien passer sous votre nez ! Tel un renard, vous flairerez les belles occasions et vous en profiterez ! Cela améliorera plusieurs aspects de votre vie !

- La fatigue, l'épuisement, le stress envahiront plusieurs personnes. Il faudra prendre le temps de vous reposer. Sinon, vous souffrirez d'un surmenage ou d'une légère dépression. Il vous faudra plus de temps à récupérer. Vous serez obligé de prendre un médicament et de suivre une thérapie. Si vous prenez le temps de relaxer et de vous reposer lorsque votre corps réclame du repos. Vous éviterez plusieurs ennuis.

- Certains seront victimes de douleurs physiques, d'un mal à l'épaule, de torticolis. Soyez toujours vigilant lors de tâches ardues. Évitez de soulever des objets lourds. Demandez de l'aide pour déplacer ou soulever vos objets. Sinon, vous vous blesserez et il vous faudra quelques semaines avant de retrouver votre flexibilité.

- Plusieurs ne respecteront pas la limite de leurs capacités. Donc, ils s'épuiseront facilement. Il serait important de vous reposer lorsque votre corps sera fatigué. Cela vous permettra de retrouver vos forces. Profitez de vos journées de congé pour relaxer et pour entamer des activités qui vous plaisent !

- Ne négligez jamais vos examens, vos prises de sang et vos rencontres médicales. Cela vous sera salutaire. Si votre médecin exige des examens approfondis, des prises de sang et autres, écoutez-le et suivez ses conseils. Si vous voulez éviter la maladie, la prise de médicaments et une hospitalisation. Écoutez sagement les conseils de votre spécialiste. Si celui-ci exige un examen, il veut s'assurer que votre état de santé ne se détériore pas. Il le fait pour votre bien-être. Il ne tient qu'à vous d'être vigilant et de prendre le temps nécessaire de subir les examens prescrits par votre médecin. Mieux vaut prévenir que guérir!

- Quelques personnes obèses décideront de se prendre en main et d'améliorer leur qualité de vie. Certains opteront pour un régime sain et équilibré. Ils consulteront une nutritionniste qui les aidera à atteindre un poids santé. D'autres opteront pour une opération bariatrique. Avant d'entreprendre cette intervention chirurgicale, elles analyseront le « pour » et le « contre ». Par la suite, elles prendront leur décision. Cela dit, qu'importe le moyen que ces personnes utiliseront, avant que l'année se termine, elles seront satisfaites de leur nouveau poids.
- Certains iront visiter une personne à l'hôpital ou ils accompagneront une personne à l'hôpital sur une base régulière. Cette situation vous épuisera énormément. Malgré tout, vous serez heureux d'apporter de l'aide à cette personne malade. Vous serez son Ange et celle-ci appréciera énormément votre grande bonté et générosité à son égard. Vous aurez de belles discussions qui vous rapprocheront davantage. Vous solidifierez le lien qui vous unissait.
- Plusieurs s'inscriront à des cours de mise en forme pour retrouver la forme physique. Vous voulez retrouver votre souplesse et votre élasticité d'autrefois. De plus, cela vous fera du bien moralement! Cela stimulera votre sommeil. Vos nuits seront moins agitées. Elles seront meilleures et récupératrices! Cela chassera l'insomnie!
- Ne laissez quiconque venir entraver vos rêves ni vos projets. Si vous êtes prêt à foncer, allez-y! La réussite vous appartient. Plusieurs possibilités seront sur votre chemin pour obtenir de bons résultats et pour réaliser vos rêves. Faites-vous confiance et avancez! En revanche, vous serez témoin de belles réussites à la suite de vos actions. Cela vous animera favorablement. Vous continuerez donc à persévérer et à rêver! Bref, vous mettrez

du piquant dans votre vie et vous vous amuserez ! Cela fait longtemps que vous rêviez de ce moment magique !

- Plusieurs couples réaliseront l'importance de leur union. Ils feront tout pour rallumer la flamme de leur désir et de leur amour. Vous planifierez plusieurs activités familiales. Vous passerez également du temps avec votre partenaire. Vos discussions seront agréables. De plus, lors de la période estivale, vous en profiterez pour sortir à l'extérieur. Vous irez souper sur une terrasse, prendre un apéro, voir un spectacle en plein air, etc. Bref, le soleil luira dans votre demeure. Lorsqu'arrivera un petit nuage, vous trouverez rapidement une solution pour que l'harmonie revienne sous votre toit familial. La réussite de votre vie familiale sera importante pour vous. Vous ferez tout ce qui est possible pour voir vos proches heureux et débordant d'énergie !

- Plusieurs couples fermeront la porte d'un passé et entameront une nouvelle vie sur des bases plus solides et sereines. Cela ne veut pas dire qu'ils changeront de partenaire, au contraire, ces couples amélioreront leur vie amoureuse pour que leur union soit basée sur le respect, l'amour et l'harmonie. De nombreux sujets seront abordés et vous trouverez de bonnes solutions pour que votre vie amoureuse reflète le bonheur, l'équilibre et la joie que vous souhaitez vivre dans votre foyer !

- Votre partenaire vous réserve une belle surprise qui fera palpiter votre cœur de joie ! Il peut s'agir d'un bijou, d'une rénovation, d'un voyage, etc. Lorsqu'il vous remettra ce cadeau, votre cœur sera rempli de joie, et vos yeux, de larmes. Vous lui sauterez au cou et vous le couvrirez de baisers !

- Lors de la période automnale, vous, ou un proche, aurez une discussion importante avec le partenaire à cause d'un enfant, d'une sortie, d'un travail ou de votre situation financière. L'atmosphère sera tendue pendant quelques jours. Toutefois, tout redeviendra normal lorsque les partenaires auront trouvé un terrain d'entente.

- Au cours de l'année, plusieurs célibataires seront sexuellement très actifs. Vous aurez de la difficulté à résister au charme de vos nouvelles rencontres. Toutefois, lorsque vous ferez la rencontre de votre partenaire idéal, tout peut changer ! Vous axerez vos énergies et pulsations sexuelles vers cet être idéal. Votre cœur palpitera lorsque vous serez en sa présence ! Vous réaliserez rapidement que vous éprouvez des sentiments autres que sexuel pour cette personne. Cela vous rendra très attentif à son égard. Vous serez charmeur, enjoué et heureux d'avoir fait sa connaissance. Vous chercherez également à lui faire une place dans votre cœur et dans votre maison ! Attendez-vous à former un couple. Vous serez heureux de partager votre vie avec cette nouvelle flamme !

- Plusieurs travailleurs s'appliqueront pour réussir l'un de leurs projets. D'autres étudieront en vue de réussir un examen important. Vous vivrez plusieurs situations qui vous amèneront à vous concentrer. Néanmoins, vos efforts apporteront de belles satisfactions. En outre, plusieurs auront de belles possibilités qui viendront à eux pour améliorer leur situation professionnelle. Il ne tient qu'à eux de saisir ces opportunités au moment opportun. Plusieurs cadeaux providentiels vous seront envoyés ! Certains se verront offrir des occasions opportunes. Acceptez-les puisque vous les méritez ! Vous serez régulièrement satisfait et heureux des événements qui surviendront pour améliorer votre vie professionnelle. Voilà l'importance de conserver une attitude positive !
- Plusieurs auront des projets innovateurs en tête. Ne soyez pas surpris d'être obligé d'apprendre une nouvelle technique pour parfaire vos connaissances. Vous travaillerez ardemment. Néanmoins, vous obtiendrez de bons résultats.
- Plusieurs contrats alléchants et de belles réussites viendront agrémenter la vie des artistes et des gens d'affaires. Plusieurs de vos projets connaîtront du succès. Toutefois, l'un d'eux connaîtra un succès monstre. Attendez-vous à recevoir un profit considérable pour ce projet. Certains verront leur nom dans les médias. Ceux-ci parleront en votre faveur. Cela rehaussera votre estime de soi et vous encouragera à persévérer et à donner votre maximum pour voir vos œuvres atteindre le succès mérité.

- Certains recevront un diplôme, un prix honorifique, un trophée ou autre. Vous devrez assister à un gala pour recevoir le prix qui vous sera décerné. Votre prestance fera tout un effet aux gens dans la salle. On lira la satisfaction et le bonheur sur votre visage!
- Vous serez souvent animé par des « coups de cœur ». Donc, attendez-vous à faire plusieurs dépenses imprévues. Certaines dépenses seront parfois exagérées. Toutefois, vous serez toujours satisfait de vos achats. Quelques-uns devront réorganiser leur lingerie. Vous devez faire de la place pour vos nouvelles tenues!
- Cette année, toutes personnes qui chercheront à vous déstabiliser feront face à un mur d'acier! Vous serez en contrôle de votre vie et rien ne vous déstabilisera! Vous serez franc, direct, affirmatif et catégorique. Donc, gare à ceux qui chercheront à vous nuire! Vous les confronterez et les enverrez se promener! Cela dit, vous vous éloignerez de toute personne négative et problématique. Plus que jamais, vous avez besoin d'être entouré de personnes dynamiques et positives. Vous tournerez le dos aux personnes négatives. Vous voulez vivre sereinement votre vie et exempte de négativité. Tout ce qui dérangera cette béatitude, vous vous en éloignerez rapidement!
- Plusieurs seront choyés et gâtés lors de leur anniversaire de naissance. Vos proches vous aiment et ils vous réservent de belles surprises. Certains partiront en voyage. D'autres iront se balader dans une limousine. Quelques-uns iront se faire dorloter dans un spa. Bref, vous vous souviendrez longtemps de votre anniversaire de naissance.
- Certains réaliseront que l'un de leurs défunts leur fait signe. À la suite de demandes à votre défunt, vous trouverez souvent une pièce de cinq ou dix sous. Une odeur de parfum chatouillera votre nez. Si votre défunt fumait, il peut s'agir d'une odeur de fumée de cigarette. De plus, l'une de ces chansons préférées jouera régulièrement à la radio ou un proche chantera un refrain. Tous ces signes vous indiquent que votre défunt prend connaissance de vos demandes et qu'ils travaillent pour vous les accorder.

- On a besoin de votre aide. Vous vous porterez volontaire pour prêter main forte à l'un de vos proches. Cette personne appréciera énormément votre geste!
- Au cours de l'année, il y aura trois mauvaises nouvelles qui vous perturberont. Toutefois, vous serez en mesure de surmonter ces épreuves.
- Lors de la période hivernale, vous bougerez beaucoup. Attendez-vous à accomplir de deux à quatre projets à la fois. Néanmoins, vous aurez de bons résultats. Sauf que votre moral sera à plat et avec raison. Prenez quelques jours de congé et vous remonterez vite la pente.
- Quelques femmes recevront un bijou provenant de leur mère ou grand-mère. Ce bijou vous fera chaud au cœur. Vous serez heureux de le porter.
- Au début de l'année, quelques-uns régleront un problème ardu. Vous serez très fier de votre initiative. Vous parviendrez à régler astucieusement cette problématique. Vous ne mâcherez pas vos mots. Toutefois, les personnes concernées comprendront rapidement votre message. Votre attitude les effrayera et elles s'éloigneront rapidement de vous. Par contre, l'une d'elle viendra s'excuser et réclamer votre pardon. Il ne tiendra qu'à vous de décider si vous lui pardonner ou si vous mettez un terme à cette relation. Qu'importe votre décision, vous ne la regretterez pas!
- La santé d'un proche vous inquiètera énormément. Cette personne devra surveiller sa santé de très près. Vous lui ferez prendre conscience de ses faiblesses et vous le surveillerez attentivement. Cette personne n'aura pas le choix de prendre soin d'elle, sinon, vous la réprimanderez sévèrement!
- Vous, ou un proche, vous réconcilierez avec un partenaire, un ami, ou un collègue de travail. Vous serez heureux de cette réconciliation. Cette réconciliation mettra un terme à la dualité et l'animosité qui existaient entre les deux parties.
- Les périodes hivernale et printanière seront des mois propices pour vendre ou acheter une propriété, une voiture, un

électroménager ou pour rénover votre demeure. Vous serez satisfait de votre transaction.

- Vous, ou un proche, signerez des papiers à la banque. Il peut s'agir d'un emprunt, d'un REER, d'un placement, etc. Attendez-vous à faire la signature de plusieurs papiers importants au cours de l'année. Trois d'entre eux vous feront sauter de joie !

- Lors des périodes printanière et estivale, quelques-uns peaufineront leur bicyclette. D'autres iront marchander pour en acheter une ! L'envie de vous balader en bicyclette sera très forte. Vous ajouterez cette activité à votre agenda ! Vous reprendrez la forme !

- En ***octobre***, vous assisterez ou planifierez une fête d'Halloween. Attendez-vous à du plaisir lors de cette soirée ! Vous retomberez en enfance ! Certains gagneront un prix de présence lors de la soirée !

- Lors de la période automnale, surveillez vos paroles. Réfléchissez avant de lancer des paroles désobligeantes. Vous pourriez blesser des personnes par votre promptitude. De plus, évitez de parler en mal des gens. Certaines personnes pourraient ébruiter vos commentaires. Il est évident que cela vous occasionnera des moments tendus et vous devrez répondre aux accusations que vous porteront les gens.

- Au début de l'année scolaire, un jeune garçon sera impliqué dans une bataille à l'école. Cela causera tout un émoi pour les parents. Il serait important d'aller au fond de l'histoire. Cet enfant peut être victime d'intimidation.

- Vous vivrez de belles passions au cours de l'année. Que ce soit en amour, au travail, dans les loisirs, etc. Vous serez passionné par plusieurs événements qui se produiront dans votre routine quotidienne. Certains seront aussi passionnés par de belles tenues vestimentaires et par de jolis meubles pour redorer quelques pièces de la maison. Vous dépenserez beaucoup d'argent pour vos passions. Malgré tout, vous n'aurez aucun regret puisque vous aurez écouté la voix de votre cœur et non celle de la raison !

- Tous ceux qui recevront pour le temps des Fêtes en profiteront pour décorer leur maison. Votre décoration sera féérique et vos proches en parleront longtemps. Vous serez très fier de votre initiative. Vos repas seront également succulents. Vos proches vanteront vos talents culinaires !
- Certains se réconcilieront avec un proche, un associé ou un collègue de travail. Grâce à l'aide d'une femme, vous parviendrez à régler vos différends. Par la suite, tout redeviendra normal. Cela soulagera les parties en cause.
- Vous mettrez fin à une période d'ennuis grâce à l'intervention d'une personne de confiance. Elle agira comme votre Ange terrestre. Cette personne vous aidera et vous guidera dans vos choix. Ses recommandations seront appliquées et vous réaliserez que cela en valait la peine. Grâce à cette aide, vous parviendrez à régler plusieurs problèmes qui dérangeaient votre quiétude et votre équilibre. Vous serez très soulagé par la suite ! Vous serez finalement libéré de ces problématiques qui vous empêchaient d'évoluer ! Cela vous permettra d'avancer plus confiant vers un avenir serein, équilibré et prolifique.
- Ceux qui choisiront l'année 2017 pour se marier auront une somptueuse journée. Il leur est prédit un magnifique bonheur avec leur partenaire.
- Au cours de cette année, certains se verront offrir une occasion en or. Cette situation vous mettra à l'envers pendant quelques jours. Vous ne saurez pas quelle décision prendre. Vous serez également conscient que cette opportunité est unique et elle ne se présentera pas de nouveau. Vous serez fébrile devant cette offre. Toutefois, la peur vous envahira. Vous vous demanderez si vous êtes prêt à aller de l'avant avec cette opportunité. Si vous acceptez cette offre, l'un de vos vœux les plus chers se réalisera ! Cela dit, l'opportunité est devant vous, il ne tient qu'à vous de saisir cette chance !
- Certains célibataires reverront un être du passé. Celui-ci cherchera à entamer de nouveau une relation. Il ne tiendra qu'à

vous d'accepter ou non. Il sera sincère dans ses paroles. Vous lui manquez et il vous l'avouera.

- Certains couples qui vivent une période difficile feront tout en leur pouvoir pour sauver leur union. Ceux-ci travailleront ardemment pour ramener l'harmonie au sein de leur foyer. Le dialogue sera profond et réconfortant.
- Votre charme épatera plusieurs personnes. Tous chercheront à se coller à vous. Si vous êtes célibataire, vous passerez du bon temps avec ces nouvelles connaissances. L'une d'elles pourraient se changer en relation sérieuse. Toutefois, si vous n'êtes pas libre, faites attention. Cela pourrait déranger votre union. Généralement, ces nouvelles personnes qui entreront dans votre vie seront agréables et dynamiques. Leur intention est sincère. Attendez-vous à des aveux de leur part. Cela vous surprendra. Il est évident que votre cœur palpitera devant ces aveux. Néanmoins, si vous êtes heureux dans votre relation actuelle, avertissez immédiatement ces personnes. Ainsi, vous éviterez de blesser de bonnes gens.
- Lors de la période des fêtes, attendez-vous à bouger et à faire plusieurs activités avec votre partenaire. Vous magasinerez pour les achats de Noël. Vous irez au cinéma, au restaurant, à des spectacles, etc. Vous passerez de bons moments ensemble. Cela sera bénéfique pour votre union.
- Lors de la période printanière, plusieurs penseront à leurs défunts. Vous vivrez une période de nostalgie. Toutefois, cela sera temporaire. Si vous êtes de nature brave, demandez à vos défunts de vous faire un signe. Cela ne prendra pas de temps que vos défunts vous enverront un signe quelconque. Vous pouvez également les voir en rêve!
- Au cours de l'année, votre grande générosité sera récompensée de mille et une façons. Attendez-vous à vivre des moments sublimes. Vous serez emballé par plusieurs événements. Cela vous encouragera à aider davantage votre prochain!
- Vous ferez la lumière sur plusieurs points en suspens dans votre vie. Vous serez un excellent détective à la recherche de réponses.

Tout ce que vous chercherez à connaître, vous l'apprendrez ! Cela vous aidera lors de la prise de décision. Si vous avez été victime d'un mensonge, vous obtiendrez la vérité. Si une personne vous a trahi, vous en saurez informé ! Bref, vous serez très fier des résultats que vous obtiendrez lors de vos enquêtes ! Tout viendra à vous comme par enchantement !

- Certains planifieront un beau voyage. Il peut s'agir d'une croisière ou d'un voyage outre-mer. Vous serez satisfait de votre voyage. Vous vivrez de bons moments avec un proche. Attendez-vous également à une belle température. Vous vous reposerez énormément lors de ce voyage. Vous reviendrez à la maison en pleine forme pour entamer vos journées !
- Lors de la période hivernale, un enfant en bas âge fera des otites à répétition ainsi que des amygdalites. Le pédiatre qui le suivra le soignera méticuleusement. Toutefois, celui-ci envisagera une intervention chirurgicale si le problème persiste ! Cela vous inquiètera.
- Certains verront un artiste sur scène. D'autres verront un spectacle animé ou une pièce de théâtre. Vous ferez plusieurs belles sorties au cours de la période estivale. De plus, vous les ferez toujours en compagnie de charmantes personnes. Vos soirées seront toujours agréables.
- Lors de vos mois de chance, profitez-en pour acheter des loteries. Vous serez dans une période prolifique. Si vous recevez des billets en cadeau pour votre anniversaire de naissance, ceux-ci s'avéreront bénéfiques. La journée du mardi sera également favorable. Si vous connaissez une personne dont le signe du zodiaque est Bélier, Cancer et Poissons, achetez une loterie avec elle. Vous pourriez former une équipe gagnante !
- Au cours de l'année, certains devraient surveiller leur consommation d'alcool. Si vous buvez, ne prenez pas le volant. Quelques-uns auront des ennuis avec la Loi. Leur permis sera révoqué et lorsqu'ils obtiendront l'accord par les autorités pour conduire de nouveau leur véhicule, ils devront se promener avec un ivressomètre dans leur véhicule pendant une période d'un an ou plus.

- Plusieurs se fixeront des buts. Il y aura de deux à quatre buts importants pour vous. Vous vous appliquerez à les accomplir et les réussir. Votre détermination vous apportera de bons résultats. Vous serez satisfait de votre initiative.
- Lors de la période hivernale, soyez vigilant et préventif. Ne sortez pas avec des souliers à l'extérieur. Certains pourraient glisser et se fouler une cheville. Il en est de même si vous pratiquez un sport d'hiver. Jouez prudemment. Ainsi, vous éviterez des blessures lancinantes et un plâtre!
- Cette année, plusieurs prendront de la vitamine pour essayer de rehausser leur système immunitaire. D'autres changeront leurs habitudes alimentaires. Vous prenez conscience de vos faiblesses et vous chercherez à vous améliorer. Vous réaliserez qu'il est important de conserver une excellente santé et vous ferez tout pour être en forme!
- Lors de la fête des mères, plusieurs mamans recevront des mots gentils de la part de leurs proches. Vous réalisez qu'on vous aime et que vos proches tiennent à votre bonheur. Cela remplira votre cœur de joie!
- Lors de la période hivernale, certains se promèneront en calèche. D'autres feront de la traîne sauvage. Quelques-uns iront patiner. Vous vivrez de bons moments avec vos proches.
- Une personne se mettra en colère contre vous. Vous serez atterré par son attitude imprévisible. Vous aurez de la difficulté à comprendre son comportement. Cela vous angoissera. Vous aurez une discussion franche avec elle. Toutefois, à la suite de cette conversation, vous réaliserez que cette personne a été victime d'un mensonge vous concernant. Vous mettrez au clair la situation et vous réglerez rapidement le tout avec les personnes concernées. Lorsque vous les confronterez, vous ne mâcherez pas vos mots. Ces personnes réaliseront l'ampleur de leur bêtise. Ils perdront votre confiance et votre amitié.
- Certains cavaliers en profiteront pour faire des randonnées équestres. Ceux qui participent à des concours se verront décerner un prix honorifique.

- Tout au long de l'année, plusieurs solutions arriveront au bon moment. Cela soulagera vos nuits. Plusieurs problèmes se résoudront à votre grande joie. Cela aura également un effet bénéfique sur votre santé globale.
- Quelques-uns éprouveront des ennuis avec un système d'alarme. Vous serez obligé de le faire réparer par un technicien. Sinon, vos nuits seront courtes !
- Certains auront la chance de remettre une personne négative à sa place. Votre attitude la déboussolera. Toutefois, elle réalisera que vous aviez eu raison. Elle vous remerciera de votre promptitude.
- Vous serez invité à prendre part à plusieurs événements agréables. Deux seront à l'extérieur de la ville. Vous serez enchanté d'y assister. Certains seront appelés à parler devant les invités ! Cela vous stressera. Toutefois, vous épaterez les invités avec votre discours ! Toute la soirée, on louangera votre discours et votre prestance !
- Plusieurs amélioreront l'intérieur et l'extérieur de leur maison. Vous changerez la couleur de vos murs. D'autres changeront leur mobilier de cuisine ou de salon. Quelques-uns changeront ou peintureront leur clôture ou leur patio. Vous serez satisfait de vos achats et de votre décoration ! Vous augmenterez la valeur de votre propriété ! Toutefois, ceux qui émonderont un arbre devront réclamer l'aide d'un expert. Vous éviterez ainsi des incidents banals.

# Vœux à formuler

*Chers lecteurs, comme les années précédentes, les Anges vous invitent à faire un vœu pour vous et pour des personnes près de vous. Vous n'avez qu'à écrire le nom de la personne et ce que vous lui souhaitez pour l'année 2017.*

*À titre d'exemple, vous pouvez formuler un vœu pour votre sœur. Vous pouvez lui souhaiter un bel amour pour 2017 et une excellente santé! Lorsque vous envoyez une pensée positive à une personne, cela a aussi un impact favorable sur vous. Tout le bien que vous faites vous est toujours remis.*

*Prenez une minute d'intériorisation. Pensez à ce que vous aimeriez obtenir cette année. Lorsque vous serez prêt, écrivez ce vœu. Ensuite, écrivez le nom des personnes pour qui vous aimeriez formuler un vœu. En dessous de leur nom, écrivez ce que vous leursouhaitez.*

*Écrire votre vœu :* ______________________________

______________________________

***Ceux pour vos proches :***

*1. Nom de la personne :* ______________________________

*Ce que je lui souhaite :* ______________________________

______________________________

*2. Nom de la personne :* ______________________________

*Ce que je lui souhaite :* ______________________________

______________________________

*3. Nom de la personne :* ______________________________

*Ce que je lui souhaite :* ______________________________

______________________________

*3. Nom de la personne :* ______________________________

*Ce que je lui souhaite :* ______________________________

______________________________

*5. Nom de la personne :* ______________________________

*Ce que je lui souhaite :* ______________________________

______________________________

## Objectifs à atteindre

Écrivez cinq objectifs que vous aimeriez atteindre au cours de l'année. Les Anges vous guideront vers les endroits prolifiques pour que vous puissiez atteindre ces objectifs.

1. ______________________________

2. ______________________________

3. ______________________________

4. ______________________________

5. ______________________________

# Prière à la Terre

On ne se lasse pas de réciter cette prière. Avec tous les sévices qui surviennent dans le monde, cette prière apportera que du bien dans le cœur de celui qui la récitera. Prenez le temps de la lire. Cette prière aidera l'ensemble de la société. Petit à petit, peut-être parviendrons-nous à améliorer notre environnement et à vivre en harmonie avec notre prochain.

*Ô Vous, Anges de Dieu,*
*je vous prie humblement d'écouter cette prière que j'offre à la Terre.*
*Je vous demande, par la puissance de votre Lumière,*
*d'illuminer cette Terre qui m'appartient.*
*Nourrissez-la de votre divine Lumière d'amour,*
*de paix et de respect,*
*pour qu'elle puisse rayonner de beauté, de bonheur et de sérénité.*
*Vous, fidèles serviteurs de Dieu,*
*intervenez auprès de Dieu pour qu'Il sauve cette Terre*
*et qu'Il l'enveloppe de sa rayonnante Lumière d'amour.*
*Demandez-Lui de nous aider, nous, tous les habitants de la Terre,*
*à retrouver le chemin de la paix, le chemin de Sa Lumière pour*
*qu'ensemble, nous puissions la propager*
*sur notre Terre qu'Il nous a léguée.*
*Vous, Anges de Dieu,*

*nourrissez-moi de votre magnifique Lumière pour*
*que je puisse à mon tour nourrir ma propre Terre.*
*Par cette prière, j'unis ma voix à tous les habitants de la terre qui se recueillent et qui prient instamment pour que notre demeure devienne un havre de paix où il fait bon y vivre.*

*Chère Terre, reçois cette prière que je te dédie humblement avec tout mon cœur et mon âme.*

*Nourris-toi de la Lumière de Dieu pour que celle-ci rayonne d'un océan à l'autre.*

*Je rends grâce à Dieu des bienfaits que Sa Lumière apportera à ma Terre.*

*Amen !*

*Merci, Namasté, Meegwetch, XieXie !*

*Que cette prière illumine votre vie et la rend heureuse !*

Vous pouvez réciter cette prière tous les jours, si vous le désirez. Vous pouvez la réciter une fois par année ou plus. Cela vous appartient. Toutefois, il serait important de la réciter à chaque 1er janvier.

De plus, vous pouvez également la réciter lors de la journée de la Terre : le 22 avril. Vous pouvez aussi la réciter à chaque changement de saison, soit le 20 et 21 mars, le 20 et 21 juin, le 21, 22 et 23 septembre et le 21 et 22 décembre. Récitez-la également lors de votre anniversaire de naissance.

Lorsque vous réciterez cette prière, les Anges vous remercieront en vous envoyant un signe. Il peut s'agir d'une pièce de monnaie, d'un clignotement de lumière, d'une sonnerie téléphonique, d'un chiffre ou une heure particulière.

MARQUIS

Québec, Canada

RECYCLÉ
Papier fait à partir de matériaux recyclés
FSC® C103567

Imprimé sur du Rolland Enviro,
contenant 100% de fibres postconsommation,
fabriqué à partir d'énergie biogaz et certifié FSC®,
ÉCOLOGO, Procédé sans chlore et Garant des forêts intactes.